SUTRUS

Nicholas Guild

IL MACEDONE

traduzione di MARIA BARBARA PICCIOLI

Biblioteca Universale Rizzoli

ISBN 88-17-11481-2

Titolo originale dell'opera:
THE MACEDONIAN

prima edizione Superbur: giugno 1995
ottava edizione Superbur Narrativa: luglio 2001

I

La prima tormenta invernale scoppiò subito dopo il crepuscolo. Era stata una giornata insolitamente calda, come se l'estate avesse cambiato idea e avesse deciso di indugiare in Macedonia per sempre; quando però gli ultimi raggi rossi e brucianti del sole al tramonto languirono e si spensero, il vento che soffiava dal mare si fece improvvisamente freddo. Ancora un poco, e una neve fitta incominciò a turbinare silenziosa sulle strade sterrate di Pella. Dalle soglie delle case, la gente guardava intimorita. Nessuno tuttavia parlò di presagi. Lì all'estremo Nord gli dèi erano capricciosi, e si sapeva che fenomeni analoghi si erano già verificati in passato.

Nel giro di un'ora, il cortile del palazzo di re Aminta era coperto da uno strato di neve alto quasi tre dita. A mezzanotte il mondo era tacito e bianco e immoto. La movimentata esistenza degli uomini sembrava essersi estinta con il sole.

Ma era un'illusione, perché il palazzo era ben lungi dall'essere tranquillo. Negli alloggi delle donne Euridice, la moglie del re, soffocava le proprie grida mentre lottava per dare alla luce il suo quarto figlio, e nella grande sala il sovrano e i suoi compagni bevevano vino puro e l'aria echeggiava della loro feroce allegria.

Forse un centinaio di grandi nobili del Paese, i duri profili accentuati dalla luce danzante delle torce, ridevano e gridavano e battevano le mani sui tavoli a cavalletto che, disposti con apparente casualità, rispettavano invece un rigoroso ordine di precedenza. Erano gli uomini che in battaglia circondavano il re, per proteggerlo a costo della vita, e davvero la loro gaiezza ricordava una battaglia e il suo clamore faceva vibrare le pareti.

Un uomo fece la sua comparsa fra i convitati. Non aveva

nulla della loro imponenza, e tuttavia non era un servo. Si guardava intorno con l'aria di chi osserva la scena di un disastro. La sua tunica, e perfino la corta barba bianca, erano chiazzate di sangue. Era Nicomaco, medico del re e suo intimo amico. Mentre si accostava al lettino del re e si chinava a parlargli, un greve silenzio cadde nella sala.

«Mio signore...»

Il re, la pelle intorno agli occhi piena di solchi e di crepe come un'antica maschera di cuoio, ammiccò senza capire, poi gli passò un braccio intorno alle spalle per attirarlo più vicino. Un gesto di spigliata, ebbra familiarità.

«Che cosa c'è, Nicomaco? Sei venuto a dirmi che i vecchi dovrebbero capire quando è il momento di ritirarsi nei propri letti?»

Scoppiò a ridere, ma subito tacque quando, passando la mano sulla barba del medico, la ritirò sporca di sangue.

«Così... è stato davvero tanto brutto? È morta?»

«Vive, mio signore, e così il bambino. Ma non posso sapere se entrambi lo saranno ancora domani.»

Aminta, che forse era meno ubriaco di quanto sembrasse, studiò per un istante il viso dell'amico. Si conoscevano da molto tempo, fin dal breve periodo che il sovrano aveva trascorso in esilio, quando gli Illiri lo avevano bandito dal suo Paese e costretto a vivere in mezzo agli stranieri. Nicomaco era un uomo di cui ci si poteva fidare, un uomo che non parlava a vuoto.

«Il nuovo nato è un maschio?»

«Sì, mio signore. Hai un figlio.»

«In questo caso è meglio che venga con te.»

Si alzò e, mentre scavalcava come fosse stato un ceppo il tavolo che gli stava di fronte, con un calcio scaraventò sul pavimento di pietra la sua coppa e un piatto di carne arrostita.

«Non allarmatevi, compagni e fratelli» gridò con un largo sorriso. «E continuate a banchettare, perché fra poco sarò di nuovo fra voi. È di poco conto la questione che esige la mia presenza, nient'altro che un piccolo inconveniente domestico.»

Una risata fece eco alle sue parole. Aminta rivolse un cenno ai due uomini sdraiati sui lettini accanto al suo; quando parlò di nuovo, la sua voce risuonò bassa e autorevole.

«Tolomeo, cugino... e tu, Lucio. Venite con me. La nascita di un principe è un evento pubblico e non voglio negare a mio figlio la presenza dei suoi sudditi, anche se domani mattina potrebbe essere morto.»

Tolomeo fu il primo ad alzarsi. Era un uomo alto e bello, la cui lucida barba nera non celava un leggero sorriso che invece celava tutto. Aveva gli atteggiamenti di un favorito e il re, che pareva incerto sulle gambe, gli consentì di sorreggerlo, quasi fosse un bambino ai suoi primi passi. Lucio, un gradevole nessuno con la faccia liscia e rosea come una mela appena colta — segno inequivocabile di antico lignaggio — si accodò ai due, tenendosi a qualche passo di distanza.

Il corridoio che portava alle stanze delle donne era buio e soffocante come una cripta. Per farsi luce, Aminta staccò una torcia dalla parete, ma la fiamma sembrava raccogliersi in se stessa, senza diffondere alcun chiarore. Il re teneva la torcia davanti a sé, come cercando di ricacciare indietro le tenebre, ma era soprattutto la consuetudine a guidare i suoi passi.

«Che cosa è accaduto?» chiese, col mento che quasi gli toccava la spalla mentre sussurrava all'orecchio di Nicomaco. «Che cosa è andato storto? Lei è una donna robusta...»

Nicomaco scosse la testa, senza dissentire.

«L'età, forse, e il fatto che questo parto abbia seguito così da vicino il precedente. Ci sono state delle complicazioni... le doglie sono durate a lungo e, quando è uscito, il bambino stringeva il cordone ombelicale. Pare che l'abbia schiacciato, di conseguenza non posso sapere per quanto tempo è rimasto senza il nutrimento trasmessogli dalla madre.»

«Lo ha schiacciato, dici? Come è possibile?»

Il medico ebbe un sorriso teso. «Tutto ciò che succede è possibile, mio signore. Tuo figlio non sembrava molto ansioso di venire al mondo.»

«Con cinque fratelli di sangue reale a precederlo, non posso biasimarlo.»

Aminta si permise l'accenno di una risatina, quasi che la battuta scherzosa gli fosse balenata alla mente solo in quel momento, poi tornò a farsi grave.

«Nondimeno, è strano che abbia schiacciato il cordone ombelicale. Mai nella mia vita ho sentito una cosa simile.»

«Forse è un presagio» interloquì Lucio, un po' troppo ansioso. «Forse il mio signore dovrebbe inviare qualcuno a Delfi.»

«Già... forse la casa degli Argeadi ha partorito un nuovo Eracle.»

Tolomeo rise ostentatamente, manifestando il proprio disprezzo.

«Non è saggio trascurare gli dèi» insistette Lucio, con la voce di chi spera che nessuno lo senta.

Aminta lo fece tacere con un gesto impaziente.

«Ma all'oracolo la lingua non si scioglierebbe se non dietro l'offerta di qualche talento d'oro» osservò. «E ci fornirebbe soltanto una di quelle risposte indecifrabili, buone solo a confondere la mente di un uomo. Inoltre, se pure la sua profezia fosse chiara come la sua orina, il destino di un principe con cinque fratelli maggiori è necessariamente troppo oscuro perché io desideri impoverirmi per conoscerlo.

«In ogni caso, se il bambino dovesse davvero rivelarsi un nuovo Eracle e strangolare serpenti nella culla, non avrebbe potuto far meglio che cominciare da quello strappato dalle viscere di sua madre.»

Nicomaco fu il solo a non unirsi alla risata generale. Il suo viso era grave mentre esaminava le chiazze di sangue che ancora gli lordavano le mani.

La stanzetta dov'era avvenuto il parto era di dimensioni modeste, rischiarata solo dalla luce tremolante di una lampada a olio. L'aria puzzava di sangue e stanchezza al punto che respirarla sembrava una faccenda sgradevole quanto inutile. Euridice giaceva a letto, il seno così immobile sotto la tunica che per un momento fu impossibile capire se ci fosse ancora vita in lei. Perfino i suoi capelli rosso oro sembravano sbiaditi e avevano assunto la tonalità delle foglie morte. La sua bellezza, che un tempo aveva fatto scorrere la lussuria come veleno nelle vene del re, era svanita.

Le avevano deterso il sudore dalla fronte e dalle membra, e la sua pelle aveva la sfumatura giallastra della cera invecchiata. Solo gli occhi erano vivi, e come quelli di un cane cercarono subito il volto del suo padrone, scrutandolo con la familiarità che nasce da un odio antico.

Aminta non la degnò di uno guardo.

«Puah!» sbuffò con aria di disgusto. «Certo che non è una fortuna da poco non essere donna. Sembra di essere in un campo di battaglia prima che i cadaveri siano stati portati via. I miei canili puzzano di meno.»

Congedò con un cenno le donne addette al servizio di Euridice, che con un inchino frettoloso se la filarono come topi spaventati.

«Hai faticato molto, moglie» osservò freddamente. «Vivrai oppure no?»

Lei non rispose — era chiaro che non ne aveva la forza — ma continuò a guardarlo con la vigile ostilità di un animale. Chino su di lei, Nicomaco le sfiorava la gola con i polpastrelli.

«Solo gli dèi possono saperlo, mio signore. Ma il polso è più forte; forse l'emorragia si è arrestata.»

«E mio figlio?»

Un'espressione di angoscia e repulsione balenò sul viso di Euridice, come un sussulto di sofferenza, e per la prima volta i suoi occhi si staccarono dal volto del re per posarsi sull'angolo buio in cui era collocata la culla.

Seguendo il suo sguardo, Aminta si mosse in quella direzione.

«Il bambino è morto» annunciò senza apparente emozione. «No, mi sbagliavo. Sta semplicemente dormendo. Ecco che si muove di nuovo.»

Si chinò a sollevare il piccolo e Tolomeo e Lucio si avvicinarono per vedere meglio. Il neonato scoppiò in un pianto acuto, penetrante.

«Che cosa dici, Nicomaco? Mio figlio sopravviverà?»

In silenzio, Nicomaco glielo prese di mano e andò a mettersi vicino alla lampada. Nella luce giallastra, incerta, dette al bambino il mignolo da succhiare. Il pianto si acquietò.

«Un'ora fa non l'avrei detto» dichiarò. «Ma sì, credo che se la caverà.»

«In questo caso, mio signore, devi dargli un nome.»

Pur rivolgendosi al re, Tolomeo guardava Euridice. Aminta sorrise, come sorride un uomo davanti a una scoperta che lo riempie di soddisfazione.

«Certo... un nome» fece eco Lucio.

«Hai qualche suggerimento, cugino?»

Lo sguardo di Tolomeo si spostò sul monarca, che stava ancora sorridendo.

«"Filippo", mio signore. Se i nomi hanno qualche potere, potrebbe diventare un comandante di cavalleria decente.»

Aminta rise e assentì.

«Sì» disse. «E inoltre servirà a ricordargli quanti pochi diritti ha sul mio trono, dato che in quasi trecento anni non c'è stato alcun re con questo nome. Sono d'accordo... si chiamerà Filippo.»

«Ora come ora, ha più bisogno di una balia che di un nome.»

Nicomaco, con il bambino ancora in braccio, si avvicinò al letto, ma si fermò nel vedere Euridice che distoglieva il viso, con un'espressione quasi di orrore.

«Due giorni fa Alcmene, la moglie dell'economo del mio signore, ha partorito un figlio morto. Le sue mammelle sono gonfie di latte.» Poi, dato che il nuovo principe di Macedonia si era nuovamente addormentato, tolse il dito dalla sua bocca. «Credo che Euridice sia troppo debole...»

«Che sia fatto come ritieni più opportuno» tagliò corto Aminta, con un'occhiata frettolosa al figlio e una stretta di spalle. «Che se ne occupi la donna di Glauco. Sua madre, gli dèi luminosi lo sanno, gli sarà di ben poca utilità... ora come in futuro.»

Poi il sovrano e i suoi compagni tornarono nella grande sala. Circospette, le dame di Euridice si accostarono di nuovo al suo capezzale. Nicomaco si trattenne ancora per un'ora poi, quando fu certo che la sua opera non era più necessaria, uscì portando con sé l'ultimo nato del re.

«Dobbiamo scambiare due parole con l'economo reale, mio principe» mormorò al bambino addormentato. «In te non c'è niente che due seni gonfi di latte non possano risolvere. Per il momento te la passerai abbastanza bene.»

Per il momento, sì, pensò poi. Ma di lì a pochi anni, chi poteva sapere che cosa sarebbe stato di lui?

Il medico strinse a sé il piccolo fardello; gli sembrava di aver appena pronunciato una maledizione.

Sebbene ancora giovane, Glauco era l'economo della casa reale da tre anni. Aveva ereditato la carica dal padre, i cui antenati avevano servito i re di Macedonia fin dall'epoca del primo Alessandro, più di un secolo prima. Immaginare un destino diverso gli sarebbe stato impossibile; per lui la lealtà alla casa degli Argeadi e l'obbedienza al sovrano erano naturali come mangiare e dormire. Il credito di cui godeva presso il re era assoluto, e lo sapeva. Proprio in questo stava l'orgoglio della sua vita, nella fiducia che Aminta gli tributava e di cui nessun altro, neppure i grandi nobili che costituivano la sua corte e che il sovrano chiamava "cugino" o "amico", poteva vantarsi. Lui soltanto, l'umile Glauco che contava le giare di vino, dirigeva gli schiavi di palazzo e due volte la settimana scendeva al mercato dove, seduto sotto una tenda e con la borsa del re sulle ginocchia, trattava con mercanti e contadini.

Per questo, là dove un altro sarebbe caduto in preda ad ansiosi interrogativi per essere stato convocato in piena notte, oppresso dal timore che qualche piccolo crimine segreto fosse stato alla fine scoperto e che fosse giunta per lui l'ultima ora, Glauco si limitò a stropicciarsi gli occhi per disperdere il sonno e a vestirsi. Non si fermò neppure a domandarsi che cosa mai potesse andare storto a un'ora così tarda. Comunque fosse, avrebbe dovuto aspettare e al momento opportuno lui se ne sarebbe occupato. Non nutriva alcuna apprensione.

In più, l'angoscia personale che lo tormentava non lasciava spazio alla paura.

Il messo del re era un ragazzetto di una decina d'anni con l'aria di essere stato a sua volta strappato dal letto, e gli aveva detto soltanto che era atteso nelle cucine. Probabilmente qualche guaio con una delle donne che servivano a tavola — erano una fonte perenne di fastidi — ma di che cosa mai poteva trattarsi e perché non potesse attendere fino al mattino, Glauco non se lo domandò.

Aveva dimenticato il parto imminente di Euridice. O forse aveva scacciato quel pensiero dalla sua mente. Al momento, l'ordalia della nascita non era per lui un argomento lieto.

Il suo figlioletto, che non era vissuto neppure il tempo per emettere il primo vagito, era stato portato via nell'ora in cui le tenebre sono più fitte, quasi fosse una cosa immonda. Le ceneri della sua pira funeraria erano ancora tiepide e la madre — la dolce Alcmene, così traboccante d'amore deluso per il bambino che non si sarebbe mai accostata al seno —, la madre piangeva senza sosta. A volte la vita era più amara della morte.

Glauco viveva appena fuori del complesso reale, in un quartiere di proprietà del re e costruito quando Archelao, nella tomba da quasi vent'anni, aveva trasferito la capitale da Ege a Pella. Occupare una di quelle abitazioni, più spaziose e confortevoli di qualunque sistemazione a cui un servo poteva aspirare all'interno del palazzo stesso, era un segno di grande favore, e tuttavia l'onore sembrava ridursi a quasi a nulla nelle notti come quella, quando la tormenta infuriava nelle strade ingombre di neve. L'economo di corte maledisse il tempo e avrebbe maledetto lo stesso Archelao, se non fosse stato indecoroso e se gli dèi luminosi non gli avessero risparmiato il fastidio, consentendo che Archelao cadesse per mano di un assassino prima che uno dei suoi figli avesse raggiunto la maturità, così che dalla sua morte i giorni erano stati pieni di disordine e tradimento — una situazione che neppure il regno di Aminta, ormai giunto al decimo anno, aveva completamente appianato. Forse era stata un'empietà abbandonare Ege perché tutti i re, compreso lo stesso Archelao, erano sepolti là. Mentre arrancava imbronciato tra la neve turbinante, i piedi protetti solo dai sandali, Glauco si sentiva incline a credere di stare vivendo in un'epoca malvagia e sacrilega.

In cucina, il fuoco non era più che un cumulo di cenere fredda e grigia, ma la stanza era ancora calda. Qualcuno si era preso la briga di alimentare un braciere davanti al quale sedeva Nicomaco, il medico del re, la testa appoggiata su una mano, come intento a studiare le minuscole fiammelle che tremolavano qua e là tra le braci.

Dall'altra parte del braciere, seduta su una panca con accanto a sé una coppa di vino, c'era una donna; teneva un fagotto fra le braccia e le sue labbra si muovevano senza quasi emettere suono, persa in chissà quali segrete riflessioni. Non alzò gli occhi neppure quando Glauco entrò, ma continuò a borbottare fra sé e sé. Né si sarebbe comportata diversamente se anche fosse giunto Aminta in persona, perché Giocasta era troppo carica di anni per sottomettersi a chicchessia.

Passò un po' di tempo prima che Glauco si rendesse conto che l'involto in braccio alla donna era un bambino, un bambino nato da pochissime ore. Nel suo petto il cuore parve fermarsi.

«Euridice ha partorito un figlio» annunciò Nicomaco con voce quieta. «Ma non può allattarlo — la venuta al mondo di questo bambino è stata terribilmente difficoltosa, per lui come per la madre.»

Si alzò, come se avesse atteso per metà della sua vita solo per dire così poco. «Portalo a tua moglie, Glauco, e lascia che si confortino l'un l'altra.»

I due uomini si scambiarono un'occhiata, poi Nicomaco si voltò e imboccò il lungo corridoio che conduceva al salone, svanendo quasi subito nell'ombra. Accovacciato vicino alla panca su cui sedeva Giocasta, Glauco scostò la pelle di pecora dal viso del neonato.

L'ultimo figlio del re dormiva; radi cluffetti di capelli scuri gli si incollavano al cranio, e il visetto rotondo con le palpebre gonfie pareva suggerire un'intensa concentrazione.

Lascia che si confortino l'un l'altra. Lo colpì il pensiero che il medico era un uomo saggio e compassionevole al tempo stesso.

«Come si chiama?»

Giocasta alzò gli occhi e sbuffò, irritata dall'intrusione.

«Filippo» si decise finalmente a rispondere. «Amante dei cavalli... forse Aminta conta di farne un garzone di stalla. E sarebbe meglio così.»

Si strinse al seno il bambino addormentato e rimase a fissare le fiamme che si muovevano nel braciere con liquida lentezza. Ciò che vide in esse non parve allietarla, perché sul suo viso rugoso comparve un'espressione che era di pietà e timore insieme. «Ha iniziato la sua vita cercando di spezzare il cordone che lo univa alla madre. Lo sapevi?»

Glauco scosse la testa in silenzio. A volte le vecchie profetavano, ma non era sicuro che fosse sempre saggio ascoltare. E certo non lo era indagare.

«Credo che abbia fatto bene,» proseguì lei «perché madre e figlio vivranno come nemici... finché uno non distruggerà l'altro. Guarda come hanno cominciato: nascendo, lui l'ha quasi uccisa, e, se avesse avuto la forza di parlare, Euridice lo avrebbe maledetto, sebbene sia uscito dal suo grembo. Il suo ventre non potrebbe essere più gonfio di veleno se avesse vipere al posto delle viscere. Viene dalla Lincestide, è una donna di montagna, e come tale sa odiare.»

«Anche tu sei originaria di quella regione, vero, Giocasta?»

Senza staccare gli occhi dal bambino la vecchia annuì e si permise un sorrisetto tirato, come per prendere atto di un involontario complimento.

«Così è. Ecco perché la capisco. Ed ecco perché so che non c'è destino più terribile della maledizione di una madre, anche quando non ha il fiato per pronunciarla.»

Poi tacque e depose il bambino fra le braccia di Glauco.

Il più giovane dei figli di Aminta si agitò appena e aprì brevemente gli occhi prima di sprofondare di nuovo nel sonno.

«Portalo via» disse Giocasta. «La sua vista mi opprime il cuore perché il suo sangue verrà versato col tradimento.»

L'economo del re tornò a casa nella notte fredda e deserta, stringendosi al petto il regale fardello. La tormenta era cessata di colpo e il mondo era infinitamente quieto nel chiarore della luna. L'aria stessa aveva una limpidezza ultraterrena che rendeva ogni cosa chiara e nitida, quasi come se fosse giorno.

Glauco pensava a quello che avrebbe scorto sul viso della moglie quando l'avesse svegliata dal suo sonno inquieto, torturato, per metterle tra le braccia il bambino ancora avvolto nella pelle di pecora.

"Restituisco nostro figlio al tuo seno..." disse tra sé, consapevole che quelle erano parole che mai avrebbe dovuto pronunciare. "Nostro figlio..."

Si fermò un momento — dovette farlo perché le lacrime quasi lo accecavano — e alzò gli occhi verso il cielo buio per ringraziare gli dèi della loro misericordia.

Sopra di lui, a occidente, baluginava la costellazione dell'Uomo delle Fatiche.

«Eracle...» il nome gli sfuggì dalle labbra prima che potesse rendersene conto.

«E anche questo è profezia» mormorò poi. «Così forse, mio piccolo principe — figlio mio —, forse dopotutto il tuo destino non sarà così oscuro.»

II

Lo stallone era alto diciotto palmi e selvaggio come un demonio. Sotto il lucente manto nero i muscoli si gonfiavano e guizzavano mentre trottava avanti e indietro all'interno del robusto recinto di legno, lacerando la terra con gli zoccoli, alla ricerca di una via di fuga. Sapeva ormai che non ce n'era alcuna, ma non per questo la sua furia accennava a placarsi.

«Una bellezza, non è vero?» disse Alessandro, primo principe di Macedonia, che lo guardava appoggiato al cancello. Era alto e biondo, bello in modo quasi soprannaturale con movenze che avevano la grazia animale del guerriero nato. Negli occhi azzurro chiaro, vagamente predatori e fissi sullo stallone, si rifletteva un misto di ammirazione e invidia, quasi l'animale gli apparisse come un suo possesso e un rivale al tempo stesso.

«Lo abbiamo trovato nelle pianure orientali, con un intero branco di giumente tutto per sé. Prima che riuscissimo a catturarlo, ha fracassato la spalla di un cavallo con un calcio e quasi ucciso il cavaliere.»

Lo sguardo del principe abbracciò gli uomini che lo attorniavano, per posarsi infine sui due giovani fratelli. Perdicca, più vecchio di un anno e con già un accenno di barba color rame, si affrettò ad abbassare gli occhi, strappando ad Alessandro un sorriso che forse era d'affetto ma che più probabilmente esprimeva solo disprezzo.

«Che cosa diresti, Perdicca, se ti offrissi questo splendido animale? Non varrebbe la pena correre qualche rischio per lui? Te lo regalerò se riuscirai a restargli in groppa il tempo di contare fino a dieci.»

Ma Perdicca, che a dispetto della sua nuova barba era solo un ragazzo, scosse la testa senza neppure osare guardare in faccia il fratello.

«Conti dunque di vivere per sempre?»

I robusti, audaci giovani che erano gli amici di Alessandro risero della sua arguzia; Perdicca arrossì.

«Nostro fratello Perdicca se la cava abbastanza bene con i cavalli» interloquì il più giovane dei figli di Aminta; la sua voce era acuta quasi come quella di una ragazza. «Ma non è cavaliere da cimentarsi con uno stallone selvaggio — non con questo, perlomeno — e inoltre non è così sciocco da rischiare l'osso del collo solo perché tu lo sfidi a farlo. Tuttavia, se davvero non vuoi il cavallo per te, offrilo a me alle stesse condizioni.»

Filippo guardava il fratello maggiore come un uomo guarderebbe il sole. Si schermò addirittura gli occhi con la mano e sorrise mostrando i denti; bianchi e regolari, in un volto che si distingueva più per intelligenza e risolutezza che per avvenenza. Alessandro era il suo eroe, ma non ne era minimamente intimidito.

«Filippo, fratellino "amante dei cavalli"» rispose questi, chinandosi leggermente con le mani sulle ginocchia, come si fa quando ci si rivolge a un bambino piccolo. «Sebbene sia stato proprio io a metterti per la prima volta su un cavallo, quando non camminavi ancora, questo demonio nero ti calpesterebbe fino a ridurti in poltiglia.»

«Non arrabbiarti» mormorò Perdicca, e la sua voce era venata di apprensione, quasi temesse che lo stallone potesse sentirlo. «Filippo, quel cavallo è un uccisore di uomini.»

Quando si rivolse al fratello maggiore, dal suo atteggiamento trapelava qualcosa di molto simile alla collera.

«Metti fine a questa follia, Alessandro. Se incoraggerai la sua avventatezza, il sangue di Filippo ricadrà su di te, come se lo uccidessi con le tue stesse mani.»

Risero tutti, anche Alessandro, sebbene la sua risata tradisse un certo disagio. Nessuno rise più forte di Filippo.

«Ha ragione, Filippo. Io stesso esiterei...»

«Ma non io.» Il viso dell'ultimo figlio di Aminta era serio e risoluto. Non avrebbe accettato un rifiuto. «Voglio questo stallone, fratello. Vuoi forse rimangiarti la sfida? Se così è, saprò che mi reputi perfino più codardo di te.»

Cadde un silenzio improvviso, gravido di minaccia. Alessandro sembrava addirittura troppo stupito per incollerirsi. Aveva l'aria di chi ha appena ricevuto un colpo inaspettato.

Poi uno dei suoi compagni, un giovane di nome Praxis, gli posò una mano sulla spalla.

«Sii ragionevole, Alessandro» disse col tono suadente di chi si rivolge a una donna prostrata dal dolore. «Non puoi permetterti di farti trascinare in questa follia per l'insulto di un ragazzino. Sculaccialo per la sua impudenza, se così devi, ma che tutto finisca qui.»

Alessandro si scrollò di dosso la mano.

«No. Legate lo stallone e che Filippo esaudisca il suo desiderio. "Amante dei cavalli"... staremo a vedere. Se vuole uccidersi, faccia pure!»

Alzò il braccio poi, spazientito, lo abbassò di colpo. «Devo pensarci io stesso?» gridò, marciando verso il recinto come se avesse tutta l'intenzione di farlo davvero. «Gettate una corda intorno al collo di quel bruto, in modo che Filippo il semidio possa salirgli in groppa... subito!»

Ci volle quasi un quarto d'ora per legare lo stallone, e una seconda fune per tenerlo fermo e impedirgli di impennarsi e colpire con gli zoccoli gli uomini che cercavano di trattenerlo. In un altro cavallo, tanta violenza sarebbe forse stata attribuibile solo al panico, ma questo sembrava come invasato, ribollente di furia e di desiderio di vendetta.

«Ebbene, amante dei cavalli, è tutto tuo. Ti auguro di godertelo.»

Alessandro rivolse un sorriso feroce al fratello minore, che avvertì in quel momento una fitta di dolore, come se avesse perduto qualcosa che non avrebbe più riacquistato.

«Se hai paura, non hai che da dirlo» fece Alessandro, fraintendendo la sua espressione. «Nessuno ti considererà un vile per questo.»

La parola lo trafisse come un ago, ma Filippo scosse la testa.

«Non ho paura» disse, e balzò giù dalla staccionata.

Due stallieri, che lavoravano con i gesti affrettati di chi si sente in pericolo e vorrebbe essere altrove, stavano già imbrigliando il cavallo. Quando Filippo gli si avvicinò lentamente, l'animale lo fissò con occhi sbarrati e folli, quasi sapesse che lui, e lui solo, era il suo avversario. Nitrì appena nel sentire la mano del ragazzo sul collo.

«Questa è fatta» sussurrò lui, facendo scorrere la palma sul manto, così nero da riflettere la luce del sole come una gemma. «Non devi avere paura. Impareremo ad andare d'accordo, tu e io.»

Lo stallone cercò di colpirlo con la testa, ma riuscì soltanto a sfiorargli la spalla con il muso — il suo tocco fu quasi una carezza.

Filippo prese le redini e con calcolata rapidità, per non lasciare all'animale il tempo di reagire, si aggrappò alla criniera e gli saltò in groppa.

«Sciogliete le funi!» gridò, mentre già lo stallone scalciava selvaggiamente sotto di lui. «Scioglietele... e state lontani!»

Nessuno se lo fece ripetere. Filippo vide le corde srotolarsi, vide gli stallieri precipitarsi verso lo steccato e quasi simultaneamente si sentì scaraventare verso l'alto. Per un istante rimase sospeso nel vuoto, poi ricadde con un tremendo scossone che gli si riverberò per tutto il corpo, ma riuscì ugualmente ad agganciare le gambe intorno al dorso dell'animale, per non capitombolare a terra. Tirò a sé le redini, nel tentativo di acquistare in qualche modo il controllo della situazione, ma la bocca della bestia sembrava fatta di ferro e il morso era del tutto inutile.

Lo stallone indietreggiò, frustando l'aria, poi calciò all'indietro così che il suo corpo effettuò una brusca torsione a sinistra. Ora Filippo era aggrappato alla criniera, totalmente concentrato nello sforzo di non finire sotto quegli zoccoli micidiali. Due, tre volte riuscì a mantenersi eretto, consapevole che, se avesse perso l'equilibrio, sarebbe probabilmente morto non appena toccata terra. Poi...

Non riuscì a capire che cosa fosse successo, ma stava cadendo: era come tuffarsi in un laghetto. Lo stallone ebbe un guizzo e nella testa di Filippo esplose un dolore lancinante, come un lampo di incandescente luce bianca. Tese le braccia per frenare la caduta e subito rotolò via, fuori della portata degli zoccoli.

Poi tutto finì. Filippo si girò sulla schiena e guardò verso il sole. Il viso gli doleva e in bocca sentiva il sapore del sangue, ma era vivo.

Era solo? Voltò la testa e vide lo stallone che, a non più di quindici, venti passi di distanza, camminava tranquillo. La sua indifferenza era quasi un insulto.

Quando Alessandro si precipitò in suo aiuto, Filippo lo re-

spinse. A fatica si rimise in piedi e qualche secondo gli bastò per rendersi conto di essere abbastanza saldo sulle gambe. «Sto bene» disse, portandosi la mano sinistra alla guancia. Da un taglio sotto l'occhio sgorgava il sangue, ma non ne sarebbe morto. «Sto bene... dammi una fune e ci riproverò. Questa volta riuscirò a domarlo.»
Alessandro si chinò a esaminare la ferita. «Faremo venire il vecchio Nicomaco. L'osso potrebbe essersi fratturato...»
«Lega il cavallo, Alessandro!» D'un tratto Filippo si sentì così infuriato che cominciò a pestare i piedi per terra.
«Filippo, il cavallo è tuo, se lo desideri a questo punto» gridò di rimando Alessandro. «È un demonio, nero dentro com'è nero fuori, e tu sei fortunato a essere ancora vivo. Puoi essere soddisfatto — mi hai dimostrato di essere un uomo.»
«Ma non l'ho dimostrato a *lui*!»
Già le lacrime gli rigavano il viso. Filippo tese il braccio verso lo stallone, il pugno serrato e tremante. Poi, in un baleno, la sua collera svanì.
«Fa' legare il cavallo, fratello» ripeté con voce quieta. «O lo farò io stesso. Forse è davvero un demonio, ma non avrà la meglio. Ora conosco i suoi trucchi. E *voglio* montarlo.»
«*Voglio farlo da solo, fratellino?*» Alessandro sorrideva, ma con una punta di impazienza, quasi controvoglia, mentre rammentava il racconto, tante volte ripetuto dal vecchio Glauco dei primi passi di Filippo, quando, ad appena un anno, respingeva furiosamente ogni offerta di aiuto, gridando con la sua vocetta blesa: «Voglio farlo da solo, voglio farlo da solo». «Questa volta hai soltanto battuto il fondoschiena, ma la prossima potresti romperti l'osso del collo.»
«Fallo legare, fratello.»
Il sorriso svanì. Ad Alessandro bastò guardare Filippo negli occhi per capire che discutere ancora sarebbe stato inutile. Sollevò la mano, in un gesto che equivaleva a un'alzata di spalle, e dette l'ordine.
Seduto sull'erba, Filippo si coccolava la testa e l'orgoglio, seguendo con lo sguardo l'attività degli stallieri. Le redini si erano intrecciate intorno alle zampe dello stallone, e questa volta catturarlo non fu più così difficile — inoltre, il confronto con dei semplici uomini non sembrava più intimorirlo, quasi sentisse di poter sconfiggere chiunque avesse tentato di cavalcarlo.

«Gli dèi puniscono l'orgoglio» bisbigliò Filippo tra sé e sé, e i suoi occhi si restrinsero mentre valutava il suo nero, possente avversario. «Se il tuo o il mio, fratello, è ancora da decidersi.»

Si alzò e a passi rigidi si diresse verso il punto in cui gli stallieri e il loro prigioniero lo attendevano. Non appena ebbe dato il segnale e le funi scivolarono via dal collo dell'animale, Filippo gli serrò le gambe intorno ai fianchi e si chinò fin quasi a sfiorargli il collo con il petto.

Sbuffando selvaggiamente, lo stallone si impennò e poi saltò con tutto lo slancio delle zampe posteriori ma, come Filippo aveva previsto, ricadde quasi con levità su quelle anteriori. Il giovane anticipò lo scarto a sinistra del cavallo scaraventandosi con tutto il suo peso in quella direzione, e gli sembrò quasi che il destriero tornasse sotto di lui in tempo per evitargli di cadere.

Di nuovo lo stallone si impennò e nitrì, pieno di rabbia e di incredulità. Ancora e ancora, con furia crescente, tentò di liberarsi di quell'indesiderabile fardello, ma ogni volta Filippo riuscì a tener duro. Alla fine il cavallo rinunciò a quella tattica e rimase perfettamente immobile per un momento, poi cominciò a galoppare forsennatamente avanti e indietro nel recinto.

«Aprite il cancello!» gridò Filippo, senza quasi riuscire a udire la propria voce. «Spalancate il cancello!»

Come fusi in un unico essere, cavallo e cavaliere si slanciarono verso il cancello, lo varcarono e irruppero nella prateria spazzata dal vento. Il martellìo degli zoccoli non era che un rombo confuso, lo stallone divorava lo spazio aperto come se volesse farsi scoppiare il cuore. Mai, mai Filippo aveva cavalcato un animale così veloce.

Ma nessuna creatura vivente avrebbe potuto mantenere per sempre quell'andatura. Gradatamente, lo stallone rallentò e, rallentando, cominciò a rispondere alle redini. Poco dopo procedeva al piccolo galoppo e Filippo poté finalmente voltarsi indietro. La recinzione di legno era appena visibile.

«Per oggi basta» mormorò allora, accarezzando il collo lucido di sudore dell'animale. «È ora di tornare a casa.»

Tirò le redini per farlo fermare, poi gli sfiorò i fianchi con i talloni. Come in risposta a un ordine familiare, l'animale si mise al passo.

Alessandro e Perdicca, circondati dagli amici del principe, li aspettavano al cancello. Filippo balzò a terra, avanzò di un passo e tese la mano al fratello.

«Ti chiedo perdono» disse, guardandolo negli occhi. «Ho parlato spinto dalla collera, e solo la vanità offesa si esprimeva attraverso la mia lingua. Avevo dimenticato il giusto onore da tributare a chi ha già ampiamente dimostrato il proprio coraggio.»

Per un momento Alessandro parve incerto sul da farsi, poi si accigliò, come accingendosi a rimproverare un bambino.

«Se tu fossi rimasto ucciso, il re nostro padre avrebbe dato a me la colpa.»

«Se fossi rimasto ucciso, il re nostro padre non se ne sarebbe neppure accorto.»

Con uno scoppio di risa, Alessandro gettò le braccia intorno alle spalle del fratello minore. Lo stallone indietreggiò di un passo e nitrì, come avrebbe fatto alla vista del sangue.

«Stallieri, qui!» ruggì Alessandro. «Portate il cavallo di Filippo alle scuderie e strigliatelo ben bene. Mio fratello è esigente con le sue bestie.»

Questa volta la risata fu generale — solo Perdicca non vi si unì.

Non fu che a notte, quando il marito di sua figlia si era già insinuato nel suo letto, che Euridice seppe del trionfo di Filippo. Era girata verso il muro, in modo che la sua schiena nuda premesse contro il petto di Tolomeo, e lui, mentre le stringeva i seni, le bisbigliò all'orecchio quanto era accaduto. Sapeva che il racconto avrebbe scatenato in Euridice una collera cupa e silenziosa, come se la inducesse a contemplare un'antica offesa, e che sempre la collera si stemperava nel desiderio. Perfino mentre la penetrava, non avrebbe saputo dire di quale natura fosse la passione che le mozzava il fiato, né se lei avrebbe ammesso che poteva non essere il desiderio fisico.

Dopo, Euridice tacque a lungo.

«Solo un ragazzo che ha domato un cavallo, nulla di più» si decise a dire lui. «È stato per puro caso che non si è rotto l'osso del collo.»

«Non è stato un caso.»

«Certo che lo è stato.»

Euridice rise; una risata che echeggiò tetramente nel buio.

«Se al suo posto ci fosse stato Alessandro o chiunque altro, potrei essere d'accordo con te, ma Filippo non può morire a meno che non venga ucciso.»

Tolomeo non rispose. Euridice gli dava nuovamente le spalle e i capelli, una cascata di miele brunito, le ricadevano pesanti sulla schiena candida.

Non la amava. Semplicemente, gli era utile. Lei era la chiave con cui un giorno avrebbe aperto la porta che conduceva al potere. Si ripeté che era sufficiente che Euridice lo amasse — e lo amava, della passione devota e accecante che gli dèi elargiscono alle donne di cui vogliono la distruzione. E tuttavia la loro tresca aveva fatto affiorare in lui una vena di sensualità di cui non aveva mai neppure sospettato l'esistenza; la consapevolezza di aver suscitato un sentimento tanto intenso in una donna era eccitante, soprattutto perché era un desiderio che non conosceva rivali. A parte lui, per Euridice nulla — né il marito né i figli e neppure il suo stesso corpo — aveva qualche importanza.

E sebbene avesse partorito più volte e fosse prossima alla quarantina, era ancora bella.

Nondimeno, la qualità selvaggia della sua passione, se eccitante nell'amplesso, diventava snervante in altre occasioni. Era pericolosa, perché era sconfinata.

Il re era vecchio — vicino a morire, dicevano tutti. Erano al sicuro dalla sua ira, ma che cosa importava a Euridice della sicurezza? Aveva attirato Tolomeo tra le proprie braccia molto tempo prima, quando la più piccola mormorazione avrebbe significato la morte per entrambi, ma il suo desiderio era tale che non aveva badato minimamente al rischio.

Un istante dopo, con uno di quei repentini cambiamenti d'umore che la trasformavano completamente, Euridice si voltò verso di lui, sorridendo.

«Quando ti alzerai da qui, andrai nel letto di mia figlia?» domandò, come se non conoscesse già la risposta, come se aspirasse soltanto al torturante piacere di sentirglielo ripetere. «La tua sposa sa come esaurisci le tue forze dimenandoti sul corpo di sua madre?»

Simile a uno spirito inquieto e inopportuno, il pensiero della moglie si impadronì della mente di Tolomeo. Chiamata anch'essa Euridice, e diversa dalla madre quanto era possibile, era una ragazza graziosa, tranquilla e pia che portava offerte quotidiane all'altare di Era, protettrice della vita domestica, perché le concedesse di partorire al più presto un figlio e di trovare la strada per il cuore del marito. Un figlio. Come se avesse potuto fare differenza...

«Certamente lo sa. Ormai lo sanno tutti.»

«Tranne il re, che, se anche venisse a saperlo, non se ne curerebbe.»

Con una risata feroce si avventò su di lui, scoprendo i denti per mordergli il petto. Tolomeo ebbe appena il tempo di fermarla, afferrandola per le spalle. Lo avrebbe morso, come aveva già fatto in passato. Le sue cicatrici lo testimoniavano.

«Sei pazza.» Le sue mani risalirono sulla gola di lei. Pensò che sarebbe stato facile ucciderla. E forse, si disse, sarebbe stata la cosa migliore. Proprio il genere di morte che Euridice avrebbe apprezzato. «Sei come un animale selvaggio.»

«Sì.»

«Sì.»

Ma non la uccise. Invece, si scoprì nuovamente pieno di desiderio. La carne di lei bruciava sotto le sue dita. Le prese i seni tra le mani, conficcandovi le dita come se volesse strapparli. E tuttavia lei rise: per lei il dolore non era nulla.

Gli si fece più vicino, insinuandosi sotto il suo corpo.

Quando tutto fu finito, e lei ebbe consumato la lussuria dell'amante fino a ridurla in cenere, così da suscitare quasi il suo odio, Euridice si chinò a prendere da sotto il letto due coppe e una piccola giara di vino. Sì, era assetato. Gli sembrava di avere la gola rivestita di pece, ma lo irritava che lei prevedesse con tanta esattezza le sue reazioni.

«Avrebbe potuto rompersi il collo» disse con una punta di maligna soddisfazione, sebbene sapesse che quelle parole non avevano alcun potere su di lei. Ci volle qualche istante perché Euridice capisse di chi stava parlando.

«Filippo? No.» Scosse la testa con aria cupa, come se stesse prendendo atto di una sconfitta. «Eppure per te sarebbe stato meglio se fosse accaduto.»

«È soltanto un ragazzo... non ho paura di lui.»

«Dovresti, invece.»

Gli sorrise e perfino nel fioco chiarore dell'unica lampada a olio lui lesse il disprezzo nel suo sorriso — era il suo amante e lei odiava Filippo, ma questi era pur sempre suo figlio e di conseguenza abbastanza simile a lei da costituire un osso duro per tutti i Tolomeo del mondo. Questo Euridice credeva nel profondo del proprio cuore, e questo rendeva il suo odio più simile all'amore dell'amore stesso.

«Ti ucciderà» disse con indifferenza, e il sorriso svanì dalle sue labbra. «Alessandro è coraggioso, ma vanitoso. Puoi vincerlo in astuzia. E io sono in grado di controllare Perdicca. Ma Filippo... mentre prepari il tuo tradimento, non dovresti mai allontanarlo troppo dai tuoi pensieri.»

«Il re è un vecchio infermo, non sopravviverà al prossimo inverno. E quando sarà morto, resterà solo Alessandro, che mi considera suo amico. Perdicca e Filippo sono soltanto ragazzi.»

«Parli come se i ragazzi non diventassero mai uomini.»

«Alcuni non lo diventano.»

«Stai dicendo che ucciderai i miei figli?» Dal tono, sembrava quasi che Euridice prevedesse una risposta divertente. «E che sarai re al posto loro? È l'assemblea dei Macedoni a eleggere il sovrano. Come credi che reagirebbero, se ti sorprendessero con le mani sporche del sangue di tre principi reali?»

Apparentemente indifferente, Euridice alzò le spalle nude e si accostò la coppa alle labbra. «Dato che è il potere che vuoi, lo avrai. Farò in modo che tu salga molto in alto nel regno che sta per iniziare. Ma se vuoi vivere abbastanza da goderti il potere, tieni a freno le tue ambizioni... nel tuo interesse se non nel mio, poiché so di significare ben poco per te. E non parlare più come se ti proponessi di arrecare danno ai miei figli.»

E dopo avergli riempito la coppa ormai vuota, lo baciò sulla bocca con abietta tenerezza.

«Tuttavia, attento a Filippo. Non commettere l'errore di pensare che, solo perché è un ragazzo, non sia il più pericoloso dei nemici.»

Tolomeo sapeva che lei aveva ragione. Percepiva la verità delle sue parole così come percepiva la gelida paura che gli aveva afferrato le viscere.

«Potrebbe sempre rompersi il collo» mormorò alla fine. «Potrebbe accadere. Ci sono cavalli che è impossibile domare completamente... aspettano il momento opportuno... e allora uccidono.»

Quanto a Filippo, una simile possibilità non lo preoccupava affatto. Aveva uno splendido cavallo nuovo ed era sulle soglie della virilità. Nulla di tutto questo era per lui fonte di timore, e la vita non gli aveva ancora insegnato che si poteva aspirare a ben altro. Il re e sua madre erano figure remote, lontanissime da lui, e conosceva appena suo cugino, Tolomeo. In termini affettivi, la sua famiglia era costituita da Glauco e Alcmene, che ricoprivano il ruolo di genitori, da Alessandro e Perdicca, e dal fratellastro Arrideo, il suo più intimo amico.

Fu proprio ad Arrideo che pochi giorni dopo rivelò il suo ultimo trionfo. Aveva insegnato allo stallone, che ora portava il nome di "Alastor", a rispondere alla pressione delle sue ginocchia e non più soltanto al morso.

«Vedi?» gridò quasi, esultante, quando il possente stallone nero incominciò a muoversi lentamente verso sinistra. «Presto imparerà a farlo anche al galoppo, e allora avrò sempre le mani libere, anche durante una carica di cavalleria.»

Arrideo rise. «È un bene che tu non sia destinato a essere re. Sei talmente innamorato della guerra che il tuo regno sarebbe un continuo spargimento di sangue.»

Filippo non sembrò udirlo. Si lasciò scivolare giù, sfiorando appena la terra con i piedi, come riluttante a staccarsi dal cavallo.

«Vuoi provarlo?»

Arrideo si limitò a scuotere la testa, le lunghe braccia incrociate sul collo del suo castrato pomellato. «Ha capito di aver trovato un suo pari in te, ma tutti dicono che è un vero demonio. Chissà, potrebbe decidere di prendersi la rivincita con un altro cavaliere.» Si strinse nelle spalle, che aveva larghe e ossute. «Alastor... solo tu potevi dare al tuo cavallo il nome del più crudele e feroce tra gli dèi. Ti piacerebbe spaventarci tutti a morte, eh?»

Come per dimostrarne la docilità, Filippo posò la mano sul collo dello stallone.

«Non fare il codardo» insistette. «Provalo. Vedi? È tranquillo come un bue legato all'aratro.»

«Sto bene dove sono, grazie. Non ho nessun desiderio di finire la mia vita sotto gli zoccoli di quel bruto nero.»

Risero entrambi, e Filippo si aggrappò alla criniera di Alastor per risalire in groppa.

«Facciamo a chi arriva prima al fiume e ritorno» gridò; sotto di lui lo stallone fremeva già.

«Non sarebbe una gara leale. Questo ronzino soffia come un mantice se solo lo costringo a un'andatura più veloce del trotto.»

«Andiamo a caccia, allora.»

Ma così vicino a Pella di selvaggina ce n'era ben poca, e quella rimasta aveva imparato da tempo a diffidare degli uomini a cavallo. Ben presto i due principi di sangue reale smisero persino di fingere di scagliare i loro giavellotti con la punta di ferro per un motivo che non fosse il semplice addestramento. Vagabondarono a loro piacimento lungo le ampie distese a nord della città, a volte inseguendo un maiale selvatico comparso improvvisamente appena fuori della loro portata per svanire subito dopo in una gola, a volte ingaggiando furibonde battaglie con nemici immaginari, divertendosi insomma con le mille futilità proprie dei ragazzi che non hanno altro da fare se non approdare trionfalmente all'età adulta.

Alla fine, quando le loro ombre già si allungavano sull'erba gialla, diressero le cavalcature verso gli edifici della capitale che formavano una linea frastagliata all'orizzonte. Era quasi buio quando lasciarono i cavalli alle cure degli stallieri delle scuderie reali.

«Ho fame» annunciò Filippo, con l'aria di chi ha appena fatto una scoperta sorprendente. «Speriamo che Alcmene ci abbia tenuto da parte la cena.»

Naturalmente Alcmene, che non era donna da lasciare certe cose al caso, aveva tenuto da parte la loro cena. I due ragazzi sedettero al tavolo di legno della cucina e lei riempì le ciotole di uno stufato di carne così ricco che respirarne l'aroma sarebbe forse stato sufficiente a riempir loro la pancia.

Per tutta la durata della cena Alcmene non fece che rampognare Filippo — perché era in ritardo, per aver rischiato la vita con "quello spaventevole animale", per aver dimenticato di portare con sé la colazione, e in generale per la sua sventatezza — e tutto questo senza mai tralasciare di chiamarlo "principe" e "mio signore". Di circa trent'anni, era una cretura grassoccia e materna, con occhi di un celeste acquoso e pieni di tristezza che rivelavano come da tempo si fosse ormai rassegnata alla propria sterilità; Filippo era l'idolo su cui riversava l'amore che non aveva potuto donare al figlio nato morto.

Filippo, da parte sua, non rispondeva e in realtà non ascoltava quasi; non ricordava un tempo della sua vita in cui Alcmene non lo avesse soffocato di rimbrotti, e non ci faceva più caso. Mangiava allegramente, scherzando con Arrideo.

«Glauco dov'è?» chiese a un certo punto.

«Come ogni buon servitore, a occuparsi degli affari del suo padrone» rispose la donna in tono quasi oltraggiato. Amava Filippo più di ogni altra cosa, ma ai suoi occhi il marito riassumeva in sé tutte le virtù maschili — se un principe non era capace di modellarsi sul capoeconomo del re, ebbene, tanto peggio per il principe. «Lo hanno chiamato a corte meno di un'ora fa. Senza dubbio ti dirà tutto al suo ritorno.»

«Senza dubbio.»

Filippo sorrise ad Arrideo e, stringendosi nelle spalle, spezzò in due un pezzo di pane. Quasi tutto ciò che sapeva della vita che si conduceva alla corte di suo padre lo aveva appreso da Glauco. Non era un argomento che lo incuriosisse in modo particolare, perché per un ragazzo della sua età la guerra era l'unica cosa realmente importante — l'unica, almeno, se il ragazzo in questione era il principe Filippo di Macedonia — e ormai da parecchi anni il Paese viveva in pace.

Nondimeno, e quasi contro la sua volontà, aveva assorbito tutto — tutti i pettegolezzi di cucina, tutti gli intrighi e le rivalità, insomma, tutto quello che Glauco riteneva opportuno riferirgli — ed erano pochi i segreti che restavano tali per il capoeconomo del re. Come risultato, Filippo vedeva gli uomini e le donne che circondavano il re non come essi stessi si presentavano, ma come apparivano agli occhi di un servo intelligente. Non era un cinico; il cinismo presuppone l'aspettativa di qualcosa di meglio, e Filippo non si aspettava nulla. Semplicemente, coloro che dominavano la terra non gli sembravano poi così grandi.

Un attimo dopo la porta si aprì e comparve Glauco. Si accigliò quando vide Filippo, proprio come si era accigliato il giorno in cui aveva sorpreso il più giovane dei principi di Macedonia a rubare le mele dalla dispensa di Alcmene: il suo era un cipiglio venato di compassione e di rammarico.

«Sei stato convocato» annunciò con voce piatta. «E tu pure, Arrideo. Il re vostro padre sta morendo.»

Per Filippo le sue parole furono uno shock quasi fisico. *Il re vostro padre sta morendo.* Ma era uno shock dovuto alla sorpresa, dato che personalmente non provava il minimo coinvolgimento. Tutti i buoni Macedoni amavano il loro re, e lui era un buon macedone. Che il re fosse anche suo padre, non cambiava nulla. Che cos'era un padre, dopotutto? Un personaggio infinitamente remoto, come lo era un re.

«Allora dobbiamo andare.»

Lo stupì un poco il suono della sua stessa voce. Era come se a parlare fosse stato qualcun altro.

Durante il tragitto fino al palazzo, Glauco riferì loro quanto era accaduto. «Re Aminta ha avuto un colpo. Non c'è stato alcun segnale premonitore... improvvisamente si è accasciato a terra. Tutto il lato sinistro del corpo è paralizzato. Riesce a emettere solo qualche bisbiglio, ma la sua mente è lucida. Nicomaco non crede che sopravviverà per più di qualche ora. Ha mandato a chiamare suo figlio.»

«Allora intendeva Alessandro» commentò Filippo con l'aria di chi asserisce l'ovvio. «Vuole vedere il suo erede.»

«Non si riferiva ad Alessandro.»

Glauco sembrava imbarazzato. La notte era tiepida, ma lui si avvolse più strettamente il mantello intorno al corpo e affrettò il passo. Era chiaro che non avrebbe aggiunto altro.

Nella lunga anticamera che immetteva agli appartamenti privati del re, il capoeconomo si fermò davanti a una grande porta di quercia.

«Entrate» disse. «Tutti e due. Io aspetterò qui. Un re è un uomo come gli altri, e la sua morte riguarda soprattutto la sua famiglia. In quella stanza non c'è più posto per i servi.»

Filippo e Arrideo si scambiarono un'occhiata. Sembrava tutto molto strano, e prima di allora nessuno dei due aveva mai avuto accesso alla camera da letto del re.

La porta si aprì senza far rumore e i due ragazzi entrarono. La stanza era sorprendentemente piccola, e lo sembrava ancor di più a causa dell'affollamento che vi regnava. Nessuno parlò, nessuno alzò gli occhi sui nuovi arrivati, l'attenzione di tutti era concentrata sulla figura adagiata nel letto.

In un primo momento Filippo pensò che il re fosse già morto; era così immobile! Pareva infinitamente vecchio, ed è così che si immagina sempre che appaiano i morti. Una coperta gli celava il corpo fino alla vita e le mani, inerti lungo i fianchi, erano bianche come cera. Aminta teneva gli occhi chiusi e sembrava non respirare.

Poi li aprì.

Si guardò intorno, scrutando con aria confusa i volti che lo circondavano, come se nella loro presenza leggesse un'ulteriore terrorizzante prova dell'imminenza della morte, come se non riuscisse a ricordare chi fossero. I suoi figli, primo tra tutti Alessandro, la cui compostezza era incrinata dalla collera, quasi si ritenesse vittima di un imbroglio; le due mogli, simili a uccelli da preda; il cugino Tolomeo, doverosamente grave in volto; perfino il cugino Pausania, anche lui figlio di re e ultimo della sua stirpe, che sembrava spaventato dalla morte più del morente stesso. La casa degli Argeadi era presente al completo. L'unico intruso era Nicomaco, il medico del re.

Poi gli occhi del sovrano si posarono sul figlio più giovane, per non staccarsene più. Ora Filippo aveva paura, ma non osava guardare altrove, perché lo sguardo del padre lo teneva incatenato; era come se intorno a loro non ci fosse più nessuno.

Aminta, re di Macedonia, aprì la bocca per parlare, ma la sua voce era così flebile da perdersi perfino in quella terribile quiete. Lo sforzo sembrò privarlo delle poche energie rimastegli, ma scosse la testa quando Nicomaco gli accostò una coppa di vino alle labbra. Con la mano destra fece un cenno quasi impercettibile, un cenno di richiamo. Neppure per un istante i suoi occhi avevano lasciato il volto di Filippo.

Il ragazzo si avvicinò al letto e si inginocchiò al capezzale del padre, coprendo con la sua la mano avvizzita del re. Il morente parve chiamare a raccolta le sue ultime forze.

«A volte,» alitò a voce così bassa che Filippo lo udì a fatica «a volte, prima di fermare il respiro di un uomo, gli dèi gli palesano la loro volontà, forse con il solo intento di fargli capire quale follia è stata la sua vita.»

Chiuse brevemente gli occhi, quasi che le sue stesse parole gli suonassero intollerabili. Quindi li riaprì e la sua mano si mosse sotto quella di Filippo, come se volesse stringere le dita del giovane.

«Filippo, figlio mio, il fardello della sovranità...»

Ma era troppo tardi. La frase si spense con il suo ultimo respiro. Di colpo il suo viso mutò in modo indefinibile.

Nicomaco si chinò a sfiorargli la gola.

«Non è più» mormorò; ma la sua voce risuonò come un tuono. «Che cosa ha detto, principe?»

Filippo alzò gli occhi, lucidi di lacrime non versate.

«Nulla.»

III

Filippo tornò indietro, attraverso le tenebre silenziose della città che aveva perduto il suo re. Era rimasto accanto al letto, stringendo la mano del padre, mentre il medico Nicomaco chiudeva gli occhi di Aminta III. Si era levato un mormorìo di voci a mano a mano che, l'uno dopo l'altro, gli Argeadi cominciavano ad adattarsi alla spaventevole realtà della morte

D'un tratto Filippo aveva sentito una mano posarsi sulla sua spalla.

«Vieni via» gli aveva intimato Alessandro, scrollandolo rudemente. «Lasciagli la mano prima che le sue dita si irrigidiscano intorno alle tue. È ora che tu vada a casa.»

Squadrava il fratello più giovane come se il cadavere del padre fosse di sua personale proprietà. «Risparmia le lacrime per il funerale.»

Gli schiavi di casa si disponevano a lavare il sovrano morto, per prepararlo al fuoco purificatore. Aminta, re dei Macedoni, apparteneva già al passato.

Regnava una quiete innaturale. Filippo non incontrò neppure un'anima mentre faceva ritorno alla casa di Glauco. Le vie circostanti il palazzo erano buie e deserte, come se tutti si fossero nascosti, come se il torpore che lo opprimeva fosse dilagato per tutto il quartiere reale.

Non si capiva più. Vivo, il re era stato poco più di uno sconosciuto per lui, eppure, quasi con il suo ultimo respiro lo aveva chiamato "figlio mio", facendogli vibrare il cuore come una campana suonata dopo anni di silenzio. L'amore di un figlio era così accessibile che quell'uomo era potuto penetrare dentro di lui e riempirsene le mani, ora, quando era troppo tardi per entrambi? Era dolore, quella sensazione di essere stato saccheggiato, depredato? Se lo era, Filippo non poteva che disprezzarlo. Quali fossero gli altri suoi sentimenti, non avrebbe saputo dirlo.

Alcmene era ancora sveglia e lo aspettava seduta su uno sgabello accanto al focolare, le mani in grembo. C'era ancora fuoco a sufficienza per tenere calda la pentola che usava di solito per cucinare.

«Hai fame?» domandò con un'espressione implorante negli occhi azzurri. Da quella stessa pentola gli aveva servito la cena non più di quattro ore prima, ma Alcmene credeva nel cibo come rimedio sovrano per qualunque afflizione, del corpo come dell'anima.

Filippo fece un cenno di diniego. Senza sapere perché, in quel momento non si fidava a parlare.

«Prendi un po' di vino, allora, mio signore.»

Ma lui preferì inginocchiarlesi accanto e posarle la testa in grembo. Di colpo si sentiva sopraffatto dal dolore. Gli occhi gli si riempirono di lacrime e fu scosso da un gran singhiozzo. Alcmene gli circondò le spalle con un braccio, gli accarezzò i capelli.

«Lo so, lo so» lo blandì, e la sua voce era dolce come una carezza. «Lo so, mio piccolo principe, è amaro scoprire questa verità quando si è tanto giovani.»

All'alba, l'intera Pella sapeva della morte di Aminta, e a mezzogiorno tutti gli uomini atti alle armi erano radunati nell'anfiteatro costruito sulla sommità di una piccola collina nei sobborghi della città. Si doveva scegliere il successore. Anche Glauco, che non era mai stato in battaglia, portava una corazza e una spada, perché quelli erano gli emblemi di Pella. Che avesse o meno combattuto, ogni macedone era un soldato, e toccava all'esercito eleggere il re.

Filippo, Perdicca e Arrideo, troppo giovani per partecipare all'assemblea, rimasero in attesa ai piedi del poggio, insieme con le donne, i bambini e gli stranieri. La loro era un'attesa priva di tensione perché, al pari di chiunque altro, sapevano già su chi sarebbe caduta la scelta. Secondo la tradizione, il Paese avrebbe continuato a vivere e a prosperare solo finché fosse stato governato da un discendente di Eracle, e di conseguenza soltanto nella casa degli Argeadi si poteva scegliere il nuovo re. Alessandro era il figlio maggiore e non aveva menomazioni che lo rendessero incapace o gli alienassero il favore degli dèi. Se, come i fratelli, non avesse ancora raggiunto la maggiore età, sarebbe stato eletto un reggente, o forse la sua candidatura sarebbe stata addirittura bocciata, ma era maggiorenne, ed era un guerriero coraggioso e popolare nell'esercito. Inoltre, era stato il suo stesso padre a sceglierlo. La sua elezione era certa.

L'attenzione di Perdicca sembrava concentrata sui rami dei platani che si allineavano lungo il muro esterno dell'anfiteatro. Si agitavano appena, mossi da una brezza che al livello del terreno non era percettibile, e il giovane li osservava con arcigna intensità, quasi considerasse quel leggero movimento un insulto personale.

«Ci stanno mettendo molto tempo» osservò alla fine. «Forse dopotutto non hanno alcuna intenzione di innalzare Alessandro al trono.»

Impossibile dalla sua espressione capire se l'idea gli fosse o meno gradita. Dal modo in cui si tormentava i radi ciuffi di barba, si sarebbe potuto dire che lo ignorava lui stesso.

Imbarazzato, Filippo abbassò gli occhi sulla polvere dei suoi sandali.

«Prima devono offrire un sacrificio, e pregare perché gli dèi guardino con benevolenza alla loro scelta. Sii paziente.»

Quasi in risposta alle sue parole, un grande boato si levò dall'anfiteatro, subito seguito da un rumore sempre più forte, aspro e insistente, come di pietre sbattute l'una contro l'altra: il clangore delle spade che percuotevano le corazze mentre i Macedoni giuravano fedeltà al nuovo re.

«Hai visto?» Filippo ebbe un largo sorriso, come se avesse riportato un trionfo personale. «Hanno fatto la loro scelta.»

«Sì...» Arrideo parlò per la prima volta. «Hanno fatto la loro scelta.»

«Non prendertela.» Perdicca sorrise, un po' ambiguamente. «Significa soltanto che ora tu e i tuoi fratelli appartenete a un ramo collaterale. O nutrivi l'ambizione di diventare re?»

«È sperabile che nessuno di noi nutra simili ambizioni» intervenne Filippo, prima che Arrideo avesse la possibilità di replicare. «Dobbiamo pregare che Alessandro regni a lungo e metta al mondo molti figli. In questo modo i Macedoni saranno liberi di guerreggiare con i nemici, invece che fra di loro.»

Perdicca e Arrideo lo guardarono come se avesse detto

un'assurdità, e per un istante Filippo stesso si chiese se non fosse proprio così.

Ma il dubbio svanì con la rapidità con cui si era presentato quando un uomo in uniforme da combattimento comparve sull'entrata dell'anfiteatro e mosse qualche passo verso la moltitudine in attesa. Con la mano destra impugnava un'ascia e con l'altra teneva un cane legato a una corda. La folla si azzittì.

Forse per via di quel subitaneo silenzio, il cane parve improvvisamente rendersi conto del pericolo. Cominciò ad abbaiare, con latrati sempre più acuti a mano a mano che la sua paura cresceva, e per la prima volta tentò di liberarsi della corda. Era un animale vecchio, già rigido nei movimenti, e sul suo muso peli grigi si mescolavano a quelli marroni. C'era qualcosa di patetico nel suo terrore.

Il soldato fu molto efficiente. Tirò il cane a sé fino a prenderlo per il collare poi, con un gesto fluido, lo colpì alla testa con il lato piatto dell'ascia. Stordito, l'animale non oppose più resistenza. Non guaì neppure quando il soldato lo adagiò sopra una pietra piatta sul bordo del sentiero e, piantatogli un piede sul collo, alzò nuovamente l'ascia.

Il colpo fu certamente fatale, perché lo colse sul dorso, spaccandogli la spina dorsale.

Il soldato impiegò solo pochi secondi a tagliare in due la carcassa. Quando ebbe finito, pulì la lama nell'erba e si alzò, sollevando i quarti posteriori dell'animale con la mano sinistra. Li gettò sull'altro lato del sentiero, dove ricaddero disegnando nell'aria una sottile stria di sangue, poi si volse e scomparve all'interno dell'anfiteatro. Con quel macabro rituale, antico come le fondamenta stesse dello Stato, si annunciava l'elezione di un nuovo re dei Macedoni.

Un istante dopo Alessandro fece la sua comparsa. Portava la corazza e aveva una spada infilata alla cintura, ma la sua bella testa era nuda. Ignorò le grida di entusiasmo che si levarono dalla folla, limitandosi a guardarsi brevemente intorno con i suoi gelidi occhi azzurri, in attesa che il frastuono cessasse.

Era comparso solo sull'entrata dell'anfiteatro, ma gradatamente lo spazio intorno a lui andò riempiendosi di uomini. A differenza del loro re, tutti portavano l'elmo e molti erano armati di lancia.

La folla tacque e cominciò ad aprirsi per lasciar libero il passaggio al re e ai suoi soldati, che ora avrebbero marciato fino al cuore della città, al tempio di Eracle, per la cerimonia di purificazione.

Fu allora, un istante prima che l'esercito macedone iniziasse la sua solenne processione, che Filippo girò casualmente la testa e scorse Pausania, un po' più indietro sul lato opposto del sentiero, in mezzo a un gruppo di mercanti ateniesi.

Lui stesso figlio e nipote di re, avrebbe dovuto trovarsi fra gli altri grandi, i Compagni che ora sfilavano alle spalle di Alessandro e in seguito sarebbero stati al suo fianco, in guerra come in consiglio. Era strano vederlo lì, fra stranieri, come se fosse uno di loro e non un membro della casa reale.

Ma in quel momento Pausania non aveva l'aspetto di un argeade. Spostava nervosamente il peso del corpo da un piede all'altro, e i suoi occhi non stavano mai fermi. Sembrava quasi pronto a darsi alla fuga

«Che cosa ci fa *lui* lì?» domandò Perdicca col tono di chi si sente insultato.

«Forse ha paura di quello che potrebbe succedergli se fosse dentro» rispose Arrideo. «Forse ha paura che la prima iniziativa del nuovo re sia la sua messa a morte.»

Filippo non parlò, perché Pausania si era accorto di essere stato notato e pareva quasi che si stesse sforzando di ricordare dove aveva già visto quei ragazzi. Quando il suo sguardo si posò su Filippo, sembrò spaventarsi, si rabbuiò in viso e aggrottò la fronte, come se l'avessero sorpreso intento a qualche azione vergognosa. Dopo pochi istanti si aprì un varco tra la folla e scomparve.

Perdicca si era già dimenticato di lui.

«Arrivano!» gridò quando il nuovo sovrano, alla testa del suo esercito, emerse dalle ombre dell'entrata. «Gloria al re dei Macedoni! Gloria alla casa degli Argeadi!» Gridando, agitava le braccia, in un delirio di eccitazione.

Mentre gli passava davanti, Alessandro lanciò solo un'occhiata al fratello minore, ma fu un'occhiata piena di ardente disprezzo.

Il corpo di re Aminta era stato consegnato al fuoco e le sue ossa erano state poi lavate e avvolte in stoffe oro e porpora per essere seppellite tra i suoi antenati, a Ege. Il giorno successivo venne dedicato ai giochi funebri.

Euridice vi assistette seduta sotto una tenda collocata su un leggero rialzo del terreno, sul bordo orientale del campo da gioco. Era un posto d'onore che nessuno avrebbe potuto disputarle, perché era la madre del nuovo sovrano e la linea della discendenza diretta passava ora attraverso i suoi figli.

Euridice era una delle pochissime donne presenti; i giochi non erano un evento pubblico e la famiglia e la corte del re defunto ne costituivano a un tempo i partecipanti e il pubblico. Ma c'erano tutti i grandi nobili, ansiosi di ostentare il loro ardimento nella lotta, nella corsa dei cavalli o nel lancio del disco; lo stesso Alessandro avrebbe gareggiato nella corsa podistica. Ed Euridice, in quanto vedova di Aminta e madre del suo successore, avrebbe premiato i vincitori con doni e pegni di vittoria.

In quel momento, circa una dozzina di Compagni si stava misurando nel lancio del giavellotto. Tolomeo era fra loro. Quale piacere le avrebbe dato deporgli sulla fronte la corona d'alloro! Che momento esaltante sarebbe stato: "Ecco il mio amante, il più forte tra i forti!"

Ma sapeva che un tale piacere le era precluso: le onorificenze della giornata, sue di diritto, sarebbero andate a uomini più giovani — ragazzi, in effetti, adolescenti per cui il tempo non conteneva alcuna minaccia e che, se non altro per questo, a lei sembrava quasi di odiare.

I suoi occhi si sarebbero forse riempiti di lacrime di risentimento, se non avesse distolto lo sguardo, fingendo di trovare i giochi meno interessanti di quanto li giudicassero gli altri spettatori.

Alessandro era sul bordo della pista, circondato da un gruppetto di giovani che erano suoi amici fin dall'adolescenza e che aspiravano tutti a guadagnarsi un posto di rilievo nel regno appena iniziato. Alessandro era bello, coraggioso e dotato, ma l'esperienza non aveva ancora avuto modo di impartirgli qualche lezione, e il suo orgoglio era tale da indurlo a credere che non sarebbe accaduto mai. La sua vista ferì il cuore di Euridice, incapace di credere che gli dèi gli avrebbero concesso una lunga vita.

E a poca distanza, in compagnia di Glauco l'economo, del medico Nicomaco e del suo giovane figlio Aristotele, di cui tutti parlavano come di un ragazzo di fine intelletto, c'era Filippo. Com'era tipico da parte sua andare a mescolarsi con uomini di umile nascita, poco più di servi! Pareva disdegnare la compagnia dei suoi pari, interessandosi solo a chi dimostrava intelligenza, qualità o talenti particolari. Era difficile ricordare che nelle sue vene scorreva sangue di re.

E tuttavia, di tutti i suoi figli Filippo le sembrava, stranamente, il più simile ad Aminta.

Euridice odiava il figlio minore, lo odiava perché, proprio durante i mesi in cui lo sentiva muoversi nel suo grembo, aveva imparato a odiarne il padre.

La casa dei Bacchiadi aveva legittimamente regnato sulla Lincestide più a lungo di quanto fosse possibile ricordare. Gli Argeadi rivendicavano la sovranità di tutta la Macedonia, ma non era stato così all'epoca del primo Alessandro, perché i Lincesti avevano guerreggiato e stretto patti, quando l'avevano ritenuto conveniente, anche con i nemici degli Argeadi. Questa era la situazione quando il re Arrabeo aveva cercato fra le donne della casa reale illirica una sposa per il figlio ed erede Sirra, che di recente aveva perduto la moglie, madre dei suoi figli. La prescelta aveva dato alla luce due figli nati morti e si era spenta a sua volta dopo la nascita di una femmina, che era stata chiamata Euridice.

E Arrabeo, consapevole della debolezza degli Argeadi, aveva costretto Aminta a prendere in moglie sua nipote, in modo che i sovrani della Macedonia avessero un giorno il suo sangue nelle vene. A quindici anni, Euridice si era trovata in una corte straniera, in mezzo a coloro che era stata allevata a considerare nemici e oppressori.

Ma aveva fatto la sua parte. Aveva dato ad Aminta un figlio, poi una figlia e quindi un altro maschio, e il re suo signore l'aveva ricambiata con cortese indifferenza. Il loro matrimonio non era stato diverso dalla maggior parte delle unioni tra reali, un obbligo dovuto al rango, come tale vissuto da ambo le parti e di conseguenza tollerato.

Poi suo padre Sirra, che da molto tempo era salito al trono e sognava di abbattere la tirannia degli Argeadi, si era alleato con il suocero Bardili, re degli Illiri. C'era stata la guerra, e Aminta era stato costretto a rinunciare a parte dei suoi territori e a tollerare, seppure controvoglia, l'indipendenza dei Lincesti.

E si era vendicato sulla moglie.

Tale era la sua furia che l'avrebbe uccisa, se ne avesse avuto il coraggio; ma non l'aveva avuto. Invece, si era acceso in lui un ardore senile, e aveva incominciato a trattarla come una puttana di taverna, incurante del fatto che lei era ancora debole per la nascita del secondo figlio maschio. Forse aveva sperato di ucciderla in questo modo, così che nessun biasimo ricadesse su di lui.

Ecco come Euridice aveva imparato a odiarlo. E come aveva goduto lui nel degradarla, nell'indulgere agli appetiti più abietti! Le cose che le aveva fatto, e che l'aveva costretta a fare. Erano passati molti anni, ma lei ricordava ancora tutto con orrore.

Alla fine era rimasta nuovamente incinta. E da allora Aminta non l'aveva più toccata.

Di tutto questo, toccava a Filippo portare il fardello. Lei era quasi morta nel metterlo al mondo e poi glielo avevano sottratto per affidarlo a un'altra donna, perché divenisse il figlio di un'altra donna e quasi uno sconosciuto per la madre che lo aveva dato alla luce. Forse, se le cose fossero andate diversamente, se le fosse stato permesso di attaccarselo al seno... ma la fonte del suo latte si era prosciugata, e con essa l'ultima occasione per amare suo figlio senza che quell'amore fosse contaminato dall'odio per un marito che le aveva torturato l'anima.

Forse, in ultimo, Filippo l'avrebbe trattata perfino peggio.

«Dovrei essere fra i concorrenti» mormorò imbronciato Perdicca, senza guardarla. «E ci sarei, se tu non mi avessi scoraggiato.»

Euridice si volse a guardare il secondo figlio maschio, seduto alla sua destra. Sorrise, perché amava Perdicca, dell'amore che una madre nutre per il figlio più debole. Perdicca era un ragazzo intelligente, ma era anche uno sciocco, sciocco come può essere chi riesce a credere anche ciò che sa essere falso.

«E a quale gara avresti partecipato?» volle sapere Euridice. «Non sei un atleta dotato.»

«Non sono peggiore di chiunque altro.»

Ma il figlio era cupo in volto e non staccò gli occhi dai lanciatori di giavellotto. Sapeva di essere fisicamente goffo e non amava riconoscerlo, neppure nel profondo del proprio cuore.

«Sei giovane, e l'abilità è anche questione di esperienza.»

In realtà, e come entrambi sapevano, lei lo aveva scoraggiato nel timore che si rendesse ridicolo. Non era quello il momento di suscitare l'ilarità di Alessandro e dei suoi amici.

«Questi sono i giochi indetti per celebrare il funerale di tuo padre» aggiunse. «Ci sono occasioni in cui è preferibile mantenere una dignitosa compostezza.»

Lui fece per ribattere, poi ci ripensò. Desiderosa di evitargli un'umiliazione, Euridice riportò la sua attenzione sui giochi.

Ciascun concorrente aveva già effettuato tre dei cinque lanci stabiliti, ed era evidente che ormai in lizza ne restavano solo due. Tolomeo non era fra loro, sebbene i suoi giavellotti si fossero conficcati a terra molto vicino a quelli degli altri.

Era seduto per terra, in attesa del proprio turno, con il giavellotto in equilibrio sulle ginocchia. Uno dei compagni si voltò a dirgli qualcosa che lo fece ridere, rovesciando all'indietro la testa; la barba luccicava al sole come ferro lucidato. Nella sua nera lucentezza si intravedeva già qualche traccia di grigio — Euridice si sentì mancare ricordando la sensazione di quella barba sulla pelle —, ma per il resto Tolomeo aveva ancora l'aspetto e il portamento di un uomo giovane.

Pur sforzandosi di controllare l'espressione del proprio viso, Euridice sentì le sue viscere liquefarsi come cera calda. La sorprendeva sempre, e forse la spaventava anche un po', constatare l'enorme potere che quell'uomo esercitava su di lei. Era quello l'amore che gli dèi elargivano a coloro che intendevano distruggere. Ma l'amore non l'aveva resa cieca, e lei sapeva che certo alla fine sarebbe morta, o avrebbe invocato la morte, per la follia in cui la passione l'aveva trascinata. Sapeva che tipo fosse l'uomo di cui si era innamorata, pericoloso e senza scrupoli, sconfinatamente avido del potere che in ultimo lo avrebbe certamente eluso, un uomo destinato a una brutta fine. E sapeva che lui non ricambiava i suoi sentimenti, che la considerava solo uno strumento per realizzare le sue ambizioni. Sapeva tutto questo, ma era ugualmente impotente. In ciò leggeva la piena misura dell'ostilità degli dèi: che le permettessero di vedere con tanta chiarezza la distruzione verso cui correva.

E tuttavia, che cosa contava tutto questo di fronte alla vista di lui, alla stretta delle sue braccia e al profumo della sua carne tiepida? Alla fine, e qualunque terrore e sofferenza la fine avesse in serbo per lei, era sicura che non avrebbe rimpianto nulla.

Gli ultimi due tentativi di Tolomeo non fecero nulla per modificare l'esito della gara, che fu vinta da Cratero, il figlio maggiore di Antipatro, signore degli Edoni. Tolomeo, che sapeva come ci si doveva comportare ed era un uomo capace di farsi amici dappertutto, abbracciò il vincitore e si congratulò con il padre per l'abilità dimostrata dal figlio. Poi andò a sedersi ai piedi di Euridice, mostrando così a tutti che aveva a cuore il favore di cui godeva e che occupava un posto di rilievo nella casa degli Argeadi.

«Questo è un esercizio per ragazzi» osservò senza rivolgersi a nessuno in particolare. «In gioventù nessuno mi batteva, ma la forza si esaurisce. Alla mia età, dovrei accontentarmi di restarmene da parte, ad applaudire i trionfi di un figlio.»

«E lo farai, quando tuo figlio sarà in età di gareggiare; naturalmente, c'è sempre la speranza che tu ne abbia altri.»

Euridice sorrise. No, non lo stava tormentando. Sapeva che Tolomeo non era particolarmente turbato dall'apparente sterilità della seconda moglie.

«Certo, non sono così decrepito da non poter mettere al mondo un figlio» fu la risposta.

Perdicca tossì, a disagio. Forse lo irritava semplicemente il fatto di essere ignorato, ma sembrava più che altro in imbarazzo. Che sua madre e il marito di sua sorella fossero amanti costituiva una realtà palese e al contempo impossibile da riconoscere, anche per lui. Di conseguenza, era più ansioso del solito di attirare l'attenzione di Tolomeo.

Tolomeo reagì spostando lo sguardo sul campo da gioco, dove stava per iniziare la gara podistica. Nudo, con il corpo perfetto lucido d'olio e di sudore, Alessandro stava accovacciato a terra, con la testa quasi infilata tra le gambe, in una sorta di bizzarro rituale preparatorio. Avrebbe vinto la gara e dava l'impressione di saperlo, così come sapeva che la vittoria non sarebbe stata un vuoto tributo al suo rango, bensì un autentico trionfo personale, perché poteva correre con una velocità e una grazia irresistibili, dando la sensazione che i suoi piedi quasi non toccassero terra.

Il contrasto fra il nuovo re dei Macedoni e il suo sgraziato, apprensivo fratello non avrebbe potuto essere più stridente.

«Ora che è re, Alessandro dovrebbe considerarti con maggiore benevolenza» disse Tolomeo. Girò la testa e, senza alcun preavviso, si esibì in uno dei suoi abbaglianti, imperscrutabili sorrisi. «Non ti accorda la dignità che meriti, e questo è ingiusto e sciocco da parte sua.»

La gara ebbe inizio. Alessandro balzò subito in testa e la

folla ruggì la sua approvazione, a eccezione di tre persone. Chiuse nel loro silenzio, avrebbero potuto essere in tutt'altro posto, ciascuna dimentica com'era di tutto se non della presenza delle altre due. Tolomeo stava ancora inondando Perdicca del seducente calore della sua attenzione, e il ragazzo, rosso di piacere, si sforzava di trovare una risposta adatta. Sembrava tutto così innocuo e giocoso che avrebbero potuto essere amanti.

Mentre li guardava, il figlio prediletto e l'uomo che le era più prezioso della vita stessa, Euridice sentì una lama di ghiaccio trapassarle il cuore e si sforzò di scoprire la trappola che si nascondeva dietro quel sorriso misterioso, irresistibile.

Filippo non aveva alcuna intenzione di restare inattivo. Troppo giovane per partecipare ai giochi in onore del padre, aveva deciso di organizzare i propri. Ci sarebbe stata una corsa di cavalli, con lui, Arrideo e il riluttante Aristotele come concorrenti. E poi lotta, tiro con l'arco, e perfino una gara di recitazione poetica, perché anche Aristotele, che sembrava sapesse a memoria tutto Omero, aveva il diritto di vincere qualcosa.

Ma era la corsa di cavalli il fulcro di tutto. Naturalmente Filippo avrebbe vinto — con il suo nuovo stallone, come avrebbe potuto fallire? Ma la vittoria non era nulla, se paragonata al piacere della corsa in sé: lanciato al galoppo sulle vaste pianure che si stendevano oltre la città, con il vento che gli scorreva come acqua sul corpo nudo, e negli orecchi l'ipnotico martellare degli zoccoli sul terreno. Nella corsa, avrebbe potuto dimenticare tutto quello che era accaduto in quegli ultimi giorni, durante i quali la vita gli era parsa più tortuosa di un serpente. Avrebbe scordato ogni cosa, per diventare ancora una volta soltanto un ragazzo in sella a un cavallo veloce e pericoloso. Certo la gara conteneva in sé il proprio premio.

A circa mezz'ora di cammino a nord delle porte della città, si ergeva un boschetto di querce. Quella sarebbe stata la meta e la sede delle altre gare, e lì Alessandro e i suoi amici non avrebbero potuto trovarli... Filippo aveva sviluppato un certo orrore per le derisioni del fratello Dopodiché sarebbero tornati a casa, per consumare la cena della vittoria preparata da Alcmene. Forse, lei avrebbe evitato di allungare troppo il vino, consentendo ai ragazzi di ubriacarsi.

Per i soldati a guardia della porta settentrionale la gara significò una gradita interruzione alla noia del servizio. Risero, si offrirono di piazzare qualche scommessa, e uno di loro acconsentì a dare il segnale di partenza. Andò a mettersi a una ventina di passi dai tre giovani cavalieri, con la spada rivolta verso l'alto. Quando ne volse in basso la punta, Filippo sfiorò con i talloni i fianchi del cavallo e balzò in avanti.

Sempre, in quei momenti, aveva invariabilmente la sensazione che tutta l'aria gli venisse risucchiata dai polmoni. Non esisteva nulla in grado di prepararlo alla velocità dell'animale. Il paesaggio era solo una macchia confusa intorno a lui; l'unico suono che riusciva a sentire era quello degli zoccoli di Alastor. Allentò le redini e si chinò fin quasi a sfiorare con il viso il collo dello stallone, e ancora una volta fu come se cavallo e cavaliere si fossero fusi in un solo essere, e lui sentisse con il corpo dello stallone e questi pensasse con il suo cervello. Lo riempiva una gioia selvaggia, tumultuosa.

Esaurito il primo slancio, lo stallone prese un ritmo che consentì a Filippo di riacquistare il contatto con la realtà. Sapeva di essersi lasciato i compagni alle spalle — il pomellato di Arrideo non era certo all'altezza di Alastor, e Aristotele, che non era neppure macedone, a malapena sapeva che cosa fosse un cavallo —, così tirò leggermente le redini.

«Alastor, un giorno o l'altro finirai con l'ucciderci tutti e due» mormorò, e subito il cavallo chinò la testa e rallentò l'andatura.

Il boschetto che costituiva il traguardo era già in vista.

Quando lo raggiunsero, lo stallone era coperto di schiuma. Filippo si inoltrò per un breve tratto fra gli alberi, dove il sole che filtrava tra le fronde disegnava ombre screziate sul terreno, poi si fermò e fece compiere alla sua cavalcatura un giro su se stessa, in modo da puntare di nuovo verso casa. Il percorso di gara era lungo e lui aveva fatto attenzione a non sforzare troppo il cavallo, ma si sentì alquanto soddisfatto nel constatare di aver distanziato Arrideo di circa duecento passi, e Aristotele di almeno trecento. Erano entrambi lanciati al galoppo e si avvicinavano in fretta.

In un'improvvisa esplosione di buonumore, Filippo alzò il braccio e intonò un canto di guerra, mettendo Alastor al piccolo galoppo.

Accadde nell'attimo in cui dal boschetto emerse di nuovo

nel sole, e accadde con spaventevole subitaneità. Filippo alzò gli occhi e in quello stesso istante un grido, terribile e ferale, lacerò l'aria. Il suo cuore si fece di ghiaccio nel vedere un enorme gufo che scendeva in picchiata su di lui.

Ne vide gli occhi terrificanti, pieni di morte. Ne vide gli artigli, lunghi e acuminati. Puntava dritto verso di lui, precipitando dal cielo deserto con la pesantezza di una pietra. Filippo non si era mai sentito tanto inerme. Non poté neppure alzare le braccia per proteggersi. Era impietrito dalla paura.

Poi, all'ultimo momento, il gufo spiegò le ali, così grandi che parvero cancellare il mondo intero. Filippo si sentì sfiorare il viso, avvertì una fitta improvvisa di dolore e poi... il nulla.

In seguito non ricordò neppure di essere caduto, ma d'un tratto si ritrovò a terra, gli occhi rivolti al cielo, dove volteggiava il grande uccello. Lo vide descrivere un ampio cerchio e quindi sparire.

IV

«Basta guardare per capirne il significato» disse Glauco, quando venne informato dell'accaduto. «C'è la superficie delle cose, che a volte nasconde la verità, e c'è la verità. In questo caso, l'una non è che una versione dell'altra.»

Filippo e i suoi amici erano tornati difilato a Pella. Dopo un evento così bizzarro, nessuno di loro se l'era sentita di proseguire i giochi. Inoltre, le ferite inferte a Filippo dagli artigli del gufo richiedevano l'intervento di un medico.

Ma non erano le ferite a oscurare il volto di Glauco, mentre Nicomaco spennellava con un unguento giallo, che bruciava più della trafittura di un ago, i due lunghi sfregi paralleli sulla mascella del ragazzo.

«Il gufo, come tutti sanno, è l'uccello sacro ad Atena; la dea ha voluto mettere il suo segno su di te... se per il bene o per il male lo rivelerà a suo tempo. È piena di saggezza e di astuzia e, in quanto vergine, ama gli uomini di valore. Era la protettrice dello stesso Eracle.»

«E di Odisseo: *"La dea Atena, dai grigi occhi, gli sorrise, e lo accarezzò con la mano"*.»

«E gli disse: *"Dovrà essere molto scaltro e pieno di astuzia colui che vorrà batterti nell'inganno, tu così tortuoso e sapiente di artifici"*.»

Aristotele sorrise — lui e Filippo si divertivano a completare l'uno le citazioni dell'altro fin da quando avevano imparato a leggere. Ma suo padre si limitò a grugnire qualcosa, dopodiché passò a bendare le ferite del giovane.

«Forse vuole proteggere anche te» seguitò Glauco, ignorando le interruzioni. «O forse ha voluto farti capire che, per qualche motivo, è scontenta di te. Vai al tempio, mio signore, e offri un sacrificio alla dea. Pregala perché ti illumini sulla sua volontà.»

«Un buon consiglio.» Nicomaco guardò il figlio con aria truce, come a sfidarlo a protestare. «La prudenza è una grande virtù quando si ha a che fare con gli dèi. E non dimenticare di applicare l'unguento ogni due ore — gli uccelli sono animali sporchi, che fungano o meno da messaggeri divini.»

«Pregare non fa mai male, anche se si è trattato solo di un gufo svegliato dal rumore che facevi, e abbagliato dal sole. Di solito, la spiegazione più ovvia e naturale è anche la migliore, nondimeno, pregare non guasta.»

Evidentemente persuaso di aver ribadito in modo esauriente il suo punto di vista, Aristotele si chiuse in un silenzio innocente, interessandosi ai gesti del padre come se non l'avesse mai visto prima prestare le sue cure a un paziente.

In fatto di religione Filippo non condivideva lo scetticismo dell'amico, e quel pomeriggio, prima di tornare da Alcmene e affrontare la sua sollecitudine e le sue ansiose domande, si recò nel quartiere dei templi.

Atena non era una dea di particolare importanza tra i Macedoni, e il suo sacrario era alquanto umile, poco più di un altare con qualche colonna a delimitarne il recinto e un tetto di legno per proteggerlo dalla pioggia. A parte il fatto che la dea non apprezzava che le offerte venissero bruciate, Filippo non conosceva altri rituali legati al suo culto, così le portò una focaccia d'avena e qualche ciocca dei suoi capelli, sperando in cuor suo di non arrecarle offesa — come chiunque altro, anche gli dèi erano affetti da ogni sorta di singolari manie. Poi andò a sedersi su una panchina di pietra vicino all'ingresso e cercò di mettere insieme una preghiera adeguata.

I graffi gli prudevano e si sentiva impacciato, quasi che la sua presenza nel tempio equivalesse a un'intrusione. Era acutamente conscio della sua giovinezza e della sua pochezza. Non gli veniva in mente nulla che potesse aver offeso gli dèi, e il pensiero di essere stato scelto come depositario del favore divino gli sembrava del tutto assurdo. Chi era lui, dopotutto, se non un principe di poca importanza destinato a diventare un soldato del re suo fratello? Perché una divinità, anche se minore come Atena, avrebbe dovuto ritenerlo degno di qualche interesse? E che cosa mai poteva volere da lui?

Guardò la statua della dea, collocata in una nicchia dietro l'altare. Piccola ma di squisita fattura, raffigurava una donna più armoniosa che bella, con una corazza d'argento sopra una lunga tunica azzurra da cui spuntavano i piedi calzati di sandali. Impugnava una lancia.

«Che cosa vuoi da me, signora?» mormorò, vagamente sorpreso dal suono della propria voce. «In quale modo posso guadagnarmi la tua benevolenza?»

Com'era prevedibile, non ci fu alcuna risposta. Avrebbe dovuto rassegnarsi ad aspettare un segno del favore di lei, se proprio di favore si trattava, e sperare, quando il momento fosse venuto, di interpretare correttamente la sua volontà.

Sentendosi un po' idiota, tornò fuori.

Una processione di vergini stava uscendo dal tempio di Era, e Filippo si fermò per lasciarla passare. Una delle giovani si girò a guardarlo e, quando sorrise, lui la riconobbe: una lontana cugina, più o meno sua coetanea, che rispondeva al nome di Arsinoe. Gli parve la creatura più perfetta che avesse mai visto.

Non ebbe neppure la presenza di spirito di ricambiare il sorriso e, come sentendosi rimproverata, lei distolse in fretta lo sguardo.

"Sei un idiota" si disse allora Filippo. "Ma sarà proprio lei?"

Sì, ne era certo. Ricordò che giocavano insieme quando lei portava ancora la tunica corta e aveva le ginocchia sempre sporche. Quanto tempo era passato? Allora non gli era sembrata niente di speciale.

Si chiese come fossero ora le sue ginocchia.

«La dea ti si è rivelata?» Era Aristotele. Filippo non si era accorto del suo arrivo. «Hai l'aspetto di chi ha avuto il privilegio di dare una sbirciatina nel divino.»

Filippo si voltò a sorridergli, e in quel sorriso profuse al tempo stesso più e meno di quanto non sentisse. «È così, ma Atena non vi ha avuto alcuna parte.»

Alessandro era cresciuto nella convinzione che il re di Macedonia dovesse essere l'uomo più felice e più fortunato della Terra, ma suo padre era morto solo da pochi giorni quando cominciò a comprendere la portata del suo errore. In quanto principe ed erede, aveva sempre saputo con chiarezza ciò che ci si sarebbe aspettato da lui una volta salito al trono, e non aveva mai dubitato che sarebbe stato in grado di fare il proprio dovere: dopotutto, era una faccenda piuttosto semplice. Il re doveva dispensare giustizia ai sudditi, favori agli amici e morte ai nemici. Tutto gli era sembrato logico e perfettamente lineare. Ma ora aveva la sensazione che nulla sarebbe mai più stato tale.

Non aveva capito quanto debole fosse la nazione a cui era a capo e fino a che punto i nemici la assediassero da ogni parte. Le province settentrionali di Lincestide e Orestide erano in uno stato di ribellione più o meno aperto. Atene si era alleata con la Lega calcidica, minacciando l'accesso macedone al Golfo Termaico. E ora gli Illiri esigevano dal nuovo re l'assicurazione che avrebbe onorato i patti concordati con suo padre.

La soluzione definitiva stava nell'esercito, che Aminta aveva sempre trascurato. Alessandro era un soldato nato, e sapeva con esattezza come bisognava agire. Alla fine la Macedonia avrebbe superato tutte le difficoltà.

E il valore dei Macedoni avrebbe potuto essere ripristinato, ne era certo, se solo i nobili avessero smesso di tessere intrighi, dandogli la possibilità di riformare l'esercito. Aveva soltanto bisogno di tempo, di un po' di respiro ma, a quanto sembrava, non gli sarebbe stato concesso.

Nessun altro pareva preoccuparsi dell'esercito. Tutti non facevano che parlare della successione.

Una situazione, Alessandro ne era consapevole, che anche lui aveva contribuito a creare. Le donne non gli interessavano granché e aveva sempre rimandato la scelta di una sposa. Suo padre avrebbe dovuto insistere — in realtà la colpa era di Aminta — ma negli ultimi anni era stato troppo occupato a prepararsi alla morte per pensare a qualcos'altro. Di conseguenza lui non aveva un figlio che avrebbe potuto succedergli, e i suoi fratelli non avevano ancora raggiunto la maggiore età, il che significava che, nell'eventualità della sua morte, sarebbe stato eletto un reggente. Ma, alla fine, sarebbe toccato a Perdicca o a Filippo essere nominato suo erede.

In apparenza, la scelta non presentava incertezze dato che Perdicca era il più anziano. Ma era un debole e non godeva di grande popolarità. Filippo sarebbe stato un candidato molto più gradito, soprattutto dopo...

Ma no, non poteva risolversi a nominare Filippo suo erede. In effetti, stava cominciando ad avere un po' paura di lui.

Essere re, aveva scoperto Alessandro, significava vivere costantemente invischiati in difficoltà apparentemente insolubili. Doveva dichiarare guerra ad Atene, una guerra il cui esito sarebbe stato incerto, o accettare una pace che avrebbe finito con lo strangolare la nazione? Se avesse sfidato gli Illiri, con tutta probabilità questi avrebbero intrapreso continue scorrerie lungo la frontiera settentrionale, ma, se avesse onorato i trattati vigenti, quel vecchio bandito del re Bardili avrebbe interpretato il suo gesto come un segno di debolezza, approfittandone per aumentare le pressioni. Doveva scegliere tra Perdicca e Filippo, e nessuno dei due gli appariva come un'alternativa sicura. La vita si era trasformata in una trappola da cui diventava sempre più difficile liberarsi.

L'unico sfogo lo trovava nei bagordi, ma neppure quelli lo divertivano più come un tempo. Sempre più spesso, durante i banchetti serali organizzati per festeggiare l'inizio del suo regno, Alessandro cadeva preda di una tetra ubriachezza, mentre osservava i suoi convitati scagliarsi addosso coppe di vino e ossa di manzo unte e mezzo rosicchiate; si chiedeva come potesse sopportare la compagnia di simili bruti. Solo un mese prima era stato uno di loro e felice della propria condizione, ma la regalità, a quanto pareva, finiva con il distruggere tutte le illusioni. Gli dèi dovevano aver gettato una maledizione sulla casa degli Argeadi, perché essere il signore dei Macedoni non era molto meglio che essere un porcaro.

«Il mio signore non si sta divertendo?»

Come un uomo destato da un rumore improvviso, Alessandro non riconobbe subito la voce. Per un attimo, anzi, si chiese se a parlare non fosse stato lui stesso. Poi si girò e vide Tolomeo, seduto alla sua destra, sullo scanno che per consuetudine nessuno poteva occupare se non dietro espresso invito del re.

Tolomeo era un parente stretto e il suo più intimo amico. Era come un fratello maggiore per lui, ed essendo escluso dalla successione diretta era di conseguenza del tutto innocuo. Non voleva nulla per sé. In effetti, poiché era stato uno dei grandi favoriti del defunto re, ed era in ottimi rapporti con il nuovo, che cosa avrebbe potuto volere che non avesse già? Per Alessandro sarebbe stato impossibile non fidarsi di lui e la sua presenza lo fece sentire meglio. Era disposto perfino a soprassedere alla sua sfrontatezza.

«Non sono molto migliori delle bestie» mormorò, accennando un gesto discreto che parve nondimeno abbracciare l'intera sala.

«Ed è un bene, perché il bestiame si fa guidare con docilità.»

Tolomeo sorrideva, e, sebbene quel sorriso gli apparisse inspiegabilmente inquietante, Alessandro trovò confortanti le sue parole. Ma gli sembrò più sicuro mantenere il suo cipiglio.

«Non questi. Ciascuno di loro si vede come il capomandria o almeno come il toro più grosso.»

Gettò indietro la testa e rise, ma si azzittì quasi subito; doveva essere più ubriaco di quanto avesse creduto.

Sbirciò Tolomeo, chiedendosi se l'amico non lo stesse giudicando uno sciocco, e sulle sue labbra scorse lo stesso misterioso sorriso, quasi fosse inciso nella carne.

«Mi sforzo di guidarli; queste bestie sono i miei sudditi,» riprese il re dei Macedoni, come parlando a se stesso «ma a ogni crocevia abbassano la testa e graffiano la terra con gli zoccoli, e vogliono seguire un sentiero mentre io li spingo verso un altro. Non si tratta neppure di disobbedienza — non ancora — solo di caparbietà.»

«Ecco in che cosa sta l'arte del regnare: nel non avere mai l'aria di costringere i propri sudditi lungo un sentiero piuttosto che un altro, ma nel creare l'illusione che ce ne sia *uno* soltanto. Per gran parte degli uomini, scegliere è solo motivo di confusione. Sono sempre più felici quando credono che non ci siano alternative.»

Il sorriso di Tolomeo svanì e la sua voce si abbassò fino a diventare un bisbiglio confidenziale.

«Stiamo parlando della stessa cosa, mio signore? Stiamo parlando della successione... e di tuo fratello Filippo?»

Alessandro, sorpreso dall'audacia della domanda non meno che dalla bizzarra sensazione che l'altro gli avesse letto nel pensiero, si limitò a un cenno di assenso.

«Lo sospettavo.» Ora il viso di Tolomeo si era fatto grave, come quello di un medico alle prese con i primi sintomi di una malattia. «Un nuovo re siede sempre a disagio sul suo trono, soprattutto se non ha figli. Teme i suoi sudditi come se fossero una donna volubile, pronta a metterlo da parte se un altro uomo colpisce la sua fantasia. Filippo è ancora un ragazzo, ma i segni della grandezza sono già intorno a lui. In giro si mormora addirittura che in punto di morte il defunto sovrano sia stato illuminato dagli dèi, e che, se fosse vissuto un'ora di più, ti avrebbe rinnegato come suo erede a favore di tuo fratello.»

Alzò una mano per prevenire l'inevitabile domanda.

«Ti basti sapere questo, mio signore. Conoscere l'identità del seminatore di zizzania non ti porterebbe nulla di buono. Ma se sarà Perdicca il tuo erede, e sarebbe soltanto giusto, dato che è prossimo alla maggiore età, simili voci verrebbero messe a tacere.»

«E ora questa faccenda del gufo» sibilò Alessandro tra i denti. Ne era al corrente perché tutti parlavano dello strano incontro fatto dal principe Filippo — un gufo, e in pieno giorno. Com'era possibile dubitare che l'uccello non fosse un messaggero di Atena? Ne era al corrente, e si era sforzato di non pensarci. Non desiderava credere che nell'episodio fosse ravvisabile un intervento divino, ma ci credeva.

«Già. Tutta la città ne parla. Allontana Filippo» riprese Tolomeo. «E dopo qualche tempo, nomina Perdicca tuo erede. Quando richiamerai Filippo a corte, tutti avranno perfino dimenticato che hai un altro fratello.»

«Come potrei? La gente penserebbe che ho paura di lui.»

«Se sei saggio, *devi* avere paura di lui.»

I due uomini si scambiarono un'occhiata che poteva sembrare quasi d'odio ma non lo era.

«Ciò nonostante mi è fedele e tutti lo sanno. Il mio gesto potrebbe sembrare una punizione ingiusta e verrebbe interpretato come un segno di debolezza.»

Il sorriso tornò ad aleggiare sulle labbra di Tolomeo, ma ora Alessandro pensava di comprenderne il significato.

«Gli Illiri vogliono garanzie della tua amicizia» disse il nobile. «Perché non disporre uno scambio di ostaggi? Questo li soddisferà senza creare l'impressione che tu li tema, e ti libererà di Filippo.»

«Infatti... precisamente.» Ora Alessandro sorrideva, compiaciuto come se l'idea fosse stata sua. «Gli farebbe bene uscire dagli angusti confini della casa del vecchio Glauco. E probabilmente me ne sarà perfino grato, dato che è sempre stato uno spirito inquieto.»

«Nessuno penserà male di te, solo che intendi tener fede ai patti stretti da tuo padre, poiché affidi agli Illiri il tuo stesso fratello.»

«E Filippo non ne riceverà alcun danno.» Alessandro rivolse al compagno un'occhiata quasi feroce; Filippo era pur sempre suo fratello. «Resterà lontano per sei mesi circa, poi farà ritorno a casa; non gli accadrà nulla. Non permetterò che venga ucciso da quei barbari.»

Tolomeo sorrideva ancora, ma i suoi occhi erano opachi, senza luce.

«Come tutti sanno, mio signore, gli Illiri sono famosi per la loro ospitalità.»

Per parecchi giorni i graffi inferti dal gufo continuarono a prudere fastidiosamente. Faceva parte del processo di guarigione, aveva assicurato Nicomaco a Filippo. Fortunatamente non si erano infettati, ma con la consueta gravità lo aveva ammonito a non cedere alla tentazione di grattarsi.

Ma non si può essere sempre virtuosi, e una mattina, quando Filippo era ancora insonnolito, la sua mano salì automaticamente alla mascella.

Il sonno si dileguò all'istante. Filippo balzò a sedere di scatto, chiedendosi se non fosse stata solo un'impressione.

Ma no... il tatto non lo ingannava. In mezzo alle due rosse lacerazioni sentiva qualcosa di ispido. Gli stava spuntando la barba.

Si passò le dita sulla gola e sull'altra mascella, ma il resto del suo viso era perfettamente liscio. I peli crescevano soltanto intorno ai due graffi procuratigli dal gufo.

Se mai aveva sentito la necessità di qualcosa che confermasse l'intervento della dea, ora poteva dirsi soddisfatto. *"Ti ho marchiato e ti ho fatto mio. Ora mi appartieni."*

Nella sua mente non c'era più alcun dubbio, perché a dimostrazione del suo favore Atena lo aveva reso adulto.

Nel giro di pochi giorni il viso di Filippo si coprì di una barba rosso-oro, così che il mutamento divenne palese a tutti, e quando venne convocato dal re, per la prima volta i due fratelli si incontrarono da adulti.

Alessandro assisteva alle esercitazioni della cavalleria che si svolgevano nelle estese pianure incolte a nord di Pella, e Filippo dovette cavalcare tutto il pomeriggio per raggiungerlo.

La giornata volgeva ormai al termine, e almeno trecento cavalli erano impastoiati a gruppi di otto o dieci, disposti a cerchio con le teste rivolte verso il centro, i colli aggraziati chini a terra mentre brucavano l'erba a cui gli ultimi raggi del sole donavano una sfumatura bruna simile a quella del cuoio invecchiato. L'aria era satura dei fuochi su cui veniva cucinato il cibo e al passaggio di Filippo gli uomini stanchi alzavano appena gli occhi dalle loro ciotole. Quelli che lo conoscevano gli sorridevano o gli facevano un cenno di saluto con la mano, ma i più guardavano Alastor, badando a tenersi lontani dai suoi zoccoli, e non prestavano alcuna attenzione al cavaliere.

Filippo trovò il fratello maggiore seduto per terra a gambe incrociate, in compagnia di altri cinque o sei uomini; era intento a mangiare focacce di pane non lievitato avvolte intorno a pezzi di carne arrostita che prelevava da una casseruola di bronzo. Il re — il bel viso sporco di polvere e di sudore — indossava una lurida tunica di lino che gli arrivava a malapena alle ginocchia e tagliava la carne con un coltello di ferro che non avrebbe sfigurato nelle mani del figlio di un ciabattino. Lì all'accampamento non era altro che un soldato fra soldati.

Quando l'ombra del cavallo si proiettò su di lui, Alessandro alzò gli occhi e sorrise, spalancando le braccia in un gesto di comico stupore.

«Il mio fratellino! Com'è possibile? È barba quella che ti copre il mento, o soltanto sporco?»

Risero tutti, anche Filippo.

«Scendi da quel demonio nero e sciacquati la polvere che hai in gola con un po' di questo piscio di rana.» Gli tese un otre di vino. «Stalliere! Occupati del cavallo del principe Filippo.»

Il messaggero inviato a Pella si era limitato a riferire a Filippo che il re voleva vederlo subito, ma Alessandro non sembrava aver fretta di spiegargli il motivo di quella convocazione e a Filippo non dispiacque più di tanto. Aveva una fame terribile. Sollevò l'otre, in modo che un sottile rivolo di vino gli scorresse sulla lingua, poi strappò un pezzo di pane che usò per prendere qualche boccone di carne dalla pentola e li divorò con avidità, sebbene scottassero al punto di ustionargli il palato. Per una buona mezz'ora, tutti mangiarono tranquillamente in silenzio.

Quando fu sazio, Alessandro si pulì le dita nella tunica e, sdraiatosi sull'erba con un braccio dietro la testa, chiuse gli occhi. Quasi subito cominciò a russare piano, perché da buon soldato aveva la capacità di addormentarsi a comando. Nessuno gli prestò attenzione.

«Devo andare a ispezionare le difese... vieni con me?»
Il sole era tramontato da poco. Alessandro, che pure non aveva aperto gli occhi, sembrava perfettamente sveglio.
«Sicuro. Cominciavo a credere che fossi morto.»
Alessandro non rise; per un istante guardò Filippo come se questi lo avesse schiaffeggiato. Infine si alzò.
«Andiamo. I soldati devono sapere che il re non trascura di assicurarsi che facciano il loro dovere.»
Mentre osservava il comportamento del fratello con i soldati, Filippo cominciò a capire perché Alessandro fosse tanto popolare nell'esercito. Sembrava che conoscesse il nome di ognuno e aveva tempo per tutti. Si informava con i soldati della salute delle loro mogli, dei loro figli e dei loro cavalli. Discuteva delle loro prestazioni durante le esercitazioni, a volte lodando a volte criticando, ma dando sempre l'impressione che non un solo evento della giornata gli fosse sfuggito. In questo modo rafforzava nei militari il senso di lealtà, perché un esercito deve credere che il comandante sa fare il suo lavoro e che non è mai tanto in alto da trascurare i suoi uomini, neppure i più umili. Gli sembrò una lezione degna di essere ricordata.
«Che cosa sai degli Illiri?»
Era l'ora in cui le tenebre della notte sono più fitte, e i due giovani avevano appena lasciato l'ultimo uomo dell'ultimo posto di guardia. L'unica illuminazione era quella fornita dai fuochi delle sentinelle. Filippo sbirciò il viso del fratello e vi scorse un'espressione che gli riuscì del tutto nuova: Alessandro sembrava tormentato da qualche dubbio segreto.
«Ben poco» rispose. «So che sono una razza di ladri, che opprimono i popoli a essi sottomessi e provocano un'infinità di grattacapi a quelli confinanti. So che il loro re si chiama Bardili, che è vecchio e considerato saggio. Che altro c'è da sapere?»
Alessandro rovesciò all'indietro la testa e rise. Una risata che si protrasse troppo a lungo, e stranamente vuota.
«Se qualcosa c'è,» dichiarò poi «tu sarai il primo a scoprirlo. Bardili è spaventato dalla reputazione di soldato del nuovo re di Macedonia e vuole assicurazioni della nostra immutata

amicizia. A questo scopo, ci sarà uno scambio di ostaggi: lui mi manderà uno dei suoi innumerevoli discendenti, e io invierò te. Ricorda, quando sarai tra di loro, di tenere gli occhi aperti. Il tuo soggiorno non sarà troppo lungo, e verrai trattato come un ospite degno di tutti gli onori. Quasi ti invidio, fratellino.»

Ma Filippo non riusciva a scrollarsi di dosso la sensazione che non fosse la voce di Alessandro quella che ascoltava.

V

Gli Illiri avevano sempre avuto un posto importante nelle fantasie di Filippo. Negli interminabili giochi di guerra che avevano occupato la sua infanzia, erano quasi sempre loro gli avversari da sconfiggere. Per qualche perversa ragione, quando toccava a qualcun altro interpretare il ruolo del re dei Macedoni, Arrideo insisteva sempre per fare il generale ateniese, ma per Filippo e gli altri gli Illiri erano i nemici per antonomasia. Erano scaltri e crudeli, e le loro cavalcature eguagliavano quasi quelle macedoni. Inoltre, i ragazzi apprezzavano l'aura di seducente malvagità che circonda solo i popoli ancora parzialmente selvaggi.

Per questo, nell'apprendere che sarebbe stato inviato presso il re Bardili, la prima reazione di Filippo fu un fremito di paura; aveva sentito troppi racconti sul trattamento che gli Illiri riservavano ai prigionieri perché la prospettiva di finire nelle loro mani non gli facesse accapponare la pelle. Poi decise che il suo era un atteggiamento da codardo, che uno scambio diplomatico di ostaggi era tutt'altra faccenda, e che con tutta probabilità avrebbe vissuto una meravigliosa avventura. Cominciò addirittura ad aspettare con ansia la partenza, ma solo quando riusciva a dimenticare l'espressione che aveva scorto sul viso di Alessandro mentre lo informava della sua decisione.

Ma a mano a mano che l'estate si trascinava, Filippo incominciò a pensare che il suo soggiorno tra gli Illiri fosse destinato a non avere luogo. I soli cavalieri che attraversavano le brulle montagne che separavano i due regni erano messaggeri, poiché le trattative segnavano il passo, come se Bardili volesse prolungarle per qualche suo segreto intento.

Quegli indugi avevano effetti deleteri sui nervi di Alessandro.

«Che cosa sta tramando quel vecchio bandito?» sbraitava. «Crede forse che accetterò di aspettare in eterno?»

«Potrei andare io.»

Tolomeo parlò con noncuranza, quasi dubitasse dell'utilità di un suo intervento personale, ma conosceva bene il carattere del nuovo re. Alessandro accettò prontamente il suggerimento.

«Ma certo... vai più presto che puoi.»

Tolomeo partì il mattino successivo, per tornare venti giorni dopo con l'annuncio che gli accordi necessari erano stati presi. Lo scambio avrebbe avuto luogo di lì a quindici giorni, presso il valico di Vatokhori. Se c'erano state ulteriori intese, solo Tolomeo, e forse il re, ne erano a conoscenza.

E comunque a Filippo non importava. Per lui, la sola cosa che contasse era che nel giro di una decina di giorni sarebbe stato in viaggio per il Nord, finalmente lontano dalla soffocante atmosfera di casa, per vivere finalmente la vita di un uomo in mezzo a degli stranieri. Probabilmente sarebbe stato pericoloso — lo sperava proprio. Non sapeva come avrebbe fatto a sopportare le poche ore che gli rimanevano da trascorrere a Pella, ma per amore di Alcmene teneva a freno la propria impazienza.

Povera Alcmene, che lui amava come una madre, e i cui occhi tormentati seguivano ogni suo gesto. Filippo ricordava che aveva fatto lo stesso durante le malattie della sua infanzia, come se avesse temuto di perderlo per sempre.

Il mattino della partenza, ci fu una breve cerimonia di congedo in presenza del re, che lo abbracciò. Intorno a loro era raccolta una piccola folla tra cui sua madre e — Filippo sentì che il cuore gli si gonfiava nel petto — la cugina Arsinoe. Mentre montava a cavallo, intercettò il suo sguardo e le sorrise. Lei abbozzò un sorriso di risposta prima di abbassare gli occhi. Sua madre quasi non lo degnò di un'occhiata.

«Prendi questa, signore.» Alcmene si era avvicinata silenziosa come un'ombra e gli tendeva una grossa borsa di cuoio, mentre gli posava l'altra mano sul ginocchio. Alcmene aveva paura dei cavalli, soprattutto di quello di Filippo, e solo il coraggio della disperazione poteva averla indotta ad accostarglisi. «Il viaggio per quel luogo è lungo, e potresti avere fame.»

Filippo rise. Alcmene non riusciva ancora a chiamare gli Illiri con il loro nome, e neppure a riconoscerne l'esistenza. Non era da loro che lui si recava, ma in "quel luogo".

Prese la borsa, che era ancora calda e da cui usciva profumo di agnello — senza dubbio in quantità sufficiente a sfamarlo per un intero mese —, poi si chinò a baciarla.

«Ti preoccupi troppo, Alcmene» disse, senza smettere di ridere. «Non è escluso che alla fine il vecchio Bardili decida di tagliarmi la gola, ma è improbabile che mi faccia morire di fame.»

Tirò con forza le redini e al galoppo si slanciò fuori del cortile, obbligando la scorta ad affrettarsi per non restare indietro.

Perfino in piena estate i venti di montagna che spazzavano il valico di Vatokhori sapevano di neve. Filippo rabbrividì, avvolto nel suo mantello di lana di pecora. Gli sembrava che non avrebbe mai più sentito caldo. L'acqua del torrente che attraversava la pista era così gelida che, scorrendo sulle pietre, tintinnava come schegge di ghiaccio.

Sull'altra sponda, in groppa a cavalli il cui manto si era già infoltito in previsione dell'inverno, stavano un guerriero illirico e un ragazzetto dalle lunghe gambe esili, di otto o forse nove anni, che si teneva aggrappato alla criniera come timoroso di cadere. Il ragazzo faceva presumibilmente parte della casata reale illirica, sebbene non fosse all'altezza del ruolo: il naso gli colava, e ad animare il suo viso era solo un'espressione di contrarietà, mentre gli occhi erano smorti e come privi vita. Non mostrò alcun interesse per il gruppo di sconosciuti che erano la causa del suo lungo viaggio.

Il guerriero, invece, scrutava Filippo con uno sguardo intenso e ostile. La sua enorme mano sinistra stringeva le redini con gentilezza quasi femminea, ma il corpo solido e agile sembrava contratto per la collera.

''Forse dopotutto hanno davvero intenzione di tagliarmi la gola'' sussurrò Filippo tra sé e sé, mentre sfiorava con i calcagni il garrese di Alastor. Non voleva rivelare la paura che gli torceva le viscere. Mentre il cavallo lo trasportava verso gli Illiri, il rumore degli zoccoli nell'acqua bassa risuonò alle sue orecchie come il grido terrorizzato di una donna.

«Sono Filippo, figlio di Aminta e principe di Macedonia» disse, sorpreso lui per primo dalla fermezza della propria voce. «Sono colui per cui siete venuti.»

Il guerriero non replicò, ma allungò un colpetto al cavallo

del suo compagno, per spingerlo nell'acqua gelida. Filippo ne approfittò per lanciare un'occhiata al ragazzo, che fissava il vuoto con occhi vitrei e indifferenti, come se non capisse nulla di quanto stava accadendo intorno a lui, e non se ne curasse. Nel profondo della sua anima, Filippo fremette d'orrore.

Si volse verso i suoi compagni, gli uomini che avevano viaggiato con lui per quattro giorni e quattro notti, e alzò il braccio in segno di saluto, costringendosi a sorridere. Uno di loro avanzò di qualche passo, sembrò sul punto di dire qualcosa, ma alla fine si limitò a prendere le redini della cavalcatura del giovane illirico e ad allontanarsi con lui.

«Non c'è nulla che ci trattenga.» Filippo guardò la sua nuova guida, attento ad assumere il tono autorevole che aveva imparato da Alessandro. «Conducimi da re Bardili.»

Sembrò che l'altro non lo udisse. Per un quarto d'ora i due rimasero in silenzio, seguendo con gli occhi il drappello di Macedoni finché non scomparve alla vista. Soltanto allora l'illirico girò il cavallo e ripartì nella direzione da cui era venuto, lasciando che Filippo lo seguisse, se così desiderava.

Quando si fermarono, a notte, erano già saliti molto in alto e il vento strapazzava il loro misero fuocherello fino a disperderne quasi completamente il calore. Sentendosi infelicissimo, Filippo si raggomitolò dentro il mantello. Impossibile dormire, non solo perché temeva di morire assiderato, ma anche per la presenza dell'illirico, che sedeva piuttosto lontano, la schiena contro una roccia, apparentemente indifferente al freddo. In tutto il giorno non aveva pronunciato una sola parola. Probabilmente perché non conosceva il greco, si disse Filippo; e tuttavia non osava abbandonarsi al sonno.

Tutto sommato, però, riteneva di essere sufficientemente al sicuro; l'illirico aveva avuto più di sette ore di tempo per agire e non sembrava il tipo da aggredire una vittima addormentata e inerme. Era un enorme bruto dall'aspetto selvaggio, con una barba nera che sembrava crescere fin quasi agli occhi, occhi che non si chiudevano mai, occhi inquieti di predatore. Portava una specie di casacca di pelliccia che gli lasciava le braccia nude; il braccio destro era deturpato da un'ampia cicatrice che correva dal gomito alla spalla. No, non era uomo da esitare davanti a un omicidio e, dopotutto, che cosa avrebbe potuto fermarlo? Nella sua qualità di ostaggio, Filippo non era armato.

Finì così per concludere che, se era arrivato vivo fin lì, sarebbe sopravvissuto perlomeno il tempo sufficiente a comparire davanti a re Bardili. Non che questo facesse al momento una gran differenza. Il sonno continuava a eluderlo.

Viaggiarono per tre giorni attraverso valli montane che Filippo era ragionevolmente sicuro non appartenessero al territorio orignale degli Illiri, e fossero invece parte del loro piccolo impero di tribù assoggettate. Pur circondati da praterie che avrebbero potuto nutrire greggi e branchi di bestiame immensi, i villaggi erano poveri e desolati, brulicanti di bambini sporchi dal ventre gonfio e dallo sguardo disperato. I loro genitori avevano l'aria spaurita, e si affrettavano a cedere il passo a Filippo e alla sua guida, senza mai pronunciare parola né alzare gli occhi dal terreno gelato. Nessuno degli uomini era armato, e si aveva la sensazione che sarebbero fuggiti volentieri se solo ne avessero avuto il coraggio, come se generazioni di brutale dominio avessero insegnato loro la futilità dell'orgoglio. Filippo non si era mai imbattuto in tanto terrorizzato servilismo; fra i Macedoni, lo stesso re era soltanto un uomo tra gli uomini, davanti a cui perfino il più umile contadino avrebbe disdegnato di abbassarsi a quel modo.

Era strano vedere povertà e degradazione in uno scenario tanto imponente, perché le montagne del Nord erano così maestose che a Filippo riusciva difficile credere che gli dèi avessero consentito a semplici mortali di abitarle. Ma erano anche crudeli. Lassù, l'inverno era già arrivato, sebbene la luce del sole fosse così nitida da ferire gli occhi, e l'acqua sorgiva che scorreva un po' ovunque lungo le lisce pareti rocciose era ghiacciata e simile a marmo, quasi sospesa per sempre nell'atto di precipitare. In alto, nel cielo pallido e sterminato, i falchi volteggiavano descrivendo ampi cerchi, come silenziosi presagi di morte.

Nel primo pomeriggio del quarto giorno Filippo e l'illirico, di cui lui non aveva ancora sentito la voce, si trovarono ad aggirare un affioramento roccioso che si rivelò essere la parete di un angusto passaggio tra due montagne. Mentre si inoltravano nello stretto corridoio di pietra, una fortificazione naturale che venti uomini avrebbero potuto facilmente difendere contro cinquecento, Filippo notò tracce di interventi umani: un bastione ricavato nel granito che si ergeva per una quindicina di cubiti sopra la sua testa, un cumulo di macigni disposti in modo che sarebbe stato sufficiente sfiorarli per farli precipitare su un eventuale intruso, un paio di posti di guardia nascosti nell'ombra. Non vide nessuno, ma sentiva che lui e la sua guida erano osservati. Evidentemente, erano arrivati in prossimità di una roccaforte.

Il passaggio sfociò in una radura, circondata su tutti i lati da oblique pareti rocciose, che nel punto più ampio un cavallo avrebbe impiegato due giorni a percorrere. All'interno della parete orientale, e quasi invisibile a quella distanza, sorgeva una città di pietra, modesta se paragonata a Pella, ma pur sempre una città. Agli abitanti di quelle montagne doveva certo apparire come l'ombelico del mondo.

Filippo e l'illirico si scambiarono un'occhiata — e l'uomo dovette pentirsene subito, perché si affrettò a distogliere lo sguardo —, poi si inoltrarono al galoppo nella valle innevata. Non era trascorso neppure un quarto d'ora quando Filippo udì un rombo sordo di zoccoli, e pochi minuti dopo scorse un centinaio di cavalieri che galoppavano verso di loro.

Giunti a una cinquantina di passi di distanza, i cavalieri misero le cavalcature al trotto, poi al passo e si disposero in una fila; non erano a più di otto, dieci passi da lui quando finalmente si fermarono.

La guida prese le briglie di Filippo e si fermò a sua volta. Erano arrivati alla fine del viaggio.

Qualcuno gridò qualcosa in una lingua che Filippo non aveva mai udito prima, e l'illirico rispose — dunque non aveva perso la lingua. Pur non capendo neppure una parola, il giovane principe comprese che il cavaliere al centro della fila, quello che aveva parlato per primo, era Bardili. Era troppo vecchio per essere altri che un re.

«Ebbene, Zolfi» disse l'anziano monarca, questa volta, presumibilmente a beneficio di Filippo, in un greco dal forte accento. «Vedo che mi hai condotto il mio pronipote.»

«Tua nonna era la mia seconda figlia, figlia della mia terza moglie» spiegò Bardili, quando ebbe smesso di dedicarsi al cibo. Era così sottile da assomigliare a un cadavere essiccato, ma nel corso del banchetto in onore dell'ostaggio aveva ingollato interi vassoi di carne di capra e di miglio, annaffiandoli con innumerevoli coppe di vino, il tutto con l'avidità di un autentico conquistatore. «Così almeno mi sembra di ricordare, per quanto potrei anche sbagliarmi. Avevo vent'anni quando nacque e ben altro da fare che lasciarmi importunare da una neonata. Non rammento neppure come si chiamasse.

«La affidai al vecchio Arrabeo di Lincestide perché la desse in sposa a suo figlio. Morì di parto più di quarant'anni fa. Nondimeno, attraverso di lei il mio sangue scorre nelle tue vene. Sono il tuo avo, ragazzo... ah, ah, ah!»

Tutti i presenti nella minuscola sala risero, e così Filippo. Aveva scoperto di provare una certa simpatia per quel suo vecchio scheletrico progenitore, sebbene l'istinto gli dicesse di diffidare della disinvoltura con cui il sovrano lo trattava.

Risero i compagni di Bardili, anche se con tutta probabilità la maggior parte di loro sapeva ben poco di greco. E rise Pleurato.

Bardili era sopravvissuto a tutti i suoi figli e Pleurato, il cui padre era stato il primogenito del re, ne era considerato l'erede. Sulle soglie della mezza età, era un uomo robusto, solidamente costruito e dai modi gravi, ma gli occhi un po' troppo piccoli per il viso gli conferivano un'espressione perennemente perplessa. Fino a quel momento, neppure una parola era uscita dalle sue labbra.

Ascoltando le descrizioni della vita di corte che gli faceva il vecchio Glauco, Filippo aveva imparato molto: fra l'altro, che si poteva scoprire una gran quantità di cose osservando i volti dei partecipanti a un banchetto, dove tutti sono obbligati a fingere di divertirsi, mentre di fatto a nessuno è permesso rilassarsi neppure per un momento. Solo uno sciocco poteva giudicare divertenti i banchetti, diceva spesso Glauco, perché non erano altro che occasioni per complottare e tessere intrighi. Bastava guardarsi intorno per capirlo. Seguendo gli sguardi dei presenti era possibile scoprire con sicurezza dove stava il potere. Gli unici a sentirsi a proprio agio erano i servi.

A Pella, Filippo non aveva mai partecipato a un banchetto, ma capiva con sufficiente chiarezza che le osservazioni di Glauco rispondevano a verità. I convitati mangiavano e scherzavano e sorridevano, ma c'era un'espressione ansiosa nei loro occhi che spostavano continuamente da una parte all'altra della sala, sempre intenti a paragonare la forza di uno con la debolezza di un altro e a cercare di capire la propria posizione tra i due.

Comprese così che Pleurato non era soltanto l'erede di Bardili, ma anche il suo rivale. Bardili regnava, ma il futuro apparteneva a suo nipote e, dato che i nobili dovevano vivere con entrambi, erano costretti a prendere posizione. Filippo si chiese quanto fosse grande l'appoggio su cui Pleurato poteva già contare, anche se forse non era poi così importante, dato che il tempo avrebbe inevitabilmente giocato a suo favore.

Sulla porta che dava presumibilmente nella cucina, comparve una bambina di forse otto o nove anni. Andò a posare una brocca di vino davanti a Bardili, che le passò il braccio sottile intorno al collo. La piccola non reagì; sembrava abituata alle effusioni del vecchio sovrano.

«La mia pronipote, Audata.» Parlò in tono orgoglioso, quasi stesse esibendo una preda di guerra. «È solo alla fine che un uomc impara ad apprezzare le bambine. E io amo questa in modo addirittura esagerato.»

Poi, indicando Filippo, sussurrò qualcosa alla bambina che si girò a guardare il giovane con i suoi grandi occhi pensosi. Quindi gli si accostò e cominciò a tirarlo per la manica e, quando lui si voltò verso di lei, lo baciò — non sulla guancia, come ci si sarebbe potuto aspettare, ma in piena bocca. Infine si volse e lasciò la stanza senza guardarsi indietro. Filippo si accorse di essere arrossito. Pleurato pareva infastidito, ma non disse nulla.

«Mio nipote è divorato dalla gelosia» sbraitò Bardili, scosso dalle risa. «Perché a quanto pare la sua piccola Audata ha già scoperto la donna che c'è in lei... hai visto? La gallinella comincia già ad affilarsi il becco! Ah, ah, ah!»

La risata si spense di colpo e il volto del re si rannuvolò, come se un dolore da tempo dimenticato fosse tornato a farsi sentire.

«Ora ricordo il suo nome. Dakrua, si chiamava Dakrua. Potresti essere suo figlio, mio giovane Filippo di Macedonia, perché hai i suoi occhi.»

E con quelle parole sembrò liquidare definitivamente l'argomento.

Filippo parlò con voce quieta, deliberatamente neutra. «Non sapevo nulla di questa parentela.»

Le sue parole raggiunsero Bardili nel bel mezzo di un enorme boccone e parvero stupirlo spiacevolmente. Deglutì.

«Immagino che ormai tutti abbiano dimenticato. C'è ur

grande vantaggio diplomatico nel sopravvivere fino alla vecchiaia. Ricordo cose che gli altri hanno già scordato.»

I suoi occhi, che erano dello stesso grigio-azzurro di quelli di Euridice e di Filippo, si restrinsero lievemente, come se il re sottintendesse più di quanto era disposto a dire.

VI

Mentre si protendeva a riempire la coppa di Alessandro, Euridice si scoprì a tentare di reprimere una crescente sensazione di panico. Da qualche tempo la assaliva sempre più spesso, quella percezione di totale impotenza davanti a un pericolo terribile ma ignoto incombenti su un futuro che lei poteva solo immaginare peggiore della morte, e da cui la morte avrebbe costituito alla fine una pietosa via di scampo. Un grido d'ammonimento le salì alle labbra... ma contro che cosa? Lo ignorava. Così lo soffocò dietro un sorriso smorto, incerto.

Di che cosa stavano parlando? Era importante? Non riusciva a ricordare.

Alessandro sembrava annoiato. Quasi non aveva toccato cibo e stava bevendo troppo, cosa che non mancava mai di incupirlo. Avrebbe desiderato essere altrove, questo era evidente, di nuovo tra i suoi soldati, di nuovo circondato dal cameratismo familiare e rassicurante degli uomini. La compagnia delle donne, perfino quella della propria madre, lo rendeva inquieto.

Proprio in questo stava il problema.

«Ti stai stancando troppo» osservò Euridice, riprendendo il filo del discorso. La sua voce rifletteva il giusto equilibrio fra comprensione e biasimo. «Dovresti prenderti più cura di te.»

«È l'esercito ad avere bisogno di cure, madre. Per più di dieci anni lo si è lasciato sprofondare nella decadenza. Sembra quasi incredibile...»

«L'esercito non è nulla senza il suo re, e tu dedichi più attenzione ai tuoi cavalli che alla tua salute. Inoltre, i doveri di un sovrano non sono soltanto di natura militare. Ti serve una moglie.»

Sorrise di nuovo, ignorando il lampo d'irritazione che era balenato sul bel viso del figlio.

«E senza dubbio tu me ne hai trovata una, per risparmiarmi il fastidio di guardarmi intorno.»

Sempre sorridendo, Euridice si strinse nelle spalle come a dire *naturalmente*.

«Mio fratello Menelao ha una figlia in età da marito» ribatté, sebbene la ruga comparsa sulla fronte di Alessandro le avesse già detto che stava parlando invano, che il figlio non avrebbe sposato sua nipote Filinna, e con tutta probabilità nessun'altra. «I vantaggi politici sarebbero indubbi, considerati i legami con la Lincestide...»

«La Lincestide è in rivolta.» Per un momento Alessandro parve sul punto di alzarsi, ma non si mosse. «Menelao cospira con gli Illiri contro di me. Se il fatto che è mio zio non basta ad assicurarmi la sua lealtà, non vedo che benefici potrei ricavare dall'averlo come suocero.»

«Lei potrebbe darti un figlio...»

«La successione è già assicurata» tagliò corto Alessandro. Aveva alzato la voce, desideroso di metterla a tacere. «Un mese fa ho nominato Perdicca mio erede, e non abbiamo più niente da temere da Filippo. Non c'è alcuna necessità di parlare di mogli.»

Ma dalla rapidità con cui abbassò lo sguardo fu evidente che aveva compreso l'errore a cui la collera lo aveva indotto.

Nella sua saggezza di madre, Euridice decise per il momento di ignorarlo.

«Il pensiero di una donna ti risulta dunque tanto sgradevole, figlio mio?» Allungò una mano a coprire quella di lui, che non si ritrasse. «È cosa di poco conto, finisce in un attimo e a quel punto il dovere di un re è compiuto. E non devi sottovalutare il problema concernente la tua sicurezza: quanti re macedoni sono caduti non in battaglia ma per mano di sudditi malvagi? Un assassino ci pensa bene prima di colpire, se c'è un figlio pronto a vendicare la morte del padre.»

«I miei fratelli mi vendicherebbero.»

Sapeva che non era vero, e le parole gli morirono sulle labbra. Da parte sua, Euridice dovette soffocare una risata, che in pochi istanti si sarebbe trasformata in un pianto isterico.

«Perdicca ti vendicherebbe?» chiese, senza neppure sforzarsi di nascondere il disprezzo. «Perdicca? Oh, credo che un uomo che fosse così audace da colpirti si sentirebbe del tutto tranquillo con Perdicca. E lui, dopotutto, diventerebbe re.»

Attese, per vedere se Alessandro si sarebbe risolto a pronunciare il nome di Filippo, ma lui rimase silenzioso. Per il momento conveniva a entrambi dimenticare perfino la sua esistenza.

«Ci penserò» concesse alla fine Alessandro, ma con un tono che sottintendeva come avesse già respinto l'idea.

«Fallo, figlio mio, pensa a tutto quello che potresti guadagnare in quelle poche ore trascorse fra le braccia di una donna...»

Il giovane sorrise, scoprendo i denti, così che il sorriso parve piuttosto un ghigno.

«E che cosa, madre, il cugino Tolomeo ha guadagnato fra le tue braccia?»

Praxis era un giovane effeminato, vizioso e meschino, con nulla a suo credito se non un nobile lignaggio e un posteriore ben fatto. Uno come lui poteva soddisfare solo i palati più rozzi, e non era quindi sorprendente che, superata la breve infatuazione, Alessandro lo avesse messo da parte e neppure che, tipicamente, avesse sottovalutato il pericolo costituito dagli amanti abbandonati. Praxis non venne neppure invitato a lasciare la corte, dove rimase imbronciato come una donna a coccolare la propria vanità offesa e dove Tolomeo, che sapeva riconoscere uno strumento utile quando lo incontrava, decise di sprecare un po' del suo tempo per sedurlo.

L'esperienza di una sola notte bastò a convincerlo di aver scelto bene; Praxis era disposto a subire qualunque cosa, a tollerare qualunque affronto — in effetti, sembrava addirittura che gli piacesse essere trattato con disprezzo e brutalità — se si convinceva di aver suscitato una grande passione. Gli dèi lo avevano beffato crudelmente dandogli un corpo maschile, perché era nato per interpretare la parte della puttana, e allargava le natiche con servile gratitudine per qualunque uso se ne volesse fare.

"Praxis, mio amato, che piccola rivoltante creatura sei, col tuo cuore di schiavo gonfio di risentimento e di strisciante gelosia" rifletteva Tolomeo mentre, in piena notte, si sciacquava la gola con qualche sorso di vino. Si mise a sedere e abbassò gli occhi sulla figura addormentata al suo fianco. "E come sei ammirevolmente perfetto per i miei scopi."

E, mentre beveva circondato dalle tenebre, ebbe un fremito in cui si mescolavano in parti eguali paura ed esaltazione, perché sapeva di avere il fegato per qualunque azione utile alla sconfinata ambizione che gli bruciava l'anima, consumando ogni altro sentimento per poter ardere con sempre maggior vigore, e la cui audacia lo affascinava e lo intimoriva al tempo stesso.

Forse soltanto in momenti come quello, quando era completamente solo con se stesso, comprendeva appieno l'enormità dei rischi che si accingeva a correre, che aveva in effetti già corso, pur di ottenere ciò che desiderava come un uomo mai aveva desiderato una donna. Che cos'era la carne — e la vita stessa — di fronte all'attrazione esercitata dal potere? La brama di potere era in grado di trasformare ogni cosa, mutando perfino il timore che lo coglieva quando contemplava la morte, che si ostinava a corteggiare, in un piacere quasi sensuale.

E certo aveva trasformato lui, perché Tolomeo era vissuto a corte fin dalla nascita. A quell'epoca, il re era suo nonno Archelao, un uomo vano e millantatore, secondo figlio di un secondo figlio. Tolomeo lo ricordava con chiarezza, ricordava la sua risata tonante che faceva vibrare i muri, perfino l'odore della sua barba. Archelao era uno di quegli uomini che sembrano invitare la rovina. E la rovina era giunta. Uno dei suoi nobili, un certo Cratea, lo aveva assassinato per aver infranto la promessa di dargli in sposa la figlia più giovane.

Erano seguiti otto anni di caos, e in quegli anni Tolomeo era divenuto adulto. Oreste, figlio di Archelao, gli era succeduto sul trono, solo per incontrare una sorte analoga: a ucciderlo era stato lo zio Aeropo, fratello del defunto re, che era morto dopo pochi anni di regno. Dopo di lui, altri due re erano stati scelti e assassinati nel giro di due inverni: prima il secondo figlio di Archelao, Aminta il Piccolo, padre di Tolomeo, poi Pausania, figlio di Aeropo.

Era stato quando i Macedoni si erano nuovamente riuniti per eleggere un nuovo re che Tolomeo, con la spietata chiarezza che è propria solo di coloro che sono nati per regnare, aveva capito di non avere alcuna speranza di succedere al padre — dopotutto, era poco più che un ragazzo, e i Macedoni volevano un re forte, in grado di porre fine agli spargimenti di sangue che indebolivano la nazione. Se si fosse fatto avanti, lo avrebbero giudicato un giovane troppo ambizioso e quindi pericoloso, di quelli che i re temono più di chiunque altro e che si affrettano a trovare un pretesto per condannare. Di conseguenza, aveva fatto in modo di essere il primo a schierarsi a favore di Aminta, figlio di Arrideo.

Pausania aveva lasciato un figlio che portava il suo nome, un bambino ancora troppo piccolo per essere allontanato dalla madre, e qualcuno aveva proposto di eleggere lui e di affidare il potere a un reggente. Ma l'elezione di un re bambino sarebbe stato un invito all'anarchia e all'assassinio, e quando Tolomeo si era alzato in piedi, percuotendosi la corazza con la spada per attirare l'attenzione, molti tra i Macedoni erano più che disposti ad ascoltarlo.

«Quanto ancora dovremo sopportare prima che la nazione cada a pezzi e venga annientata dai suoi nemici?» aveva gridato lui. «Non *invitiamo* la distruzione e concediamoci, per una volta, un re il cui lignaggio non sia contaminato dal sangue del tradimento. C'è ancora fra di noi un discendente degli Argeadi, un giovane nel rigoglio degli anni, le cui capacità sono comprovate e note a tutti...»

Alla fine, naturalmente, era apparso chiaro che non c'era scelta. La saggezza di Tolomeo era stata nel capirlo un po' prima degli altri.

E nell'intento di dimostrare che la sua fedeltà andava ben oltre un tempestivo intervento in consiglio, lui si era spinto molto più in là. Quando gli Illiri avevano esiliato il nuovo re, Tolomeo era andato con lui, aveva trattato con i Tessali per assicurarsene l'appoggio militare, e aveva servito come comandante di cavalleria nella campagna, protrattasi un anno, per la riconquista di Pella e della sovranità.

Era stato ricompensato dal signore di Macedonia che gli aveva dimostrato con generosità la sua riconoscenza — terre, onorificenze, cariche di rilievo e in ultimo l'unica figlia del re in sposa. Ma non era mai abbastanza.

Perché Tolomeo, figlio e nipote di re, non poteva fare a meno di chiedersi per quale motivo un altro uomo doveva essere posto più in alto di lui. Il suo diritto di sangue era pari, se non superiore a quello di Aminta, dato che in fondo il nonno di questi era stato solo l'ultimo figlio del vecchio re Alessandro. E tuttavia Tolomeo era il servo e Aminta il signore.

E così Tolomeo aveva preparato la sua vendetta. Per cominciare, aveva sedotto la moglie del re, la madre dell'erede, affaticandosi tra le sue cosce fino a ispirarle un amore che l'aveva resa cieca a tutto il resto. Poi, morto Aminta, aveva tramato la rovina dei suoi figli.

L'allontanamento di Filippo era stato un colpo da maestro. Il ragazzo sarebbe morto ostaggio degli Illiri e Alessandro, obnubilato dalla collera e dal rimorso, avrebbe dichiarato guerra a Bardili, solo per essere sconfitto e ucciso in battaglia. Alessandro era cocciuto e coraggioso al punto da rasentare la follia, quindi perché non sarebbe dovuto morire combattendo? Che cosa c'era di più semplice?

A quel punto, naturalmente, sarebbe stato necessario comperare la pace dagli Illiri. Tolomeo ne aveva già stabilito le condizioni con Pleurato, l'ambizioso nipote di Bardili e uomo abile negli affari. La Macedonia avrebbe rinunciato alle province settentrionali e pagato un pesante tributo, ma un regno ridotto nelle dimensioni era pur sempre meglio di niente, purché fosse suo.

Perdicca, l'unico superstite dei figli di Aminta, sarebbe stato ancora troppo giovane per governare, e quale reggente migliore di Tolomeo, suo cognato?

Col tempo, un incidente di qualche tipo avrebbe liquidato Perdicca — erano uomini sfortunati, i figli di Aminta — e al suo posto chi avrebbero potuto eleggere i Macedoni, se non lo stesso Tolomeo?

Non ci sarebbero state difficoltà, a condizione che Pleurato onorasse i patti e si assicurasse che Filippo...

La prima volta che sentì Filippo riferirsi ai suoi custodi come agli "Illiri", Bardili fu pronto a correggerlo. «Noi siamo Dardani. A un macedone la differenza può non sembrare importante, ma per noi lo è. Gli Illiri sono costituiti da molte nazioni, ma noi ne siamo i capi... un tebano non si sentirebbe lusingato se tu lo chiamassi "beota". Lo stesso vale per noi.»

E i Dardani, scoprì molto presto Filippo, erano ossessionati dalla guerra. Non la consideravano uno strumento politico, e a differenza degli Spartani non erano una razza guerriera, perché non tenevano in alcun conto la disciplina morale che il popolo di Sparta adottava anche nella vita quotidiana, giungendo così quasi a nobilitare la guerra. Anzi, per i Dardani quello era un atteggiamento inconcepibile. Concetti come gloria e disciplina non rivestivano alcun significato e la loro era una filosofia da banditi. Non avevano scrupoli. La sola virtù che riconoscessero era il coraggio, di cui erano abbondantemente dotati, ma per il resto avevano della guerra una concezione infantile: era una specie di gioco che spingevano fino ai limiti estremi, e in cui le ferite e la morte erano il rischio, e lo stupro e il saccheggio la ricompensa.

E questo, questo soltanto rappresentava per i Dardani il culmine dell'esistenza.

Ciò nonostante, gli uomini migliori e più saggi non avrebbero potuto essere compagni più amabili, soprattutto per chi aveva appena raggiunto l'età adulta, e Filippo trovava la vita fra quei briganti completamente di suo gusto.

Gran parte dei nobili dardani parlava almeno un po' di greco e Filippo imparò in fretta un centinaio di parole del loro idioma, quanto bastava per consentirgli di mescolarsi liberamente alla gente comune. A sua volta, questa non si faceva scrupolo di considerare quasi uno di loro quel principe straniero che discendeva dal loro re, che cavalcava non meno bene di loro, e che sembrava non avere paura di nulla. Filippo si divertiva immensamente, ne apprezzava la compagnia e soprattutto apprezzava la barbara eccitazione delle loro esercitazioni a cavallo.

I soldati si addestravano, e non c'è soldato che non odi gli addestramenti. Ma i Dardani non erano veri soldati, di conseguenza le loro esercitazioni militari erano al contempo meno disciplinate e più divertenti — un gioco, in effetti, a cui si dedicavano con l'entusiasmo dei bambini.

All'inizio dell'inverno, quando solo due o tre spanne di neve ricoprivano la piana antistante la città, inscenavano false battaglie per cui utilizzavano lance con la punta avvolta in stracci ed effettuavano vocianti cariche di cavalleria. Mentre galoppavano sulla neve farinosa, le loro robuste cavalcature sollevavano soffici nuvole che quasi li nascondevano alla vista, e gli uomini così distratti o sfortunati da venire disarcionati di solito si rialzavano ridendo, e a volte, nel ripulirsi la barba dal ghiaccio, sputavano sangue o qualche dente.

Era la guerra senza l'opprimente minaccia della morte. E in fondo, che cosa sapeva Filippo della morte? Il gioco lo riempiva di una bizzarra esaltazione che cancellava paura e cautela, e lo faceva sentire quasi immortale. Cavalcava per giornate intere senza mai fermarsi, finché i fianchi di Alastor non erano coperti di schiuma.

Le prime volte che lo invitarono a partecipare al loro sport preferito, quando lo consideravano ancora uno straniero, i Dardani lo trattarono con la condiscendente indulgenza che di solito si riserva ai bambini. Ma si accorsero abbastanza in fretta che, per quante volte venisse scaraventato nella neve, il "ragazzo macedone" si rialzava sempre. Non si dimostrava mai né debole né codardo, e accettava con buona grazia i loro dileggi. Ed era implacabile. Dopo il terzo giorno smisero di chiamarlo "ragazzo" e presto, molto presto, il giovane si guadagnò una certa reputazione: la vista di "Filippo il macedone" che in sella al suo stallone nero avanzava al galoppo, la punta della lancia ondeggiante e puntata contro i loro cuori, bastava a suscitare un fremito di timore negli uomini che saccheggiavano i villaggi di confine del regno di suo padre ancora prima che lui nascesse.

L'intero pomeriggio trascorreva in quel gioco meraviglioso, poi tutti se ne andavano ai bagni, per eliminare la rigidezza dai corpi indolenziti, bere vino forte ed esibire le ferite, gloriandosi delle azioni nel corso delle quali se l'erano guadagnate. Queste consuetudini inorgoglivano e deliziavano Filippo, che tra i Dardani si sentiva accettato come un uomo tra gli uomini. Si era definitivamente lasciato la fanciullezza alle spalle.

Ma, per quanto i Dardani lo trattassero come uno di loro, era pur sempre un prigioniero, e il cane da guardia del vecchio Bardili, l'uomo che si chiamava Zolfi, non lo mollava un istante. Anche quando faceva ritorno in città, a Filippo era sufficiente un'occhiata a terra per vedere l'ombra del cavallo del suo custode. Non aveva quindi difficoltà a rammentare l'incarico affidatogli da Alessandro: «Quando sarai tra di loro, tieni gli occhi aperti». E i suoi occhi, mentre studiava gli spalti e le torri delle mura cittadine, erano quelli di un nemico.

"Erigono fortificazioni, ma senza molta convinzione" pensò. "Non riescono a credere che potrebbero tornargli effettivamente utili... non possono neppure concepire che qualcuno osi portare la guerra fino alle loro porte. Potrei conquistare questa città in mezza giornata."

E con la fantasia, quasi nello spazio di un respiro, la conquistò. Le mura erano state abbattute, e il fumo si addensava sulle rovine. Come si sarebbero spalancati gli occhi del vecchio Bardili, venuto a supplicare per la salvezza della sua gente, nel vedersi davanti il pronipote, sorridente sotto il bronzeo elmo di guerra!

A quel punto, prevedibilmente, Filippo si ricordò dello stretto valico roccioso che portava alla valle e pensò alla facilità con cui un pugno di guerrieri avrebbe potuto difenderlo contro un intero esercito. Che importanza aveva il numero, se non per il fatto che ci sarebbero stati più cadaveri a ostruire l'accesso?

Si ripromise di trovare una scusa per perlustrare il luogo. Forse esisteva qualche punto debole di cui lui non si era accorto.

Spronò Alastor, resistendo alla tentazione di voltarsi. Zolfi non poteva leggere nei suoi pensieri, ma a volte basta un'occhiata a tradire un uomo.

Varcata che ebbe la porta, Filippo rimase stupito nel vedere la piccola Audata tranquillamente seduta sull'ampio bordo di pietra di una cisterna vuota, le braccia strette intorno alle ginocchia come per proteggersi dal primo vento della sera. Non l'aveva più incontrata dalla sera del suo arrivo.

Senza guardarlo, lei sollevò il viso in un gesto che parve voler richiamare la sua attenzione. E Filippo gliela concesse tutta, perché il suo era più un volto di donna che di bambina. Lo colpì il constatare che era bellissima, con i capelli colore del bronzo e zigomi alti che le davano un che di vagamente felino... forse era questo tratto a suggerire l'impressione di una sensualità sopita, ma gli era impossibile non ricordare il modo in cui l'aveva baciato. Allora sorrise, sentendosi improvvisamente molto impacciato.

«Non hai freddo?» chiese, chinandosi fin quasi a sdraiarsi sul collo dello stallone. Passò un secondo prima che Audata volgesse verso di lui gli occhi grigio-azzurri, e anche allora sembrò non aver udito.

«Sarai mai re?»

Lui dovette sembrarle sorpreso, perché ripeté la domanda. «Sarai mai re, Filippo? Il bisnonno ha detto che un giorno sarò la sposa di un grande re.»

«Sarà un'ora buia per la Macedonia, quando saranno costretti a scegliere me, perché ho due fratelli più anziani.» Rise, anche se di colpo la distanza che lo divideva dal trono, e che fino a quel momento non lo aveva mai preoccupato, gli riusciva quasi dolorosa.

«Eppure sono accadute cose anche più strane» mormorò lei. «Forse dopotutto sarai re.»

Proprio alle spalle di Filippo echeggiò una sfilza di imprecazioni — lui non ne riconobbe neppure una, ma sarebbe stato impossibile pensare che si trattasse d'altro — e con un sussulto, come strappata bruscamente al sonno e scaraventata in un presente freddo e spietato, Audata scivolò a terra e scomparve. Un cavallo andò a fermarsi dietro Filippo. Lo cavalcava Pleurato. Per un momento squadrò con aria truce il giovane, quasi che l'odio silenzioso fosse un insulto di per sé, poi distolse lo sguardo e si allontanò.

VII

Ottantenne, Bardili era in grado di cavalcare senza stancarsi quasi come ai tempi della sua giovinezza, ma nell'estate del suo settantaduesimo anno, durante un'incursione punitiva contro i Taulanti, il suo cavallo era stato ucciso e nella caduta lui si era maciullato la gamba sinistra. Le ossa non si erano mai saldate del tutto e come conseguenza il sovrano era costretto a servirsi di un bastone.

Non era uomo da sopportare pazientemente le infermità — e neppure da ammetterle — e il bastone costituiva per lui un'afflizione costante. Quando era con Filippo, preferiva rinunciarvi e appoggiarsi alla spalla del ragazzo, che si trovava proprio all'altezza giusta. Forse fu questo a creare una certa intimità fra di loro, o forse Filippo risvegliava in lui una tenerezza dimenticata da tempo. O ancora, forse Bardili era semplicemente contento di abbandonare il suo bastone. Comunque fosse, divenne presto evidente che il re dei Dardani apprezzava in modo particolare la compagnia del pronipote.

«Vorrei che tu potessi restare con noi» gli disse una mattina, mentre si spingevano fino alle mura cittadine, il tragitto più lungo che il vecchio poteva compiere. «Vorrei che tu riuscissi a dimenticare di essere un macedone. Metterei Pleurato da parte e ti farei mio erede. Mio nipote è un tanghero, sai. Non è buono a nulla se non a saccheggiare villaggi. La sua mente non conosce sottigliezze. Tu saresti un re molto migliore.»

«È opinione generale che tutti gli Illiri siano buoni solo a saccheggiare villaggi» rispose Filippo, e Bardili rise con lui perché non era uomo da coltivare false illusioni. «Inoltre, se defezionassi, che cosa farebbe Alessandro del suo ostaggio?»

«Gli taglierebbe la gola.» Il re parlò in tono perfettamente normale, come se giudicasse la cosa di nessuna importanza. «Anche lui è un mio pronipote. L'hai visto... con la gola tagliata non potrebbe che migliorare. Perché? Non mi avrai giudicato così pazzo da inviare qualcuno la cui vita avesse qualche valore per me?»

Si girò a guardarlo e sorrise. Era un sorriso abbastanza gradevole, ma che penetrò nel cuore di Filippo come una lama gelida.

«Ricorda, Filippo, se mai tu dovessi diventare re, che l'albero della regalità prospera solo finché si ha cura di eliminare i rami deboli.

«Ti ho stupito,» riprese con il brio di chi sa di avere ottenuto l'effetto desiderato «e certo non avrai alcun desiderio di diventare il mio erede. D'altro canto, non cc n'è mai stata la possibilità, perché tu non dimenticherai mai di essere un macedone, e il tuo piano è di impossessarti di tutto questo non ereditandolo ma con la conquista.»

Fece un gesto ampio che parve comprendere il mondo intero, poi lasciò ricadere il braccio, come se ogni forza lo avesse improvvisamente abbandonato.

«Vedi, Filippo, non mi è sfuggito come ti guardi intorno, bramando anche le mura della mia città. La cosa non mi infastidisce; è abbastanza naturale, soprattutto in un giovane che sente crescere dentro di sé il desiderio di gloria. Mi ricordi me stesso ai tempi della mia giovinezza, quando i sogni di futuri trionfi riempivano ogni mio pensiero. E so che è solo una specie di gioco che si svolge nella tua mente. Ma fa' attenzione, perché è certo che anche altri l'avranno notato. E potrebbero darne una valutazione meno indulgente.»

«Contro chi mi stai mettendo in guardia? Contro il desiderio di attentare alla tua città o contro Pleurato?»

La risata del vecchio risuonò stridula e acuta, come ghiaccio che si spacca.

«Non ti sfugge niente, ragazzo.» Parlava con un certo affanno, come se lo scoppio di ilarità lo avesse lasciato esausto. «Un giorno, e ammesso che tu sopravviva, sarai un grande uomo, ma credo che gli Illiri siano sufficientemente al sicuro persino da te, perché nessun macedone oserebbe guidare un esercito fin qui.»

«Pleurato, dunque.»

«Io non ho detto niente» replicò Bardili, stringendo con più forza la spalla di Filippo. «Non è una questione in cui desideri intervenire.»

«Nondimeno, mi guarderò le spalle.»

«È sempre consigliabile.»

Bardili non fece obiezioni quando Filippo gli annunciò l'intenzione di fare un giro a cavallo sulle montagne circostanti. «Va'» gli disse. «Guarda con i tuoi occhi, perché desidero vederti libero da false illusioni. Ma scoprirai soltanto, come altri hanno fatto pagando un prezzo altissimo, che questa vallata è inespugnabile. Le rupi sono alte e in questo periodo dell'anno coperte di ghiaccio... attento a dove metti i piedi.»

E gli rivolse un altro dei suoi gelidi sorrisi, come a sottintendere un ammonimento nell'ammonimento.

Fu così che in una gelida mattina, circa due mesi dopo il suo arrivo nella terra degli Illiri, Filippo partì per andare a esplorare il perimetro roccioso della valle. Aveva con sé provviste sufficienti per quattro giorni e come sempre, quasi un memento della sua natura mortale, alle sue spalle cavalcava Zolfi. Ma ormai Filippo si era talmente abituato alla sua silenziosa presenza da non notarla quasi più.

Il freddo, scoprì, non lo disturbava più. Aveva adottato l'abbigliamento illirico e indossava una giacchetta di pelliccia che gli lasciava scoperte le braccia, ma si sentiva del tutto a suo agio — forse, pensò, i popoli del Sud erano troppo indulgenti con se stessi. Forse si soffriva il freddo solo nella misura in cui si prevedeva di soffrirlo. In ogni caso, intuiva di essere diventato più resistente vivendo tra i selvaggi del Nord, meno esigente e nel complesso più atto ad affrontare le durezze del mondo. Ripensò al ragazzo che era stato durante i primi giorni di lontananza dal focolare di Alcmene, tremante nel mantello di lana di pecora, e sorrise, di un sorriso vagamente sprezzante.

E aveva davvero bisogno di essere duro, si disse ancora mentre le ombre delle porte cittadine si allungavano sopra di lui, perché al suo ritorno si sarebbe trovato nella necessità di difendere la propria vita.

Da giorni ormai Filippo sentiva che Zolfi stava solo aspettando l'occasione giusta. Voleva ucciderlo. Evidentemente era necessario che l'assassinio non si rivelasse come tale, perché in caso contrario lui sarebbe stato già morto, ma Zolfi gli ricordava una volpe in agguato davanti alla tana di un coniglio.

Dunque doveva sembrare una morte dovuta al caso. Quando fosse stato rimandato ai Macedoni per la sepoltura, sul corpo di Filippo non avrebbero dovuto esserci ferite di spada né tracce di lotta; nulla, insomma, che potesse obbligare Alessandro a cercare vendetta. Forse un incidente a cavallo, una caduta sotto gli zoccoli di Alastor che gli avrebbero spaccato il cranio, spandendo il suo cervello sulla neve. «Era già morto prima che potessimo soccorrerlo» avrebbero detto gli Illiri. «Era un giovane impetuoso e quel suo stallone nero... lo abbiamo ucciso.» E i Macedoni avrebbero assentito, cupi in volto e forse un po' sospettosi, ma ugualmente disposti a riconoscere che una disgrazia del genere poteva accadere facilmente. Sì, ecco come sarebbero andate le cose.

Pur ignorando il motivo, e perfino l'identità del mandante, Filippo era certo che nei suoi confronti era stata emessa una sentenza di morte. Percepiva il cambiamento: Zolfi non ribolliva più di rabbia repressa, e anzi sembrava quasi felice. Il cane da caccia era stato lasciato libero e fiutava la morte. Si chiese se il vecchio Bardili ne fosse al corrente — di certo lo aveva subudorato — e se non avesse addirittura dato il suo consenso. Ma chissà perché, non riusciva a crederlo.

Quella spedizione aveva dunque un duplice scopo, perché a Zolfi doveva essere concessa la sua opportunità, prima che decidesse di crearsela da solo. L'unica possibile difesa per Filippo stava nella scelta del momento e del luogo.

Lo strato di neve era alto a sufficienza perché un uomo a piedi esaurisse tutte le sue energie nel coprire una distanza non superiore ai cinque o seicento passi, ma i cavalli non incontravano grosse difficoltà, e le loro zampe snelle e nodose penetravano nella candida distesa intatta con levità quasi giocosa. Talmente silenziosa era la loro marcia che pareva quasi che la neve li sorreggesse, come un vasto mare spumeggiante in cui essi nuotavano con l'agilità dei delfini. Filippo non si era mai sentito tanto vivo, e la sua anima era piena di una gioia che disperdeva ogni timore. Per lunghi tratti gli capitava di smarrire il senso del tempo, e del suo stesso essere mortale. E, quando ricordava, era come uno che rivivesse i terrori ormai sbiaditi di un sogno.

Trascorsero la notte in una casupola di pietre a circa un'ora di viaggio dalla cima delle montagne occidentali, dividendo il fuoco di un braciere con sei degli uomini di guardia all'angusto accesso alla vallata. In mezzo a loro Filippo sapeva di essere al sicuro, così come sapeva che la luce del sole avrebbe messo fine alla sua sicurezza e forse anche alla sua vita. Il domani era un'incognita e lui non avrebbe potuto far altro che tenersi pronto in attesa della mossa di Zolfi.

Preparare un piano era impossibile, perché impossibile era prevedere sotto quale forma la morte si sarebbe presentata, e tuttavia era su questi pensieri che la sua mente continuava a ritornare. Sempre meglio che cedere all'oscuro, informe terrore che lo aspettava, appena al di là della sua portata.

Il mattino seguente, quando l'alba era ancora soltanto uno spicchio di pallido argento nell'oscurità del cielo di oriente, consumarono tutti una colazione da soldati a cui Filippo contribuì con due pani vecchi solo di un giorno e una giara di robusto vino rosso su cui galleggiavano ancora bucce d'acini. Le guardie si trovavano lì da quindici giorni; presto sarebbero state sostituite e parlavano delle loro case come se si trovassero su un altro continente, e non semplicemente al di là della valle — forse era una consapevolezza che rendeva più penosa la lontananza.

«Se fossi un grande principe, non mi avventurerei mai oltre la taverna più vicina» disse uno di loro. «E certo non mi sorprendereste ad arrancare per queste montagne in pieno inverno.»

Seguì un mormorìo generale di assenso.

«Proprio così... saggio è l'uomo che resta nella sua casa.»

«A ubriacarsi sul ventre di una puttana.»

Risero tutti tranne Zolfi, che sembrava non aver udito.

«Che cosa spinge quassù un principe, Filippo?» domandò il primo uomo.

Filippo sorrise, anche se la paura gli aveva trasformato le viscere in acqua.

«Sono troppo giovane per andare a puttane.»

Ci fu un altro scroscio di risa.

Non appena la luce fu sufficiente, Filippo affrontò la ripida pista che risaliva la catena montuosa. A una ventina di passi di distanza, Zolfi lo seguiva in silenzio. Avevano lasciato i cavalli alla capanna, perché il sentiero era stretto e il ghiaccio aveva reso sdrucciolevole il terreno. La salita era ardua, ma senza particolari difficoltà se affrontata a piedi, e loro erano entrambi forti e ben riposati. Avanzarono con tanta rapidità che quando furono in cima il sole era ancora di fronte a loro sull'orizzonte.

A Filippo bastò guardarsi intorno per capire che Bardili aveva ragione. A non più di cinque passi da lui, il versante della montagna scendeva a picco. Sulla parete rocciosa erano visibili dei sentieri, ma in quel periodo dell'anno erano ghiacciati e sdrucciolevoli e un uomo che avesse messo un piede in fallo non avrebbe incontrato nulla che interrompesse la sua caduta. Soltanto un pazzo avrebbe fatto passare un esercito da quella parte, e l'unica alternativa era costituita dal valico, che un pugno di uomini bastava a rendere inespugnabile. Gli Illiri erano davvero al sicuro nella loro valle.

Il debole sole invernale gli riscaldava la schiena. Non c'era vento e una spaventevole immobilità era calata sul mondo. In lontananza, i picchi innevati splendevano nella luce chiara del giorno, mentre le valli sottostanti erano ancora avvolte nelle ombre della notte. Era come trovarsi sul limite estremo della realtà. Poco più oltre, davanti a lui, la terra svaniva semplicemente in un vuoto che pareva infinito come la morte stessa.

Sì, la morte era vicina. Gli pareva quasi di sentirne l'odore. E lo stava chiamando.

Si lasciò trascinare di un passo o due verso il bordo... lentamente, come in trance. E in un certo senso era proprio così. La sua mente si andava svuotando, quasi si accingesse a liberarsi della vita come di un indumento il cui peso cominciava a opprimerlo. Guardava fisso davanti a sé, ammaliato da tanta annichilente grandezza. Eppure qualcosa lo infastidiva. I suoi occhi continuavano ad abbassarsi sul terreno coperto di neve.

Poi, nel breve spazio di un battito, tornò alla vita. Quel momento, quell'istante, era tutto ciò che contava. Non c'era tempo per pensare... c'era soltanto l'ora.

Prima quasi di rendersene conto, Filippo si era gettato a terra. Il suo era stato un gesto del tutto istintivo, e fu sorpreso nel trovarsi con la faccia nella neve.

E allora comprese. Con un guizzo rapido si allontanò dal precipizio e quasi subito andò a sbattere contro un paio di gambe. Ci fu un breve grugnito di sorpresa quando l'uomo inciampò su di lui, e per qualche ignoto motivo quel suono riempì Filippo di una furia gelida, implacabile.

Liberò il braccio sinistro e colpì; il suo gomito urtò Zolfi proprio nell'incavo delle ginocchia, facendolo crollare a terra.

Ma non bastava ancora. Senza neppure che il pensiero si formasse per intero nella sua mente, Filippo seppe che non bastava ancora.

Si buttò di schiena, rotolò su se stesso e calciò con entrambi i piedi, cogliendo Zolfi alla base della spina dorsale.

Con un piccolo grido acuto, l'uomo gettò in avanti le braccia, artigliando la neve come un animale, ma era troppo vicino all'orlo. Impotente, scivolò verso il burrone e precipitò.

Il grido lacerante parve riverberarsi per qualche secondo ancora nell'immensa vastità anche quando cessò bruscamente.

Filippo era lieto di non dover guardare il volto del morto.

Per qualche istante, ancora stretto nella morsa della paura, non riuscì a muoversi. In tutta la sua vita non aveva mai conosciuto un terrore più grande. Giacque lì, con le gambe spalancate e le braccia lungo i fianchi, abbarbicato alla terra come se temesse a sua volta di precipitare nell'abisso. Il cielo vorticava follemente sopra la sua testa.

Finalmente, poco per volta, la paura cominciò a svanire e lui fu in grado di alzarsi a sedere e, carponi, strisciare verso l'orlo del baratro. Dovette sdraiarsi bocconi prima di trovare il coraggio di guardare giù.

Il corpo giaceva poco sopra il fondo del valico. Filippo credette di scorgere tracce di sangue su una sporgenza che si intravedeva circa duecento cubiti più in alto. Zolfi doveva esservi rimbalzato sopra, e probabilmente era già morto quando si era schiantato sulla roccia.

Era stata la sua stessa ombra a ucciderlo. Si era allungata su Filippo, stagliandosi nella neve quando gli si era avvicinato da tergo per spingerlo di sotto, e, pur senza rendersene conto, era stato proprio quello il segno che Filippo stava aspettando. Su una tale piccolezza si era giocata la vita di un uomo, sull'aver dimenticato che cosa significava avere la luce alle spalle.

Il sole era allo zenit quando Filippo fece ritorno alla casupola di pietre. Una delle guardie era seduta fuori della porta, tutta la sua attenzione concentrata sulla pentola di ferro che pendeva da un tripode collocato in un piccolo fuoco. Quando l'odore arrivò alle narici di Filippo, la nausea gli serrò le viscere.

La guardia alzò gli occhi e parve sorpresa di vederlo.

«Sei solo» disse, quasi pensasse che il giovane non se ne fosse accorto. «Dov'è Zolfi?»

«Ha avuto un incidente.»

«È morto?»

«Sì.»

Il soldato, che aveva un viso lungo e ansioso ed era così sottile che le sue gambe sembravano innaturalmente lunghe, riflettè un istante prima di alzare un dito ossuto e mimare la traiettoria di un oggetto che cade.

«Sì.»

L'altro annuì gravemente, come se Filippo avesse appena confessato un omicidio, poi si batté la mano sulla coscia; aveva dimenticato la pentola e il suo contenuto.

«Meglio che andiamo a recuperare il cadavere, prima che lo trovino i lupi. Spero che tu sappia ritrovare il punto in cui è precipitato.»

Zolfi doveva essere caduto a testa in giù, perché l'impatto gli aveva sfondato il volto, ora ridotto a un'unica ferita sanguinolenta. Si distinguevano ancora le cicatrici sul braccio destro, ma per il resto il cadavere che trovarono incuneato in una sporgenza rocciosa avrebbe potuto essere di chiunque. Lo avvolsero nella coperta che la guardia aveva portato proprio a quello scopo, ma l'odore del sangue turbava i cavalli e Filippo dovette bendare quello del morto prima che potessero legarglielo in groppa. Senza più nulla di umano, non era altro che una carcassa.

«Non mi piacerebbe morire così» commentò la guardia, mentre entrambi si pulivano le mani nella neve. Recuperare ciò che restava di Zolfi era stata una faccenda piuttosto sporchevole. «Ma che cosa avevate in mente di fare voi due, arrampicandovi quassù? Questi sentieri di montagna sono pericolosi per chi non è nato nei paraggi. Io li lascio volentieri ai pastori di capre. Ma è bene che gli uomini civili non vadano là dove i cavalli non possono condurli.»

Filippo si stava asciugando le mani sulla tunica e la scrupolosa attenzione che dedicava a quel compito era l'unico segno rivelatore del suo turbamento.

«Avrei pensato che perfino un pastore di pecore preferisse le pianure.»

«Le pianure sono per noi. Abbiamo scacciato i locali generazioni fa e ora trovano i loro pascoli dove possono. Ma non sprecare la tua compassione per quella gente. Loro non cadono quasi mai. Sono come gli animali, con tutta l'intelligenza nelle gambe. Ah, ah!»

Il soldato era troppo compiaciuto della battuta per accorgersi che Filippo non rideva. Era tipico degli Illiri, pensò lui. Tenevano i contadini di quelle montagne in un tale stato di soggezione che alla fine avevano perfino dimenticato di averne paura. Con la fantasia, vide venti o trenta uomini che risalivano lentamente i sentieri...

Sarebbe stato sufficiente mettere loro in mano una spada e insegnargli a non averne timore.

«Dovrai passare un'altra notte con noi» riprese la guardia, salendo a cavallo. «Il giorno è troppo avanzato perché tu possa raggiungere la città prima del tramonto, e porta sfortuna varcarne le porte con un cadavere quando è notte. Peccato per Zolfi.»

«Era sposato?» domandò Filippo, con un'improvvisa fitta di rimorso.

«No, no, niente mogli. Ma Pleurato ne soffrirà proprio come una vedova. Zolfi era il suo braccio destro.»

Gli uomini di guardia sulle mura dovevano averlo avvistato: un cavaliere solitario, con al seguito un cavallo che trasportava un fagotto dalla inequivocabile forma di cadavere. Doveva essere così, oppure l'ufficiale in comando al valico aveva inviato un messaggero durante la notte, perché Bardili e metà della corte lo aspettavano alle porte.

Il re fu pronto ad andargli incontro, in modo che gli altri non potessero sentire le loro parole.

«Che cosa è accaduto?» Il suo sguardo accigliato si posò sulla mano di Zolfi, che sporgeva da sotto la coperta.

«È scivolato sul ghiaccio. A quanto pare era lui quello che avresti dovuto mettere sull'avviso.»

Il cipiglio del sovrano si accentuò. Fece un brusco cenno d'assenso.

«Questo è quanto si dovrà dire agli altri... ora, quello che è realmente successo.»

«Ha tentato di uccidermi.»

«E tu hai ucciso lui.» Bardili era genuinamente impressionato. «Sei stato abile, Filippo di Macedonia, perché Zolfi era un uomo di poche parole e molti fatti.»

«Sono stato più abile di quanto tu possa immaginare.»

Bardili cominciò a ridere — una risatina affannosa, sorpresa —, poi parve ripensarci. Per un momento fu quasi possibile credere che avesse capito.

«Non farò domande,» disse alla fine «perché a volte è meglio non leggere nei cuori dei giovani, ma quando hai quest'espressione, Filippo, sono felice di essere vecchio e prossimo alla morte.»

Senza una parola girò il cavallo e i due uomini si diressero insieme verso le porte della città.

Quella notte, Filippo fu tormentato dai sogni. Aveva dormito abbastanza tranquillamente alla guarnigione, dove l'aria era piena del russare dei suoi compagni, ma ora c'era Zolfi ai piedi del suo letto, Zolfi coperto di sangue e con il viso ridotto a un ammasso di ossa scheggiate e lucenti, che esigeva di sapere come Filippo avesse la sfrontatezza di essere ancora vivo.

Si svegliò, o per la precisione, aprì gli occhi, perché il sogno sembrava aver acquistato vita. Sulla porta, circondata da un alone di luce tremolante, si stagliava una sagoma umana.

«Filippo! Filippo, sei sveglio?»

Il sollievo lo investì come un'onda quando riconobbe la voce infantile.

Audata allontanò la mano con cui aveva schermato la lampada e rivelò il proprio viso.

«Il bisnonno dice che stanotte qui non sei al sicuro» esordì. «Devi venire con me.»

Si inginocchiò accanto al letto, come se lui fosse un bambino impaurito da confortare. Il suo viso era serio e irrealmente bello.

«Se davvero c'è pericolo, mi sorprende che il re abbia mandato te» replicò Filippo, esprimendo solo l'ultimo dei molti pensieri che gli si affollavano nella mente.

Lei si protese a sfiorargli i capelli.

«Io non ho nulla da temere da coloro che abitano in questa

casa, Filippo di Macedonia.» Bruscamente si alzò. «Ma ora seguimi.»

Lui si lasciò prendere per mano e condurre lungo il corridoio, dove l'unico suono era quello dei loro piedi nudi sulle pietre del pavimento.

Filippo non riusciva a liberarsi della sensazione di aver appena preso una qualche decisione nel profondo del proprio cuore, una decisione di cui ignorava tutto se non che nulla aveva a che fare con i timori di Bardili. Non pensava a eventuali assassini in agguato nell'ombra, ed era consapevole soltanto della stretta di quelle dita delicate intrecciate alle sue.

Non dovettero andare molto lontano. Svoltarono un angolo e si fermarono davanti a una porta socchiusa. Con un cenno Audata lo invitò a seguirla dentro, ma una striscia di luce che si disegnava sul pavimento, una decina di passi più oltre, aveva attirato l'attenzione di Filippo.

«Quella è la stanza del bisnonno» mormorò Audata. «Non dorme bene e tiene una lampada accesa tutta la notte vicino al letto. Credo che lo faccia perché è molto vecchio.»

Filippo credeva invece che fosse perché Bardili era re, e la sapeva troppo lunga per fidarsi del buio, ma non disse nulla.

«Vieni.»

La stanza era piccola, ma forse non troppo per una ragazzina, e pareva destinata unicamente ad Audata, circostanza insolita anche per la pronipote di un re. La fiamma della lampada languiva e a Filippo sembrò di intravedere una bambola su uno scaffale. Inspiegabilmente, trovò inquietante quella vista, come se lo imbarazzasse ricordare che Audata era pur sempre una bambina.

Sul letto era gettata una pelle d'orso. Vi si infilarono sotto e nel giro di pochi minuti il respiro regolare di lei gli disse che si era addormentata. A un certo punto Audata si girò e gli posò la testa sul braccio. Filippo rimase sveglio a lungo, pervaso da una serenità da cui era riluttante a separarsi.

Mancava forse un'ora all'alba quando la porta si aprì silenziosamente e comparve Bardili.

«Sei sveglio?» bisbigliò. «Bene. Vieni con me, faremo una passeggiatina prima di colazione. Cerca di non destarla... i piccoli hanno bisogno di riposo.»

Tese a Filippo un mantello foderato di pelliccia, sebbene il suo fosse di semplice stoffa e consunto dagli anni.

«Mettilo, l'aria del mattino è fredda.»

Il ragazzo si voltò a lanciare un'occhiata alla forma immobile di Audata, il cui viso era quasi completamente nascosto dalla pelle d'orso. Lo addolorò pensare che al risveglio non l'avrebbe trovato al suo fianco.

«Vieni, principe di Macedonia.» Bardili lo prese per il gomito, come se fosse disposto a trascinarlo fuori con la forza. Dalla sua voce trapelava l'urgenza.

Con un gesto quasi furtivo richiuse la porta alle loro spalle. Filippo notò che aveva con sé il bastone.

Durante il loro consueto tragitto fino alle porte, Bardili continuò a guardare le pietre grige che formavano la sua città; il suo leggero sorriso era d'orgoglio e di rimpianto insieme.

«Avevo diciassette anni quando divenni re degli Illiri» disse, come se questo spiegasse molte cose. «Più di sessant'anni... Sono pochi quelli in grado di ricordare chi mi ha preceduto.

«Gli uomini finiscono con l'annoiarsi di un re, proprio come si annoiano di una donna. Che sia stato un sovrano buono o malvagio ha poca importanza; se il suo regno dura troppo a lungo, i suoi sudditi si mettono in cerca di un successore, come se un cambiamento di così poco conto potesse rinnovare il mondo. Ecco perché, sebbene io viva ancora, Pleurato continua ad accrescere il numero dei suoi sostenitori, uomini la cui lealtà fa sì che egli sia già re nei loro cuori. La cosa non mi irrita... riesco perfino a capirla, perché a volte la mia età mi rende stanco del potere. E questo è il motivo per cui ho concesso a Pleurato più libertà d'azione di quanto forse sarebbe stato opportuno.»

«Perché mi dici tutto questo?» Filippo fu il primo a sorprendersi della propria domanda perché non aveva inteso porla, sebbene fosse molto interessato alla risposta.

Bardili lo guardò e il suo sorriso si fece più teso. Lui, almeno, non sembrava stupito.

«Forse perché lo avevi già capito. O forse per impedirti di commettere lo stesso errore, un giorno. Un re dovrebbe restare tale, e il suo successore non dovrebbe subentrargli prima che siano gli dèi a stabilirlo. Non cercare di ingannare il futuro, Filippo, ma tieni sempre conto dei tuoi anni.»

«Io non sarò mai re, bisnonno.»

«No? La piccola Audata ne sarà enormemente delusa.»

Rise, come avrebbe riso dello scherzo di un bambino.

Arrivati che furono alle porte, Filippo vide il suo cavallo che lo aspettava già imbrigliato.

«È tempo che tu torni là da dove sei venuto» disse Bardili, col tono di un padrone di casa che annuncia la cena. «Qui non posso più rispondere della tua sicurezza, ragazzo mio, e la tua vita mi è divenuta stranamente cara. Meno di un'ora fa è partito un cavaliere, e troverai libero il valico. La bisaccia legata sul tuo cavallo contiene cibo e una piccola borsa piena di dracme ateniesi, quanto basta per il viaggio. Posso concederti solo mezza giornata di vantaggio, dopodiché alcuni uomini verranno sicuramente mandati sulle tue tracce, quindi non attardarti.

«E ricorda, quando sarai a casa e penserai di essere al sicuro, che i pericoli non sono finiti e che la bestia che anela alla tua vita può aver proteso i suoi artigli fino in Illiria, ma la sua tana è in Macedonia.»

Per un momento sembrò che lacrime offuscassero i suoi occhi di vecchio. Posò la mano sulla spalla del pronipote, forse per abbracciarlo, ma a est i raggi del primo sole si riversavano già sulle montagne, simili a una colata di sangue. Allora rise. «Stavo pensando a Pleurato... Sarà furioso quando lo scoprirà.»

VIII

Il pensiero della morte basta a far correre un uomo finché il cuore non gli scoppia in petto, ma un cavallo, incapace di temere un concetto astratto, ha bisogno di nutrirsi, abbeverarsi e riposare per andare avanti. Fu per questo che Filippo non aveva coperto più di trecento *stadioi* quando il calar della notte lo obbligò a fermarsi.

Anche se Bardili era effettivamente riuscito a fargli guadagnare mezza giornata di vantaggio, dubitava che gli uomini di Pleurato fossero a più di qualche ora di distanza. Loro non avrebbero esitato a spingere le proprie cavalcature fino al limite di resistenza, e inoltre avevano la possibilità di reperirne di fresche nei tre o quattro villaggi in cui si sarebbero fermati a chiedere se era stato visto un giovane straniero in sella a uno stallone nero. Il confine con il regno di Lincestide, il cui re Menelao sarebbe stato certo poco propenso a permettere a degli stranieri — anche se Illiri — di massacrare suo nipote, distava almeno tre giorni di viaggio. Forse l'indomani, o certamente il giorno successivo, i suoi inseguitori lo avrebbero raggiunto.

Mezz'ora prima del tramonto Filippo lasciò la pista di montagna su cui procedeva e dopo qualche ricerca scovò un crepaccio che gli offriva una ragionevole protezione. Lì sarebbe stato relativamente al sicuro fino al mattino. Legò Alastor, si avviluppò in una coperta e attese la notte.

Quando le stelle cominciarono a splendere a occidente, il freddo si era fatto intensissimo, ma in quelle circostanze accendere un fuoco sarebbe stata una follia. Filippo ricordava di aver sentito dire che solo restando sveglio un uomo può evitare di morire assiderato, così ebbe cura di sistemarsi in un punto cosparso di ciottoli e quindi particolarmente scomodo.

Per passare il tempo, meditò sullo scopo della congiura organizzata ai suoi danni.

Dato che Pleurato non aveva alcun motivo per imbarcarsi in un'impresa tanto rischiosa, era chiaro che qualcuno l'aveva corrotto perché facesse uccidere Filippo. E il prezzo concordato doveva essere stato molto alto.

Ma in che cosa consisteva? Denaro? Potere? No. L'uomo destinato a diventare re dei Dardani non si sarebbe lasciato allettare da una semplice offerta di denaro, e la sola persona in grado di accrescere il potere di Pleurato era Bardili. Inutilmente Filippo esaminò più e più volte la questione; non gli riuscì di trovare una ragione per cui l'anziano re avesse dovuto organizzare quel complotto per poi sabotarlo, permettendo alla vittima designata di fuggire. Restava soltanto il dominio territoriale.

Ma chi avrebbe potuto offrire ai Dardani delle terre in cambio della morte di un oscuro principe? Solo un macedone. E fra i Macedoni, chi era nella posizione di fare un'offerta simile? Alessandro, naturalmente, e l'uomo che per lui conduceva tutti i negoziati, Tolomeo. Che Tolomeo fosse colpevole, Filippo non ne dubitava. Ma Alessandro? Suo fratello?

Be', cose del genere erano già accadute in passato.

Ma se Alessandro lo voleva morto, allora la sua unica speranza di sopravvivenza stava nell'esilio a vita. Era una prospettiva amara.

Eppure, possibile che le cose stessero davvero così? Alessandro? Lui lo amava. Sarebbe stato felice di morire per lui. E Alessandro lo sapeva.

No... non poteva credere che Alessandro fosse colpevole di un'azione così inutilmente abietta. Possibile allora che Tolomeo, per ragioni note a lui solo, avesse agito di propria iniziativa?

Gli venne in mente che in effetti conosceva ben poco Tolomeo, che il cugino e cognato, che gli era stato accanto per tutta la sua vita, era uno di quegli uomini che rimangono sempre un mistero, anche per coloro che gli sono più vicini per sangue e sentimenti. Tolomeo gli piaceva — era un uomo affascinante con cui parlare era facile —, ma certo non poteva dire di capirlo. Ci sono uomini che non coltivano alcuna intimità. E menti impenetrabili come la pietra.

Sì. Era possibile. Di colpo, e con la forza devastante della rivelazione, Filippo comprese che qualunque cosa era possibile.

Seduto lì, nella gelida oscurità, si sentì improvvisamente travolgere dal terrore. Ma al tempo stesso divenne consapevole che la paura, o almeno quel terrore meramente soggettivo che paralizza l'anima, lo aveva abbandonato. I pericoli che lo attorniavano, la sua famiglia, il suo re e il suo Paese erano una realtà talmente vasta da rendere la sua sopravvivenza individuale una questione di poco conto, perfino per lui stesso. Forse al mondo nessun altro sospettava la verità.

Non aveva mai immaginato che si potesse essere tanto soli.

In quel momento udì in lontananza il verso di un gufo e ricordò che non era del tutto abbandonato.

«Madre delle battaglie» bisbigliò. «Dea delle vergini, Signora dai grigi occhi, ascolta la mia preghiera.»

Non sapeva bene per che cosa pregasse, e forse non aveva importanza, perché, se lo avesse udito, Lei avrebbe certamente compreso.

«Atena, saggia dea, proteggimi come hai protetto il mio antenato, il divino Eracle. Concedimi un po' della tua forza e della tua astuzia.»

L'aver pronunciato quelle parole bastò a farlo sentire meglio. Lasciò che il suo cuore ne fosse rincuorato.

Nella grigia luce del primo mattino, fu sorpreso e un po' spaventato nel constatare di essersi addormentato. Ma almeno il freddo non lo aveva ucciso... oppure sì?

Non si sentiva più i piedi, ma quando agitò le dita le acute trafitture di qualcosa che non era esattamente dolore lo convinsero che era ancora vivo.

Doveva andarsene da lì, pensò, o quel ritorno alla vita sarebbe stato solo temporaneo.

Alastor sbuffò indignato quando Filippo lo slegò e gli mise le briglie. Poiché mancava ancora qualche minuto all'alba, avanzarono con cautela lungo il viottolo pietroso che doveva ricondurli alla pista principale.

I suoi inseguitori avrebbero dormito ancora un po'? Si sarebbero concessi il tempo di fare colazione prima di ripartire? Si sarebbero presi la briga di accendere un fuoco? Da quelle minuzie dipendeva la sua vita.

Era in viaggio da due ore quando si rese conto di non sapere più dove si trovasse. Il giorno prima sarebbe stato impossibile sbagliare strada, ma quella mattina il paesaggio appariva del tutto diverso da com'era stato tre mesi prima. E la pista continuava a ramificarsi, tanto che gli sembrava di avanzare attraverso la tela di un ragno.

Ma forse era meglio così. Finché si fosse tenuto in direzione sud-est non avrebbe potuto allontanarsi troppo dal suo percorso, e forse le molte deviazioni avrebbero rallentato la marcia degli inseguitori. Il vento aveva accumulato la neve in grandi mucchi, così che lunghi tratti di pista erano sgombri, e sul terreno indurito dal ghiaccio non sarebbe stato facile individuare le orme del suo cavallo.

Sentendosi per la prima volta al sicuro, si voltò a guardarsi indietro; subito gli occhi gli caddero su un piccolo cumulo di fumanti escrementi di cavallo, a circa una trentina di passi di distanza.

«Alastor,» mormorò «dovresti essere un po' più dicreto.» Poi un'idea improvvisa lo colpì.

Smontò e, usando una frasca, radunò gli escrementi nella sua coperta e ne fece un involto. Nel giro di pochi minuti, aveva cancellato ogni traccia del suo passaggio.

«Posso sperare di vederti esercitare la continenza ancora per qualche tempo?»

Ingannare i suoi inseguitori sulla direzione presa non gli sarebbe stato difficile, e, anche se il trucco non avrebbe potuto essere ripetuto una seconda volta, gli avrebbe comunque garantito un ulteriore breve vantaggio. Inoltre, se come appariva probabile, quegli uomini intendevano ucciderlo, non c'era motivo di negarsi il piacere di tormentarli un po'.

Quanto al passare la notte avvolto in una coperta imbrattata di escrementi, ebbene, se fosse vissuto fino a sperimentare quell'inconveniente, si sarebbe reputato l'uomo più fortunato della Terra.

Alla biforcazione successiva, smontò di nuovo e, inoltratosi di una cinquantina di passi sul sentiero di destra, lasciò cadere l'involto; tornò indietro e prese a sinistra.

Nel tardo pomeriggio Filippo aveva raggiunto una piccola vallata — non più di due ore di viaggio da un lato all'altro —, coperta di alberi. C'era molta ombra e lo strato di neve sul terreno era piuttosto alto, perché i sempreverdi ostacolavano l'azione del vento. Cancellare i segni del suo passaggio sarebbe stato inutile, e il giovane neppure ci provò. Proseguì, nella speranza di emergere dalla valle prima che facesse buio.

Quando arrivò sul limitare e sentì il terreno farsi di nuovo duro sotto gli zoccoli del cavallo, si voltò indietro e solo allora notò che la valle si apriva in molte direzioni. Sapeva che non più di due ore lo separavano dai suoi inseguitori e, se non erano del tutto inetti, lo sapevano anche loro. Per quel giorno non si sarebbero spinti oltre. Perché avrebbero dovuto, quando il tempo giocava a loro favore? Per di più, era molto probabile che preferissero attaccarlo con la luce del giorno. Si sarebbero accampati nella valle, approfittando del comodo riparo offerto dalla foresta.

Filippo era stanco del gioco e anelava passare all'offensiva. Un'idea cominciò a prendere forma nella sua mente.

Una volta che il sentiero lungo cui procedeva fu sufficientemente buio, smontò e, tenendo il cavallo per le redini, andò in cerca di un'altra pista.

Poco prima del calar della notte scovò tra gli alberi un piccolo spiazzo aperto dove radi ciuffi d'erba giallastra sbucavano dalla neve. Impastoiò Alastor e gli tolse il morso.

«Tornerò a prenderti» gli sussurrò, accarezzandogli il collo nero e lucido. «Fra poche ore sarò di ritorno. Forse dopotutto c'è un modo di uscire da questa trappola.»

Non fu difficile trovare i Dardani. Perché avrebbero dovuto nascondersi? Erano loro gli inseguitori! A Filippo bastò seguire la pista principale, poi l'odore del fuoco di legna e infine la luce del bivacco. Accovacciato fra i cespugli, attento a tenersi sotto vento e fuori vista, li osservò preparare la cena.

Erano in quattro, quattro ombre stravaccate intorno al fuoco, e abbastanza vicini da permettergli di sentirli mentre si lamentavano della loro cattiva sorte, della lontananza dagli agi delle loro case. Le loro voci galleggiavano attraverso l'aria come spettri.

«Ho pagato metà della mia quota del saccheggio della scorsa estate per una schiava, ma erano solo cinque giorni che prendevo il mio piacere con lei quando Pleurato ci ha affidato questa missione.»

«Non temere... senza dubbio troverà qualcuno con cui distrarsi durante la tua assenza.»

Qualche risata, seguita da un pericoloso silenzio e infine da un suono raschiante: qualcuno che si schiariva la gola.

«Ho visto quella donna il giorno prima che fosse venduta... Hai pagato centoventi dracme per *quella*? Sul ventre ha un neo grosso come il mio pollice, e fra tre anni i suoi seni saranno flosci come otri vuoti. Sei uno sciocco, Bakelas. Il mercante di schiavi ti ha truffato.»

Bakelas sembrò offeso. «Tu non hai giaciuto con lei. A quel tizio ho dato due dracme d'acconto e gli ho detto che dovevo accertarmi di quello che compravo prima di sborsare il resto. Quella donna cava il seme da un uomo come se le sue cosce fossero una pressa per datteri. Solo a pensare a lei mi viene duro. E un uomo che si preoccupa di come saranno di qui a tre anni i seni di una schiava è infinitamente più sciocco di me. Per allora Pleurato sarà probabilmente re, e ciascuno di noi avrà abbastanza da comprare dieci schiave l'anno.»

«Sia come sia, non tornerai mai dalla tua Ventre Scuro se non prendiamo il ragazzo, che gli dèi lo maledicano. Se non gli portiamo la testa di Filippo, Pleurato vorrà la nostra...»

«Lo prenderemo, probabilmente domani. Quelle tracce sulla neve non possono essere più vecchie di due ore. Non conosce la zona e dopotutto è soltanto un ragazzo. Domani lo prenderemo, gli taglieremo la testa e potremo tornare a casa.»

Chiacchierarono ancora un po', poi, uno a uno, si sdraiarono per dormire. Non si preoccuparono neppure di stabilire dei turni di guardia, una dimostrazione di indifferenza che Filippo trovò quasi insultante.

Lo contrariava il fatto che i soldati non avessero bevuto vino. Aveva avuto una mezza idea di aspettare che si addormentassero, obnubilati dall'alcol, per poi intrufolarsi tra di loro, rubare un coltello e con quello tagliargli la gola. Di scrupoli non ne aveva: del resto loro intendevano ucciderlo, e per lui la vita aveva bruscamente cessato di essere un gioco.

Ma ora il suo piano non era più attuabile; sarebbe stato un uomo morto se uno dei soldati si fosse destato mentre tentava di avvicinarsi. Non poteva far altro che aspettare e, una volta sicuro che fossero addormentati, sgattaiolare via.

Nondimeno, era contento di aver visto i suoi nemici. Adesso erano uomini, in numero ben definito, e lui aveva imparato a odiarli.

Il mattino dopo, mentre nascosto in un folto d'alberi accarezzava il muso di Alastor perché, nel fiutare gli altri cavalli, non lo tradisse nitrendo, Filippo spiò i suoi inseguitori che abbandonavano la valle. Avrebbe aspettato un po' prima di mettersi sulle loro tracce. Certamente avrebbero impiegato l'intera giornata per capire di averlo perduto e avrebbero avuto bisogno di ancora più tempo per tornare indietro. Nel frattempo, lui forse sarebbe riuscito a escogitare qualcos'altro e in ogni caso avrebbe guadagnato un altro giorno di vita.

Il paesaggio si era andato facendo sempre più piatto, più aperto e con meno nascondigli, ma, se scoperto, Filippo avrebbe avuto maggiori possibilità di fuga lì che su un angusto sentiero di montagna. Tuttavia, si comportò con estrema cautela.

Ogni ora si concedeva qualche momento per spiare i suoi inseguitori. In un'occasione li vide sparpagliarsi a ventaglio lungo un reticolato di sentieri, in cerca di tracce. Dopo un poco si riunirono e ripresero la marcia. Non manifestarono mai l'intenzione di tornare sui propri passi; evidentemente, non prendevano neppure in considerazione la possibilità che lui non li precedesse, intento a correre come un coniglio spaurito. Dopotutto, la loro preda non era che un ragazzo.

Verso sera arrivarono a un gruppo di casupole di pietra, non più di venti o trenta in tutto, una comunità agricola dall'aspetto povero e precario, ma che forse resisteva da quattrocento anni, e si fermarono a interrogare gli abitanti.

Nei giorni precedenti Filippo era passato nei pressi di due o tre insediamenti analoghi e li aveva evitati, sapendo che quella gente non avrebbe potuto fare a meno di tradirlo. Come avrebbe potuto comportarsi diversamente, indifesa com'era e abituata a temere i Dardani?

Smontò da cavallo e nell'ombra protettrice di una parete rocciosa osservò gli uomini di Pleurato parlare con un contadino dalla barba grigia che era probabilmente l'anziano del villaggio. Intorno al vecchio stavano radunati in atteggiamento sottomesso i suoi compaesani. Filippo non sentiva nulla, ma quello che vide gli bastò per capire con quali sistemi Bardili e i suoi guerrieri si assicuravano che i loro vassalli fossero sempre adeguatamente docili.

I soldati angariavano il vecchio, malmenandolo e arrivando addirittura a colpirlo con il lato piatto della spada, come se fossero pronti a farlo a pezzi se le sue risposte non fossero state di loro gradimento. L'uomo aveva tutte le ragioni per temere per la propria vita.

Alla fine, evidentemente persuasi dell'inutilità dei loro sforzi, lo lasciarono andare e sedettero intorno a un fuoco su cui stava una pentola appesa a un tripode. Si misero a mangiare, interrompendosi di tanto in tanto per chiedere da bere, o almeno così immaginò Filippo, dato che gli indigeni si affrettarono a portare loro otto o dieci giare, presumibilmente tutto quello che c'era di alcolico nel misero villaggio.

"Passeranno qui la notte" rifletté. "Perché non dovrebbero, dato che tra un'ora non ci sarà più luce? Saranno ben felici di starsene comodi. C'è solo da sperare che questa gente sappia come si prepara una buona birra forte."

Svanì il crepuscolo e, una volta sicuro che il buio fosse abbastanza fitto da proteggerlo, Filippo si diresse furtivamente verso il gruppo di case. Mentre si spostava senza far rumore da un nascondiglio a un altro, percepiva dei movimenti intorno a sé: erano gli indigeni, che, da soli o in gruppetti, sgattaiolavano via in attesa del mattino, quando gli intrusi li avrebbero finalmente lasciati di nuovo in pace.

Ma non tutti furono così fortunati da farcela.

Un paio di donne, non particolarmente graziose ma giovani e terrorizzate, se ne stavano accovacciate vicino al fuoco. Troppo impaurite per fuggire, servivano gli uomini di Pleurato, e aspettavano. Una di loro piangeva sommessamente, il viso nascosto fra le mani. Filippo le stava così vicino che ne udiva con chiarezza i singhiozzi.

Da parte loro, i Dardani sembravano piuttosto divertiti dall'angoscia della giovane. Uno di loro le sollevò l'orlo della tunica con la punta della spada, e scoppiò a ridere quando lei trasalì e cercò di sfuggirgli.

«Le vedrai le gambe abbastanza presto, Bakelas. Abbi un po' di pazienza e finisci la tua cena.»

Echeggiò una risata generale.

Filippo se ne stava accucciato dietro una catasta di legna eretta vicino a una delle casupole. Aveva trovato l'impugnatura rotta di un'ascia, un'asta di legno più corta del suo braccio, ma probabilmente la cosa più vicina a un'arma che potesse sperare di trovare in un luogo tanto miserevole. Ora non doveva far altro che aspettare l'opportunità di usarla.

Il suo piano si basava sulla sorpresa. I suoi avversari erano quattro e armati di spade e non erano certamente uomini capaci di pietà. Avrebbe fatto bene a non dimenticarlo.

"Uccidili" pensava. "Uccidili, in fretta e in silenzio, e senza esitare. Pazienta fino a quando non potrai sorprenderne uno da solo."

Non dovette aspettare a lungo.

«Non essere timida, ragazza. Vediamo se il tuo posteriore è buono a qualcosa, oltre che a sedercisi sopra.»

Il soldato sembrava ubriaco. Bene. C'era da sperare che i suoi compagni fossero stati altrettanto intemperanti.

Filippo sentì alcune risate, una supplica lamentosa, poi un'ombra si stagliò sul muro della casupola. L'ombra di un uomo che trascinava una donna tenendola per il polso.

«Vieni, ragazza. Quale di questi tuguri è il tuo? Non mi va di prenderti per terra; fa troppo freddo.»

La voce della donna, poco più di un mormorìo acuto, isterico, arrivava a tratti. «Ti prego, no... ti prego.» Non era in grado di lottare, e neppure di opporre resistenza. Poteva solo implorare.

Filippo aspettò di vederli passare, poi li seguì.

La capanna non aveva neppure una porta, solo una vecchia coperta appesa all'architrave, a protezione dal vento. Impaziente, il dardano scostò la tenda improvvisata con tale violenza da staccarla da uno dei chiodi.

«Vediamo un po'...»

Rumore di stoffa lacerata, seguito da un grido breve e subito soffocato, poi, per qualche secondo, solo silenzio.

Non fu facile per Filippo decidere di concedere a quel porco qualche momento per grufolare nel fango. Doveva aspettare che fosse troppo concentrato su quello che stava facendo per badare ad altro.

Non sentiva più la donna, ma dopo qualche minuto lo raggiunsero i grugniti affrettati, soddisfatti, di un uomo che si sta prendendo il suo piacere.

Era abbastanza, più che abbastanza. Scostò la coperta ed entrò, accompagnato da un fascio di luce argentea. Quasi inciampò nel dardano, che stava carponi, la tunica sollevata fino alla cintura, così intento a soddisfare la propria lussuria da non accorgersi di nulla.

Della ragazza, Filippo vedeva soltanto le piante dei piedi.

«Bakelas...»

L'uomo sollevò di scatto la testa e fece per girarsi. Il pesante manico d'ascia lo colpì proprio sulla tempia e dal rumore Filippo pensò di avergli fracassato il cranio. Con un gemito l'uomo cadde di schiena, nudo dalla vita in giù, gli occhi aperti. Dall'espressione del viso lo si sarebbe detto semplicemente imbarazzato. Filippo fu certo di averlo ucciso.

La ragazza giaceva supina, il seno e il ventre argentei nel chiarore della luna, le gambe ancora spalancate, quasi si aspettasse di vedere Filippo prendere il posto del morto. Era sorprendentemente giovane, poco più di una ragazzina, e certo non più vecchia di Filippo stesso. Ed era terrorizzata, troppo terrorizzata, fortunatamente, per urlare.

Lui si portò un dito alle labbra per imporle il silenzio, poi si chinò a raccogliere la tunica che il dardano aveva ridotto quasi a brandelli. Gliela tese e lei fu pronta ad afferrarla, coprendosi come meglio poté.

Solo allora incominciò a piangere. Cercare di calmarla sarebbe stato inutile e Filippo preferì recuperare la spada del soldato che giaceva ai suoi piedi. Ne restavano altri tre, e una lama gli sarebbe stata più utile di un pezzo di legno.

«Mio marito mi odierà» gemette la donna, con una sorta di attonito stupore. Non piangeva più, come se la sua fosse una sofferenza troppo intensa per esprimerla con le lacrime. «Non vorrà neppure più guardarmi.»

«A meno che non sia uno sciocco, sarà ben felice di saperti viva e la sua pace non sarà turbata.»

Lei lo guardò con gratitudine. «Lo credi davvero?»

«Certo.»

Poi le fece cenno di tacere. Si stava avvicinando qualcuno.

«Bakelas, Bakelas, sbrigati. Ne hai avuto abbastanza. Ora tocca a me!»

La tenda venne scostata e un uomo entrò nella casupola. Per un istante rimase lì, il braccio ancora alzato. Forse non si accorse subito di quanto era accaduto.

Filippo si era messo di fianco all'ingresso. Fece un passo avanti e gli conficcò la spada appena sotto il torace, con tanta forza che la lama penetrò fin quasi all'elsa. Il soldato spalancò la bocca per gridare, ma dalle sue labbra scaturì soltanto un sottile sprizzo di sangue. Era morto ancor prima che le sue ginocchia toccassero terra.

«E due» sussurrò Filippo. Sfilò la spada e pulì la lama nella tunica del dardano. La stanzetta era piena del tanfo acre della morte. Si voltò verso la donna.

«Aspetta qui» ordinò, e fu come se la sua voce e il suo cuore stillassero ghiaccio. «Non emettere un solo suono. Devo occuparmi dei due che restano... se non li uccido, saranno loro a uccidere me e poi si ricorderanno anche di te. Se vuoi vivere, non uscire di qui.»

Non attese risposta, perché in quel momento per lui la ragazza quasi non esisteva. Uscì.

Fuori, inspirò a fondo la frizzante aria notturna. Per un istante temette di svenire; non aveva mai ucciso prima... per qualche misterioso motivo, Zolfi non contava. E ora...

Si costrinse a scacciare il pensiero. Non era quello il momento di cedere alla debolezza.

Ne rimanevano altri due.

Sedevano ancora vicino al fuoco, l'uno di fronte all'altro, e bevevano birra da due piccole giare, parlando con voce bassa e cupa. Non udirono nulla, non videro nulla. Non alzarono neppure gli occhi. Fu quasi troppo facile.

Filippo si fermò alle spalle del primo, sollevò la spada e gliela calò sul collo. Un grugnito, seguito da un fiotto di sangue denso, e l'uomo crollò di fianco. Giacque a terra, le gambe percorse da spasimi violenti, ma era morto. Forse non sopravvisse neppure il tempo di avvertire il secondo fendente.

Nella fretta di fuggire, il suo compagno arretrò barcollando e cadde supino. I suoi occhi erano pieni di terrore. Filippo ebbe un sussulto di disgusto, come se avesse percepito il fetore della decomposizione.

«In piedi» intimò. «In piedi. Prendi la spada e difenditi. Mi sono stancato di massacrare Dardani come se fossero pecore.»

Il soldato non staccava gli occhi dalla punta della sua lama. Per un momento parve troppo stupefatto per reagire, poi di scatto si alzò. Ma sembrava non sapere che cosa fare.

«Sguaina la spada... o preferisci che ti uccida subito?»

Le parole di Filippo sortirono l'effetto desiderato; l'uomo trasalì come se fosse stato schiaffeggiato, poi scoprì i denti in un ghigno.

Infine, senza fretta, estrasse la spada.

«Ragazzino arrogante» sibilò con voce rauca e carica di disprezzo. «Credi forse che abbia paura di un mocccioso macedone, soltanto perché non si fa scrupoli di colpire alle spalle?»

«Non ti ucciderò colpendoti alle spalle.»

«No» rise l'altro. «No, non lo farai.»

Era alto forse una spanna più di Filippo, e almeno dieci anni più vecchio. I muscoli guizzavano nelle sue braccia nude e la barba e i capelli di un biondo sporco accentuavano l'effetto generale di ferocia. Quante volte aveva ucciso, faccia a faccia in battaglia? Aveva l'aspetto di un uomo che vive solo per combattere.

D'un tratto fece un affondo, più un sondaggio che un vero e proprio attacco. Filippo intercettò il colpo con la punta della spada e lo deviò. L'uomo arretrò di un passo o due.

«Molto bene... dunque qualcuno ti ha insegnato almeno i rudimenti.» Parlando, non smetteva di sogghignare. «Prima di un quarto d'ora sarai carne per cani.»

Si mossero in cerchio, e la luce del fuoco strappava riverberi alle loro lame. Sembravano due uccelli impegnati in un rituale amoroso.

E allora Filippo attaccò. Un affondo improvviso, il cozzo del ferro contro il ferro, quindi una rapida ritirata. Il dardano lo incalzava e solo per un soffio lui riuscì a schivarne i fendenti.

Una volta, due volte, e un'altra ancora.

«Ti ucciderò, ragazzino» lo provocò il soldato, la voce piena di sarcasmo. «Poi metterò la tua testa in una bisaccia e la porterò a Pleurato.»

Filippo indietreggiò, abbassando quasi impercettibilmente la punta della spada. Aveva paura, sì, e sperava che si vedesse.

Il dardano abboccò. Una rapida finta, poi si avventò per uccidere. Ora menava fendenti all'impazzata e ogni volta la lama si faceva un po' più vicina. Filippo sembrava sul punto di cedere.

E allora, mentre deviava la lama del dardano, così vicina che gli parve di sentirne il gelo sul viso, scartò bruscamente di lato, lasciando che l'impeto trascinasse in avanti il suo avversario.

Era una trappola, ma il dardano lo capì solo all'ultimo, quando era già troppo tardi. Fulmineo, Filippo gli si scaraventò addosso con tutto il suo peso, colpendolo con la spalla sotto le costole.

Lo vide barcollare e con la spada tracciò un arco breve e stretto. La punta penetrò nel braccio dell'uomo appena sopra il gomito, e subito una spessa linea di sangue comparve sulla pelle.

Era finita. La spada scivolò dalla mano del soldato. Filippo sollevò di nuovo la sua, colpendolo di piatto sul viso. Il colpo non poteva averlo ferito seriamente, ma il dardano crollò sulle ginocchia con un grido di sorpresa e di dolore.

«Non ti ucciderò colpendoti alle spalle.»

Avanzò, pronto a finirlo...

«No!»

Stupefatto, Filippo si guardò intorno. Dalle tenebre emersero alla spicciolata alcuni uomini, forse trenta o quaranta, e nella luce vacillante del falò i loro volti erano cupi, quasi demoniaci. In uno di loro riconobbe l'anziano.

Filippo attese, la spada ancora sollevata. L'anziano si inchinò.

«Ferma la tua mano, signore. Lascialo a noi.»

IX

Morire per le ferite inferte dalla spada di un nemico sarebbe stata una benedizione. Ma che un uomo dovesse morire così...

Quando il dardano si rese conto di quello che stava per succedere, incominciò a gridare, e quel grido, prima che lo soffocassero, non aveva nulla di umano. Filippo poté solo accovacciarsi al suolo e guardare, troppo spaventato per muoversi, troppo impaurito perfino per distogliere lo sguardo.

Gli abitanti del villaggio fecero a pezzi il dardano. Con pietre affilate, con le nude mani lo dilaniarono, e, nello stesso modo in cui uomini affamati si avventano su un pezzo di carne arrostita, la loro frenesia non si calmò fino a che non rimasero pochi resti di ossa.

E quando tutto finì e l'odore di sangue rimaneva nell'aria come una coltre opprimente, qualcuno avvicinò una coppa di birra alle labbra di Filippo e lo fece bere.

«Non giudicarci, signore» disse l'anziano. «Tu non hai vissuto sotto il giogo dei Dardani, non puoi capire ciò che abbiamo fatto. Ora vieni a dormire nella mia capanna.»

La mattina dopo Filippo trovò Alastor legato fuori della casupola. Non c'era alcuna traccia dei Dardani.

«Abbiamo tagliato le gole dei loro cavalli e li abbiamo seppelliti tutti, uomini e animali, in un posto dove nessuno li cercherà. Tu non sei mai stato qui signore. Quegli uomini non sono mai stati qui. I Dardani ci crocifiggerebbero, se mai indovinassero che cosa è successo.»

«Le mie labbra saranno mute. Non parlerò ad anima viva né di questo posto, né di quanto è successo.»

«Lo sappiamo signore.» E i suoi occhi dissero: "Se non fosse così, ora saresti sepolto con loro".

Filippo cercò di controllare il tremito di paura che sentì quando strinse nella sua la mano dell'anziano del villaggio.

«Va' in pace, signore, poiché tu ci hai portato la benedizione della vendetta.»

Filippo montò sul suo cavallo e cavalcò verso sud. Non si girò per guardare indietro.

Nelle prime ore del pomeriggio del giorno successivo, Filippo raggiunse il valico di Vatokhori ed entrò nel regno di Lincestide.

Menelao, signore dei Lincesti, era più o meno in aperta ribellione con il re di Pella, ma almeno era un macedone e all'interno dei suoi domini Filippo non si sentiva più tra stranieri.

Si accampò in pianura e, per la prima volta da quando aveva lasciato la corte di Bardili, si concesse il lusso di un fuoco. L'aver attraversato il confine non lo aveva automaticamente messo al sicuro, ma in due giorni non era accaduto nulla che gli facesse pensare di essere inseguito. Era solo in quelle terre selvagge.

Nondimeno, dormì con la spada sguainata.

Il nuovo giorno lo trovò su un altopiano boscoso a non più di un'ora di viaggio dalla fortezza di Pisoderi. Il sentiero si snodava attraverso i prati, ma a tratti gli alberi si richiudevano sul viaggiatore come un mantello. Mezzogiorno era passato da un'ora quando udì il gemito distante di corni da caccia.

Alastor fu il primo a percepire il pericolo. Con un basso nitrito, lo stallone si arrestò nel mezzo di una piccola radura. Filippo si chinò ad accarezzarlo.

«Che cosa hai fiutato, demonio nero?» bisbigliò. «Che cosa mi diresti se tu potessi parlare la lingua degli uomini?»

Ma tutto era calmo in quel momento di vigilanza e tensione, c'era solo il silenzio, un silenzio carico di premonizione. Poi, quasi nello stesso istante, lo udì. Comprese subito di che cosa si trattava, anche se la foresta lo nascondeva alla vista, mentre imperversava nel sottobosco, travolgendo ogni cosa nella sua fuga terrorizzata. Filippo sguainò la spada e si lasciò cadere a terra.

Quando finalmente l'essere emerse nella radura, le sue dimensioni lo lasciarono stupefatto: il cinghiale era enorme, alto forse due cubiti alla spalla, e grosso come due uomini. Le zanne splendevano candide e gli occhietti ardevano di rabbia. Nel vedere l'uomo che gli sbarrava la strada, si fermò di colpo, graffiando la terra con le unghie, e abbassò la testa, pronto a caricare.

Consapevole di avere una sola possibilità, Filippo impugnava la spada con la punta rivolta verso il basso. A tu per tu con la fiera, provò uno strano empito di gioia.

«Vieni, carino» mormorò nel tono cantilenante con cui ci si rivolge ai bambini. «Vieni, e sapremo chi di noi sarà ancora vivo fra un minuto.»

Come in risposta alla sua sfida, il cinghiale grugnì e partì all'attacco. Filippo restò immobile, sforzandosi di non pensare, il braccio teso e la spada rivolta verso un punto preciso tra le scapole della belva, come se solo quel punto stesse precipitandosi verso di lui, e non cinque o sei talenti di ossa e di muscoli, con zanne affilate come daghe. Furono i secondi più difficili della sua vita.

L'impatto fu tremendo. Filippo sentì tutta l'aria fluirgli dai polmoni mentre veniva spinto in alto, con la levità di un granello di polvere spazzato via da un indumento. Non sapeva se il suo colpo era andato a segno, non sapeva più nulla. In seguito, non ricordò neppure come avesse toccato terra.

Doveva aver perso i sensi, almeno per qualche secondo. Quando riaprì gli occhi, un po' sorpreso di essere ancora vivo, il cinghiale giaceva morto vicinissimo a lui, la spada affondata fino all'elsa tra le scapole.

Quella vista lo rincuorò; non aveva perso la testa all'ultimo momento. La soddisfazione compensava quasi lo squarcio, lungo come il suo dito medio e quasi altrettanto profondo, che l'orrenda bestia gli aveva aperto sulla coscia.

All'incirca nell'attimo stesso in cui notò la ferita, una fitta acuta gli trapassò il ginocchio, risalendo fino all'inguine. Per un istante il dolore fu così lancinante da mozzargli il respiro, poi si stemperò in un pulsante indolenzimento. C'era sangue, ma non troppo. Filippo decise che con tutta probabilità sarebbe sopravvissuto.

Poi mosse la gamba e la sofferenza tornò, questa volta così intensa da stordirlo. Alastor pascolava a non più di quattordici passi da lui, una distanza che gli parve insuperabile.

«Alastor, qui!»

Lo stallone alzò la testa e lo guardò come per dire: "Che cosa vuoi ancora?", ma ubbidì al richiamo del padrone.

A fatica, e facendo attenzione a non poggiare il peso sulla gamba ferita, Filippo si mise accovacciato e con una mano si afferrò alla criniera di Alastor. Sudava per il dolore, ma finalmente riuscì ad alzarsi.

Comprese subito che non ce l'avrebbe fatta a montare a cavallo. Stava cercando di decidere il da farsi, quando tre cavalieri irruppero al galoppo nella radura e, vedendolo, si arrestarono di botto, mettendo mano alle lance.

«Non è permesso cacciare i cinghiale del re» disse uno di loro, nel dialetto lievemente smozzicato della gente di montagna. «È un'offesa punibile con la morte.»

«Avevo piuttosto l'impressione che fosse il cinghiale a dare la caccia a me» replicò Filippo, e sorrise della battuta.

Per un lungo istante nessuno parlò; sembravano arrivati a un punto morto.

«Perché sei smontato?»

Era stato un altro a parlare e Filippo, incapace di capire il senso della domanda, non poté che fissarlo in silenzio.

«Perché sei sceso da cavallo? Un uomo in sella è più sicuro.»

Questa volta Filippo comprese. «Già, ma non il cavallo. E comunque non avevo lancia, solo una spada.»

Tutti guardarono il corpo senza vita del cinghiale.

«Dalla lavorazione dell'elsa si direbbe un'arma illirica.»

Il giovane socchiuse gli occhi. «È effettivamente una spada illirica» disse. «Ma io sono macedone.»

L'altro non parve far caso alle sue parole. «Sei stato abile. E tuttavia, ragazzo, sei stato uno sciocco a rischiare tanto solo per salvare un cavallo.»

«È il mio cavallo, e mi è molto caro.»

Sostenne lo sguardo dell'uomo finché questi non distolse il suo, forse chiedendosi perché quel rude giovinetto ci tenesse tanto a farselo nemico.

Ora il silenzio era ostile e opprimente. Filippo non si era mosso, e si aggrappava ancora alla criniera di Alastor. Il dolore alla gamba si faceva sempre più intenso, ma lui era deciso a non cedere. Il suo unico timore era di svenire, perché gli sarebbe sembrata una debolezza vergognosa.

Dopo una pausa che parve trascinarsi per un'eternità, ma che durò probabilmente solo pochi minuti, un altro gruppo di cavalieri entrò nella radura. Uno di loro precedeva il piccolo drappello di pochi passi. Gli uomini che stavano con Filippo alzarono le lance in segno di saluto, ma anche senza quel gesto lui avrebbe riconosciuto l'uomo la cui ricciuta barba castana non riusciva a nascondere del tutto una voglia rossa sul viso. Aveva visto Menelao a Pella sette anni prima, durante uno dei rari periodi di pace tra la Macedonia e i suoi presunti vassalli.

«Lo abbiamo sorpreso a cacciare di frodo, mio signore» gridò l'uomo che aveva identificato come illirica la spada di Filippo. «Sostiene di essersi semplicemente difeso quando il cinghiale lo ha aggredito, ma...»

Menelao lo interruppe con impazienza. «Chi mai andrebbe a caccia di cinghiale armato solo di spada?» Gli mancava solo un anno o due alla quarantina e regnava da molto tempo. Dava l'impressione di essere un uomo che sapeva sempre come comportarsi. «Sei uno sciocco, Lisandro.»

Poi sembrò dimenticarsi dell'esistenza del suddito e si rivolse a Filippo.

«Chi sei, ragazzo? Non è un graffio quello che hai sulla coscia... forse dovresti sederti, per non gravare col tuo peso sulla gamba.»

«Sono un macedone, mio signore» rispose Filippo, senza accennare a sedersi, sebbene si sentisse le gambe molli come cera. «E sono anche un tuo parente, figlio di tua sorella.»

Menelao lo fissò un istante, come se dubitasse della sua sanità mentale, poi sbarrò gli occhi, stupefatto.

«Filippo! Sei proprio tu?»

E, vedendolo annuire, scoppiò in una sonora risata. «Quella barba è una mimetizzazione eccellente» dichiarò, battendosi con esuberanza le mani sul petto. «L'ultima volta che ci siamo visti non dovevi avere più di sette o otto anni... e giocavi ancora con i soldatini!»

Il ricordo gli strappò un'altra risata che tuttavia si spense bruscamente quando abbassò gli occhi sulla spada che sporgeva dal corpo del cinghiale.

«Ebbene, nipote, ora non sei più un ragazzo. E stasera, a cena, siederai a capotavola con i Compagni, anche se è indubbio che devi ancora uccidere il tuo primo uomo. Ma aver ucciso una bestia come questa con una semplice spada non è certo un'impresa meno onorevole.»

Re Menelao dovette certo restare alquanto stupito nel vedere il figlio di sua sorella travolto da un accesso di risa quasi isteriche.

«Tuo fratello è in Tessaglia, a dar la caccia alle ombre» raccontò Menelao, che si grattava la barba con aria assente, come se la voglia purpurea gli prudesse. «Giasone di Fere è morto e gli Alèvadi ne hanno approfittato per scrollarsi di dosso il suo successore. Naturalmente si sono appellati ad Alessandro, e lui è stato tanto sciocco da rispondere alla loro chiamata. Ho sentito dire che le cose non gli sono andate troppo bene, laggiù.»

Sorrise, rivelando i denti robusti e irregolari. Alessandro era suo parente e un tempo uno dei suoi favoriti, ma un re di Lincestide non avrebbe mai amato un re di Macedonia. Questo era un assioma da cui non si poteva prescindere.

«Tolomeo è con lui?» domandò Filippo con aria innocente e bevve un sorso di vino per nascondere l'apprensione che gli cresceva in petto. Menelao si limitò a stringersi nelle spalle.

«Immagino di sì... la mosca non è mai troppo lontana dal cane.»

La risata che seguì fu generale ed esagerata, perché i Lincesti sapevano che cosa il re si aspettava da loro. Nella sua qualità di fratello del cane, a Filippo fu permesso di cavarsela con un sorriso educato.

«Alessandro dovrebbe stare attento a quel tipo» riprese il re, abbassando la voce e chinandosi con fare confidenziale verso l'ospite che sedeva alla sua destra. «Tolomeo è quel genere d'amico che un uomo prudente deve tenersi sempre vicino, senza fidarsene mai. Come sta mia sorella, a proposito?»

Il viso di Menelao non tradiva nulla, ma Filippo aveva compreso perfettamente la sua allusione. Dunque era così. Anche a Linco sapevano che Tolomeo trascurava la moglie a favore della madre di lei.

Si accontentò tuttavia di annuire, come per prendere atto della cortese domanda. «Benissimo, per quanto ne so. Sono stato via e non ho notizie da Pella fin dall'inizio dell'inverno.»

Non c'era ragione che Menelao si mostrasse sorpreso, perché come avrebbe potuto ignorare il recente scambio di ostaggi diplomatici, avvenuto praticamente sulla soglia di casa sua? Si accontentò di sorridere — il sorriso gelido e pericoloso che compare solo sulle labbra di coloro che hanno potere di vita e di morte.

«Che impressione ti hanno fatto gli Illiri?» domandò ancora, sempre con l'aria di chi sa già anche questo. «Sono davvero i selvaggi che immaginavi?»

Per una frazione di secondo, e solo col più impercettibile guizzare d'occhi, il signore di Linco rivelò che, per una volta, la risposta non era quella che aveva previsto.

«Sì. Sono tutto quello che avevo immaginato.»

Filippo era ansioso di rimettersi in marcia — e in realtà suo zio Menelao non insistette troppo per trattenerlo —, ma ci vollero ben dieci giorni perché la ferita alla gamba si rimarginasse, permettendo al giovane di risalire a cavallo. Ciò nonostante, non appena fu in grado di muoversi, si affrettò a riprendere la strada verso sud.

Nel tardo pomeriggio si era lasciato alle spalle le montagne ed era entrato nelle vaste pianure della Macedonia. Pella distava ancora un giorno e mezzo di viaggio, ma, mentre cavalcava tra l'erba che gli arrivava fino alla vita, Filippo si sentiva già a casa.

Trascorse quella notte in compagnia di alcuni pastori che, in cambio di una delle sue monetine d'argento, furono ben felici di dividere con lui la cena e di fargli spazio nel loro rifugio di pietre perché vi distendesse la sua coperta, ma che erano troppo orgogliosi di essere Macedoni per non trattarlo come un semplice pari. Per quei pastori, lui non era che un giovane con un bel cavallo e un borsellino gonfio — circostanze apprezzabili di per sé, ma che non gli conferivano nessuna speciale dignità. Non gli chiesero quale fosse la sua origine e neppure il nome, né Filippo offrì spontaneamente quelle informazioni. Sospettava che non avrebbe comunque fatto alcuna differenza. Il suo, pensò con un certo compiacimento, non era un popolo di schiavi.

Nondimeno, dato che l'ospitalità era un dovere verso gli dèi e incontrare un compatriota è sempre gradito, i pastori si dimostrarono abbastanza amabili. Filippo chiese notizie di Pella.

«Conosci Pella?»

La domanda suggeriva una certa diffidenza, ma non più

di quanto fosse consueto mostrarne in presenza di uno sconosciuto — Pella, dopotutto, poteva significare una cosa sola — e l'uomo che l'aveva posta, sebbene il suo viso duro di campagnolo non mutasse mai espressione, riuscì a sottintendere che gli sarebbe piaciuto sapere con quale diritto il loro giovane ospite si interessava agli affari del re.

«La mia famiglia vive là» spiegò Filippo, soddisfattto dell'abilità con cui aveva saputo evitare una menzogna. Poi sorrise e si strinse nelle spalle con aria quasi di scusa.

Il pastore, un uomo di mezza età che in gioventù doveva essere stato un soldato, parve accontentarsi. Si schiarì la gola e sputò nel fuoco, poi, cupo in faccia, rimase ad ascoltare lo sfrigolìo delle fiamme.

«Hai visto qualcuno dei tuoi di recente?» chiese, e al cenno di diniego di Filippo annuì, come se avesse previsto la risposta. «Lascia allora che ti dica che abbiamo un nuovo re. Il vecchio Aminta è morto la scorsa estate — nel suo letto, gli dèi siano ringraziati per questo. Suo figlio, a quanto ho sentito, è già a sud, a fare la guerra.»

Pur non espressa, la sua disapprovazione era evidente, ma, quando qualcuno rise, l'uomo si girò di scatto con aria incollerita.

«Se credi che il re faccia male, Duskleas, vai a dirglielo in faccia. È nel tuo diritto, se hai il fegato per farlo, ma io non me ne starò seduto ad ascoltarti sbeffeggiare re Alessandro dietro la schiena.»

«Sì, Kaltios, sappiamo tutti che...»

Ma qualunque fossero le parole che Duskleas stava per pronunciare, gli morirono sulle labbra quando vide il cipiglio dell'uomo che si chiamava Kaltios.

«Io conosco il rispetto che è dovuto al re dei Macedoni, tutto qui. Ed è tutto ciò che un uomo ha bisogno di sapere se non vuole disonorarsi davanti agli dèi immortali.»

Non ci fu risposta, e un lungo, impacciato silenzio cadde sugli uomini radunati intorno al fuoco.

Alla fine, intuendo che questo ci si aspettava da lui, Filippo cercò di riaccendere la conversazione.

«Dunque la guerra non procede bene?» azzardò.

Per un momento Kaltios lo guardò, come incerto se considerare un'impertinenza anche quella domanda, poi distolse il viso e, imbronciato, tornò a fissare il fuoco.

«Da quanto tempo, mi chiedo, l'esercito macedone non è più quello di una volta? E quanto ancora ne dovrà passare prima che torni a esserlo?»

Era notte quando Filippo arrivò alle mura di Pella. Fuochi di falò ardevano vicino alle porte e il capitano delle guardie dovette sollevare la torcia per vederlo in viso.

«Sei proprio tu, mio giovane signore? Dunque gli Illiri non ti hanno ucciso... ma forse pensavano che quel demonio del tuo stallone avrebbe risparmiato loro la fatica.»

Filippo si sentì agghiacciare, ma rise con gli altri.

«Il re è ancora in Tessaglia?»

«Lo hai saputo, allora?» Imbarazzato, l'ufficiale scosse la testa. «Sì, è ancora laggiù. I Tebani sono scesi in campo, e si dice che abbiano imposto dure condizioni di pace.»

«Li comanda Pelopida?»

«Lui in persona.»

Filippo non replicò, ma spronò il cavallo in direzione delle porte che si stavano aprendo. Pelopida l'Invincibile, il Campione di Tebe, da molti considerato il più grande generale del mondo... era quasi un sollievo. Venire sconfitti da Pelopida non comportava alcun disonore.

E certo Alessandro sarebbe stato sconfitto, se fosse stato così sciocco da lasciarsi attirare in uno scontro con i Tebani.

Anche di sera la città era piena di vita. L'inverno era quasi finito, ma il tempo restava asciutto e i cittadini di Pella, gente socievole, affollavano le strade per vendere e comperare, per discutere, mercanteggiare e spettegolare. C'erano bancarelle protette da tende dove con poche monete si potevano acquistare vino, carne arrostita, fichi, oche vive, meloni verdi di Lesbo, spade e armature della Frigia, cavalli traci, manoscritti provenienti da Atene e dalla Ionia. Le puttane facevano buoni affari; parecchi uomini erano già ubriachi e si rideva molto.

In quella città Filippo era un principe reale della casa degli Argeadi, eppure il suo ritorno non suscitò particolare attenzione. Di tanto in tanto un conoscente gridava il suo nome e un saluto, e qualcuno si fermava a guardare, incuriosito, ma per il resto fu ignorato. Mentre percorreva le strade anguste e affollate, nessuno, né tanto meno lui stesso, parve considerare la sua presenza come un evento degno di nota.

La gente era troppo indaffarata a vivere per fare caso a un principe. Il re era lontano, ad affrettare la propria rovina in guerre straniere, ma forse anche questo passava inosservato.

Fu solo nel quartiere reale, l'unico dove le strade erano lastricate, che Filippo percepì il pesante, minaccioso silenzio della sconfitta. Sì, lì le notizie giunte dalla Tessaglia pesavano come macigni.

Affidò Alastor agli stallieri delle scuderie reali.

«Dov'è l'economo del re?» chiese, quando fu nella cucina. Spinto dall'abitudine, era entrato nella casa di suo padre passando per l'ala della servitù.

«A casa sua, credo» gli rispose una delle aiutanti del cuoco, una donna che gli aveva regalato pezzetti di mela quando lui camminava appena. Non gli sfuggì l'occhiata che lei lanciò alle compagne, ma non chiese spiegazioni.

«Allora andrò a cercarlo lì, Kinissa. Grazie» rispose con semplicità alla donna che conosceva da sempre.

Gli bastò girare l'angolo ed entrare nella strada in cui aveva giocato da bambino per comprendere il significato della strana occhiata. Il panico lo assalì mentre alzava gli occhi verso il tetto della casa di Glauco, quasi non riconoscesse più il luogo.

Dal camino non usciva fumo. Il fuoco, che Alcmene aveva alimentato fin dal giorno in cui, giovane sposa, era entrata in quella casa, si era spento.

Filippo aprì la porta senza far rumore, quasi con la furtività di un ladro, ed entrò. La prima cosa che vide fu Glauco, seduto su uno sgabello vicino al focolare, le braccia abbandonate sulle ginocchia. Aveva l'aria di non dormire da giorni.

Percependo una presenza, alzò la testa e scorse Filippo.

«Tua madre...» si interruppe e deglutì a fatica, come per liberarsi di un sapore amaro. «Alcmene è morta.»

X

Il re di Macedonia pareva racchiudere in sé tutte le debolezze e le follie della giovinezza: sceglieva i favoriti sbagliati, non prestava ascolto ai consigli e sopravvalutava fino al grottesco la propria forza e le proprie capacità. Molto prima che imparasse a vincerli, e uniti a una spiccata propensione per la guerra, tali difetti avrebbero certamente portato il Paese all'annientamento. Il recente disastro in Tessaglia aveva convinto Tolomeo che, a prescindere dalle sue ambizioni personali, l'eliminazione di Alessandro era ormai indispensabile. A quel punto, il suo assassinio era diventato un dovere.

Le occasioni non erano fatte per essere sprecate, e in Tessaglia Alessandro era stato molto vicino a erigere una barriera difensiva contro la minaccia costituita dalle potenze del Sud. Giasone di Fere aveva marciato su Larissa per cacciarne gli Alèvadi che, come tutti sapevano, erano una masnada di briganti viziosi e inaffidabili, sempre pronti a saccheggiare le terre dei vicini — gli abitanti di Larissa erano certo stati felicissimi di vederli andar via. Ma a quel punto Giasone era stato assassinato, il suo uccisore eliminato con il veleno e gli Alèvadi si erano rivolti ad Alessandro perché li aiutasse a riprendere il potere.

Alessandro aveva fatto bene ad accettare: Fere era nel caos e una volta che i membri della famiglia reale avessero smesso di assassinarsi l'un l'altro e scelto un nuovo tiranno, sarebbe stato utile avere gli Alèvadi di nuovo a Larissa, sotto la protezione dei Macedoni. Né si poteva negare che la conquista di Larissa da parte di Alessandro fosse stato un capolavoro di arte militare. Sfortunatamente quel giovane sciocco non capiva quando era il momento di fermarsi.

Una volta aggiudicatasi la sua piccola vittoria, avrebbe dovuto ritirarsi. Ma no; una simile mossa non coincideva con quelli che, a suo avviso, erano i doveri di un grande conquistatore, e aveva cominciato a stabilire guarnigioni lungo le sponde del fiume Peneo — l'idiota non capiva che non aveva forze da sperperare, che le frontiere settentrionali, dove stava il vero pericolo, erano già state sufficientemente spogliate a causa di quella sua avventuretta, che non c'erano motivi e neppure soldati sufficienti per fortificare il Sud? Tolomeo, il suo parente e amico, che aveva ucciso il suo primo uomo dieci anni prima che Alessandro vedesse la luce, non glielo aveva forse spiegato? Naturalmente sì, senza sosta. Ma il re aveva orecchi solo per quelli che lo definivano una reincarnazione di Achille, destinato a ergersi sulla Grecia intera come un colosso.

Ebbene, le guarnigioni non erano servite a nulla, se non a indurre la Tessaglia a coalizzarsi contro gli "invasori del Nord" e a fornire a Tebe la scusa per intervenire con un esercito guidato niente di meno che dal grande Pelopida. A due mesi dall'inizio della marcia verso sud, Alessandro era stato nuovamente ricacciato al di là del confine, ma questa volta con un esercito beota che imperversava sul suolo macedone.

Ma perlomeno questo aveva consentito ad Alessandro di comprendere appieno la propria follia. Dopo due giorni di imbronciato isolamento nella sua tenda, troppo scoraggiato perfino per affrontare a viso aperto i suoi uomini, aveva inviato Tolomeo all'accampamento di Pelopida per sondare il terreno in vista di un'eventuale ritirata.

I Tebani erano numericamente in vantaggio ma consapevoli che in territorio ostile la prudenza non era mai troppa, e le loro pattuglie a cavallo avevano intercettato Tolomeo a più di un'ora di distanza dal perimetro esterno del loro accampamento. Sembrarono stupiti di vedere un uomo solo, ma Tolomeo aveva preferito rinunciare alla scorta — non si adattava al suo ruolo di supplicante — e inoltre preferiva che dell'imminente incontro Alessandro avesse soltanto la sua versione.

Fermò il cavallo, e lasciò che i cavalieri tebani lo circondassero.

«Sono un emissario del re di Macedonia» annunciò, guardandoli con quell'espressione lievemente annoiata che è la naturale difesa dei diplomatici contro la paura. «Vengo a trattare con il vostro signore.»

Nessuno gli rispose. Quegli uomini erano semplici soldati

e ai loro occhi lui non era altro che un prigioniero. Uno di essi, che i modi più che l'abbigliamento indicavano come il capopattuglia, si avvicinò per togliergli le redini di mano. L'emissario del re sopportò anche questo in silenzio e si lasciò condurre all'accampamento tebano.

Durante il tragitto ebbe tutto il tempo di riflettere sulla sconvolgente umiliazione di presentarsi a quel modo davanti a un uomo della statura di Pelopida... Pelopida, che di rado portava armi che non fossero il proprio valore e l'aiuto di pochi amici simili a lui, era tornato dall'esilio per liberare la sua città dal giogo del conquistatore e schiacciare, apparentemente per sempre, la potenza dell'esercito spartano. Quale opinione poteva avere un uomo così di Alessandro, il re ragazzo pronto a distruggere se stesso e il suo Paese per pura vanità adolescenziale? Quanto disprezzo doveva nutrire per l'emissario di un simile sovrano?

Per Tolomeo essere posto in una situazione tanto umiliante, costituiva un'aggravante in più a carico di Alessandro. Ma lo confortava pensare che un giorno il conto tra di loro sarebbe stato regolato. E che quel giorno non era lontano.

Nel frattempo era necessario decidere come recitare la parte a cui era stato costretto. Chi si aspettava di incontrare, Pelopida? Il rustico del Nord, fedele come un cane al proprio signore? O l'intrigante, pronto ad addivenire a un accordo purché fosse vantaggioso per lui? Oppure una combinazione dei due, dato che, come gli dèi luminosi ben sapevano, il resto del mondo tendeva a giudicare i Macedoni infidi semplicotti?

O forse solo lo statista dalla barba grigia, il membro più anziano della sua dinastia, la cui lealtà andava, nell'ordine, allo Stato, alla casata reale e al re. Un uomo che, pur sensibile ai vincoli di sangue, non permette che essi lo rendano cieco davanti a una verità dolorosa. Un patriota. Sì. Considerate le circostanze, Tolomeo era convinto che quello fosse il ruolo più adatto.

Anche se naturalmente la scelta finale sarebbe toccata allo stesso Pelopida. Che vedesse in lui ciò che gli piaceva vedere.

Il campo tebano era un capolavoro di arte difensiva. Le mura erano di terra battuta con torri alte almeno quaranta piedi e circondate da un doppio fossato: il più esterno, piuttosto basso ma fortificato con pali aguzzi, e quello interno incredibilmente profondo. Un uomo tanto fortunato da non squarciarsi il ventre sui pali del primo, sarebbe probabilmente morto vivo nel tentativo di risalire l'erto, friabile argine del secondo. Se anche avesse avuto le armate necessarie, Alessandro avrebbe sprecato anche un paio di mesi nel vano tentativo di aprirsi un varco tra quelle mura, e Pelopida avrebbe avuto tutto il tempo di annientarlo. E questa inespugnabile fortezza era stata edificata in appena tre giorni!

Ma tale era la potenza dell'esercito tebano, probabilmente il più agguerrito che il mondo avesse mai visto. I Tebani combattevano con un coraggio e un'efficienza quasi inumani, e non lasciavano nulla al caso.

L'unico accesso all'attendamento era un ponte levatoio che conduceva a una porta di legno. All'interno c'era il campo di smistamento e più oltre file e file di tende bianche. Al centro, separata dalle altre e solo leggermente più spaziosa, se ne ergeva una su cui sventolava lo stendardo del beotarca; la sorvegliavano due lancieri. Fu lì che si fermarono Tolomeo e la sua scorta.

Il lembo della tenda venne scostato e un uomo emerse nella luce del sole. Sui cinquant'anni, indossava un semplice mantello tessuto al telaio che un tempo doveva essere stato marrone, ma ormai era così sbiadito da avere un colore indefinibile. L'uomo non portava neppure la spada, ma tutto in lui rivelava l'abitudine al comando. Non parlò subito. I suoi pallidi occhi azzurri, spietati come quelli di un falco, studiavano il viso di Tolomeo con una sorta di divertita curiosità.

«Sono Pelopida» disse alla fine. «E tu, immagino, sei Tolomeo. Entra. Temo però di non poterti offrire che del vino scadente...»

«Il re tuo signore dimostra un appropriato desiderio di gloria» osservò Pelopida dopo che ebbe nuovamente riempito la coppa dell'ospite. «Credo però che in questa occasione un po' di prudenza sarebbe stata ancor più appropriata. Certo si rende conto di essersi spinto troppo oltre.»

«Se non lo capisce, non è certo perché non gli è stato detto.»

Tolomeo si strinse nelle spalle, attento a evitare lo sguardo dell'altro. Sperava con quell'atteggiamento di esprimere la giusta dose di imbarazzata diffidenza, così da non dare l'impressione di criticare apertamente Alessandro.

Il beotarca reagì con una risatina crepitante, come a dire: "Sì, siamo tutti e due uomini esperti della vita, non è vero? E sappiamo come sono i ragazzi quando hanno un'opinione troppo alta di sé".

Che altro restava da fare, se non accigliarsi, e fare mostra di una certa dignità offesa?

«Il re ha un temperamento generoso ed eroico» asserì Tolomeo, con l'aria di rimproverare più se stesso che Pelopida. «E gli Alèvadi hanno goduto a lungo della protezione della nostra casa.»

Nel silenzio che seguì, durante il quale i freddi occhi di Pelopida non lasciarono mai il viso di Tolomeo, questi concepì lo sgradevole sospetto che l'altro potesse leggergli nella mente. *"Non sei ciò che sembri"* parevano dire quegli occhi. *"E non hai segreti che io non abbia già sospettato."*

«Gli Alèvadi sono canaglie» dichiarò infine Pelopida con un leggero sorriso. «E approfittano della buona indole del tuo signore. Ma possono tenersi Larissa... per il momento. Sono pronto a questa concessione perché ammiro il re di Macedonia e desidero essergli amico.»

Tolomeo sorrise a sua volta. «Il mio re ha bisogno di amici.» Si sentiva più sicuro, come se il vero significato della conversazione gli fosse di nuovo chiaro. «E la buona volontà di Pelopida verrà tenuta nel giusto conto. Ma posso chiedere al valoroso comandante, che più del suo stesso bene ha a cuore quello della sua città, qual è il prezzo che chiede per la sua generosità?»

No, non aveva capito proprio nulla. Glielo disse il cambiamento di luce negli occhi dell'altro. Ci sono anime destinate a restare un mistero, impenetrabili come il volere degli dèi.

«Gli interessi di Tebe e della Macedonia sono gli stessi» Pelopida parlò come avrebbe parlato a un bambino particolarmente brillante. «Pace e tranquillità negli Stati del Nord. Niente avventure. Niente... azioni di disturbo. A questo scopo siamo disposti a proporre a re Alessandro un'alleanza...»

Mentre attraversava le praterie deserte, diretto all'accampamento macedone, Tolomeo si sentiva in petto un terrore vago, gelido, quasi la Morte Nera avesse spiegato le ali oscurando la sua vita.

Pensò a Filippo, ormai probabilmente morto, sebbene in proposito non gli fosse giunta alcuna notizia. Era stato bravo a mandare a morire quel ragazzo così giovane e già così pericoloso, anche se a quel punto non sapeva come se la sarebbero cavata, se fossero stati costretti a dichiarare guerra agli Illiri.

E negli orecchi gli echeggiavano ancora le parole di Pelopida, simili a una sussurrata profezia di rovina. Sembrava quasi che gli dèi avessero scelto di annientarlo con le armi che lui stesso aveva forgiato.

«Ci aspettiamo di ricevere degli ostaggi a garanzia della pace che speriamo di poter mantenere tra noi. Vivranno a Tebe, nelle dimore dei nostri nobili, e saranno trattati come alleati e ospiti d'onore. Sarà per loro una grande opportunità, un'introduzione nel mondo che si stende al di là del vostro regno a un livello a cui, oso dire, ben pochi tra i giovani nobili di Macedonia possono aspirare. Mi sentirei lusingato, Tolomeo, se in segno della tua amicizia e della tua fiducia, con loro decidessi di mandare anche tuo figlio.»

Il mattino successivo al suo ritorno a Pella, quando il cielo aveva ancora una pallida tonalità argentea, Filippo andò con Glauco nel luogo di sepoltura che sorgeva fuori delle mura. La tomba era anonima e, dato che Alcmene era morta da quasi un mese, la terra che ricopriva l'urna funeraria cominciava già a mostrare i segni dell'opera del vento. Nel giro di sei mesi, una volta che l'erba fosse cresciuta, sarebbe stato impossibile distinguere il punto esatto.

I due uomini sedettero lì accanto e Filippo si chinò a posare la mano sul tumulo, in un gesto che era quasi una carezza. Non aveva dormito e ora i suoi occhi erano pieni di lacrime.

«Non si era mai ripresa dalla tua partenza» mormorò Glauco. «Un giorno andò a sedersi accanto al focolare e semplicemente si lasciò morire. Neppure Nicomaco ha capito che cosa l'ha uccisa, ma io credo che sia stato il dolore.»

«Ero così felice di andarmene... È come se l'avessi assassinata con le mie mani.»

Ma Glauco scosse la testa, accigliato.

«La decisione non fu tua, ma del re. E la colpa non è di nessuno dei due.» Chiuse gli occhi e un'espressione addolorata gli alterò i lineamenti del viso. «Sono sempre più convinto che gli dèi abbiano voluto punire Alcmene per la sua arroganza.»

Filippo fece per ribattere, ma le parole gli morirono sulle labbra. Che cosa avrebbe potuto dire? Di colpo intuì di essere in presenza di un grande segreto che sarebbe stato presunzione sfidare.

Forse era meglio restare in silenzio e ascoltare.

«Alcmene non capiva» riprese Glauco, come parlando a se stesso. «Per lei, tu eri solo il bambino che aveva allattato... nient'altro che questo, una creatura di carne e sangue, per lei più preziosa della vita stessa. Ha permesso che tu prendessi il posto del figlio che aveva perduto e credeva, amandoti, di averti reso suo. Ma aveva torto.»

«Perché?» La voce di Filippo era rotta dall'emozione. «Anche se non era mia madre, io la amavo come tale. Chi più di lei aveva diritto all'amore di un figlio? Forse Euridice? Vedi tu stesso come sono deboli i legami di sangue.»

Glauco lo guardò con un sorriso privo di gioia, perché Filippo aveva sempre parlato in quei termini della madre — come di una presenza remota, lontanissima da lui.

«Non è di sangue che sto parlando» disse. «Tu non appartieni alla regina tua madre più di quanto appartenessi ad Alcmene — non più di quanto apparterrai a qualunque altro uomo o donna viventi. Tu appartieni alla Macedonia e agli dèi immortali, che hanno preso in custodia la tua vita per scopi noti a loro soltanto. Hanno palesato la loro volontà fin dalla notte della tua nascita, che fu benedetta da Eracle, e dopo di allora ci sono stati altri segni e altri portenti. Sai che quanto dico corrisponde a verità. Ecco perché ero sicuro che saresti tornato vivo dalla terra degli Illiri.»

Con una scrollata di spalle quasi impercettibile, Glauco parve voler prendere le distanze da quel momento di introspezione nel prodigioso, quasi a sottintendere che, se certe cose risultavano tanto evidenti a uno come lui, non potevano che essere vere.

«Alcmene non capiva che tutto era nelle mani degli dèi» seguitò, quasi stesse confessando una colpa segreta. «Non lo capiva perché il suo amore per te la rendeva cieca, e quindi aveva paura, e la paura l'ha uccisa. Era, la sua paura, debolezza e bestemmia a un tempo, perché avrebbe dovuto confidare nel volere del cielo.»

Filippo non era certo di credere alla versione di Glauco, ma essa ebbe comunque l'effetto di schiarirgli la mente. Ripensando a Tolomeo, si vergognò di avere ceduto a un dolore personale. Alessandro, suo fratello e re, non era ancora stato avvertito.

Andò in cerca di Perdicca.

«Sono stato nominato erede» furono quasi le prime parole che questi gli rivolse. «E molto opportunamente, dato che ho quasi raggiunto la maggiore età.» Perdicca sorrideva, come se il destino toccatogli fosse un successo personale e si aspettasse che Filippo ne fosse ingelosito.

«Potrebbe succedere prima di quanto immagini.»

Erano nella camera da letto di Perdicca, adiacente agli appartamenti privati della loro madre, e Perdicca era ancora intento a fare colazione. Mentre Filippo gli raccontava le bizzarre vicende che avevano caratterizzato il suo soggiorno a nord, masticava con tranquillità un pezzo di pane intinto nel vino. Non sembrava particolarmente impressionato.

«Sei come una donna» dichiarò alla fine. «Vedi cospirazioni dappertutto. Se davvero c'era qualcuno che voleva ucciderti, è molto più probabile che fosse il vecchio Bardili e non Tolomeo, che è nostro parente e amico. I tuoi sospetti sono assurdi.»

«Non c'è niente di assurdo in un re macedone ucciso da un parente. Gli Argeadi si sono massacrati l'un l'altro per generazioni... È diventata quasi un'abitudine.»

Ma Perdicca si limitò a squadrarlo con durezza.

«Vieni con me» lo sollecitò alla fine Filippo. «Possiamo partire stamattina stessa e raggiungere il re in due giorni. Cercheremo Tolomeo e lo affronteremo alla presenza di Alessandro. Così sapremo finalmente la verità.»

«Affrontarlo?» Perdicca era così sgomento che allontanò la colazione e si alzò. «Vorresti accusarlo di aver tentato di *ucciderti*... faccia a faccia? E se lui...?»

«Che cosa? Se dovesse negare? Certamente lo negherà.»

«Ma a che scopo, allora?» gridò quasi Perdicca.

Ma per il momento Filippo sembrava aver perso ogni interesse per l'argomento. Come se si fosse reso conto solo allora di avere fame, prese la focaccia non lievitata che suo fratello stava mangiando, ne strappò un grosso boccone e se lo ficcò in bocca. Poi si versò una coppa di vino e sedette.

«Finisci di mangiare» disse, indicando la sedia che il fratello aveva abbandonato.

Ma Perdicca si limitò a ripetere la domanda.

«A quale scopo?» chiese, questa volta con più calma. «Se negherà l'accusa — e non vedo che altro potrebbe fare — che cosa avrai ottenuto?»

Filippo finì il vino e con un sospiro di animalesca soddisfazione posò la coppa.

«Tolomeo crede che io sia morto.» Parlando, occhieggiava con desiderio il letto del fratello. Era molto stanco e bere il vino era stato un errore. «Se lo coglieremo di sorpresa, prima che qualche idiota infili nella borsa di un messaggero la notizia del mio ritorno, è probabile che i suoi dinieghi non risulteranno molto convincenti.»

«E con questo?»

«Con questo, Alessandro lo ucciderà.» A fatica si trattenne dall'aggiungere: "*Oppure lo farò io stesso*".

Perdicca non si era seduto, e, quando Filippo alzò gli occhi, fu pronto a evitare il suo sguardo.

«Alessandro non crederà alla sua colpevolezza. *Io* non ci credo. E non ho intenzione di associarmi all'accusa.»

«Perché? Temi, se io dovessi aver ragione, che potrebbe vendicarsi su di te?»

Il silenzio che seguì confermò la verità dell'insinuazione che Filippo aveva fatto, credendoci solo a metà.

E forse, pensò, forse Perdicca non aveva torto a rifiutare. Dopotutto, lui era l'erede ed era meglio che non si impicciasse di quella faccenda.

«Che cosa farai?» L'espressione del fratello era quasi supplichevole.

«Fare?»

Gli dèi immortali hanno preso in custodia la tua vita per scopi noti a loro soltanto. Filippo ebbe un sorriso nel ricordare quelle parole, perché Glauco era davvero uno sciocco a credere a simili fole. Ma forse per il momento era necessario agire come se fossero veritiere.

«Fare? Andrò da nostro fratello Alessandro. E dirò al re di Macedonia che si nutre un serpente in seno.»

La guerra in Tessaglia era entrata nella fase diplomatica, ma la diplomazia, nell'opinione del re dei Macedoni, era un lavoro da codardi, solo un modo per perdere le battaglie risparmiandosi il disturbo di combatterle. Per quanto gli era possibile, Alessandro evitava di partecipare alle trattative in corso e non pensò mai che potesse esserci qualcosa di insultante nel fatto che procedevano senza intoppi anche in sua assenza.

Ciò che invece non poteva evitare era l'irritante sospetto di avere in qualche modo rivelato la propria debolezza, che la situazione gli stesse sfuggendo di mano, e che lui e ciò che faceva avessero ormai ben poca importanza. Erano sospetti che lo irritavano e lo riempivano di timore, ed era su Pelopida di Tebe che accentrava le sue emozioni negative.

Niente aveva senso. Niente andava come sarebbe dovuto, e sembrava che a nessun altro importasse. Pelopida era noto per essere un eroe, eppure si comportava come se i suoi soli interessi fossero le liste di proscrizione e il raccolto del grano. Alessandro era incredibilmente deluso da lui, mentre da parte sua Pelopida pareva trovarlo simpatico, e lo trattava con quel misto di curiosità e tolleranza che di solito contraddistingue i rapporti tra un adulto e un parente ancora troppo giovane. C'era da impazzire.

Ogni sera Tolomeo, che non manifestava alcun disgusto per il tavolo delle trattative, raggiungeva Alessandro nella sua tenda per aggiornarlo sulla situazione. Il re ascoltava, annuendo quando pensava che fosse necessario manifestare il proprio assenso, e intanto si domandava: *"Dov'è la gloria in tutto questo?"*.

Ma non formulava mai quell'interrogativo ad alta voce, perché era arrivato a dipendere da Tolomeo e preferiva non suscitare la sua collera.

«Dunque si dovranno scambiare degli ostaggi?» chiese quando le condizioni della resa a Tebe furono definite quasi per intero.

«Sì, mio signore.» Il viso di Tolomeo era serio, perché tra gli ostaggi ci sarebbe stato suo figlio. «Che avremmo dovuto concedere ostaggi e denaro è apparso evidente fin dall'inizio. L'unica incognita stava nella quantità di entrambi che Pelopida avrebbe preteso.»

«Ma questa volta non Filippo, eh? Mi sento in colpa nei suoi riguardi, e non voglio che debba ripartire di nuovo, quando rientrerà dal soggiorno presso gli Illiri.»

«Non si è parlato di Filippo. Credo di poterti assicurare che tuo fratello non sarà tra quelli che andranno a sud.»

C'era un'espressione negli occhi di Tolomeo, l'espressione, quasi, di un uomo che si è preso la sua vendetta. Ma com'era possibile? Alessandro non ci avrebbe fatto caso se...

Come sempre durante una campagna, il re attingeva dalla stessa pentola e dallo stesso otre del più umile dei suoi uomini. Lo circondavano i nobili più illustri del regno, ma anch'essi vivevano e mangiavano come i soldati comuni. In quei giorni Alessandro beveva forse un po' troppo, e i Compagni tendevano a imitarlo, ma al tramonto avevano bevuto solo quanto bastava a disperdere il tanfo della sconfitta e, forse, a renderli un po' incauti. Non c'era altro modo per spiegare quanto accadde quando Alessandro, nel sollevare la testa, scorse un cavaliere che si stava avvicinando.

"Conosco quel cavallo" pensò; poi ad alta voce ripeté: «Conosco quel cavallo».

Si alzò. No, non si sbagliava.

«Fratellino... per gli dèi luminosi, che ci fai qui?»

Gli occhi di Filippo lo sfiorarono appena prima di posarsi, con l'intensità della luce che penetra l'acqua, su un altro.

«Tolomeo, hai visto chi...»

Alessandro non girò completamente la testa, ma vide ugualmente quello che suo fratello aveva già visto: Tolomeo, con il viso tirato e gli occhi ardenti di paura e rancore, come se avesse appena scorto lo strumento della propria morte.

XI

Quella notte Filippo dormì nella tenda del fratello, e al mattino vestì una tunica pulita e si lavò il viso con l'acqua che sapeva ancora di neve. Quel giorno doveva essere presentato al grande Pelopida, un onore inteso a consolarlo per la mancata autorizzazione a uccidere Tolomeo.

Perché neppure Alessandro gli aveva creduto, o almeno così aveva detto.

«Hai paura di lui» lo aveva accusato Filippo, quando ogni altra argomentazione si era esaurita. «Perché? Non è che un uomo, dopotutto. Non avrei mai pensato che tu potessi aver paura di qualcuno.»

«Non ho paura di lui, e non è un traditore. Tolomeo, che, come forse hai dimenticato, è nostro parente, serve la nostra famiglia fin da prima che noi nascessimo.»

«Sì, è un parente. Ha sposato nostra sorella e andava a letto con nostra madre quando nostro padre era ancora vivo. Sono davvero impressionato dalle prove della sua lealtà.»

Alessando non replicò subito, era troppo irritato. La relazione tra Euridice e Tolomeo non era argomento che gradisse affrontare. Inoltre, trovare la risposta giusta non era facile.

«Non avresti dovuto minacciarlo» osservò alla fine.

«Non avrei dovuto?» sbraitò Filippo, pestando i piedi come un bambino. «Dovrebbe essere già morto a quest'ora, e per *tua* mano, non per mia. E in ogni caso, non lo stavo minacciando quando ho detto che volevo vedere se nelle sue vene scorreva sangue o veleno. Una minaccia è qualcosa che non intendi mettere in atto, mentre io avevo tutte le intenzioni di ucciderlo. Non avresti dovuto fermarmi, fratello. Posso soltanto sperare che Tolomeo ti permetta di vivere abbastanza a lungo da rimpiangerlo.»

Una guardia sollevò il lembo della tenda e sbirciò dentro. Sarebbe stato impossibile dire se era più allarmata o imbarazzata.

«Va tutto bene, Creonte» la rassicurò Alessandro con voce quieta. «Filippo sta semplicemente facendo i capricci.»

Filippo scoccò all'uomo un'occhiata tale da spingerlo a mollare il lembo della tenda come se si fosse improvvisamente incendiata.

«Avresti dovuto consentirmi di ucciderlo» ripeté il giovane fra i denti.

«Sei cambiato, Filippo.» Alessandro lo guardava pensoso, la testa leggermente piegata di lato, quasi fosse intento a valutare l'età di un cavallo. «Hai trascorso un inverno fra i barbari, qualche bandito ha cercato di ucciderti, probabilmente con il solo intento di rubarti la borsa —, ma sei diventato un'altra persona.»

«Sono cresciuto, mio signore. Ho messo da parte la mia innocenza e sono entrato a far parte degli uomini. Ti consiglio di fare altrettanto.»

Per un momento Alessandro sembrò incerto se sentirsi offeso o divertito. Nessuno dei due si mosse. Poi il re di Macedonia gettò indietro la testa e rise.

«Ben detto, fratellino» ansimò tra uno scoppio di risa e l'altro. Passò un braccio intorno alle spalle di Filippo, come se volesse con quel gesto liquidare la loro discussione. «Chissà se domani sarai altrettanto schietto, quando incontrerai il più grande soldato del mondo...»

Tolomeo fu uno di coloro che assistettero alla presentazione di Filippo, che ebbe luogo nell'accampamento tebano poche ore dopo l'alba. Com'era sua abitudine quando il re dei Macedoni lo onorava di una sua visita, Pelopida era in attesa alla porta, tutto solo, con le braccia incrociate dietro la schiena. Non si inchinò ad Alessandro — nessuno si aspettava un simile tributo da un uomo tanto grande, il cui potere superava forse quello di qualsiasi re —, ma si fece avanti e tenne le briglie del cavallo del sovrano macedone mentre questi smontava. Quindi si abbracciarono, come padre e figlio, e Alessandro lo condusse da Filippo, che aspettava insieme con gli altri suoi accompagnatori.

«È per me un onore presentarti il più giovane dei figli di mio padre» annunciò, circondando con il braccio le spalle del fratello. «Filippo che, sebbene sia ancora un ragazzo, è tornato da un soggiorno presso gli Illiri con molte avventure da raccontare.»

Risero tutti, tranne Filippo e Pelopida. Il giovane arrossì furioso, ma il viso di Pelopida era grave.

«Qualunque siano le storie che racconterà, ti consiglio di ascoltarle con rispetto» disse alla fine il beotarca, abbassando la voce come sempre faceva quando voleva attirare l'attenzione generale. «I suoi occhi sono pieni di scaltrezza, e tuttavia non sono gli occhi di un ragazzo ma di un uomo. Non credo che ci sia vuota millanteria in lui.»

Alle sue parole seguì un silenzio pericoloso, perché tra i presenti nessuno ignorava lo scontro verificatosi la sera prima, quando Filippo aveva accusato Tolomeo di tradimento, giungendo fino a sguainare la spada. Sarebbe corso del sangue, se il re non avesse afferrato il fratello per il braccio, strappandogli la spada di mano. Persino in quel momento, e a dispetto della presenza di uno straniero tanto illustre, lo sguardo gelido e spietato di Filippo era fisso su Tolomeo, che sentì qualcosa di freddo come il ferro serrargli il ventre.

No, i suoi non erano gli occhi di un ragazzo.

Poi Pelopida pronunciò una battuta scherzosa e tutti risero — forse aveva intuito quello che c'era nell'aria? Tolomeo, che sudava chiuso nella sua armatura, quasi non udì le risa.

Il ragazzo sapeva, ne era certo. Era sfuggito alla stretta della morte, e sapeva ogni cosa. Lui era cento volte più pericoloso di Alessandro. Tutti avevano riso delle sue accuse, ma col tempo sarebbe riuscito a farsi ascoltare e allora sarebbe toccato a Tolomeo mordere la polvere.

Ma, una volta morto Alessandro, Filippo sarebbe stato impotente.

Nel corso della giornata, Tolomeo si incontrò con i luogotenenti di Pelopida per discutere gli ultimi particolari del nuovo trattato fra Tebe e la Macedonia. Era un lavoro di lima, l'appianamento delle ultime divergenze da cui, nel giro di un anno, l'una o l'altra parte avrebbe cercato di strappare ogni vantaggio possibile. Era quel genere di lavoro per cui Alessandro non aveva pazienza, un'altra delle caratteristiche che facevano di lui un cattivo re.

In serata si svolse un banchetto. Pelopida, nella sua qualità di padrone di casa, sedeva a capotavola, con Alessandro alla sua destra. Sorprendentemente, alla sua sinistra sedeva Filippo e il beotarca sembrava non avere meno da dire al minore che al maggiore dei due fratelli.

Sebbene troppo lontano per poter seguire la conversazione, Tolomeo godeva di un'ottima visuale ed era per lui fonte di un piacere quasi morboso osservare quanto mutasse l'atteggiamento di Pelopida quando la sua attenzione si spostava dall'uno all'altro. Con Alessandro era tutto cordialità, sempre pronto a scherzare e a ridere; i loro scambi verbali erano brevi, dopodiché si voltavano le spalle e fino a quello successivo parevano ignorarsi. Ma il grande generale e statista avvicinava la testa e abbassava la voce fino a ridurla a un mormorìo quando si rivolgeva a Filippo, quasi tra i due esistesse un'intimità vecchia di anni. Discorrevano a volte per interi minuti, e quando era Filippo a parlare — e parlava spesso a lungo —, il tebano gli dedicava tutta la sua attenzione, scordandosi perfino di sorridere. Il loro sembrava un dialogo tra eguali.

E dopo aver osservato tutto questo per forse un'ora, Tolomeo finì per scoprire, con genuino stupore, di essere geloso. Prevedibilmente, Alessandro era troppo vanitoso e troppo stupido per accorgersi di qualcosa, ma l'angoscia di Tolomeo era quasi fisica. Invidiava Filippo per aver saputo conquistare l'interesse e il rispetto di un uomo tanto illustre, perché certo Pelopida non aveva mai preso *lui* tanto sul serio. E all'invidia si mescolava la paura, una paura che gli avvelenava la mente ogni volta cbe pensava a Filippo. Non poteva fare a meno di chiedersi quali fossero le qualità di quel ragazzetto, qualità di cui lui era tanto palesemente privo.

Ma di qualunque cosa si trattasse, era destinata a perdersi nell'oblìo poco dopo il loro ritorno a Pella. Senza suo fratello, Filippo sarebbe diventato solo un ragazzo intelligente che si poteva tranquillamente ignorare, e, non appena i figli di Aminta si fossero ritrovati tutti insieme a casa loro, Tolomeo avrebbe messo in atto la sorpresa che aveva preparato per Alessandro.

Filippo finì col rinunciare. Non era riuscito a persuadere suo fratello che Tolomeo era un traditore che avrebbe dovuto essere schiacciato, così come si schiaccia una vipera. Non dubitava di essere nel giusto, ma il peso dello scetticismo di Alessandro, insieme con il prestigio che le trattative con i Beoti avevano guadagnato a Tolomeo, lo convinsero infine a tacere. Non gli piaceva passare per uno sciocco.

"Molto bene" si disse. "Se Alessandro non dà valore alla propria vita, non posso costringerlo a essere prudente." Il re doveva decidere da solo di chi fidarsi.

Fu così che, una volta ratificato il trattato con Tebe e dopo che i nobili del re, festeggiando la sconfitta come se fosse una vittoria, ebbero vuotato l'ultima coppa di vino con i loro conquistatori, Alessandro, suo fratello, e il suo fidato amico e cugino Tolomeo, seguiti dall'intero esercito macedone, ripresero la strada per Pella, come se nulla fosse accaduto.

Raggiunsero la città cinque giorni più tardi, e nel frattempo nessuno era morto. Filippo, oppresso da un disgusto molto simile alla vergogna, ritornò alla vita di un tempo.

Non fu il solo. Tutti erano sollevati che la guerra con Tebe fosse stata evitata, e, ora che traboccava di soldati sconfitti, la città non era mai stata così gaia. Gli ubriachi non si contavano, le puttane facevano ottimi affari. E i nobili e i compagni di bagordi di Alessandro non avevano mai fatto sfoggio di tanta allegria.

I primi tempi Filippo, che ancora ribolliva di collera, si dedicò alla caccia. Vagabondava tutto solo per le pianure, restando a volte lontano anche due o tre giorni di fila, e faceva strage di cinghiali e di cervi.

Una volta uccise un orso, grosso quasi come quello che lo aveva aggredito nella Lincestide. Ne offrì il grasso e la pelle in sacrificio agli dèi per proteggersi dalla loro invidia, si arrostì una spalla per cena e il resto lo lasciò ai corvi. Pur sapendo che l'impresa gli avrebbe guadagnato un posto a tavola tra i Compagni, non ne portò la testa a Pella e non parlò a nessuno dell'accaduto. Il cattivo umore non lo aveva ancora abbandonato.

Quando alla fine si decise a lasciarselo alle spalle, non fu perché si era riconciliato con il fratello ma perché sua cugina Arsinoe era entrata ancora una volta nella sua vita.

E, come in occasione della prima volta che si videro, la incontrò fuori del tempio di Atena.

Sebbene il suo sacrario fosse modesto, grazie a Filippo la dea dagli occhi grigi non mancava mai di focacce di grano e miele; persuaso di godere della sua benevolenza, il ragazzo desiderava mostrarle la propria gratitudine. Quasi ogni mattina si recava nel recinto dei templi per offrirle un sacrificio e pregare. Era l'unico luogo di tutta la città in cui si sentiva in pace, e dove gli sembrava che la sua vita avesse uno scopo. Solo all'interno delle mura di quel piccolo tempio riusciva a credere che l'esistenza degli uomini non era ciò che sembrava: un'enorme, inutile beffa. Ne usciva sempre con l'animo sollevato.

Non è sempre un caso se due giovani si ritrovano nel luogo del loro primo incontro. Un luogo che ha portato fortuna una volta può portarne ancora. Tutti i cacciatori lo sanno, e così gli amanti. E chi può sapere quali impulsi del cuore, se la devozione o un altro sentimento, avessero mandato Arsinoe a offrire sacrifici ai Signori della Vita?

Il resto fu facile. Un cenno, un sorriso, una parola, la promessa di rivedersi. L'amore si sviluppa rapidamente nei cuori ardenti dei giovani. Presto Filippo fu quasi incapace di pensare ad altro. Con gli uomini aveva la lingua sciolta, ma in presenza di lei ammutoliva. Gli bastava guardarla perché il cuore cominciasse a martellargli in petto e un desiderio, che era più sofferenza che piacere, gli ostruisse la gola.

«Potresti...» cominciava. «Potrei rivederti...?»

«Mi stai vedendo» rispondeva lei con un sorriso irridente e stuzzicante al tempo stesso.

«Qui non posso parlare. Voglio saziarmi della tua vista, voglio...»

«Allora forse è meglio che non ci rivediamo, se davvero vuoi divorarmi.»

Ma capiva, e nel suo cuore di donna il desiderio non era inferiore a quello di lui.

«Un giorno, forse» diceva. «Ma non ora... non ancora.»

Lui l'aveva vista forse cinque o sei volte dall'epoca della loro infanzia, quando giocavano nella polvere, disputandosi una palla di legno. Dov'erano allora i suoi occhi ardenti e i capelli colore delle foglie d'autunno? Forse, semplicemente non li aveva notati. Ma ora lei lo consumava. Filippo aveva la mente intorpidita e non riusciva a dormire. Gli dèi ci mandano l'amore quando vogliono tormentarci. O forse solo per salvare la nostra anima, quando tutto il resto giace ormai infranto nella polvere.

Dal suo ritorno a Pella, le esigenze di due amanti avevano portato Tolomeo sull'orlo dello sfinimento. Euridice lo voleva nel proprio letto ogni notte e, come se si nutrisse di se stessa, la sua lussuria pareva non placarsi mai. Nelle ore più buie giacevano avvinti, esausti e madidi di sudore. Sembrava quasi che lei aspirasse a farsi ridurre in cenere dal fuoco del proprio desiderio.

E c'era Praxis, con i suoi riccioli biondi e il suo cuore di schiavo, che, accovacciato come un cane nell'ombra davanti alla porta degli appartamenti di Tolomeo, lo aspettava a volte fino all'alba. Quasi sempre una buona bastonatura bastava a farlo contento, ma in certe occasioni le sue richieste d'amore si facevano più pressanti.

Di giorno, quando sedeva in consiglio con il re, Tolomeo era tormentato da un dolore all'inguine. Aveva tentato di tutto: acqua fredda, succo di limone, impacchi caldi di fango. Inutilmente: il suo pene restava tumefatto e illividito, e ogni notte temeva di fallire nel suo compito di maschio, ma in qualche modo riusciva sempre a farcela.

La madre del re e il grufolante pederasta. Presto sarebbero stati chiamati anche loro a recitare nel piccolo dramma che Tolomeo aveva allestito: *La morte di Alessandro*... Euripide stesso non avrebbe potuto fare di meglio. E bisognava che fosse presto, se non voleva morire di stanchezza o essere ridotto all'impotenza prima di potersi crogiolare nell'applauso del pubblico.

Sua moglie, lo sapeva, di notte piangeva chiedendosi quale peccato avesse commesso per essersi meritata l'indifferenza del marito. Che piangesse pure. Avrebbe pianto ancor più forte quando suo fratello fosse morto. E ancora di più quando avesse compreso fino a che punto era sopravvissuta alla propria funzione.

Era finalmente arrivato il momento di far uscire il suo piano dai confini angusti delle camere da letto, e preparare Praxis a svolgere, per la prima e ultima volta nella vita, il suo dovere di uomo.

«Capisci che è necessario?»

Praxis sfiorò la mano con cui l'amante impugnava la spada. «Sì. Lo capisco.»

«Un rapido affondo... sotto le costole e fin dentro il cuore. Non sarà armato. Non sospetta nulla. Uccidilo senza lasciargli il tempo di reagire.»

«Sì.»

«Ti sei allenato? Ti senti pronto?»

«Sì.»

Tolomeo sorrise e mise la spada in mano al giovane, accarezzandogli i capelli. Si trovavano in uno dei bagni turchi di cui era dotata la guarnigione della scorta privata del re, di cui entrambi facevano parte. Due uomini, nudi e soli, due cupe presenze immerse in una nebbia così densa da attutire perfino il suono delle loro voci.

«Tu odi Alessandro, non è vero? Sì, so che è così.»

Sfiorò con le dita il collo del ragazzo e intanto pensava che nessuno avrebbe sospettato che quel cucciolo era capace di uccidere. E tuttavia Praxis era dissoluto come una cagna in calore, e altrettanto pericoloso. Saturo di una malvagità che altro non era se non amore imputridito.

«Ebbene, ora avrai la tua vendetta. Come ti ho detto, io ti proteggerò. Con la morte del re, tutto il suo potere sarà mio e lo userò per farti scudo. Ti innalzerò sopra tutti gli altri uomini.»

Gli bastò un'occhiata per capire che le sue parole avevano eccitato Praxis. Lo prese tra le braccia e gli accarezzò le spalle e la schiena.

«Nessuno oserà più trattarti con disprezzo» sussurrò. «Sarai temuto e invidiato. Sarai l'uomo che ha ucciso il re.»

Praxis lo baciò con tutto l'ardore del desiderio sottomesso, e Tolomeo lo lasciò fare, ricambiando il suo bacio. Perché quello stupidello non avrebbe dovuto avere il suo momento di felicità?

''Questo cane bavoso crede di amarmi'' pensò. ''E tuttavia non è mio. Il suo cuore appartiene ad Alessandro. E domani mi sarò liberato di entrambi.''

XII

Alessandro aveva indetto dei giochi per festeggiare il trattato con Tebe, trattato che il giovane re stava rapidamente giungendo a considerare una sorta di trionfo personale. La Macedonia sarebbe tornata all'antica grandezza, ora che godeva dell'amicizia della Confederazione beotica e del suo grande capo Pelopida. Nel suo annuncio, qualunque accenno agli ostaggi venne discretamente evitato.

Alessandro si ostinava a considerare il fratello minore come un bambino e non gli permise di partecipare neppure alla corsa equestre che, come tutti sapevano, Filippo avrebbe vinto senza difficoltà. Perdicca, d'altro canto, era ormai quasi un uomo e per di più il suo erede. Non gli venne data scelta. Perdicca si piazzò ultimo nel lancio del giavellotto e durante la seconda corsa fu disarcionato dal suo cavallo e si rialzò pieno di lividi. Allora se ne tornò a casa, a lavarsi di dosso l'umiliazione nei vapori caldi del bagno, e a lamentarsi del fatto che Alessandro gli mostrava ancor meno rispetto di quanto ne tributasse a Filippo.

Il figlio che Tolomeo aveva avuto dalla prima moglie, e che gareggiava per la prima volta, si classificò quarto nel lancio del giavellotto, l'arma preferita dal padre. Tutti furono prodighi di elogi, ma era Tolomeo, e non il ragazzo, che volevano adulare.

Quasi nessuno fece caso a Praxis, sebbene in seguito si dicesse che, pur non partecipando alle gare, aveva portato la spada per tutto il giorno.

Alessandro si fece particolarmente onore. Vinse sia la corsa podistica sia quella a cavallo — qualcuno insinuò che ne aveva escluso Filippo per timore di venirne battuto — e si assicurò il terzo posto nella lotta. Più tardi ci fu chi raccontò di averlo sentito dire che quello era stato il giorno più bello della sua vita.

Ligio alla tradizione, il re non consentì alle donne e agli stranieri di assistere ai giochi. In teoria aperte a tutti i Macedoni liberi, di fatto le gare erano dominio esclusivo dei membri della corte. Si era fra amici, e il vino scorreva in abbondanza. Perfino gli stallieri erano ubriachi. Verso mezzogiorno uno di loro cadde dal cavallo che stava riportando alle scuderie reali perché venisse strigliato e nutrito. L'uomo rovinò semplicemente a terra e morì, come se lo shock gli avesse arrestato il cuore. Ma, a dispetto di un presagio tanto funesto, i giochi continuarono.

Se non poteva partecipare, Filippo poteva però assistere. Pur ritenendola ingiusta, rifiutò di sentirsi offeso dalla decisione di Alessandro e si divertì immensamente a incoraggiare il fratello e gli amici, e a ubriacarsi al pari di tutti gli altri.

Perdicca tornò in tempo per la cena, che si sarebbe tenuta all'aperto, proprio come durante una campagna militare. Aveva il ginocchio bluastro e si appoggiava a un bastone, quasi soffrisse davvero, come non perdeva occasione di ripetere. Sedette accanto a Filippo, che lo trattò con deferenza e si preoccupò che avesse sempre vino a sufficienza per dimenticare il dolore.

«Giochi come questi non sono che vestigia di un passato brutale» commentò Perdicca, quando fu abbastanza ubriaco. «Uomini adulti che si comportano come bambini...»

«I giochi tengono vivo lo spirito marziale; e poi, fratello, se tu non li apprezzi è solo perché non sei molto abile. Ma sono d'accordo con te nel giudicare infantili *questi* giochi.»

Filippo quasi non aveva toccato la sua coppa, ma da un po' di tempo si era scoperto sempre più incline a dire soltanto la verità. Era, aveva deciso, uno dei vantaggi dell'essere il più giovane dei tre fratelli, e di conseguenza almeno per il momento ben lontano dalla successione.

«Perché? Forse perché Alessandro e i suoi amici si comportano come ragazzetti?»

Dopo un istante di riflessione, Filippo scosse la testa.

«No. Sono infantili perché celebrano una sconfitta fingendo che sia una vittoria.»

«Dunque giudichi un male l'alleanza con Tebe?»

«No, era un passo necessario... e in ogni caso non si tratta effettivamente di un'alleanza, quanto di una capitolazione. Ciò che mi addolora è la linea di condotta che l'ha resa indispensabile. In questo senso, Tolomeo ha tutte le ragioni. Alessandro ha fallito nel suo tentativo di allargare il suo dominio nella Tessaglia.»

«Ma Tolomeo non ha mai detto...»

Filippo si limitò a sorridere, ma di un sorriso talmente carico di disprezzo che Perdicca non osò completare la frase.

«Fratello, dato che è probabile che un giorno sarai re, faresti bene a prestare più attenzione a quello che gli uomini *non* dicono.»

Poi, accorgendosi che le sue parole non servivano che a turbare Perdicca, girò la testa e con un pezzo di pane cominciò a giocherellare con la carne che aveva nel piatto, sebbene in quel momento il cibo lo disgustasse.

«Credo che stanotte mi ubriacherò» disse. «Credo che sguazzerò in questo rosso di Lemno finché la mia orina non avrà il suo stesso colore, e a quel punto vomiterò su uno dei favoriti di Alessandro e dovrò essere trasportato a letto, dove russerò fino a domani sera. Immagino che per un lcalc macedone sia il modo più adeguato di festeggiare l'ultimo dei gloriosi trionfi del nostro re.»

«Taci, Filippo... è pericoloso parlare così.»

«Pericoloso? Sciocchezze!» Con un braccio Filippo circondò il collo del fratello e gli diede un'allegra scrollata. «Chi potrebbe sospettare un pericolo in un leale ubriacone? Guardati intorno, Perdicca.»

Fece un gesto che parve voler abbracciare l'intera scena del banchetto, un caos di tavoli e panche disposti su un quadrato di almeno quindici passi per lato, e rischiarati da torce infilate in supporti di ferro. I Compagni del re erano talmente rumorosi che il più giovane dei suoi fratelli avrebbe potuto urlare parole di tradimento senza che nessuno si accorgesse di nulla. Gli uomini che solo un mese prima avevano guidato l'esercito in Tessaglia, ora si divertivano a scagliarsi l'un l'altro coppe di vino e pezzi di montone.

«Prevedo che ci saranno molte occasioni simili durante il nuovo regno. E sono certo che diventerò un perfetto soldato da tavola, l'archetipo del moderno cortigiano. Che tu possa ravvisare qualcosa di pericoloso in un'ambizione tanto innocente dimostra soltanto che non hai ancora bevuto abbastanza.»

Lo sguardo di Filippo si posò su Tolomeo, che sedeva a un tavolo non lontano da quello del re, e il suo viso si alterò.

«Ecco dove sta il pericolo, se hai gli occhi per vederlo» mormorò all'orecchio di Perdicca. «Guardalo, fratello. Io lo sto osservando da almeno mezz'ora, e non l'ho ancora visto riempirsi la coppa. Un uomo capace di restare sobrio in una serata come questa è un uomo da temere... Tolomeo è talmente ebbro d'ambizione che non osa rilassarsi. È come un serpente, pronto per colpire.»

E davvero Tolomeo si era tenuto vicino il giavellotto, con la punta conficcata nel terreno. A quella vista Filippo avvertì un brivido di premonizione, ma, come sempre accadeva nelle giornate di giochi, erano molte le armi gettate con noncuranza qua e là. E, quasi vergognandosene, scacciò quel vago accenno di timore.

«A me sembra che *tu* abbia bevuto abbastanza» lo sbeffeggiò Perdicca.

«No, fratello... se avessi bevuto abbastanza, penserei che il cugino Tolomeo è l'uomo migliore del mondo. Diffido di lui solo quando ho la mente limpida.»

Ma Perdicca sembrò non averlo udito; stava ridendo e guardava verso il tavolo del re, dove Aristomaco, l'attuale favorito di Alessandro, si era alzato per intrattenere la compagnia con una canzone oscena che parlava di un asino e della figlia di un oste. L'effetto comico era accentuato dal fatto che il giovane, ormai completamente ubriaco, tendeva a dimenticare le strofe cruciali e diventava paonazzo per la collera ogni volta che il pubblico manifestava la sua disapprovazione. Alla fine si infuriò al punto da scordarsi di restare appoggiato al tavolo, e le gambe lo tradirono. Non era riuscito a finire la canzone, ma nessuno se ne curò perché tutti la conoscevano già: la gente aveva continuato a cantarne brani durante tutto il banchetto.

Poi Creonte di Europo salì sulle spalle di Parmeno, figlio di Arco di Tirissa, e cominciò a provocare gli astanti. Furono in parecchi a raccogliere la sfida e poco dopo tutti si tiravano addosso pezzi di pane intinti nel vino. Presto la battaglia divenne generale e, dato che tutti i combattenti avevano il viso o il petto imbrattati di rosso, lo scenario avrebbe potuto essere quello di una battaglia particolarmente cruenta. La pace tornò soltanto con l'esaurimento delle scorte di pane, e, quando i servi arrivarono portandone dell'altro, i contendenti si erano ormai stancati del gioco.

Filippo, che non aveva preso parte alla rissa, era ormai sufficientemente ubriaco da sprofondare in un sonno tranquillo, la testa appoggiata sul tavolo. Si destò solo quando, a banchetto finito, la panca gli fu strappata da sotto per essere scaraventata nel falò con cui terminavano sempre le baldorie all'aperto del re. Si sentiva la testa pesante e gli sembrava di avere qualcosa di morto in bocca mentre guardava le fiamme levarsi lentamente a lambire la catasta di legno.

Non appena furono alte come la testa di un uomo, ebbe inizio la danza di guerra.

Non si trattava di un rituale teso a festeggiare qualche grande trionfo della Macedonia, quanto piuttosto di una celebrazione della guerra in sé; era un atto d'adorazione, un rito di sottomissione all'amore che gli dèi nutrivano per il coraggio e la ferocia. E solo coloro che avevano combattuto a fianco del sovrano, liberandosi di conseguenza del terrore proprio delle creature mortali, potevano parteciparvi. Fu così che Filippo si trovò ancora una volta relegato fra gli spettatori.

Era per tradizione una cerimonia di estasi selvaggia, celebrata con il sottofondo della musica martellante dei tamburi e dei cimbali e di urla che fendevano l'aria della notte come un coltello lacera il tessuto. Se erano abbastanza ubriachi, a volte gli uomini saltavano nel fuoco per emergere dall'altra parte — quando ne emergevano, perché a volte ne restavano vittime — neri di fumo e con i capelli in fiamme.

E sempre aveva inizio con il re che girava lentamente intorno al falò, le braccia spalancate e la testa rovesciata all'indietro, quasi alla ricerca del delirante oblìo che annienta la paura della morte.

Alessandro, il corpo nudo lucido d'olio, i lunghi capelli color del miele che gli ondeggiavano intorno alla testa e che per un istante parvero tremolare nell'aria come una fiamma dorata, Alessandro, il signore dei Macedoni, era bello come un dio mentre danzava solo al suono della musica pulsante, minacciosa. Gli sembrava di essere trascinato via, per sempre libero dalle pastoie dell'esistenza terrena...

Il falò proiettava ombre spettrali sui volti degli uomini che, alla spicciolata, si univano al loro sovrano perso in un'estasi simile allo stato di trance.

Seduto vicino a Perdicca, che come lui batteva le mani a tempo con il folle ritmo dei danzatori che ruggivano e urlavano travolti dalla frenesia, Filippo aveva scordato i suoi oscuri timori. Si sentiva felice e in pace con se stesso, dimentico di tutto se non del momento. Non si accorse neppure che stava succedendo qualcosa finché i tamburi non tacquero bruscamente.

Il silenzio, come acqua gelida, lo fece rientrare in sé. D'un tratto vide Alessandro steso a terra con una mano sul fianco; sangue scuro gli filtrava tra le dita. E in piedi accanto a lui stava Praxis, che impugnava una spada lorda e scrutava trionfante i visi degli astanti, troppo stupefatti per reagire.

Infine, come per disperdere la loro ottusa paralisi, sollevò la spada sopra la testa.

«Morte al tiranno!» gridò, accingendosi a colpire di nuovo. «Gloria a...»

Pazzo di rabbia, Filippo balzò in piedi. Avrebbe ucciso il traditore, se necessario anche a mani nude. Ma aveva appena mosso un passo quando il grido di Praxis si interruppe di colpo per tramutarsi in un grugnito: un giavellotto si era conficcato nel petto del giovane. Praxis era morto ancor prima che le sue ginocchia toccassero terra.

Praxis era morto. Non contava più. Filippo si inginocchiò e appoggiò sulle sue gambe la testa del re morente.

«Ho freddo» bisbigliò Alessandro tra le labbra aride. «Ho freddo, Filippo.»

Lui gli gettò il suo mantello sulle spalle.

«Dunque è questa la morte? Questa...»

Poi rovesciò gli occhi all'indietro e morì.

Per un momento Filippo pensò che il suo cuore si fosse tramutato in ghiaccio. Non sentiva nulla. Ma nell'attimo in cui staccava le mani dal cadavere di Alessandro e si guardava le dita sporche di sangue, tutto il dolore di questo mondo tetro parve concentrarsi nel suo petto e un grido acuto d'animale gli scaturì dalla gola.

Barcollando si alzò e si guardò intorno. A non più di un passo da lui, Praxis giaceva su un fianco, la mano stretta intorno al giavellotto che aveva spezzato la sua vita. Filippo si chinò a raccogliere la spada, ancora bagnata del sangue del re.

«Chi l'ha ucciso?» gridò tra le lacrime. E quando nessuno rispose urlò ancora, come una sfida: «CHI L'HA UCCISO?».

«Sono stato io.»

Dal gruppo degli spettatori si staccò Tolomeo. I suoi occhi si restrinsero nel vedere l'espressione di Filippo.

«Sembrava pronto a colpire di nuovo. Ho pensato... Dunque il re è morto?»

«Sì» rispose Filippo, soppesando con la mano la spada di Praxis. Dovette lottare contro la tentazione di avventarsi sull'uomo che gli stava di fronte e trapassarlo con la lama. Era solo per caso che Tolomeo si era trovato lì vicino? «Sono morti entrambi. E sono entrambi irraggiungibili.»

XIII

Le ceneri del re erano ancora tiepide nell'urna funeraria quando i Macedoni si riunirono in assemblea per eleggere il suo successore. C'era soltanto un candidato, ma, vista la giovane età e l'inesperienza di Perdicca, si era stimato opportuno nominare un reggente. Anche per questa carica il candidato in lizza era solo uno. Almeno per un certo numero di anni a venire il potere si sarebbe accentrato nelle mani di Tolomeo.

Al termine dell'assemblea si scoprì che Arrideo e suo fratello, figli della prima moglie di Aminta, erano scomparsi. La loro era stata senza dubbio una mossa saggia perché Tolomeo, considerandoli certamente potenziali rivali, avrebbe cercato un pretesto per giustiziarli, ma la fuga gettò su di loro il sospetto che fossero coinvolti nell'assassinio del re.

Nessuno sollevò l'ipotesi che il tradimento fosse stato concepito ben più vicino al re. Praxis era morto e il suo cadavere era stato crocifisso in pubblico e lasciato in pasto ai corvi. Tutti sapevano che l'abbandono di Alessandro l'aveva riempito di rancore e risentimento, e questa sembrava essere la risposta a tutti gli interrogativi. E certo nessuno sospettò di Tolomeo. Nel vano tentativo di difendere il re, non aveva forse ucciso il traditore? L'assemblea dei Macedoni non lo aveva forse scelto come reggente, e non era forse grande e potente come se la corona di re fosse stata effettivamente posta sulla sua testa? Anche quando divorziò dalla moglie per sposarne la madre Euridice, nessuno pensò di accusarlo.

Nessuno, eccetto Filippo.

Non lo aveva saputo fin dall'inizio? Sarebbe stato impossibile determinare il processo attraverso cui il sospetto si era tramutato in convinzione e quindi in certezza. Nondimeno, sapeva.

«Tolomeo ha mostrato una grande presenza di spirito» disse al fratello Perdicca. «Aveva l'arma pronta e ha abbattuto il traditore con tanta rapidità da far quasi sospettare che sapesse già quello che stava per accadere... Mi chiedo a chi o a che cosa Praxis stesse per inneggiare quando la morte lo ha sorpreso.»

Perdicca, che non aveva mai amato troppo Alessandro e per il quale la condizione regale costituiva ancora una piacevole novità, non apprezzò molto quell'atteggiamento. Pur incapace di intuirne le possibili conseguenze, sospettava che in ogni caso sarebbero stati sgradevoli.

«Praxis era un amante geloso. La passione delusa può spingere all'omicidio perfino una donna.»

Guardò Filippo e sorrise, come se quella spiegazione sistemasse tutto.

«Ma ha definito Alessandro un tiranno, ricordi? Ha gridato "Morte al tiranno", come se il suo gesto fosse l'espressione di un malcontento generale. Credi che si aspettasse di morire? Io no... credo piuttosto che si aspettasse un encomio.»

«Tutti sanno che l'amore ottenebra la mente.»

«Forse.» Filippo serrò le labbra, come se stesse prendendo in considerazione quella possibilità. «Ma Praxis era notoriamente uno stupido. L'idea di definire nostro fratello un tiranno non è certo scaturita dal suo cervello.»

Perdicca si guardava intorno, inquieto. Si trovavano nella stanza del re, le mani allungate verso il fuoco di un braciere perché dalla morte di Alessandro le notti si erano fatte fredde. Erano soli — che ai due principi reali fosse consentito di restare soli dava forse la misura della sicurezza di Tolomeo — e tuttavia Perdicca non riusciva a controllare la sua ansia. Era re, ma aveva paura.

«Le tue parole sanno di tradimento, Filippo.»

«Come può essere? Sto parlando a mio fratello il re di come nostro fratello e suo precedessore è stato ucciso.»

«Ma Tolomeo è il reggente.»

«Dato che sei tu a nominarlo, è evidente che hai seguito il filo dei miei pensieri fino alla medesima conclusione. È stato Tolomeo ad armare la mano dell'omicida. E ora, come hai giustamente fatto rilevare, è il reggente e governa in tuo nome.»

Filippo si permise un sorriso crudele.

«Tolomeo, e non Praxis, avrebbe dovuto essere crocifisso

sopra il tumulo del re. Avanti, Perdicca... a volte sei un maledetto codardo, ma non sei mai stato uno sciocco. Sai che ho ragione.»

Sì, Perdicca lo sapeva. Ma Filippo capiva che non lo avrebbe mai ammesso, neppure a se stesso. Era troppo impaurito.

«Tolomeo amava Alessandro. Tolomeo è leale. Tolomeo non avrebbe mai...»

«Oh sì, invece, sì.» Filippo posò la mano sul ginocchio del fratello, in un gesto che esprimeva affetto e pietà insieme. «Lo ha fatto. Tolomeo ha trovato in sé l'ardire di uccidere un re, e se, tu non ti deciderai a comportarti come un uomo, si convincerà di poterne impunemente assassinare un altro.»

Perdicca non sapeva più che cosa fare di Filippo. Il fratello era cambiato fino quasi a diventare un altro. Quei pochi mesi trascorsi sulle montagne in mezzo ai barbari ne avevano fatto una persona diversa. Glielo si leggeva negli occhi.

Quando erano bambini, Perdicca si era sempre sentito superiore a lui. Era maggiore di un anno, perché quindi il fratellino non avrebbe dovuto essergli sottomesso? E Filippo, così determinato in ogni altra cosa, aveva accettato di buon grado di essere l'ultimo e il meno importante dei figli del re.

Ma dal suo ritorno, e perfino quando Alessandro era ancora vivo, sembrava essere diventato il più adulto dei tre. Suscitava quasi invidia, perché quando parlava lo faceva con l'autocontrollo di un uomo, un uomo consapevole del proprio potere, temprato da una vita di esperienze che Filippo aveva in qualche modo condensato nel breve spazio di tempo trascorso lontano da casa. Un uomo che si poteva ignorare solo a proprio rischio e pericolo.

Non era più lo stesso.

In un primo tempo Perdicca se ne sentì quasi offeso... Filippo era ancora un ragazzo, il suo fratellino. Ma ora che Alessandro non c'era più, la sua misurata autorevolezza gli risultava stranamente confortante. Anche quando le parole che pronunciava lo riempivano di terrore.

Tolomeo ha trovato in sé l'ardire di uccidere un re. Impossibile crederlo. Nondimeno, quando Filippo lo diceva guardandoti dritto in faccia, era impossibile non crederlo. Fu durante quella conversazione con il fratello che la stagione della paura di Perdicca ebbe inizio.

E, come sempre faceva quando si sentiva l'animo oppresso, cercò conforto presso la madre.

Ma anche Euridice era cambiata. La morte del figlio maggiore aveva gettato un'ombra su di lei, ma al tempo stesso il matrimonio con Tolomeo pareva averle infuso una sorta di disperata energia. Più che felice, sembrava determinata a esserlo, e la nervosa vivacità della sua mente era corrosa da qualcosa di molto simile alla follia.

"Ecco che cosa accade" si diceva Perdicca "quando gli dèi scelgono l'amore come strumento per la nostra distruzione."

Ed ecco perché, mentre ascoltava suo figlio, le lunghe agili dita di Euridice giocherellavano con le perle della collana d'oro, dono nuziale di Tolomeo. Non sembrò sorpresa nel sentire che Filippo accusava il suo secondo marito di tradimento e omicidio e, chissà, forse ne era confusamente persuasa anche lei. Il suo viso era inespressivo come una maschera mortuaria e solo il continuo agitarsi delle dita tradiva la tensione interna.

«Filippo farebbe bene a essere più cauto» disse alla fine. «Dovrebbe ricordare che, pur essendo un principe reale e il tuo erede, per il momento non è che un semplice suddito.»

«Dice che è un *mio* suddito, non di Tolomeo.» Perdicca teneva gli occhi bassi, come se la fedeltà del fratello fosse un peso troppo gravoso per lui. «Dice che devo solo ordinarglielo, e lui ucciderà Tolomeo. Dice che non devo far altro che dichiararmi pronto ad assumere il mio ruolo di sovrano e lui metterà fine con la morte alla reggenza di Tolomeo. Lo sfiderà in assemblea e lo ucciderà lì, in modo che tutti vedano. E io credo che lo farebbe davvero.»

«Oh, lo farebbe certamente, o almeno ci proverebbe. Qualunque possano essere i suoi difetti, Filippo non manca certo di coraggio.»

Euridice addirittura sorrise, come divertita da quel pensiero, e per un istante le sue mani si fermarono.

«Ma bisogna impedirglielo, perché Tolomeo è un tuo fedele servitore, così come lo era di tuo fratello.»

Lo sguardo pacato di sua madre aveva per Perdicca un potere a cui non era mai riuscito a resistere. Quando lo guardava in quel modo era come se lo incatenasse a sé, perché gli riusciva impossibile reprimere un empito d'amore servile nei suoi confronti, o credere di amarla quanto avrebbe meritato. Lei era la sua madre adorata e lui sarebbe stato una vera canaglia se non avesse prestato fede a ogni sua parola. Tolomeo era suo amico, lo era sempre stato. Sua madre amava Tolomeo e di conseguenza anche Perdicca doveva amarlo. Tolomeo era un uomo giusto e Filippo aveva la mente avvelenata da sospetti privi di qualunque fondamento. Almeno per il momento ne era convinto, anche se la sua ragione si ribellava a una simile interpretazione dei fatti. E dopo, naturalmente, si sarebbe ritrovato in trappola.

«Sì, certamente è fedele, ma...»

«Filippo è uno sciocco a pensare diversamente» lo interruppe Euridice, tenendolo avvinto nell'incantesimo del suo sguardo. «Possiamo solo pensare che il dolore gli abbia ottenebrato il cervello. La morte improvvisa di Alessandro è stata causa di sofferenza per noi tutti. Io, che ero sua madre...»

Girò la testa, come per nascondere uno spasimo di dolore.

«Sì, madre.»

Quando lei tornò a guardarlo, aveva gli occhi lucidi di lacrime non versate e, sebbene sorridesse, le sue labbra tremavano. Perdicca era pieno di vergogna per il solo fatto di aver menzionato Filippo.

Euridice posò la mano su quella di lui.

«Non parliamone più» disse.

Eppure, la passione per Tolomeo non aveva accecato Euridice al punto da impedirle di riconoscerne la vera natura. Le bastava pensare all'accomodamento domestico che era costretta a tollerare per capire di quanta malvagità lui fosse capace.

Per sposare Euridice, Tolomeo aveva divorziato dalla moglie, la figlia di lei, e la tradizione voleva che una donna cacciata dal marito dovesse rientrare in seno alla famiglia d'origine. Dato però che i fratelli erano troppo giovani per avere una casa propria, alla fanciulla non era rimasta altra scelta che tornare dalla madre, divenuta ora la moglie di Tolomeo. Era così rimasta sotto il tetto dell'ex marito.

E lui continuava a frequentare il suo letto, forse più spesso di quanto non facesse quando erano ancora sposati. La usava con la noncuranza con cui avrebbe usato una serva, non perché la desiderasse in modo particolare, ma perché sapeva che le due donne avrebbe subìto anche quell'affronto. Lo divertiva pensare che, se una volta tradiva la figlia per la madre, ora faceva il contrario.

Euridice non era mai stata vicina alla figlia, che, pur portando il suo nome, in famiglia era sempre stata chiamata Meda. E le due donne non vivevano insieme da quando Aminta aveva dato Meda, allora quattordicenne, in sposa a Tolomeo. Euridice l'aveva sempre giudicata una creaturina insignificante, e rimase sorpresa, una volta di nuovo nella stessa casa con lei, nel constatare quanto intensa fosse la sua angoscia.

Fu proprio dalle labbra di Meda che apprese come Tolomeo avesse ritrovato la strada per il suo letto. E, diversamente da quanto ci si sarebbe potuto aspettare, la notizia non le venne data con accenti di trionfo o di collera, bensì con rimorso, quasi che la giovane si ritenesse l'unica colpevole. Meda aveva supplicato il perdono della madre, implorandola di capire che il tocco di quell'uomo la privava di ogni volontà e raziocinio. Lui non la costringeva perché non ne aveva alcun bisogno: lei era incapace di resistergli.

Ed Euridice aveva capito. Sapeva che era possibile riconoscere la malvagità di un uomo, odiarlo perfino, e tuttavia essere schiave dei suoi desideri. Conosceva il potere che Tolomeo esercitava sulla carne. Sedute in un angolo della sua stanza, lei e la figlia si erano abbracciate e avevano dato sfogo al loro dolore. Avevano pianto l'una per l'altra, poiché sapevano di essere inestricabilmente avvinte nella ragnatela che gli dèi avevano tessuto per loro.

Per quale motivo dunque Euridice non avrebbe dovuto credere che proprio Tolomeo era il mandante dell'assassinio di suo figlio, se non perché crederlo l'avrebbe portata alla pazzia? Tolomeo era capace di tutto, non si faceva illusioni in proposito. Forse aveva ucciso Alessandro, ma che differenza faceva? Sarebbe stata capace di liberarsi di lui per questo? Forse, ma solo per il tempo sufficiente a conficcarsi una spada in seno. Credere una cosa simile equivaleva a morire, e per questo lei non poteva risolversi a farlo.

Eppure la vocetta interiore che continuava a sussurrarle che forse era tutto vero non si faceva tacitare.

Di conseguenza, fu quasi con sollievo che Euridice ascoltò

le accuse mosse da Filippo, se non altro perché, nel silenzio che avviluppava una parte così grande della sua vita, davano ai suoi sospetti una voce che, dopotutto, non era la sua.

«Mio figlio Filippo è convinto che Praxis non abbia agito solo» mormorò nell'oscurità della camera mentre la mano di Tolomeo si posava sul suo seno.

«Te lo ha detto lui?»

Lei sentiva il suo respiro sul collo, e già il cuore cominciava a batterle forte, come un animale che si scaglia contro le sbarre della gabbia in cui è prigioniero.

«Che importa chi me lo ha detto?» Gli sfiorò il petto con le dita, indugiando sulla cicatrice che lui aveva sotto il costato, provocatagli in gioventù da una freccia illirica. «Ne è convinto, e questo basta.»

«Ha fatto il nome di un complice?» La sua barba le graffiava il mento. Come sempre, i peli ispidi la fecero pensare a frammenti di selce, e si sentì quasi svenire dal desiderio.

«Sì. Ha detto che sei stato tu.»

Schiacciò con avidità la bocca sulle sue labbra morbide, come per volerlo divorare. Aveva fame di lui, una fame che si nutriva di se stessa. Con una gamba gettata di traverso sui suoi fianchi, gli si premette contro, assaporando i contorni nudi del suo corpo.

«Non toccherai mio figlio» sussurrò, e quelle parole bisbigliate suonarono come una maledizione. «Porrai almeno questo limite alla tua ambizione: non alzerai la mano contro mio figlio.»

«Perché? Lo ami così tanto?»

«Non lo toccherai.»

«Perché?»

«È mio figlio. Questo è sufficiente.»

Più tardi, mentre giacevano ancora avvinti e madidi di sudore, Tolomeo girò il viso verso il soffitto, invisibile nel buio.

«Nessuno presterà fede a una simile accusa» disse. Era la dichiarazione più vicina a un diniego che potesse risolversi a fare.

«O perlomeno, nessuno *ammetterà* di prestarvi fede.»

Lui non la guardò, ma il suo viso si indurì, quasi avesse ricevuto un rimprovero. Sedette sul bordo del letto e si versò una coppa di vino. La vuotò quasi per metà prima di parlare di nuovo.

«Sono il reggente» disse. Le voltava la schiena e lei non poteva guardarlo in viso, ma la sua voce grondava vanità. «Non posso permettere che sul mio conto si insinuino sospetti di tradimento.»

«In questo caso non hai nulla da temere; quando muove un'accusa, Filippo non è tipo da farlo con insinuazioni.»

«Ti prendi gioco di me, donna?»

«No.» Di colpo Euridice ebbe freddo; si tirò la coperta sul seno. «No, non mi sto prendendo gioco di te. Sono soltanto sorpresa.»

«Che cosa ti sorprende?»

«Che il mondo intero abbia tanta paura di te, e che tu abbia tanta paura di Filippo.»

«Tu stessa mi hai sempre messo in guardia da lui.»

Pur sapendo che lui non poteva vederla, lei annuì. «Sì. E hai ragione ad avere paura.»

Tolomeo non replicò, ma finì il vino e posò a terra la coppa. Sembrava incerto se restare dov'era o alzarsi.

Alla fine tornò a sdraiarsi, ma tenne le braccia accostate al corpo e non accennò a toccare la moglie.

«Filippo deve andarsene» disse, come se quella idea gli fosse balenata alla mente solo in quel momento.

«Vorresti mandarlo in esilio?»

«Non in esilio. Raggiungerà gli altri ostaggi a Tebe, dove sarà al sicuro e non potrà far danni. Il cambiamento lo aiuterà a liberarsi di queste fantasie grottesche. E Tebe gli piacerà. Là c'è anche mio figlio.»

«Dubito che l'apprezzerà di più per questo.»

Ma Tolomeo aveva già chiuso gli occhi e sembrò che non l'avesse neppure udita.

Quali pensieri tormentavano Tolomeo nelle interminabili ore notturne? Era ossessionato dal fantasma del re da lui assassinato, o era al di là del rimorso? Inutilmente Filippo si sforzava di capirlo.

Gli era rimasto soltanto il dolore. Le ossa di Alessandro avevano già intrapreso il viaggio che le avrebbe portate alla necropoli di Ege. Un alto cumulo di terra era stato ammassato sulla sua camera di sepoltura e ormai era remoto come gli dèi immortali. E Filippo, rimasto solo, si consolava compiendo libagioni sulla tomba della madre adottiva, nella speranza di placare lo spirito inquieto di lei e il proprio.

Non c'era nulla che potesse fare. Sarebbe stato felice di uccidere Tolomeo, anche a costo della sua stessa vita, purché la Casa reale degli Argeadi si liberasse una volta per tutte di quella folle ambizione che la stava distruggendo. E allora forse Perdicca avrebbe avuto qualche speranza di crescere fino a diventare re. Ora Perdicca era prigioniero della paura, e la paura sarebbe morta con Tolomeo, ma proprio la paura gli impediva di compiere il gesto che lo avrebbe liberato. Filippo non voleva colpire senza il benestare del re, non ci teneva a diventare un traditore. Perdicca poteva essere un debole e uno sciocco, ma era pur sempre il re e i suoi ordini dovevano ben significare qualcosa.

Non c'erano vie d'uscita.

Come avrebbe voluto posare la testa in grembo ad Alcmene, come faceva da bambino quando si faceva male nel corso di qualche rude gioco di maschi. Aveva l'anima ferita, e gli sembrava che potesse mettersi a sanguinare da un momento all'altro. Per lui nel mondo non c'era più tenerezza.

«Vieni qui spesso?»

Alzò gli occhi e stupefatto scorse Arsinoe a pochi passi da lui. Senza lasciargli il tempo di rispondere, la giovane gli si inginocchiò accanto, sfiorandogli la spalla con i capelli. «Mia madre è sepolta non lontano da qui» spiegò. «Ti ho visto e...»

«È morta da molto?»

«Mia madre? Da più di un anno, ormai.»

«Ne soffri ancora?»

Invece di rispondere, Arsinoe gli posò una mano sul braccio. «Chi giace qui?» domandò.

«Mia ma... la donna che mi ha allevato. Si chiamava Alcmene. Morì mentre mi trovavo tra gli Illiri.»

Filippo lottava per mantenere una certa compostezza. Amava Arsinoe — o almeno, immaginava che quella strana sensazione che si impadroniva di lui ogni volta che la vedeva fosse amore. E tuttavia avrebbe desiderato che se ne andasse, perché la sua presenza non faceva che rendere tutto ancor più penoso da sopportare. Al tempo stesso, però, sentiva che sarebbe morto se lei lo avesse lasciato, che si sarebbe spaccato in due come una pietra in cui il ghiaccio si è insinuato attraverso una minuscola crepa. Avvertiva fortissima la tentazione di gettarsi fra le sue braccia e piangere come un bambino, come il bambino di Alcmene, ma certo lei avrebbe reagito con disprezzo. Lui stesso si sarebbe disprezzato.

Così non fece nulla. Attese, incapace perfino di guardarla, che lei decidesse la sua sorte.

«Vuoi che stia con te?»

Lui non capì subito che cosa avesse inteso dire Arsinoe. Gli stava chiedendo se voleva che restasse? E come poteva rispondere, se lui stesso lo ignorava? Poi sentì la mano di lei insinuarsi nello scollo della tunica.

«Vuoi che stia con te?»

Lo baciò sulle labbra, e il piacere fu tale da mozzargli quasi il respiro.

«Non devi sentirti solo, Filippo, perché io ti amo.»

Il sole era tramontato da un pezzo ormai, e la necropoli era deserta. Erano soli nell'oscurità che li avvolgeva, al sicuro da occhi indiscreti, ma di questo si curavano ben poco. In quel momento, solo loro due esistevano ed erano reali. Il mondo non era che un'ombra.

Lei gli prese le mani e se le portò al seno. Poi gli passò le braccia intorno a collo e lo attirò a sé.

Mentre facevano l'amore sull'erba fredda, la sua anima parve riversarsi in quella di lui, come vino nell'acqua, così che lui divenne una persona diversa, uno sconosciuto anche per se stesso, sollevato da ogni fardello, il cuore di nuovo vivo nel petto, simile a un dio e pieno di una felicità destinata a durare per sempre.

«Ti amo» bisbigliò, e le parole parvero scaturire di loro spontanea volontà. «Voglio solo che sia così per sempre. Non ti lascerò mai.»

XIV

Mezzogiorno era passato da poco quando Filippo vide per la prima volta Tebe. La città distava ancora un'ora di viaggio, e lui poté scorgerne solo le mura su cui il sole si rifletteva come se fossero di marmo lucido.

Lui e la sua scorta avevano lasciato il centro portuale di Ramnunte alle prime luci, dopo due giorni trascorsi a bordo di una nave. A Pella non c'erano stati addii. Era notte fonda quando un messo del palazzo lo aveva strappato al suo letto e condotto al cospetto di Tolomeo.

«Ecco che ricominciano i tuoi viaggi» gli annunciò il reggente. «All'alba parte una nave per la Beozia e tu sarai a bordo. Tebe ti piacerà, Filippo. Il clima è gradevole e un giovane uomo che aspira a diventare soldato può impararvi molte cose. Ti sarà utile.»

Filippo pensò ad Arsinoe, al sapore dei suoi baci che ancora gli indugiava sulle labbra, e fu come se una lama di ghiaccio gli trapassasse il cuore.

«Non desidero lasciare Pella. Sono stanco di essere spedito qua e là come una borsa diplomatica. Manda qualcun altro.»

«Non c'è nessun altro. Ai Tebani gli schiavi delle cucine non interessano.»

«Non hai il diritto di farlo, mio signore. Mi appellerò al re.»

«Sto parlando a nome del re, Filippo. Il re non ti vedrà. Sarà ancora nel suo letto quando la tua nave non sarà più visibile dalla costa.»

Un'occhiata bastò a Filippo per capire che non aveva scelta.

«In questo caso, concedimi un'ora o due per i saluti.»

«Non c'è tempo.»

Per un istante i due uomini si scrutarono in silenzio. Non

c'erano segreti fra di loro e non avevano bisogno di parlare per capirsi.

Filippo girò sui tacchi e uscì.

Le guardie che lo aspettavano fuori della porta lo condussero di nuovo a casa di Glauco, dove ebbe appena un quarto d'ora di tempo per fare i suoi preparativi. L'economo del re, che la sapeva troppo lunga per fare domande a cui non c'era risposta, lo osservò senza parlare mentre infilava qualche indumento in una cesta di vimini.

«Se qualcuno dovesse venire a chiedere di me, di' che sarei rimasto se mi fosse stato possibile.»

«Chi potrebbe venire, mio principe?»

Filippo non alzò gli occhi dalla tunica pesante che stava ripiegando; Alcmene l'aveva tessuta per lui quando era partito per la terra degli Illiri. Anche al termine di questo viaggio avrebbe trovato un assassino?

«Nessuno, Glauco» rispose, scuotendo la testa. Forse amava l'esile dolce fanciulla che gli si era donata in quel luogo di dolore, ed era perfino possibile che lei ricambiasse il suo amore, ma non aveva alcun diritto di coinvolgerla nella propria sorte. «Proprio nessuno.»

Proprio nessuno. Quelle parole gli echeggiavano nella mente mentre dall'imboccatura del valico guardava in basso, verso le estese pianure della Beozia. Anche tra le montagne il caldo era stato intenso, e l'erba della prateria che gli si parava davanti era arsa dal sole. Quello era un luogo ostile, e lui era solo.

Gli uomini che lo attorniavano erano i soldati della cavalleria leggera dell'esercito tebano. Lo avevano atteso sul molo di Ramnunte, riservandogli un trattamento più adeguato a un ospite d'onore che a un prigioniero. Eppure mantenevano un atteggiamento distaccato, se in segno di rispetto o per qualche altro motivo lui non avrebbe saputo dirlo. Filippo aveva consumato il pasto di mezzogiorno con la sola compagnia dell'ufficiale in comando, mentre gli uomini, seduti un po' in disparte, si accalcavano intorno ai recipienti del cibo senza prestargli alcuna attenzione. Gli era sembrato un comportamento strano per dei soldati che vivevano in una democrazia — in Macedonia, neppure il re era così in alto da disprezzare il rancio comune e la compagnia dei più umili tra i suoi sudditi.

Il pensiero di Arsinoe non lo lasciava mai. Che cosa pensava di lui? Probabilmente credeva che, sapendo di dover partire, lui l'avesse presa tanto per divertirsi, per poi abbandonarla senza una parola né un gesto. Forse lo odiava.

E laggiù, splendente nel sole, c'era Tebe, il luogo del suo esilio. Era una vista che faceva male agli occhi.

«È bella, non è vero, principe?» commentò l'ufficiale a capo della scorta, un uomo di nome Ganelone che, sebbene appena ventenne, aveva già partecipato a quattro campagne ed era stato in Macedonia con Pelopida. «È la regina delle città, cólta come Atene e bellicosa come Sparta. Troverai molto da ammirare all'interno delle sue mura.»

«Avrei preferito continuare ad ammirarla da lontano.» Ganelone finse di trovare divertentissima la risposta di Filippo e la sua risata coprì quello che sarebbe stato altrimenti un silenzio gravido di imbarazzo.

Tra le montagne, un alito di vento aveva disperso almeno parzialmente la calura, ma, non appena la strada cominciò a scendere verso la piana centrale, l'aria si fece infuocata e soffocante. A Filippo, tuttavia, non sfuggì che il fondo dei canali d'irrigazione era nero di fango; da quelle parti l'acqua non doveva scarseggiare. Le fattorie che oltrepassarono erano ben tenute, circondate da olivi e vigneti, e gli animali che pascolavano nei dintorni, nutrendosi di quello che la falce aveva risparmiato, apparivano grassi e lucidi. Evidentemente, i Beoti prosperavano.

E altrettanto evidentemente avevano preso ogni precauzione per difendere la loro prosperità. La strada, che si snodava stretta e diritta sotto gli zoccoli delle cavalcature, era perfetta per le famiglie contadine che in caso di guerra si sarebbero rifugiate nella città, ma scomoda per un esercito invasore che si sarebbe trovato esposto al pericolo di imboscate. Né sarebbe stato facile aprirsi una breccia tra le mura, edificate sull'orlo di un'alta rupe. Il territorio e le modalità di costruzione sarebbero stati tutti a vantaggio dei difensori, così che un lungo assedio avrebbe forse costretto i Tebani ad arrendersi per fame, ma, finché l'esercito fosse rimasto integro, sarebbe stato praticamente impossibile conquistare la città con un attacco diretto.

A mano a mano che proseguivano, la strada si fece così ripida che Filippo fu tentato di smontare e continuare a piedi per risparmiare la sua cavalcatura. Nessuno della scorta, però, sembrava afflitto da analoghe preoccupazioni e i loro agili cavalli, più piccoli di quelli macedoni e simili a puledri, parevano abituati a quel continuo faticoso alternarsi di salite e discese.

Quando furono alla porta principale, un uomo uscì dall'ombra per andare loro incontro. Era di mezza età e, fatta eccezione per la vivace intelligenza che gli brillava negli occhi, di aspetto insignificante. Il suo semplice mantello marrone era di foggia greca e lasciava nudo il braccio destro, coprendo fino al polso quello sinistro. Fu la mano destra quella che tese a Filippo per aiutarlo a scendere di sella.

«Benvenuto, ragazzo» lo salutò con disinvolta familiarità. «Sarai mio ospite durante la tua permanenza tra di noi. Io sono Pammene.»

Naturalmente Filippo conosceva quel nome. L'uomo che lo avrebbe ospitato era uno dei triumviri che in poco più di un decennio avevano saputo creare un esercito senza uguali nel mondo e avevano fatto di Tebe una potenza con cui solo Atene poteva rivaleggiare.

Pelopida, Epaminonda e Pammene, ancora giovani e dopo essere stati mandati in esilio dall'oligarchia filospartana che reggeva Tebe, erano rientrati segretamente in patria, e, travestiti da donna, avevano fatto irruzione a una cena indetta per celebrare la fine del primo anno di dominio dei tre oligarchi e li avevano uccisi. Quella stessa notte, tutti gli altri sostenitori di Sparta della città erano stati scovati e assassinati.

All'episodio avevano fatto seguito quattro anni di guerra durante i quali gli Spartani avevano cercato di riacquistare il controllo della Beozia ma che, sorprendentemente, si erano conclusi con la loro sconfitta. Le migliori forze di combattimento della Grecia avevano dovuto cedere a un piccolo esercito di semplici cittadini organizzato in tutta fretta. Comandanti di grande esperienza e reputazione erano stati sopraffatti da sconosciuti che quasi non meritavano la qualifica di soldati. Tebe era assurta al ruolo di grande potenza — e tutto questo grazie all'opera di tre soli uomini.

Pammene discendeva dall'antica aristocrazia tebana, ma la sua famiglia aveva perso tutto durante gli anni di dominazione spartana. Non sembrava tuttavia soffrire della propria povertà, e forse non ci fece neppure caso mentre, quella sera, divideva col suo giovane ospite una cena frugale a base di carne di capra e miglio bollito.

«Nelle sue lettere Pelopida parlava spesso di te» disse a Filippo, riempiendogli la coppa di un pessimo vino, denso come sangue di cavallo. «Gli hai fatto una grande impressione. E così Tolomeo, anche se per motivi del tutto diversi. È una vera sciagura quella in cui è incorso il re tuo fratello... morire così giovane, e per mano di un amico, è davvero triste.»

Il suo viso appariva perfettamente neutro mentre parlava e le sue parole avrebbero potuto sottintendere tutto come nulla. Pammene, a quanto sembrava, era un uomo che amava nascondersi dietro il suo aspetto mediocre, che indossava come una maschera.

«Triste, certo. Ma non inaspettato.»

Per un momento Pammene parve sorpreso dalla risposta, ma finì per stringersi nelle spalle e sospirare, come un uomo che contempla solo l'ultima di una lunga serie di disillusioni.

«No, non inaspettato» osservò con l'aria di non rivolgersi a nessuno in particolare. «E forse Pelopida è stato saggio a insistere perché fra gli ostaggi ci fosse anche il figlio Tolomeo, dato che è interesse di tutti mettere un freno alle ambizioni del nuovo reggente.»

Assaggiò il vino e fece una smorfia. L'ambizione di Tolomeo sembrava essere sparita dai suoi pensieri quando riprese a parlare.

«Se posso parlare con franchezza, principe, sono un po' stupito di vedere *te* a Tebe. Forse il reggente era distratto, o forse desidera sottolineare l'innocuità delle sue intenzioni.»

Sorrise nel vedere l'espressione perplessa di Filippo.

«Devi sapere» continuò con l'aria di chi rivela la soluzione di un indovinello «che la tua presenza qui è la miglior garanzia possibile dell'incolumità del nuovo re. Forse Tolomeo non nutre soverchia tenerezza per il figlio, ma finché tu rimarrai presso di noi rispetterà la pace e non tenterà di scalzare dal trono tuo fratello Perdicca.»

Questa volta toccò a Filippo sorridere. Strappò un pezzo di pane e lo usò per ripulire il suo piatto.

«Credo che abbiate sbagliato i vostri calcoli. Tagliami la gola, signore, e finché vivrai sarai al reggente più caro di un fratello.»

E, come per sottolineare la sua affermazione, si ficcò in bocca il pezzo di pane e lo ingoiò senza masticarlo.

Pammene scosse la testa.

«Supponi, mio giovane amico, che il reggente decida che la sostanza del potere non gli è sufficiente. "Voglio essere re" direbbe. Che cosa farebbe in questo caso?»

«Farebbe assassinare Perdicca» fu la pronta risposta di Filippo. Ma subito si acciglió, incerto sul significato della domanda.

«Nel modo in cui è stato assassinato Alessandro, così che nessuno potrebbe accusarlo?»

«Certamente... l'assemblea non passerebbe sopra al tradimento.»

«E se il re tuo fratello morisse nel sonno? In quel caso Tolomeo sarebbe certo di ricevere la corona?»

Filippo socchiuse gli occhi. Stava incominciando a capire.

«No, non potrebbe esserlo» mormorò. «Molti si schiererebbero contro di lui, sapendo che c'è ancora qualcuno con maggiori diritti di sangue...»

«E quel qualcuno sei tu?»

«Sono io.»

«E tu sei a Tebe, Filippo.» Pammene sollevò la coppa, come per soppesarla. «E Tebe potrebbe ritenere vantaggioso appoggiare la tua rivendicazione al titolo di re dei Macedoni. Tutto questo il reggente lo sa; ecco perché la vita di tuo fratello è al sicuro. Sarebbe interessante scoprire che cosa c'è in te che suscita in Tolomeo un timore addirittura più forte della sua ambizione.»

«Forse soltanto il fatto che io so che le sue mani sono sporche del sangue di mio fratello.»

«E tuttavia sei vivo.» Pammene posò la coppa senza aver bevuto e sorrise di nuovo, questa volta con una briciola di condiscendenza. «Come lo spieghi, principe?»

Filippo si rese conto di essere arrossito — meno di vergogna che per un altro motivo su cui avrebbe preferito tacere.

«Tolomeo è il marito di mia madre» si decise finalmente a dire. Aveva dovuto tirare un lungo respiro profondo prima di risolversi a pronunciare quelle parole con una certa calma. «So che lei lo ospita volentieri nel proprio letto, ma forse non è accecata dall'amore al punto da non accorgersene, se un altro dei suoi figli venisse trucidato. Forse il reggente, quando la sera si addormenta, preferisce pensare che si sveglierà in questo mondo e non nell'altro.»

Pammene lo scrutò in silenzio per un istante, e quando parlò ogni traccia di sorriso era svanita dal suo volto.

«Ora capisco, principe, perché Pelopida era tanto affascinato da te. È evidente che hai la stoffa per diventare un grande uomo. Mai nella mia vita ho incontrato un giovane nelle cui vene il sangue scorresse così freddo.»

Il mattino successivo, dopo colazione, Filippo venne invitato a uscire in esplorazione della città. «Qui a Tebe non sei un prigioniero» gli disse Pammene. «E come potresti esserlo, quando non abbiamo alcun interesse ad attentare alla tua incolumità e tutti i tuoi nemici sono a Pella? Sei mio ospite e libero di andare e venire a tuo piacimento. Nessuno spierà i tuoi movimenti.»

Ed era proprio così. Questa volta non c'era uno Zolfi a tallonarlo, e neppure i soldati di guardia alle porte prestarono al giovane la minima attenzione. Anzi, sembrava che non conoscessero neppure la sua identità. Per la prima volta nella sua vita, Filippo scoprì il piacere di aggirarsi per le strade affollate nel più totale anonimato.

Le dimensioni ridotte del mercato lo delusero, ma un'ispezione più accurata gli rivelò che aveva molto da offrire a un ragazzo che, in un borsellino fissato alla cintura, aveva ancora qualcuna delle dracme ateniesi donategli da Bardili. Non era abituato a maneggiare denaro, ma quel giorno si sentì gradevolmente ricco.

Com'era prevedibile, il suo primo acquisto fu una spada. Era un'arma da fante, con la lama lunga meno di un cubito, ma flessibile e ben bilanciata. L'elsa rivestita di cuoio era perfetta per la sua mano.

Filippo aveva trascorso buona parte della sua infanzia al mercato di Pella in compagnia di Glauco, e sapeva come trattare. Quando il mercante ricevette finalmente la sua moneta d'argento, la sfregò con circospezione tra le dita, quasi timoroso che, in definitiva, il giovane cliente fosse riuscito a truffarlo.

C'erano in vendita manoscritti, ma i narratori di professione, intorno a cui la gente si radunava davanti alle taverne, erano meno costosi e con poche monete di rame recitavano scene di Eschilo, interpretandone tutti i ruoli, le genealogie degli dèi di Esiodo o brani di Omero. Mentre ascoltava *La morte di Ettore*, Filippo si rammentò dell'amico Aristotele, ora ad Atene a studiare filosofia — Aristotele conosceva Omero a memoria, compresi gli elenchi di nomi di guerrieri dall'effetto soporifero. Il ricordo lo riempì di nostalgia.

Pensò ad Arsinoe e alla dolcezza della sua bocca, e, con gli occhi fissi sui ciottoli che lastricavano le strade tebane, si chiese se la lontananza da Pella non avrebbe finito per ucciderlo.

«Non supplicarmi!» La voce del narratore salì di tono fin quasi a spezzarsi mentre declamava le parole di Achille. «Tu bestemmi, supplicandomi nel nome di mio padre. Se solo gli dèi mi donassero un'ira tale da strapparti la carne dalle ossa e divorarla!»

Con gli occhi della mente, Filippo vide suo fratello morire sulla spada di Praxis, e ogni tenerezza lo abbandonò.

Forse, pensava, quando avesse ucciso Tolomeo avrebbe trascinato il suo corpo per nove volte intorno alle mura cittadine, così che alla fine di lui sarebbe rimasto ben poco da bruciare.

«È solo poesia, Filippo. Dal tuo aspetto, si direbbe che ti stai preparando a uccidere Ettore tu stesso.»

Non riconobbe subito la voce, ma quando si girò vide che a parlare era stato un ragazzo esile, così alto da costringerlo ad alzare lo sguardo di almeno quattro dita: Filosseno, suo cugino e unico figlio di Tolomeo.

Filosseno era di un anno esatto maggiore di Filippo e, anche se aveva forse superato le goffaggini dell'adolescenza, non aveva però ereditato nulla del fascino di cui il padre era tanto ricco. Gli mancava inoltre la capacità di fingere del reggente perché quando sorrideva, come in quel momento, rivelava tutti i suoi pensieri.

I due ragazzi si detestavano da sempre.

«Ero venuto a cercarti» riprese Filosseno. «Dopo Pella, Tebe deve sembrarti strana... Ho pensato che la vista di un viso familiare ti sarebbe stata di qualche conforto.»

Questo forse poteva essere vero.

Comunque fosse, rendendosi conto che Filippo non aveva alcuna intenzione di rispondergli, Filosseno lasciò che il sorriso sbiadisse.

«Mio padre ha scritto per dire...»

«E tu scrivi a lui» lo interruppe Filippo. «A quanto pare, il reggente ha spie dappertutto.»

«Per dirmi che avevi avanzato accuse assurde e proditorie.»

«Oh, non direi proprio, cugino. Ho semplicemente suggerito che dietro l'assassinio del re ci fosse lui.»

Un'espressione di panico alterò il viso di Filosseno che si ritrasse di scatto, come se si fosse improvvisamente visto davanti un serpente. Alla fine, e con notevole sforzo, si costrinse a sorridere di nuovo.

«Chi crederebbe a una cosa simile?» chiese col tono di chi pone una domanda puramente retorica. «Credo che il dolore ti abbia ottenebrato la mente, Filippo.»

E in quel momento Filippo seppe con assoluta certezza che il figlio ignorava tutto della malvagità del padre. Se un giorno Tolomeo fosse stato processato dall'assemblea, Filosseno sarebbe stato condannato con lui, perché questa era la legge. E tuttavia era innocente e non aveva alcun sospetto.

Perché avrebbe dovuto nutrirne? Filosseno era uno di quelli che prestano sempre fede alla versione ufficiale, e il reggente non avrebbe mai palesato la sua autentica natura a un tale scioccherello.

Quella consapevolezza aveva quasi il sapore della vergogna. Di colpo Filippo avvertì l'impellente desiderio di farsi perdonare.

«Senza dubbio hai ragione» esclamò, sorridendo a sua volta. Fu felice di vedere che Filosseno sembrava sollevato. «E in effetti è vero, fa piacere vedere un viso noto.» Circondò con il braccio le spalle del cugino. «Vieni, compriamo un otre di vino, e cerchiamo un posto ombreggiato per brindare insieme ai piaceri dell'esilio.»

XV

In qualità di reggente di un re ragazzo che ormai aveva quasi paura perfino di guardarlo, Tolomeo godeva dell'autorità di un autentico sovrano. Era il capo dei sacerdoti e officiava tutti i quotidiani riti sacrificali che dovevano garantire la sicurezza della nazione. In tempo di guerra ricopriva la carica di comandante dell'esercito. Nei processi per tradimento che si tenevano davanti all'assemblea, lui soltanto aveva la facoltà di formulare le accuse, e per quanto concerneva i reati minori era l'unico giudice. I suoi nemici, tuttavia, non si erano resi colpevoli di alcuna offesa che avesse anche solo un vago sentore di tradimento, la Macedonia era in pace e le cerimonie religiose lo annoiavano. Aveva sottratto la moglie ad Aminta e gli aveva ucciso il figlio. Era quasi riuscito a impadronirsi anche della sua corona. In sostanza, aveva soddisfatto le ambizioni di trent'anni di vita, solo per scoprire che il successo non aveva sapore e che la vendetta sui morti aveva il tanfo della putrefazione. Non fosse stato per Filippo, nulla di tutto questo avrebbe avuto più alcun interesse per lui.

Filippo era tutto ciò che gli restava da temere, e solo la paura aveva il potere di ricordargli le dolcezze della vita. Ma Filippo era molto lontano.

Filippo che godeva del favore di Pelopida. Quel pensiero gli artigliava le viscere come una volpe artiglia il terreno quando si scava la tana. Eppure niente di quello che il giovane avrebbe potuto dire a Tebe era più pericoloso di ciò che aveva già detto a Pella. Al reggente era sufficiente intercettare lo sguardo di Perdicca e vederlo distogliere il viso come se fosse sopraffatto dalla vergogna per capire che nel profondo del proprio cuore il re sapeva che suo fratello aveva detto il vero. Mandarlo a Tebe era stata la mossa più saggia. Se Filippo fosse rimasto altri sei mesi in Macedonia, Tolomeo si sarebbe trovato nella necessità di farlo uccidere. Quel ragazzo era semplicemente troppo pericoloso per poter restare lì.

Ma, stranamente, Tolomeo ne avvertiva la mancanza. Quando Filippo aveva preso senza fare obiezioni la via dell'esilio, lui si era sentito come sconfitto. Era umiliante avere tanta paura di un ragazzo, ma ancora più sgradevole era il constatare che quella paura era venata di un piacere quasi sensuale.

Fu forse dunque non del tutto per caso se un pomeriggio verso sera, circa una settimana dopo la partenza di Filippo, mentre lasciava le scuderie reali dopo una giornata di caccia, Tolomeo indugiò ad ascoltare lo scalpitìo di un grande stallone nero che cercava di abbattere il cancello del suo recinto.

«Dev'essere il cavallo del principe Filippo, mio signore» lo informò il capo degli stallieri. «È inquieto come il demonio. Non fa abbastanza esercizio da quando il principe è ripartito.»

«Perché allora non lo fai uscire con uno dei mozzi di stalla?»

L'altro rise. Era un uomo alto e allampanato, e sullo zigomo sinistro aveva una cicatrice dentellata che si era procurato a quattordici anni, quando il destriero da guerra di re Aminta aveva cercato di fracassargli il cervello.

«Nessuno di loro è così sciocco da affidare la propria vita a quel cavallo, signore.» Rise di nuovo, scuotendo la testa. «Non permette a nessuno di avvicinarlo. Con il principe era docile come un gattino, l'ho visto io stesso prendere fette di mela dalle sue mani. Ma riconosce un padrone soltanto. Per chiunque altro cercare di montarlo significherebbe la morte.»

«Come si chiama?»

«Alastor, mio signore.»

Il sole del tardo pomeriggio filtrava dalla porta della stalla e l'aria era satura del profumo del fieno fresco e del sudore dei cavalli. Tolomeo aveva fatto buona caccia quel giorno e le sue braccia erano sporche di sangue di cervo. Si sentiva stanco, ma di una stanchezza simile a quella che tante volte aveva provato in gioventù, e che rivelava risorse ancora intatte di energie.

Alastor. Tipico di Filippo dare al suo stallone il nome dello spirito della vendetta. Quel nome suonava come una sfida.

«D'ora in poi al mattino lo porteremo con noi» disse, sorpreso lui per primo di quella decisione. «È uno spreco non montare un buon cavallo... Domattina lo cavalcherò io stesso, quando il mio cavallo sarà stanco.»

«Mio signore...»

«Lo cavalcherò io, Gerone. Fammelo trovare pronto.»

«Sì, mio signore.»

Mentre si inchinava, lo stalliere era cupo in volto, quasi si sentisse costretto a commettere un'empietà.

Nella fredda luce dell'ora che precede l'alba, mentre guardava il possente stallone che veniva fatto uscire in cortile da stallieri a cavallo — per tenerlo quieto lo avevano legato con due pezzi di fune fra due castrati —, Tolomeo ebbe un momento di incertezza. "Quel cavallo è un uccisore di uomini" mormorò tra sé e sé. Ma simile all'ombra di un uccello che passa rapido, il pensiero gli attraversò la mente per un solo istante e subito svanì. Indugiò solo nella memoria, e aveva il sapore metallico della paura.

No, non avrebbe rimandato il confronto, perché la paura era un fardello che si alimentava di se stesso.

«Gerone, quando saremo fuori delle porte, e quell'animale non avrà più la possibilità di mandarmi a sfracellare contro le mura, prenderai il mio cavallo e io monterò quello del principe Filippo.»

Il capostalliere grugnì un assenso, ma il suo viso esprimeva disapprovazione.

Non appena Tolomeo fu smontato, gli stallieri saltarono giù dai castrati, tenendo le funi molto corte in modo che lo stallone non potesse gettare all'indietro la testa. Poi si fece avanti Gerone con il morso — era un morso da addestramento, riservato agli animali più selvaggi, un manufatto di ferro battuto in grado di lacerare crudelmente il muso del cavallo che avesse opposto resistenza — e lo applicò ad Alastor. Poi tornò dal reggente.

«Non esiterà ad approfittare di qualunque debolezza, mio signore. Non essere timido con lui, ma fa' in modo che capisca subito chi è il padrone.»

«Un consiglio sempre valido.»

Tolomeo abbozzò un sorriso che tradiva appena il suo risentimento, ma Gerone fu pronto ad afferrarne il significato e si inchinò.

«Non camminavo ancora quando mio padre mi mise su un cavallo, Gerone. E non avevo diciassette anni quando guidai in battaglia l'ala destra della cavalleria del re. Questo non è che uno stallone con troppo fuoco nel sangue... Ce la farò.»

«Non intendevo offenderti, mio signore.»

«E io non sono offeso.» Tolomeo tornò serio. «Quando l'avrò montato, i tuoi uomini potranno rimettersi in sella, ma assicurati che tengano ben strette le corde. Credo sia opportuno lasciare che si abitui al mio peso, e dare tempo al morso di impartirgli la sua salutare lezione.»

«Sarà fatto come comandi.»

Il reggente sapeva bene che cosa stava pensando quel furfante: la prima volta, Filippo aveva montato Alastor con il solo aiuto di una cavezza — si diceva che sapesse farsi obbedire da lui con una semplice parola sussurrata e la pressione delle ginocchia —, ma Tolomeo non era un ragazzo avventato, pronto a rischiare inutilmente la vita. Se fosse riuscito a sottomettere il cavallo alla sua volontà, l'avrebbe considerata una vittoria sufficiente.

Infastidito dal morso, lo stallone era inquieto e non esitò a colpire con gli zoccoli i due castrati. Ma gradatamente incominciò a calmarsi e infine il reggente ritenne che fosse arrivato il momento di avvicinarsi.

Tolomeo era in effetti cresciuto tra i cavalli e sapeva quale stupefacente gamma di emozioni fossero capaci di esprimere. Comprese di conseguenza che il basso nitrito che sembrava scaturire dal profondo del torace del cavallo esprimeva più collera che timore.

Possibile che un animale fosse sensibile agli affronti? Sembrava che fosse proprio così. L'Alastor di Filippo pareva giudicare insultante l'ambizione di un altro uomo a domarlo. Tolomeo scoprì di esserne quasi lieto.

«Non so quale sistema Filippo abbia adottato per piegarti,» mormorò, posando con leggerezza la mano sul collo dello stallone «ma suppongo che per questa volta la semplice forza sarà sufficiente. Non sono un ragazzo disposto a subire i tuoi capricci.»

Alastor roteò i grandi occhi neri e sollevò la testa, ma rimase stranamente quieto.

Afferrandosi alla criniera, Tolomeo gli montò in groppa. Quando si fu ben assestato, raccolse le redini e le tirò con forza verso l'alto. Lo stallone lanciò un nitrito di dolore.

«Allora, cominciamo a capirci, noi due?»

Con un cenno agli stallieri che gli stavano a fianco, Tolomeo affondò i talloni nei lucidi fianchi di Alastor, facendolo scattare in avanti.

L'animale non era disposto a cedere tanto facilmente. Cercò di resistere al morso e al cavaliere, impennandosi e scalciando furiosamente in aria, ma alla fine, con il sangue che gli sgorgava dalla bocca e le redini che gli si conficcavano nella carne viva, parve rinunciare.

Mezz'ora dopo, Tolomeo ordinò agli stallieri di mollare le funi in modo da poter cavalcare da solo. Mise quindi lo stallone al trotto e poi al piccolo galoppo e solo allora ne percepì tutta la potenza.

Quando si sentì abbastanza sicuro, mollò le redini e di colpo si trovò a galoppare in terreno aperto a una velocità tale che il paesaggio intorno a lui non era più che una macchia indistinta.

E tuttavia, in ultimo, Alastor rispose al morso e rallentò docilmente.

Tolomeo tornò verso i compagni.

«Riportatelo alla scuderia» ordinò, scivolando a terra e porgendo le redini a Gerone. Alastor era coperto di schiuma e i muscoli dei suoi fianchi possenti guizzavano. «Lasciatelo a riflettere sulla lezione di oggi... lo cavalcherò di nuovo domani, prima che abbia il tempo di dimenticarla; ha la bocca troppo tumefatta per poter partecipare alla caccia di oggi.»

Risalì sul suo cavallo e galoppò verso gli svaghi della giornata.

Di ritorno dalla caccia, Tolomeo amava concedersi una coppa di vino e qualche frutto prima di schiacciare un sonnellino. Si svegliava sempre di ottimo umore da quel breve riposo, ma col passare degli anni si era reso conto che il rude cameratismo degli uomini aveva un effetto deleterio sulla sua gaiezza. Per questo, ora preferiva trascorrere le ore precedenti alle gozzoviglie serali solo o con una donna. Quando ne aveva voglia, Euridice era una compagna molto piacevole, e aveva troppo orgoglio per distruggere il suo buonumore sollecitando qualche favore. Di conseguenza, Tolomeo aveva preso l'abitudine di passare con la moglie la prima parte della serata.

Ma quella sera, dopo il suo confronto con lo stallone nero che era appartenuto al figlio di lei, si sentì stranamente riluttante a raggiungerla e non fu troppo felice quando, svegliandosi da un sonno più lungo del solito, se la trovò davanti. Sulle labbra di sua moglie aleggiava il sorriso indecifrabile su cui invariabilmente sembravano riflettersi i dubbi che, a sua stessa insaputa, gli rodevano la mente.

Gli bastò guardarla in viso per capire che sapeva. Perché stupirsene? Non c'erano segreti per la moglie del reggente.

«Che ora è?» domandò, passandosi ostentatamente una mano sugli occhi come se il sonno lo intorpidisse ancora, ma subito si irritò con se stesso per quel meschino inganno.

«Il sole è appena tramontato.»

Euridice gli tese una coppa di vino e, sebbene non ne avesse voglia, lui bevve un sorso prima di posarla per terra.

Lei si alzò per accendere la lampada. La luce diffuse sul suo braccio un chiarore dorato, simile al mantello di una dea.

«Dovevi essere molto stanco» riprese Euridice. «Hai fatto buona caccia oggi?»

Qualcosa nella sua voce risvegliò i sospetti di Tolomeo. Attese a lungo prima di rispondere.

«Non più del solito.»

«Allora forse è stata la cavalcata a stancarti.»

«Qualcuno ti ha detto del cavallo.»

«La cosa ti sorprende?»

«Nulla di te mi sorprende più» replicò lui, consapevole di mentire e vagamente offeso per lo scarso effetto che il suo insulto sembrava aver sortito.

Euridice, infatti, non sembrò udirlo. «Volevo avvisarti di non scherzare con il cavallo di Filippo» fu tutto ciò che gli disse.

«Filippo è lontano.» Tolomeo si pentì subito di aver parlato. Perché la sua voce suonava impaurita ai suoi stessi orecchi? «Resterà a Tebe molto a lungo; che cosa può importargli di quello che faccio con il suo cavallo?»

«Tutto di te ha importanza per lui, e lontananza non significa necessariamente sicurezza. Ma non è a Filippo che stavo pensando. Ti prego di non credere che sia venuta qui con l'intento di difendere i diritti di mio figlio.»

«Che cosa devo credere, allora?»

Lei mosse la testa, come per guardarsi alle spalle, e lui pensò che non sarebbe mai riuscito a dimenticare la sua espressione. Aveva paura, ma una paura diversa da quella di sempre. Era come se riuscisse a vedere nel futuro attraverso una finestra. C'era nel suo timore un sorta di soggezione che ne rendeva intollerabile la vista.

«Nulla, immagino» disse infine Euridice. «Limitati a credere che, egoisticamente, desidero proteggere la tua vita. Stai lontano dal cavallo di Filippo. Temilo come temeresti lui stesso, se ti trovassi nelle sue mani. Devi capire, marito, che esistono limiti che non dovresti superare... Scherza con Filippo e lui ti distruggerà.»

«Avevo l'impressione che stessimo parlando di un cavallo.»

Tolomeo raccolse la coppa e la vuotò. Si sentiva la gola chiusa, ma preferiva pensare che fosse dovuto semplicemente all'irritazione.

«Sei così cieco da non vedere che essi sono parti di una stessa cosa? Gli dèi ti hanno mostrato lo strumento con cui hanno deciso di annientarti... non riesci a capirlo?» Una nota di stanchezza si insinuò nella voce di Euridice. «Sono una donna malvagia e per questo gli dèi mi puniranno» continuò. «Mi stanno già punendo, ogni ora della mia vita. Eppure non ho ancora visto il peggio.»

Quella sera al banchetto il reggente decise che aveva bisogno del conforto di un vecchio amico, e invitò al suo tavolo Lucio. Di norma, gli bastavano pochi minuti per trovarne irritante la compagnia; Lucio non sapeva parlare che di cibo e dei suoi cavalli, e dalla morte della moglie, verificatasi l'anno precedente, anche quei due argomenti tendevano ad arrendersi ai lunghi silenzi in cui sprofondava sempre più spesso. Ma, almeno, era un uomo privo di talento come di ambizione, e quindi perfettamente innocuo. Inoltre, i due uomini si conoscevano fin da ragazzi.

Più o meno a metà serata, Tolomeo cominciò a sospettare di aver bevuto troppo: si era sorpreso a vantarsi con Lucio dei suoi successi con lo stallone di Filippo.

«Diamo troppo credito ai cavalli» asserì. «Tutti non fanno che parlare del loro *fuoco*, così che alla fine incominciano a immaginarli gettar fiamme dalle narici, ma io ti dico che ho conosciuto donne con più fuoco di qualunque cavallo che sia mai venuto al mondo. Quel demonio nero del mio figliastro è un esemplare abbastanza bello, ma l'ho domato in un solo pomeriggio. Credo che lo userò per la caccia... Dubito che abbia i nervi abbastanza saldi per diventare un vero cavallo da guerra.»

«Quello che dici delle donne è saggio e vero» concordò gravemente l'amico. «Ce ne sono di davvero ammirabili.»

«Sto parlando di cavalli, sciocco.»

«Ma certo, naturalmente.»

«Forse dovresti risposarti.» Il reggente si sentiva un po' in colpa. Dopotutto, Lucio aveva bevuto parecchio ed era un miracolo che riuscisse ancora a prestargli ascolto.

«Forse dovrei.»

«Che genere di moglie vorresti?»

«Giovane... per il resto non ho preferenze.»

«Molto bene. Dirò a Euridice di cercartene una.»

«Sei sempre stato un vero amico, Tolomeo» dichiarò Lucio con una certa commozione. Aveva gli occhi lucidi, ma poi di colpo sembrò dimenticare di che cosa stavano parlando, come se fosse sul punto di crollare addormentato.

«Qualcuno crede che sia poco saggio da parte mia cimentarmi con quel cavallo» riprese Tolomeo, senza sapere bene perché si dilungasse sull'argomento. «Tu che ne pensi?»

Lucio ruttò e in qualche modo la cosa dovette schiarirgli il cervello.

«Penso che, se può montarlo un ragazzo, puoi montarlo anche tu. È più facile montare un cavallo che una donna.»

E rise finché, per azzittirlo, Tolomeo non gli appioppò uno scappellotto, riducendolo immediatamente al silenzio.

«Il tuo seme si sta irrancidendo e ti ottenebra la mente» dichiarò Tolomeo, con aria di disapprovazione. «Non hai una giovane serva con cui liberarti?»

«Mia moglie era un tipo geloso e ha riempito la casa di vecchie.»

«Oh, una vera sfortuna!»

«Sì. Soprattutto ora che è morta.»

«Ma hai *visto* lo stallone di Filippo?»

«No.» Lucio girò la testa per guardarlo e sbatté gli occhi, come infastidito dalla luce. «Perché continui a parlare del cavallo di Filippo? Sembri mia moglie quando si riempiva la testa di fisse perché guardavo le altre donne. Non sarai geloso di quel ragazzo?»

"*Nel vino è la verità*" si disse Tolomeo. "*Questo stupido ubriacone mi ha letto nell'anima.*"

Pensò di rispondere con una battuta tagliente, ma alla fine decise di lasciar perdere. Un quarto d'ora dopo, Lucio dormiva pacificamente, la testa appoggiata sulle braccia incrociate.

Terminato il banchetto, prima di coricarsi Tolomeo si recò alle scuderie reali. Pensava che avrebbe dormito meglio se avesse dato ancora un'occhiata allo stallone, forse per ricordare a se stesso che, dopotutto, un cavallo è soltanto un cavallo.

Ciò che trovò non fu la pace della mente, bensì una coperta gettata sul pavimento a coprire quella che era evidentemente una forma umana. Ciò che trovò fu l'attonito silenzio che sempre accompagna la morte.

«Alastor ha ucciso uno dei mozzi di stalla» gli spiegò Gerone. «Era inquieto e il ragazzo è venuto ad accertarsi che non stesse male.»

«È entrato nel recinto?»

«Sì... era arrivato da poco dalla campagna. Probabilmente era abituato a trattare solo con i buoi. Un vero peccato. Filippo sarà molto turbato quando saprà che abbiamo dovuto abbattere il suo stallone.»

Tolomeo guardò il corpo immobile. A giudicare dal sangue che aveva intriso la coperta, il cavallo doveva aver ridotto in poltiglia la testa del ragazzo.

«Ti proibisco di ucciderlo» disse, prima ancora di rendersene conto. «La colpa è stata del ragazzo, non del cavallo. Non sacrificheremo un buon animale a causa della sventatezza di un mozzo di stalla.»

Mentre attraversava il buio cortile, diretto ai suoi appartamenti, un dolore lancinante gli attanagliò le viscere. Incapace di proseguire, Tolomeo si lasciò cadere a terra e vomitò.

In quel momento, inginocchiato nell'oscurità solo, tremante e sudato, sopraffatto dalla debolezza che sempre si impadronisce di un uomo che si è svuotato lo stomaco dopo una notte di gozzoviglie, la sua paura divenne intollerabile.

"Perché non ho lasciato che uccidessero lo stallone?" si chiese. "Perché, se non perché non ho osato?"

Timoroso che qualcuno lo sorprendesse in quello stato, si rialzò più in fretta che poté e corse via, anelando all'oblìo del sonno.

XVI

Filippo scoprì quasi subito che la sua amicizia con Filosseno era destinata ad avere vita breve. La maggior parte dei Macedoni presenti a Tebe apparteneva a famiglie sostenitrici di Tolomeo — dopotutto, un periodo trascorso lontano da casa in qualità di ostaggio diplomatico era considerato un episodio importante nella vita di un giovane — e nessuno di loro ignorava l'ostilità di Filippo verso il reggente. Inoltre, nessuno poteva essere sicuro che la reggenza non costituisse il preludio a un altro regicidio che avrebbe portato Tolomeo sul trono. Filosseno, il solo che godesse di un prestigio in grado di dissipare l'atmosfera creatasi, non aveva mai brillato per originalità di pensiero, e per lui fu del tutto naturale lasciarsene coinvolgere. Per questo motivo, molto presto Filippo incominciò a passare più tempo con i Tebani che con i suoi connazionali.

Sebbene fosse un principe della casa reale, non si era mai sentito troppo a suo agio tra l'aristocrazia macedone, e la scelta che dovette operare non lo turbò. Preferiva la compagnia dei soldati e degli stallieri, degli artigiani, dei mercanti e degli eruditi, degli uomini che, come una volta aveva detto al fratello Perdicca, "Sapevano fare qualcos'altro oltre a stuzzicarsi i denti". Secondo sua madre, tanta simpatia per gli umili derivava dall'essere stato allevato dall'economo del re, ed era anche possibile che Euridice avesse ragione, ma l'intelligenza di Filippo era troppo vivace perché lui potesse accontentarsi di vivere nella compiaciuta ammirazione del proprio lignaggio. Voleva capire il mondo e le sue arti, e imparava dove poteva. In Macedonia aveva acquistato nozioni di politica e di commercio ascoltando il padre adottivo. Il vecchio Nicomaco gli aveva insegnato i rudimenti della medicina. Ai carpentieri, ai muratori e ad altri artigiani che lavoravano nei possedimenti reali aveva carpito una certa conoscenza della meccanica. E aveva assorbito tutta la poesia in cui si era imbattuto. A Tebe, si dispose a scoprire i segreti della guerra.

La stagione dei combattimenti era al suo culmine, ma Tebe era temporaneamente in pace, e le sue armate dovevano dar sfogo alle loro energie organizzando complesse esercitazioni nelle pianure della Beozia, esercitazioni che solo l'assenza di vittime distingueva da quelle autentiche.

Filippo vi assisteva dalle mura cittadine. Nessuno glielo impedì. Pammene era addirittura divertito dal suo interesse. Col tempo, i soldati di guardia si abituarono alla sua presenza al punto da dividere con lui il pasto di mezzogiorno, e Filippo sedeva spesso ai loro piedi ad ascoltare racconti di battaglie combattute molto tempo prima.

Le esercitazioni lo affascinavano, anche se inizialmente le aveva trovate sconcertanti: erano esercitazioni di fanteria, e i Macedoni erano un popolo di cavalieri. Per loro i fanti erano poco più di feccia. Eppure i Tebani avevano vinto guerre importanti grazie al valore dei loro opliti, considerati i migliori combattenti del mondo, migliori perfino degli Spartani. Filippo era ansiosissimo di capire come fosse possibile utilizzare i soldati a piedi in modo tanto efficace.

Un giorno scoprì di non essere solo nel suo osservatorio preferito, proprio sopra le porte della città. Non aveva sentito nessuno salire la stretta scala di pietra che conduceva all'arcata, ma voltandosi si trovò alle spalle un uomo alto; sul suo viso era visibile una lunga cicatrice che dalla tempia sinistra si tuffava nella barba nera, solcata da qualche filo grigio. Teneva le labbra serrate e gli occhi, scuri e insondabili, scintillavano di collera, ma Filippo intuì che quella doveva essere la sua espressione abituale e che l'uomo non ce l'aveva con lui. In effetti, non lo stava neppure guardando e i suoi occhi erano fissi sulla piana sottostante, dove l'esercito, che aveva costretto Alessandro a chiedere la pace, era schierato in tre lunghe colonne, simili a tre dita di una mano gigantesca.

«Avevo sentito dire che i Macedoni hanno inviato una spia tra di noi» disse l'uomo senza degnare Filippo di un'occhiata. «Non è fatica da poco arrivare fino al suo posto d'osservazione... e ho pensato di venire a vedere che cosa avevi trovato di tanto interessante.»

«Da quassù la logica delle manovre risulta molto più chiara. Lo schieramento di battaglia risulta proprio come dev'essere nella mente del comandante.» Ma a quel punto Filippo aveva già capito chi era il suo interlocutore, ed era deciso a non mostrarsi imbarazzato. «Perché Epaminonda ha rafforzato l'ala sinistra di ben cinquanta uomini?»

«Perché gli Spartani schierano sempre sulla destra il meglio delle loro truppe. Dopodiché effettuano una conversione verso il centro come un cancello che si spalanca e si riversano sul nemico. Io voglio serrarli in una morsa, ed ecco perché fortifico il lato sinistro.»

Un'espressione che avrebbe potuto essere di divertimento balenò sul viso dell'uomo che tre anni prima aveva battuto Cleombroto a Leuttra.

«Pammene mi aveva detto che mi avresti subissato di domande intelligenti. Che altro vuoi sapere?»

«Gli uomini davanti e nel mezzo dell'ala sinistra... le loro uniformi sono diverse. Chi sono?»

Epaminonda socchiuse gli occhi, come sforzandosi di distinguere i lineamenti dei singoli individui che il giovane gli aveva indicato. «Quelli sono i membri del Battaglione Sacro. Sei stato saggio a notarli, perché costituiscono la spina dorsale del nostro esercito. Quando periranno, Tebe sarà perduta.»

«Il Battaglione Sacro... a che cosa è dovuto questo nome?»

«Ciascuno di loro ha giurato di vincere o morire. Le nuove reclute vengono sempre aggiunte a due a due e sono scelte fra coppie di amanti. Combattono spalla a spalla, così che il loro coraggio in battaglia sta nella tenacia con cui proteggono la persona che a loro è più cara.»

«E non si ritirano mai?»

«Non è mai successo.»

«Un simile coraggio potrebbe rivelarsi un lusso costoso per un comandante.»

Per un istante Epaminonda parve infastidito, ma finì con lo scoppiare a ridere.

«Prevedo che sarai un interlocutore interessante, giovane Filippo di Macedonia. Hai il raro talento di vedere al di là dell'ovvio.» Gli posò una mano sulla spalla. «Ma naturalmente hai ragione. Quando in battaglia la sorte ti è avversa, può essere utile interromperla in modo da sopravvivere per riprenderla il giorno dopo. Ma è un vantaggio di cui i Greci tendono ad approfittare troppo spesso. Ecco perché ho definito il

Battaglione Sacro la nostra spina dorsale... Quelli sono uomini che non indietreggiano e così facendo ci incitano a seguire il loro esempio. Più di una battaglia è stata perduta a causa di un'eccessiva ansia di strappare la sconfitta dalle fauci della vittoria.»

Ancora una volta i suoi occhi tornarono a posarsi sull'esercito. Rimase in silenzio a lungo.

«Che ne diresti di abbandonare il tuo osservatorio per vedere più da vicino l'esercito tebano?» propose alla fine.«La prima cosa che una spia deve imparare è che non esistono segreti, se non il segreto rappresentato dagli uomini stessi.»

Nel tempo che impiegarono a scendere, l'esercitazione era già finita e le truppe della fanteria tebana si erano sparpagliate qua e là. Qualcuno aveva puntellato lo scudo con la lancia per garantirsi un po' d'ombra e schiacciare un sonnellino, e molti erano intenti a riparare i lacci dei loro sandali, ad affilare le corte spade a punta larga, o ad altre piccole incombenze comuni a tutti i soldati. Qualcuno occhieggiò con curiosità il comandante che si aggirava tra di loro in compagnia di Filippo, ma la maggioranza lo ignorò. Lo avevano già visto molte volte.

«In Macedonia è diverso, immagino.»

Col braccio destro Epaminonda fece un gesto che abbracciava l'intero accampamento. C'era appena un accenno di sorriso sulle sue labbra, come se fosse intento a mostrare un bene prezioso e certamente ambito.

«Infatti. I Macedoni sono cavalieri.»

«Ah, sì... capisco che vuoi dire.» Pareva compiaciuto di aver irritato il suo giovane accompagnatore. «Ma la cavalleria è inutile contro truppe disciplinate, e in Grecia il terreno è talmente sassoso che i cavalli si azzoppano in continuazione.»

«La disciplina non è perfetta neppure negli eserciti greci, e ho sentito dire che Pelopida impiega la cavalleria con estrema efficacia. Inoltre, i cavalli macedoni sono più grandi.»

Epaminonda rifletté brevemente sulle sue parole, poi si chinò a raccogliere uno degli enormi scudi di opliti sparsi in giro e lo tese a Filippo.

«Ecco, prendi anche questa» disse, porgendogli una lancia alta almeno la metà del giovane. «E dimmi, se tu fossi un cavaliere, attaccheresti una schiera di uomini armati in questo modo? Quello scudo è composto da quattro strati di cuoio e rinforzato con bronzo. Devierebbe una freccia spazzandola via come il vento fa con una paglia, e dubito che esista un lanciatore di giavellotto così forte da poterlo perforare. Come lo affronteresti, se fossi in sella a un cavallo? In che modo eviteresti di venire trafitto?»

Sentendosi un po' sciocco, Filippo infilò il braccio nei passanti che stavano sul retro dello scudo e lo soppesò. Ferito nell'orgoglio, non aveva esitato a contraddire uno dei più grandi soldati del mondo, e ora Epaminonda lo giudicava sicuramente un ragazzetto inesperto col cervello di un pavone.

Un uomo in grado di portare uno scudo come quello per la durata di un'intera battaglia non era certo un debole.

«Capisco che cosa intendi» mormorò, schiarendosi la gola per nascondere l'imbarazzo. «Una falange di uomini di questo calibro è solida come il guscio di una tartaruga.»

Non comprese subito perché Epaminonda fosse scoppiato a ridere.

«Giovane Filippo di Macedonia, credo che tu abbia la stoffa del comandante; hai afferrato in un baleno quello che in tre secoli gli Spartani non hanno ancora compreso. Solida come una tartaruga sì, e altrettanto lenta.»

Epaminonda fu molto esplicito nell'illustrare i limiti dei fanti opliti. «Sono armati così pesantemente che possono combattere solo su terreno pianeggiante, ed è per questo che le battaglie fra Greci non sono mai state altro che scontri violenti e brevi in cui ciascuna parte cercava di sopraffare l'altra e costringerla alla fuga. La conquista del campo di battaglia era l'unica vittoria a cui un comandante potesse aspirare, dato che per uomini appesantiti da scudi e armature sarebbe stato impossibile cimentarsi in un inseguimento. Nessuna posizione conquistata era mai risolutiva e di conseguenza nessuno poteva mai dirsi al sicuro. Vittoria e sconfitte erano uguali nella precarietà. E l'intera faccenda, come puoi immaginare, si riduceva a una specie di gioco infantile. Rendere definitivi i risultati conseguiti in battaglia è stato lo scopo di tutta la mia vita.

«Un esercito non è realmente sconfitto se non quando è stato distrutto come forza combattente... ossia quando ha subìto perdite tali da far sì che non costituisca più una minaccia per nessuno. Ecco dove la fanteria leggera dimostra il proprio valore, nella capacità di incalzare il nemico. I suoi membri possono mantenere la formazione anche in corsa e abbattersi sull'avversario ormai in preda al panico come la falce sul grano.»

«E la cavalleria non servirebbe ancor meglio allo scopo?» domandò Filippo. Stavano cenando nella casa di Pammene e lui aveva bevuto il vino del padrone di casa in quantità sufficiente a riprendere coraggio.

Epaminonda si oscurò in viso, ma Pammene, che era rimasto quasi sempre in silenzio, scoppiò a ridere.

«Filippo, mio giovane amico, per sentir parlare di cavalleria dovrai aspettare che Pelopida torni dal Nord. Epaminonda è restio perfino a riconoscere che un cavallo possa essere una bestia da soma accettabile.»

«Non è affatto vero.» Epaminonda prese la sua tazza, ma la posò senza aver bevuto. Era evidente che si stava sforzando di non apparire offeso, ma senza dubbio lo era. «Pelopida ha dimostrato più di una volta il ruolo determinante che la cavalleria può avere nell'esito di una battaglia. Io, che ho combattuto al suo fianco contro gli Spartani, mi guarderei bene dallo sminuire le sue imprese.»

Pammene gli posò una mano sul braccio. «Ti chiedo perdono, mio vecchio camerata. Non intendevo insinuare...»

«Lo so.»

I due uomini, che insieme costituivano la massima autorità di Tebe e della grande confederazione di Stati di cui la città era a capo, si scambiarono una stretta di mano che più di qualunque discorso rivelava il perfetto accordo esistente fra loro. Fu questione di pochi istanti ma Filippo, che ne era stato l'unico testimone, si sentì profondamente commosso, perché quel gesto dimostrava tutto ciò che poteva essere quando la generosità di spirito soppiantava l'ambizione.

A Pella, si sarebbero avventati l'uno alla gola dell'altro.

«Eppure,» riprese Epaminonda, come se nulla fosse accaduto «credo che, se fosse qui con noi, anche Pelopida riconoscerebbe l'importanza della fanteria. La cavalleria può cavalcare l'onda della vittoria, ma è oppressa da troppi svantaggi per poter essere altro che una forza ausiliaria.»

Prese di nuovo la tazza e questa volta bevve. L'aveva ancora in mano quando l'irritazione parve riafferrarlo.

«Ma evidentemente il principe dubita delle mie parole.»

A salvare Filippo intervenne un nuovo scoppio d'ilarità di Pammene.

«Il mio amico Epaminonda ritiene che, dato che ha trionfato su alcuni degli eserciti più potenti della Terra, nessuno ha il diritto di mettere in dubbio il suo giudizio in fatto di questioni militari.»

«Una convinzione che non potrebbe non apparire del tutto giustificata a me come a chiunque altro.» Filippo si rivolgeva a Pammene, ma con la coda dell'occhio osservava Epaminonda, e non gli sfuggì il suo sorriso. «E io non sono né così inesperto né così sciocco da discutere di strategia con uno dei più valenti comandanti del mondo. Sono semplicemente sorpreso; nel mio Paese si è sempre privilegiata la cavalleria a discapito della fanteria. Ma non desidero che imparare...»

Questa volta fu Epaminonda a ridere.

«È chiaro che i servigi resi alla Macedonia dal nostro giovane ostaggio sono destinati a essere di natura diplomatica oltre che militare.» Si protese ad allungare un scappellotto scherzoso a Filippo. «Sono su questa terra da tempo sufficiente per capire quando mi si adula, ma tu sei troppo saggio per trattare con leggerezza la vanità di coloro che il mondo definisce grandi.»

Poi l'eroe di Leuttra riempì personalmente la tazza dell'ospite e, quando riprese a parlare, lo fece con la familiarità di un vecchio amico.

«Forse parlando rischio di mandare Tebe verso il disastro da qui a dieci o quindici anni, ma credo che non ti dirò nulla che pochi mesi presso di noi non basterebbero a rivelarti. Ti illustrerò quindi la giusta relazione fra cavalleria e fanteria...»

Il caldo feroce che incombeva sulle pianure della Beozia riempiva l'aria di vibrazioni. Il sole ardeva sulle schiene degli uomini e bastava guardarlo un istante per avere la sensazione di essere stati percossi con un martello. I soldati si alzavano presto in modo da terminare le esercitazioni in mattinata e nel pomeriggio tutti gli abitanti della città scomparivano in cerca di un po' d'ombra. Tebe sprofondava nel torpore.

A Filippo piaceva trascorrere quelle ore in una taverna che si chiamava Il Fico Giallo; la apprezzava perché il vino vi veniva annacquato nei limiti dell'accettabile, perché la proprietaria, una giovane vedova, sembrava divertirsi a flirtare con lui e perché il locale era assiduamente frequentato dai mercenari.

La Grecia pullulava di uomini che non praticavano altra professione se non quella delle armi e che erano disposti a combattere per chiunque li pagasse. Non avevano patria né pregiudizi di sorta e riservavano la loro lealtà esclusivamente al comandante. Poiché l'esistenza che conducevano li portava un po' dappertutto — alcuni di loro avevano combattuto per il re di Persia e addirittura contro le loro città d'origine —, non nutrivano alcun malanimo verso gli stranieri.

Per quella gente Filippo era una specie di beniamino. Pur essendo un aristocratico, non si mostrava altezzoso e anzi pareva ammirare quei rudi soldati sui cui sandali si accumulava la polvere di migliaia di strade, quasi che le qualità militari fossero le sole importanti. E poi, amava ascoltare i loro racconti e a un soldato fa sempre piacere disporre di un pubblico.

«... Giasone, per esempio... quello sì che era un uomo a cui valeva la pena di offrire i propri servigi» stava dicendo Teseo, un robusto etole dal viso simile a cuoio incartapecorito che, come recitava l'adagio, "aveva inseguito la lancia", dato che aveva cinquant'anni. Era intento a sviscerare uno dei suoi argomenti preferiti: i meriti e i demeriti dei comandanti sotto cui aveva avuto il piacere di servire. «Pagava sempre puntualmente. E in argento. Gli abitanti di Fere potevano morire di fame, ma i suoi soldati non saltavano un solo giorno di paga. I tiranni sono sempre i principali migliori. Quando seppi che Giasone era stato assassinato, feci un'offerta di vino per il riposo del suo spirito. Perdio, se gli volevo bene!»

«C'ero anch'io. Ti eri ubriacato con quell'orribile vino di Taso che sa di piscio, e rovesciasti una giara mentre correvi fuori per vomitare. Pensammo tutti che era stato un gesto davvero commovente.»

Scoppiò una risata generale a cui parteciparono anche Gobryas, l'autore del caustico commento e il più intimo amico di Teseo, e Teseo stesso.

«Teseo ha una mente ristretta» riprese Gobryas. «L'unica qualità che è disposto a riconoscere in un generale è una borsa piena di denaro.»

«Non *esistono* altre qualità.» E per sottolineare il proprio punto di vista, l'etole calò sul tavolo la palma della mano con tanta forza da far tremare le coppe.

«Che ne dici dell'indecisione?»

Gobryas sorrise nel vedere il riluttante cenno d'assenso del camerata. A differenza di lui, era esile e ossuto e i suoi occhi sembravano perdersi nelle occhiaie troppo profonde.

«Sì» concesse Teseo con l'aria dell'uomo cui è stata fatta notare un'ovvietà. «C'è molto da dire in favore dell'indecisione. Un comandante che sa quello che vuole, quasi sempre vince o perde molto rapidamente, e in un modo o nell'altro un poveretto si ritrova senza lavoro. A me piacciono le guerre che si trascinano fra una tregua e l'altra, e che ti danno la possibilità di spendere la paga. Per le natiche di Afrodite, non sarebbe un maledetto spreco se morissi in battaglia con la borsa ancora piena di dracme?»

«I politici Ateniesi sono i generali migliori. Preferiscono parlare che combattere, e di solito non sanno quello che stanno facendo.»

«Già, ma bisogna essere ben sciocchi per mettersi alle dipendenze degli ateniesi. Due volte su tre quella cricca di bavosi che loro definiscono Assemblea decide di tagliare i fondi destinati alla guerra, ed ecco che i tuoi soldi si volatilizzano. Democrazia! Stronzate!»

Ci fu un generale mormorìo di assenso nella minuscola sala, calda quasi come la strada e certamente più angusta. Filippo, ancora ragionevolmente sobrio, studiava i volti dei compagni con la stessa calma gelida e spietata con cui il suo amico Aristotele misurava la lunghezza delle viscere delle rane che aveva sezionato. Intuiva che stava imparando un'utile lezione sulla necessità di tener conto delle motivazioni dei subordinati. Forse, se l'avesse appresa in tempo, Alessandro sarebbe stato ancora vivo. O forse no, dato che le motivazioni di un mercenario avevano almeno il merito della semplicità.

«A quale esercito si potrebbe paragonare quello ateniese?» domandò quando l'argomento parve essersi esaurito e tutti erano sul punto di sprofondare in un gradevole sopore.

«Paragonare?» Gobryas lo fissò con aria truce, quasi ritenesse insultante la domanda. «Non è paragonabile a niente. E, in particolare, non è paragonabile a un esercito.»

«Be', non è del tutto esatto» intervenne Teseo. «Lo si potrebbe paragonare alla difesa della verginità da parte di una vecchia zitella poco convinta e inutile.»

La battuta riscosse un tale successo che Teseo ne rise più a lungo di tutti gli altri, fino a farsi salire le lacrime agli occhi.

«Come ha fatto allora Atene a sopravvivere, dato che, a quanto pare, è sempre in guerra con qualcun altro? Perché gli altri Stati non l'hanno sopraffatta da tempo?»

I due veterani si scambiarono un'occhiata, poi contemporaneamente si girarono a guardare Filippo, che cominciava a temere di aver toccato un tasto dolente.

«Atene non ha bisogno di un esercito» dichiarò infine Teseo in tono quasi indignato. «Ha le sue navi e uno dei migliori porti del mondo; non corre il rischio di essere presa per fame. La ricchezza le viene dal commercio; ecco perché le devastazioni della campagna non le arrecano troppo danno. E finché i suoi abitanti avranno voglia di difenderle, non sarà facile abbatterne le mura. Gli ateniesi possono permettersi di essere cattivi soldati.»

«Siete mai stati al servizio di un comandante ateniese?»

«Filippo, perché fai tante domande?» Gli occhi infossati di Gobryas, che fino a quel momento avevano espresso solo indignazione, ora erano sospettosi. «Vivi nella casa di Pammene, e ti si vede sempre in compagnia di Epaminonda... ti hanno mandato loro a spiarci?»

Filippo non riuscì a nascondere un sorriso.

«*Loro* accusano me di fare la spia per la Macedonia.»

«E naturalmente è vero, dato che sei macedone.»

«Naturalmente.» Filippo si strinse nelle spalle come a dire: "Che cosa potrebbe esserci di più ovvio?".

«Perché allora passi tanto tempo con degli zoticoni come noi?»

In Gobryas, il sospetto aveva lasciato il posto alla curiosità.

«Perché voglio imparare le arti militari. E perché, se le guerre vengono combattute nella mente dei comandanti, le battaglie si combattono sulla nuda terra. E lì accadono molte cose di cui Pammene ed Epaminonda, a dispetto del loro genio, non sanno nulla. O che forse hanno dimenticato. Perdonatemi se vado contro la vostra naturale modestia, ma ho il sospetto che in fatto di guerra gli "zoticoni" non abbiano da insegnare meno del più grande generale... fosse pure tebano.»

Teseo si allungò sul tavolo e lo prese per gli orecchi.

«Filippo, ti voglio bene perché sei un ragazzo intelligente» dichiarò, piantandogli un rude bacio sulla testa prima di lasciarlo libero. «È un vero peccato che tu sia nato principe; hai la stoffa di un autentico mercenario.»

Si guardò intorno, come se solo in quel momento si fosse accorto di dove si trovava.

«Madzos, puttana! Dov'è che hai nascosto il nostro vino?»

La padrona della taverna, che era giovanissima e graziosa, sbucò dal retrobottega con una grossa brocca che, per essere stata lasciata tutto il giorno al fresco, stillava ancora acqua dalla base. Anche la sua tunica era bagnata in più punti e le aderiva al ventre e ai seni in un modo che avrebbe fatto inaridire la bocca di qualunque uomo. Sorrise a Filippo e, mentre posava la brocca sul tavolo, gli sfiorò leggermente la spalla con il fianco.

A bocca aperta, la guardarono allontanarsi e sparire di là.

«Che razza di seni!» sussurrò Gobryas in tono quasi reverente. «Quei suoi piccoli capezzoli sono duri e appuntiti come punte di lancia. Un uomo ci si potrebbe impalare.»

«È un rischio che correrei volentieri.»

Teseo sospirò profondamente poi rivolse la sua attenzione a Filippo.

«Le piaci» disse con l'aria di chi ha fatto una scoperta sensazionale. «Che cosa non darei per essere al tuo posto... se fossi così fortunato da entrare nelle sue grazie, smetterei perfino di fare il soldato. Mi sistemerei qui a Tebe e dedicherei tutte le mie energie al vino e a quel suo grazioso posteriore.»

«Due cose non compatibili fra loro» osservò Gobryas. «Non è facile mantenere rigido il pugnale quando si ha il ventre gonfio di vino. Meglio lasciarla a Filippo.»

«Già, ma lui è un principe e può fare di meglio che passare la vita fra le braccia di una prostituta da taverna.»

«Di meglio? Non c'è niente di meglio.»

Risero tutti tranne Filippo, le cui guance ardevano come se avvertisse ancora la pressione del fianco di Madzos su di sé.

Poi rammentò la dolcezza di un'altra carezza e le parole che lui stesso aveva pronunciato nell'oscurità: «Voglio solo che sia così per sempre. Non ti lascerò mai».

XVII

«Dunque... tua madre mi dice che non ce l'hai fatta ad aspettare che ti trovasse un marito. Di quanto sei, ragazza?»

Arsinoe arrossì furiosamente, di rabbia non meno che di vergogna. Il sorrisetto teso di Euridice, che sedeva con le mani incrociate in grembo in attesa di una risposta, la riempiva di esasperazione. Ma questo era solo uno dei motivi per cui preferiva non guardarla in faccia.

Non era questo che aveva previsto quando, non sapendo che cosa fare, si era rivolta a sua madre. Lacrime, forse. Oppure maledizioni e la cacciata da casa. Certo non quel volto severo, rigido, quel gelido silenzio in cui il suono della sua stessa voce era parso perdersi e morire. E, alla fine, l'intimazione che non conteneva neppure un accenno di pietà, di dolore: «Devi parlare con Euridice, dato che Aminta era cugino di tuo nonno e dato che sostieni che suo figlio è il padre. Sistemerà la questione nel modo che riterrà più opportuno».

Dato che sostieni *che suo figlio è il padre.* Come l'avevano ferita quelle parole!

Ma, se non altro, il colloquio si stava svolgendo nell'intimità della sala privata della madre del re, se non altro le erano stati risparmiati i sorrisi e le battute di scherno di tutta la corte. Per il momento, almeno.

«Di poco più di due mesi, mia signora.»

«Tanta precisione mi sorprende.»

«Ho saltato il mio periodo per due volte, mia signora. E Filippo è partito otto giorni dopo che la luna era cambiata. L'ho visto per l'ultima volta la sera prima della sua partenza.»

«Una partenza quanto mai tempestiva, poiché gli impedisce di mettere in discussione la tua versione. Mio figlio è molto giovane, Arsinoe. Da allora non hai avuto altri amanti?»

«No, mia signora.»

«Ma prima di lui devono essercene stati.»

Non era una domanda. Arsinoe arrischiò un'occhiata e comprese che nessun segreto le apparteneva più. Euridice sapeva tutto. Forse anche sua madre aveva sospettato qualcosa, ma Euridice sapeva. L'espressione dei suoi occhi non lasciava adito a dubbi.

«Uno, mia signora, ma non è lui il padre.»

«Quanto tempo fa, bambina mia?»

Il sorriso della madre del re si fece appena un po' più ampio e con un sussulto di sorpresa Arsinoe comprese di essere stata raggirata. Ma certo, come poteva una fanciulla competere con la scaltrezza dell'età?

Ma a quel punto mentire non avrebbe più avuto alcun senso.

«Sei, sette mesi fa. E una volta soltanto. Non sono una sgualdrina, mia signora.»

La guardava con odio. Tutti sapevano che per molti anni, quando il re era ancora vivo, Euridice lo aveva tradito. Alcuni sostenevano che erano stati lei e Tolomeo a ucciderlo. Che cos'erano in confronto le piccole trasgressioni di Arsinoe?

Eppure spettava a Euridice giudicare, quasi che Era stessa parlasse attraverso lei.

«Naturalmente no, figliola. Se dici che non sei una prostituta, allora non lo sei. Credo che mi si possa perdonare, tuttavia, se non sono del tutto persuasa che il peso che porti nel ventre sia opera di mio figlio. «Nondimeno, sei una parente...»

Tacque, e Arsinoe rimase in attesa, incapace di vincere la sensazione che, dopotutto, la sua sorte avesse ormai ben poca importanza. Tutto era finito. Aveva creduto di poter diventare la moglie di Filippo, ma aveva perso la partita. La moglie di Filippo...

Gli occhi di Euridice scintillavano di malizia e di trionfo. Perché era tanto compiaciuta? Di chi credeva di stare distruggendo la felicità?

Ma certo, comprese d'un lampo Arsinoe. Quanto doveva odiare suo figlio!

«Nondimeno, sei una parente e io non posso permettere che tu ti rovini del tutto.» La madre del suo amante raddrizzò la schiena, come un gatto che si stira al sole. «Dobbiamo farti sposare, in modo che tuo figlio non sia un bastardo. Devi avere un marito, anche se non sarà quello che desidereresti. Un marito che per la tua vanità sarà lusinghiero come sarebbe stato mio figlio.»

In quanto re, Perdicca era tenuto a presenziare alle nozze della cugina, ma fortunatamente l'occasione non richiedeva altro che la sua semplice presenza. Era già abbastanza. Non c'era nulla di gradevole in quegli obblighi familiari, e, prima di sapere che avrebbe sposato Lucio, non si era quasi accorto dell'esistenza di Arsinoe.

Pur essendo uno sciocco, Lucio era grande amico di Tolomeo — e ancora più adesso che il reggente gli procurava una moglie che aveva meno della metà dei suoi anni. La gratitudine del nobile era imbarazzante quasi come lo spettacolo del suo ardore, ed era già sufficientemente spiacevole osservarlo palpare la sposa durante il banchetto, passarle continuamente le mani sulle spalle nude come se, ora che la cerimonia era conclusa, si trattenesse a stento dal montarla lì, sul posto. Lei sopportava tutto con una calma che rasentava l'insensibilità. Quasi quasi la si sarebbe potuta compiangere.

«Guardalo» ne approfittò per mormorare Tolomeo, quando Perdicca si protese a riempirgli la tazza. «Più si ubriaca, più diventa affettuoso... ed è davvero molto affettuoso. La loro notte nuziale sarà divertente. Sul serio, mi dispiace non potervi assistere.»

A mano a mano che i giorni del suo regno si succedevano, Perdicca si scopriva sempre più intimorito dal patrigno. E mai come quando Tolomeo si mostrava cordiale e affabile. Gli ricordava un serpente che svolge le spire per esibire la bellezza della sua pelle.

«Non è detto» rispose nel tono più neutro che poté trovare. «Lucio sembra determinato a consumare il matrimonio sotto i nostri stessi occhi.»

La battuta fece esplodere il reggente in una fragorosa risata. Quando la sua ilarità si spense, si asciugò gli occhi e passò un braccio intorno alle spalle di Perdicca, attirandolo a sé.

«Lui ancora non lo sa, ma questa unione si è già dimostrata feconda. La sposa aspetta un figlio.»

Rise di nuovo, poi lui e il figliastro indugiarono a guardare Lucio chiudere una mano a coppa intorno al seno della nuova moglie e premerle le labbra umide e barbute sulla gola.

«Pare che sia stato tuo fratello ad arare prima di lui quel campo.»

«Come! Alessandro!» Perdicca era stupefatto. «Non avrei mai immaginato...»

«Non fare l'idiota, figliolo. Alessandro è morto quattro mesi fa. L'onore spetta a Filippo.»

«Filippo?»

Tolomeo assentì con aria grave, ma un accenno di sorriso gli aleggiava sulle labbra.

«Filippo. La ragazza lo ha confessato a tua madre.»

«Filippo?» Agitato da un tumulto di emozioni, Perdicca non avrebbe saputo dire se si sentiva più geloso, furioso o invidioso. Filippo, dopotutto, era di un anno più giovane di lui... perché riusciva sempre a...? «Che cosa farà Lucio quando lo scoprirà?»

«È talmente sciocco che forse lei riuscirà a convincerlo che il bambino è nato prematuro, ma, anche se questo non dovesse accadere, che cosa *potrebbe* fare?» Il reggente allontanò il figliastro e gli allungò una pacca sulla schiena. «Forse la picchierà, se gliene verrà la voglia, ma certo non disconoscerà né lei né il suo marmocchio. Neppure Lucio è stupido fino a questo punto. Dopotutto, sono stato io a organizzare questo matrimonio, e non saprà mai l'identità del vero padre. Non deve saperla. Se ne starà tranquillo.» Rise di nuovo. «Ma per il momento si sente molto in debito nei miei confronti. Uno scherzo indovinato, non trovi?»

Perdicca avvertì uno spasimo di paura torcergli le viscere. *"Quest'uomo tradisce per il piacere di farlo"* pensò. *"E se tradisce il suo amico, perché non dovrebbe tradire anche il figlio di sua moglie? Perché non dovrebbe tradire il re?"*

Mio figlio. Quale peso poteva dare un uomo come Tolomeo ai diritti di sangue o di sovranità?

E in quel momento Perdicca comprese con accecante chiarezza quello che aveva sempre saputo pur senza mai volerlo ammettere, e cioè che Filippo aveva ragione, che in un modo o nell'altro Tolomeo era il responsabile dell'assassinio di Alessandro. Praxis non era stato altro che il suo strumento... ecco perché aveva dovuto morire prima di poter fare il nome del suo complice.

"E prima che io arrivi all'età per regnare, ucciderà anche me."

La vita, la sua vita, gli stava scivolando dalle dita come granelli di sabbia.

"Sono un uomo morto" pensò.

La prima notte di nozze di Arsinoe fu, per certi versi, meno terribile di quanto avesse temuto. Quando furono accompagnati alla loro camera, lo sposo era ormai troppo ubriaco per reclamare ciò che gli spettava, anzi, dovette essere messo a letto e si addormentò quasi subito, serrandole il seno destro con la mano grassoccia e ammorbandola con il suo alito greve di vino. Ma a dispetto di ciò, il mattino seguente si svegliò soddisfattissimo di se stesso e si vantò con gli amici presenti a colazione, dicendo che temeva che le grida di piacere della moglie avessero disturbato il loro sonno. Sembrava quasi crederci lui stesso.

Quella notte non la toccò e neppure la seguente; non offrì in proposito alcuna spiegazione, ma la quarta sera riuscì a trovare in sé la virilità sufficiente a penetrarla, per poi sprofondare immediatamente nel sonno. Divenne presto chiaro che i doveri coniugali avevano sempre quest'effetto su Lucio, al punto che in un'occasione attaccò a russare prima ancora di essersi staccato dalla moglie.

Arsinoe imparò in fretta a considerare con indifferenza il marito. L'esperienza, come ognuno sapeva, porta alla tolleranza, e dopo qualche tempo gli amplessi dello sposo, che avevano almeno il vantaggio della brevità, le divennero solo blandamente sgradevoli. Inoltre, Lucio era troppo anziano e troppo dedito al vino per essere ardente e non la disturbava più di una o due volte il mese. Per il resto del tempo, non lo vedeva quasi mai.

Ma la sua era un'esistenza miserevole. L'amarezza la consumava e avvelenava ogni ora della sua vita. Filippo l'aveva abbandonata e i familiari di lui l'avevano intrappolata in quel matrimonio in parte per compiacere sua madre e in parte, ne era certa, perché lo giudicavano una beffa grottesca e ne erano divertiti. Lei li odiava tutti, e in particolar modo Filippo. A volte rimpiangeva che Lucio fosse uno smidollato, perché in caso contrario gli avrebbe rivelato tutto, inducendolo a vendicarsi. Anche se l'avesse uccisa, non le sarebbe dispiaciuto morire sapendo che dopo di lei sarebbe toccato a Filippo. Ma era sposata a un uomo sciocco e molle che oltretutto era anche certamente un codardo; così, quando un mese più tardi si trovò nella necessità di informarlo del suo stato di gravidanza, non si curò di spiegargli che non era lui l'autore dell'impresa.

«Sono molto felice» fu la reazione di Lucio. «Se sarà un maschio e sopravviverà, gli daremo il nome del reggente, il vero responsabile della nostra felicità.»

Non capì perché Arsinoe fosse impallidita e avesse bruscamente lasciato la stanza.

Era arrivato l'inverno e sulle pianure a nord di Pella l'erba bruna e avvizzita era scomparsa sotto uno strato di neve alto almeno una spanna. La selvaggina era stata abbondante per tutto l'anno e le partite di caccia davano ottimi risultati. Il reggente e la sua corte uscivano quasi tutti i giorni.

Di solito non tornavano mai prima del crepuscolo, quando irrompevano nel cortile centrale del palazzo urlanti e sporchi di sangue, e allora Tolomeo convocava il capoeconomo per discutere con lui i preparativi del banchetto serale e, incidentalmente, per esibire qualche esemplare di cervo particolarmente bello. Generalmente Tolomeo, che a corte la faceva da padrone come se fosse lui stesso il re, era di buonumore quando rientrava da una giornata di caccia.

Ma non quel giorno. Mezzogiorno non era passato nemmeno da un'ora quando il reggente, accompagnato solo da pochi uomini, varcò nuovamente le porte della città. Il sole invernale splendeva, ma lui era strettamente avvolto nel suo mantello.

Nella sua qualità di primo servo del re, per Glauco era un punto d'onore farsi sempre trovare a disposizione del reggente, ma in quell'occasione fu colto di sorpresa e non ebbe il tempo di porgergli i suoi rispetti. Non che facesse differenza. Tolomeo gli passò accanto senza neppure notarlo.

«Che cosa è successo? Sta male?»

Nessuno dei Compagni era nei paraggi; c'erano solo alcuni mozzi di stalla che si stavano occupando dei cavalli e Gerone, il capostalliere. Fu quindi a lui che Glauco si rivolse.

L'altro scosse la testa. «Non sta male. È soltanto spaventato e credo che nessuno possa biasimarlo per questo. Ha avuto una strana esperienza.»

«Ossia?»

Da come Gerone la raccontò, era strana davvero. Un enorme gufo era calato improvvisamente dal cielo, e si era accostato al reggente fino a oscurarne il viso con le ali prima di venire scacciato.

«Ha girato per tre volte intorno alla sua testa, poi ha lanciato un grido terribile, simile alla maledizione di un demone, ed è volato via. È un presagio funesto.»

«Forse no.» Ma il cipiglio di Glauco smentiva le sue parole. «Poco più di un anno fa Filippo visse un'esperienza simile. Il gufo arrivò a lacerargli la guancia con gli artigli, eppure da allora il principe è passato indenne attraverso molti pericoli. Forse anche questa volta si tratta di una benedizione divina.»

«No, non questa volta.»

Gerone tese il braccio sinistro e aprì il pugno. Sulla palma della sua mano Glauco vide un lucido frammento di bronzo, piuttosto largo nel punto in cui si era spaccato e affusolato in punta.

«Il gufo lo stringeva fra gli artigli e prima di fuggire l'ha lasciato cadere. È finito quasi sotto gli zoccoli del cavallo di Tolomeo.»

«Che cos'è?»

«La punta di una lancia da caccia.» Gerone si chinò verso di lui, come timoroso che qualcuno potesse udirlo. «Non lo direi a nessun altro, Glauco, ma tu e io serviamo in questa casa fin da quando eravamo due ragazzi. Io credo che Tolomeo sia stato avvertito dell'imminenza della sua morte. E credo che anche lui abbia interpretato in questo senso il segno inviatogli.»

Glauco, che sembrava immerso in profonde riflessioni, non dette subito segno di aver udito.

«Quale cavallo montava, oggi?» chiese infine.

«Quello di Filippo, naturalmente.» Non era chiaro se a stupire Gerone fosse la domanda di per sé o le sue possibili implicazioni. «Il grande stallone nero.»

«Alastor.»

«Sì. Alastor. Lo stessso che cavalcava Filippo quando...»

«Esattamente.»

«E come si comportò lui? Il gufo lo spaventò?»

«Sarebbe stato logico pensarlo, ma no. E il cavallo rimase fermo e all'erta, come se capisse ogni cosa.»

Glauco si girò e si diresse verso la porta che conduceva fuori dagli edifici reali. Quando il capostalliere gli gridò dietro qualcosa, lui lo ignorò.

Arrivato a casa, Glauco andò a sedersi sullo sgabello vicino al focolare che era stato di Alcmene — dalla morte di lei, aveva preso l'abitudine di sedervisi ogni volta che qualcosa lo turbava. Per un quarto d'ora quasi non si mosse.

«Qual è dunque il volere degli dèi?» bisbigliò alla fine e il suono della propria voce parve ridestarlo da un sogno. Si alzò e andò nella camera che era stata di Filippo.

Quando venne mandato in esilio per la seconda volta, il principe ebbe il tempo di prendere con sé solo qualche indumento. Tutti gli altri erano ancora lì, in un baule ai piedi del letto. Glauco alzò il coperchio e ne tolse il pesante mantello che Filippo indossava il giorno del suo ritorno dalla terra degli Illiri.

Portando il mantello con sé, Glauco uscì di casa.

A quell'ora le scuderie erano semideserte. Solo sei o sette cavalli si trovavano nei rispettivi recinti e non si vedeva un solo stalliere. E comunque nessuno avrebbe protestato per la presenza del capoeconomo.

Sentì lo stallone prima ancora di vederlo: un nitrito basso e inquieto che era più un avvertimento che una sfida. Alastor era nell'ultimo recinto, chiuso da un cancello che sembrava essere stato rinforzato da poco. Chiaramente, gli uomini che avevano l'incarico di badare a lui lo trattavano con rispettosa circospezione.

Lo stallone roteò gli occhi quando vide Glauco e le sue narici fremettero minacciosamente. Il colpo che sferrò al pesante cancello di legno lo fece tremare come se fosse stato di paglia.

In quanto servo del re, Glauco aveva passato tutta la vita fra i cavalli. Da ragazzo aveva lavorato nelle stalle e giocato proprio in quei recinti, intrufolandosi tra le zampe dei puledri come se fossero oggetti insensibili e inanimati. Per Glauco i cavalli erano creature familiari, che non suscitavano in lui alcun timore. Nessuno di loro, fatta eccezione per il grande stallone nero di Filippo.

L'animale stava nitrendo — un nitrito profondo e raggelante. Glauco vide i suoi muscoli possenti guizzare sotto il lucido manto nero e avvertì sulla lingua il gusto metallico della paura. Non correva in realtà alcun pericolo, dato che il recinto era chiuso da assi di quercia spesse come il polso di un uomo, e tuttavia era spaventato. Ci sono animali, e uomini, che portano sempre con sé un'atmosfera di minaccia.

Il mantello che aveva prelevato dal baule di Filippo gli pendeva dal braccio. Lo posò sul cancello e arretrò di qualche passo.

L'effetto fu immediato. Alastor si acquietò, mosse un passo in avanti e con il muso toccò l'indumento.

«Dunque ricordi» sussurrò Glauco. «Ricordi il tuo vero padrone. Non lo hai dimenticato.»

Da una piega della tunica prese una mela e con il suo coltello ne tagliò un pezzo. Lo stallone lo mangiò direttamente dalla sua mano. E non indietreggiò quando lui gli accarezzò il muso.

«Un giorno tornerà da noi. E allora vedremo quale espressione troverà la volontà degli dèi.»

XVIII

«Domani mattina parto per Atene. C'è un accordo da rinnovare e non posso esimermi dall'essere presente. Gli Ateniesi non concedono mai alcuna reale autorità ai loro rappresentanti, e se non si va da loro di persona si rischia un'infinità di ritardi. Ti andrebbe di accompagnarmi?»

Fu con questa noncuranza che venne formulato l'invito: durante la cena e mentre Pammene era intento a raccogliere il sugo dalla sua ciotola con un pezzetto di pane. Il suo viso, dominato dal lungo labbro superiore e dal naso lievemente bulboso, aveva un'espressione di intensa concentrazione, perché Pammene era un uomo che prendeva sul serio il cibo.

«Certamente. Grazie, ne sarò molto felice.»

Pammene lo guardò e sorrise non senza una punta di malizia. «Bene. Forse, quando la vedrai, deciderai che è Atene l'obiettivo più meritevole e lascerai in pace la povera Tebe. Un giorno di viaggio via terra e due via mare, dato che la strada che passa per le montagne è impervia. E anche perché la prima volta si dovrebbe sempre vedere Atene dal mare.»

Prese la brocca per riempire nuovamente la tazza di Filippo, poi parve ripensarci.

«Partiremo prima dell'alba, così da evitare quanto più possibile la calura del mezzogiorno, ed è sgradevole svegliarsi quando è ancora buio con la testa che ronza come un alveare... direi che per stasera abbiamo bevuto entrambi abbastanza.»

Un'ora dopo Filippo era nel suo letto e la testa gli ronzava già, non a causa del vino ma per la prospettiva del viaggio. Nella sua mente vedeva Atene come una città tutta bianca, pura e perfetta e incoronata di luce. Le sue colonne brillavano nel sole che splendeva come un segno della benevolenza celeste. Le sue strade erano affollate di filosofi, poeti e statisti, e i templi e le corti riecheggiavano della loro saggezza. Atene sembrava lontana dall'esistenza che gli era familiare quanto lo stesso Olimpo, perché anch'essa era abitata da dèi.

Era quella una distanza che si tradusse in lunghe ore di viaggio su strade sassose e piene di polvere finché in ultimo, alzando gli occhi, scorsero una sterna che planava sopra le loro teste, le grandi ali tese.

«Presto saremo a Ramnunte» disse qualcuno. «E stasera ceneremo con cozze e polpo. Mi sembra quasi di sentire già l'odore del mare.»

Pochi minuti dopo raggiungevano la sommità di una collina da cui, scintillante nel sole del tardo pomeriggio, era visibile il golfo d'Eubea.

Il tragitto per mare li portò fino a Caristo, dove si fermarono per la notte e, dopo un ampio arco lungo le coste della penisola attica, fino ad Atene.

Mancava un'ora al tramonto e gli ultimi raggi rossastri inondavano l'Acropoli così che i suoi edifici di marmo, nella realtà di un grigio pallido e giallastro, sembravano grondare sangue.

«Che cos'è?» domandò Filippo che, schermandosi gli occhi con una mano, indicava una struttura quadrata di colonne proprio sulla sommità.

Pammene sembrò divertito dalla domanda.

«Quello, principe, è il tempio di Atena Parthenos, protettrice della città. Vale la pena di arrampicarsi fin lassù per ammirarlo, perché è forse il più bello di tutta la Grecia e la statua della dea è una delle meraviglie del mondo.»

«In questo caso ci andrò domani stesso e offrirò un sacrificio alla Signora dagli occhi grigi.»

«Anche tu hai scelto lei come *tua* protettrice, Filippo? Saresti disposto ad amarla come la amò Eracle? Sei ambizioso perfino negli oggetti della tua devozione?»

Ma se aveva inteso scherzare, Pammene non ottenne l'effetto desiderato. Filippo si limitò a lanciargli un'occhiata che, a dispetto di tutta la sua esperienza, il beotarca non riuscì a decifrare.

«Non ho scelto nulla» disse infine il giovane, pronunciando le parole con cura, come se ciascuna avesse un suo preciso peso. «Bensì sono stato scelto.»

Risultò subito chiaro che gli Ateniesi non ritenevano opportuno darsi da fare per la comodità dei diplomatici in visita, e Pammene e il suo giovane compagno furono costretti a cercarsi da soli una sistemazione in una locanda nei pressi del lungomare, dove nessuno riservò loro un trattamento diverso da quello che avrebbero potuto aspettarsi due comuni viaggiatori. Quella sera cenarono in compagnia del capitano di un mercantile diretto a Siracusa e di un mercante di schiavi della Lidia venuto ad acquistare merce destinata a una serie di bordelli egizi. La loro conversazione si rivelò divertente e al contempo istruttiva.

«La vita stessa è un bordello» osservò il lidio nel suo strano greco armonioso. «Si paga all'ingresso, si sceglie unicamente in base all'apparenza e poi si esce con la sensazione che la realtà non sia stata all'altezza delle aspettative. Uno schema ricorrente nell'esistenza di qualunque uomo... veniamo delusi continuamente, e ogni volta ci stupiamo della nostra delusione. Siamo tutti degli sciocchi, ma gli Ateniesi lo sono più degli altri perché credono nella possibilità di essere saggi. Avete ascoltato i loro filosofi? Per quanto mi riguarda, sono ben lieto di essere solo un uomo onesto che commercia in puttane.»

«Atene non è poi così male» ribatté il marinaio, che aveva sessant'anni ed era originario di una qualche remota regione della penisola italiana.Con la punta delle dita sollevò la tazza, tenendola per il bordo come per soppesarla, poi la rimise giù. «Ma preferirei essere un contadino che lavora la terra e ha i piedi incrostati di sterco piuttosto che vivere in una città. Quando mi ci trattengo più a lungo del tempo necessario per scaricare la merce, finisco sempre in tribunale. Sono convinto che la metà degli abitanti di tutte le città fra Cartagine e Antiochia vivano citando in giudizio gli stranieri. Le città sono piene di corruzione. A proposito, se pensi di riuscire a riempire le tue stie nel giro di un paio di giorni, potrei farti un buon prezzo per il trasporto fino a Naucrati. Devo ritirare un carico di papiri lì.»

Il lidio, rientrando immediatamente nei panni dell'uomo d'affari, lo scrutò socchiudendo gli occhi.

«Quanto mi costerebbe?»

La domanda richiedeva evidentemente profonde riflessioni filosofiche. Il capitano fissò il vuoto per un momento, come immerso in consultazione con una voce interiore che lui solo poteva sentire, poi dichiarò: «Mezza dracma a testa».

«Sono sicuro che non ti hanno pagato tanto per la consegna che sei venuto a effettuare.» Il lidio sorrideva. Non era uomo di cui si potesse approfittare. «Di che cosa hai detto che si trattava? Vino?»

«Proprio così. Ma il vino, una volta scaricato, lascia la stiva pulita e profumata. Le donne invece sporcano. Se una nave trasporta schiavi per un anno, non si riesce più a liberarla del loro odore. E dopo tre anni, non resta che rimorchiarla a riva e darle fuoco.»

«Le mie ragazze sono giovani e in buona salute. La metà di loro è ancora impubere.»

«Quelle giovani sono le peggiori. Due giorni nella stiva e puzzano come furetti.»

«Potrei darti una dracma ogni tre, tanto per risparmiarmi il fastidio di chiedere in giro.»

Il capitano si accigliò, come se trovasse insultante la proposta, ma dopo un istante il suo viso tornò a spianarsi e divenne chiaro che il momentaneo cipiglio era dovuto a qualcos'altro. «Due dracme ogni cinque.»

«D'accordo.»

Concluso l'affare, i due uomini sprofondarono istantaneamente nel silenzio, quasi non si fidassero più di sostenere neppure la conversazione più innocua. Pammene, che era rimasto silenzioso per tutto il pasto, cercò gli occhi di Filippo e sorrise.

«Mi diverte sempre quando gli uomini parlano della spietatezza della politica» gli disse più tardi, mentre passeggiavano lungo i moli nella speranza di un po' di refrigerio. Il sole era tramontato da un pezzo, ma i muri delle case erano ancora tiepidi e un soffio di brezza marina era una prospettiva gradita. «Eppure che cos'è la politica se non i rapporti quotidiani condotti su scala più grande? Ho intrapreso questo noioso viaggio per trattare con gli Ateniesi questioni commerciali e militari, e naturalmente il mio solo pensiero dovrà essere il bene di Tebe. Ma sostituisci a questo il mio interesse personale ed ecco che divento un mercante della Lidia che compra e vende ragazzine. Oppure un insegnante di retorica, che insegna ai suoi studenti tutte le sottigliezze per fare cattivo uso delle conclusioni di una giuria. Paragonato a loro, uno statista è un uomo aperto e generoso, dato che soltanto gli stranieri sono le vittime dei suoi tradimenti.»

«Allora il lidio aveva ragione... la vita è un bordello.»

«Diciamo piuttosto che è una guerra, e che il presupposto della felicità sta nel non doverla combattere per sé soltanto.»

Il mattino seguente, dopo che Pammene fu uscito in cerca delle persone con cui avrebbe dovuto negoziare il trattato, Filippo si scoprì perfettamente libero. Ormai mancava da casa da molti mesi e la prospettiva di visitare da solo un'altra città sconosciuta lo deprimeva. Anelava alla vista di un viso familiare e per quanto ne sapeva ad Atene ce n'era uno soltanto, quello del suo amico d'infanzia Aristotele. Per questo, quando fu nella piazza del mercato, si informò su come raggiungere la scuola del filosofo Platone.

«Oh, sì, è a circa un quarto d'ora di cammino fuori delle mura. Segui la strada fino al Bosco di Accademo... riconoscerai il posto quando lo vedrai. Conti di iscriverti, ragazzo? E di tornare a casa dopo un anno o due per rovesciare il governo della tua città?»

Il vecchio tagliatore di pietre a cui Filippo si era rivolto sembrava estremamente divertito dalle proprie parole; arrivò addirittura a posare la sezione di colonna a cui stava lavorando per poter ridere più comodamente.

«Dunque ci si va per studiare l'arte della politica?» chiese Filippo quando l'ilarità dell'altro si fu un po' calmata. «Me n'ero fatto tutt'altra idea.»

«È una scuola dove si imparano il tradimento e la blasfemia, o almeno così dice la gente» fu la risposta, apparentemente priva di cattiveria. «Per quanto mi riguarda, ne dubito. Ho conosciuto Socrate, di cui Platone si dichiara discepolo — il suo banco di lavoro era proprio qui, vicino al mio, quando facevo apprendistato presso mio padre — e non era certo un tipo pericoloso, sebbene fosse pigro e poco abile come artigiano. I capitelli che intagliava erano sempre un po' storti. Ma questo non basta a fare di un uomo un criminale. Fu dopo la guerra con Sparta che gli fecero bere la cicuta, e a quell'epoca gli animi erano turbati. In quelle circostanze gli sciocchi che amano il suono della propria voce non sono al sicuro.»

Dopo averlo ringraziato, Filippo si avviò verso le porte principali. Non sapeva con esattezza che cosa lo impressionasse di più, se il fatto che gli Ateniesi giustiziavano i loro filosofi, o che si curassero di certe questioni al punto di arrivare a simili estremi. Certo non erano molte le città in cui un artigiano qualsiasi era in grado di indicare la casa del saggio locale. Nessuna meraviglia che Aristotele fosse stato tanto ansioso di andare ad Atene.

La strada che si inoltrava nella campagna era diritta e molto battuta, e la polvere che copriva rapidamente i piedi dei viandanti era stata da tempo resa finissima dalle ruote di migliaia di carri trainati da buoi. Si era solo a metà mattina, ma il sole picchiava già sulla nuca di Filippo. Si chiese se Aristotele gli avrebbe offerto del vino, o se i filosofi erano al di sopra di disagi quali la calura.

Il Bosco di Accademo era un luogo piacevole. Mosche ronzavano all'ombra dei platani che qualcuno aveva piantato in file ordinate; ora gli alberi erano così alti che i loro rami si intrecciavano formando una sorta di verde baldacchino. Parecchi uomini erano radunati in gruppetti di due o tre, ma ai piedi di qualche saggio maestro ne sedevano a volte anche dieci o quindici, intenti a trascrivere le sue parole su tavolette di cera. L'aria risuonava di mormorii.

Filippo trovò Aristotele tutto solo: era seduto con la schiena appoggiata al tronco di un albero e leggeva una pergamena. Alzò gli occhi nel sentire il suo nome, ma non parve sorpreso di vedere l'amico.

«Mio padre mi ha scritto che eri stato mandato a Tebe in qualità di ostaggio» disse, alzandosi. L'estremità del rotolo di pergamena che teneva in mano sfiorava quasi il terreno. «Deduco, dalla tua presenza qui, che le condizioni della prigionìa non devono essere troppo dure.»

«Non lo sono, infatti. E neppure si può parlare di prigionìa. Potrei tornare in Macedonia domani, e i Tebani si limiterebbero a scuotere la testa davanti alla mia sventatezza e ad augurarmi buon viaggio. Sono stati molto cortesi. Pammene è qui per questioni diplomatiche e ha voluto offrirmi il piacere di accompagnarlo.»

«Pammene?» Ora sì che Aristotele sembrava impressionato. «Mi piacerebbe conoscerlo, se la cosa si potesse organizzare. Qui si pensa un gran bene degli oligarchi di Tebe. Platone li considera il modello di governante generoso e illuminato...

desidererebbe soltanto che prestassero più attenzione alla filosofia.»

«Un governante ha bisogno della filosofia?»

«Platone ne è convinto. Lascia che te lo presenti. Ha un debole per gli aristocratici, e, dato che sei un principe, potrebbe perfino invitarti a colazione... lo troverai divertente.»

E così fu. Platone si rivelò essere un uomo di poco più di sessant'anni e con i capelli bianchi, effeminato e voluttuosamente rotondo. Il servo che gli stava a fianco e provvedeva a riempirgli la tazza non doveva avere più di dodici anni e di tanto in tanto, mentre parlava di Socrate o dell'ideale del bene oppure dei soprusi infertigli dai discepoli, le mani del filosofo vagavano distrattamente sulle spalle e sul collo del giovinetto. Ma, a dispetto di questa piccola distrazione, la sua conversazione, sostenuta con la voce ronronante di chi non ha lasciato insoddisfatta nessuna passione, era affascinante.

«È contrario a ogni principio di ragionevolezza che un governo alla mercé degli elementi più abietti della società aspiri a raggiungere coerenza di intenti o dignità d'espressione. Neppure il migliore degli uomini è in grado di trasformare il fango in oro semplicemente stringendolo fra le dita, e in egual modo anche il più altruista dei patrioti rischia di corrompersi accettando di diventare l'agente dell'autorità della feccia. L'ideale di politica razionale è ottenibile solo quando un singolo individuo è investito del potere, e quando questi è un re filosofo. La democrazia è stata una sciagura per l'intera Grecia, e non meno per gli Ateniesi, che hanno condannato il mio maestro Socrate solo perché incapaci di penetrare la complessità del suo pensiero. Mio caro principe, assaggia un po' di miele con questi fichi. Ne enfatizza enormemente il sapore.»

«Eppure, Maestro, non è forse vero che il governo di per sé è soltanto un'espressione della natura umana e che noi dovremmo quindi essere indifferenti alla forma che esso assume?» domandò Aristotele, con appena un'ombra di malizia nel sorriso. «La tua stessa esperienza con Dionigi di Siracusa...»

A chi avesse occhi per vedere, l'occhiata che passò fra maestro e discepolo — il lampo di irritazione subito spento e sostituito da una risata e da un gesto deprecatorio della mano — avrebbe rivelato molte cose e Filippo comprese, con la leggera sorpresa che sempre accompagna un mutamento nel nostro giudizio su qualcosa che ci è familiare, che Platone, a dispetto dell'età e del prestigio di cui godeva, aveva un po' paura di Aristotele, e che Aristotele lo sapeva bene. Ma perché stupirsene? si chiese dopo un po', irritato con se stesso. Certo Platone aveva capito che il figlio del medico di Pella era il più dotato dei suoi discepoli, e, vivendo in un ambiente in cui la vivacità intellettuale era tutto, era logico che ne fosse leggermente intimorito.

«Ah, sì, quell'uomo malvagio... è stato una *tale* delusione!» Platone sospirò come l'attore di una brutta commedia e si consolò con un sorso di vino e un'occhiata al giovane servo. «Ma io sto parlando di mere potenzialità. Un tiranno può essere intelligente o sciocco, virtuoso o criminale, una benedizione o una maledizione per i suoi sudditi. Tutto è possibile, anche la perfezione. La democrazia, però, è sempre e di necessità una catastrofe. Atene è diventata come la gente che la governa, e la nostra politica ha assunto i tratti di una moglie di custode — avida, litigiosa, meschina e contraddittoria. Tutti, alleati e nemici, ci odiano, e di questo possiamo ringraziare la democrazia.»

Al termine della colazione, Filippo persuase Aristotele ad accompagnarlo all'Acropoli, dove contava di visitare il tempio di Atena.

«Abito ad Atene da sei mesi e non ci sono mai stato» osservò Aristotele, mentre riprendevano la strada per la città. «Non so bene quale sia l'atteggiamento di Platone nei confronti del divino, ma da noi le esibizioni di religiosità non sono incoraggiate. A quanto mi risulta, però, il tempio è molto bello e la statua della dea è considerata la migliore scultura del mondo.»

«Eccellente. Io offrirò un sacrificio alla mia protettrice e tu ammirerai le sue proporzioni. È molto probabile che il piacere estetico e quello religioso non siano che due aspetti del medesimo anelito dell'anima verso il divino, quindi forse la dea non si offenderà.»

«Stai cominciando a parlare come uno degli studenti di Platone.»

«Davvero? Probabilmente ha a che fare con il clima.»

«Sapevi che Arrideo è in città?»

Nel sentire il nome del fratellastro, Filippo avvertì un brivido di freddo che attribuì alla sorpresa.

«No, non lo sapevo. Lo hai visto? Sta bene?»

«Non l'ho visto, e ti sconsiglio di cercarlo. Per chi desidera tornare in Macedonia, non è opportuno compromettersi frequentando un traditore dichiarato.»

Filippo fu il primo a stupirsi della collera repentina che lo assalì. «Arrideo non è un traditore» protestò. «Non si è traditori se si cerca di sfuggire ai sospetti del nostro reggente. Sai bene anche tu che, se non fosse fuggito, Tolomeo avrebbe trovato il modo di coinvolgerlo nell'omicidio di Alessandro.»

«Mi sembrava di aver definito Arrideo un traditore *dichiarato*. Non l'ho accusato di nulla.»

Aristotele sembrava più divertito che irritato, ma Filippo non era sicuro di preferire quella reazione. Decise comunque di approfondire la questione.

«Come vive?»

«Molto bene, immagino.» Aristotele alzò le spalle, come annoiato dall'argomento. «Senza dubbio i protettori non gli mancano... un principe straniero è sempre un bene prezioso.»

Sorrise dell'espressione perplessa di Filippo e questi comprese che stava per essergli impartita una lezione sulle sottigliezze della politica. Non apprezzava più di tanto la tendenza dell'amico a trattarlo come se fosse un sempliciotto arrivato da chissà quale angolo remoto del mondo ma, si diceva, in fondo avrebbe dovuto prevederlo. Così rimase in silenzio e lasciò che Aristotele si divertisse a modo suo.

«Atene ha nel Nord interessi per cui la Macedonia costituisce una potenziale minaccia» esordì il giovane in tono professorale. «Possiede colonie nella Calcidica e in Tracia e deve conservarsi l'accesso al Mar Nero. Con una Macedonia debole e dilaniata dai disordini interni, Atene ha mano libera, e la casa degli Argeadi la asseconda complottando e uccidendo regolarmente chiunque tra i suoi componenti sieda in quel momento sul trono. Ecco perché la città è ben felice di ospitare Arrideo: tramite lui possono minacciare Tolomeo... o chiunque dovesse succedergli. Un pretendente al trono vale quanto un piccolo esercito e mantenerlo costa molto meno.»

Guardò di sottecchi l'amico e sorrise di nuovo.

«Quindi, almeno per il momento, forse Tolomeo non sbaglia nel sospettare Arrideo di tradimento perché, se anche scopertamente non ha mai fatto nulla che potesse minacciare la pace della sua patria, ne avrebbe quanto meno la possibilità.»

Filippo provava una sensazione strana alla bocca dello stomaco, una sensazione molto simile alla sofferenza e di cui conosceva l'origine. In quel momento, e per la prima volta nella sua vita, scoprì di odiare Aristotele, che pareva godere della sua angoscia. Poi la sensazione svanì, e con essa la collera, ma per quel breve spazio di tempo erano state entrambe intensamente reali.

«Un uomo non diventa un traditore a causa di quello che gli viene imposto.» Altro non riuscì a dire.

«Consentimi allora di farti una domanda, Filippo... ci conosciamo da sempre, noi due, e credo di potermi prendere questa libertà.» Ora l'atteggiamento di Aristotele rivelava una sorta di rispettosa compassione, come se avesse finalmente compreso l'angoscia che la minuziosa analisi aveva scatenato. «Se fosse toccato a te fuggire per scampare agli intrighi dei tuoi parenti, ti saresti messo a disposizione dei nemici della Macedonia?»

Vedendo che Filippo non rispondeva, scosse la testa.

«No, io non lo credo. *Tu*, almeno, avresti preferito morire di fame in un fosso.»

Mentre proseguivano in silenzio, oltrepassarono un gruppo di schiavi: una fila di otto o dieci figure sparute che arrancavano sul ciglio della strada, il collo stretto da un collare di ferro da cui pendeva una lunga catena fissata al retro di un carro carico di pietre. Lo guidava un tipo massiccio e una guardia chiudeva la piccola processione, ma la sua presenza, come quella della frusta che impugnava, sembrava superflua. Quelle patetiche creature avevano dimenticato da tempo perfino la stessa possibilità di opporre resistenza.

«Schiavi di città» spiegò Aristotele in risposta a una domanda inespressa. «È possibile riconoscerli dalla cima degli orecchi mozzata.»

«Allora si tratta probabilmente di prigionieri di guerra per cui le famiglie non hanno potuto pagare il riscatto. Non è grottesca la sorte in cui può incorrere un uomo il cui solo crimine è quello di aver combattuto per la parte perdente?»

«Sei troppo tenero di cuore, Filippo... soprattutto per essere un principe. Uno schiavo non è che un utensile animato.»

«Che cosa è allora un esiliato? Forse quegli uomini hanno combattuto per il proprio Paese. Arrideo non può contare neppure su questo per nobilitare la sua sciagura.»

XIX

Era il tardo pomeriggio quando Filippo e Aristotele tornarono dall'aver visitato il tempio di Atena Parthenos. Pammene non era alla locanda ma aveva inviato un messaggio in cui invitava Filippo a raggiungerlo per la cena nella casa di un certo Aristodemo, nei pressi della porta del Dipylon.

«Ti dispiace se ti accompagno?» fece Aristotele con l'aria di chi è sicuro che non riceverà un rifiuto. «Aristodemo è uno degli uomini più ricchi di Atene, un dilettante della politica e collezionista di celebrità. I suoi banchetti sono famosi per le dimensioni e l'anonimato che garantiscono. Nessuno farà caso a me.»

«Perché dovrebbe dispiacermi?»

Una sosta ai bagni pubblici permise ai due giovani di liberarsi della polvere accumulata nel corso dell'escursione. La luce cominciava a sbiadire quando arrivarono alla porta Dipylon, ma non ebbero difficoltà a trovare la casa di Aristodemo. Bastò seguire il frastuono.

Sulla porta, un uomo li oltrepassò barcollando e, quando si voltarono a guardarlo, lo videro piegato in due, che vomitava contro il muro.

«Che maiale!» sibilò Aristotele, ma Filippo si limitò a ridere.

«Non essere troppo severo, amico, se non vuoi rivelare la tua poca dimestichezza con gli usi dei grandi. Pensa che, se fosse successo alla corte di mio padre, quell'uomo non si sarebbe neppure preso la briga di uscire, per non trovarsi oggetto di una grandinata di ossa di montone.»

«Comunque sia, ho l'impressione che abbiano cominciato senza aspettarci.»

E così era. Proprio come un uomo, un banchetto si fa strada attraverso l'infanzia fin nella giovinezza e, una volta adulto, inizia l'inevitabile declino che porta alla morte. Fu subito chiaro che quel particolare banchetto aveva già raggiunto lo stadio di una vigorosa maturità; il frastuono di forse un centinaio di conversazioni diverse soffocava la musica, così che le donne ingaggiate per intrattenere gli ospiti parevano danzare al ritmo di una musica che solo loro potevano sentire. A dispetto della vastità della sala, il calore emanato da un così gran numero di corpi era soffocante e nell'aria aleggiava intensissimo l'odore del vino.

La tavola principale si trovava verso il fondo, e Filippo impiegò qualche istante a individuare Pammene. Era seduto accanto a un tipetto azzimato, grassoccio e piuttosto anziano con i capelli e la barba accuratamente inanellati e di un'improbabile sfumatura argentea. Quasi sicuramente si trattava del padrone di casa, ma l'attenzione di Pammene si concentrava sull'uomo seduto alla sua destra, di mezza età e vestito con la semplicità di chi non ha interesse a farsi notare.

«È lui?»

Al cenno d'assenso di Filippo, Aristotele sorrise soddisfatto. «Lo immaginavo. Quello è Aristodemo, uguale in tutto e per tutto a un gatto grasso e troppo coccolato. E l'altro è Anito, membro dell'assemblea dei Cinquanta — un uomo potente, sebbene sia solo un falegname. Vedo che dovremo arrangiarci da soli, dato che non ci sono posti liberi vicino all'ospite d'onore. Tanto meglio. Ho intenzione di dimenticare per una sera che sono un filosofo e di ubriacarmi alla grande.»

«Qualcuno sarà in grado di cogliere la differenza?»

La battuta non parve divertire particolarmente l'amico.

Non era ancora passata un'ora che già Filippo cominciava a rimpiangere di non essere rimasto alla locanda per una cena a base di pane e cipolle. Il frastuono lo infastidiva e l'uomo seduto al suo fianco sembrava divertirsi molto a rovesciare continuamente la sua tazza, inondando di vino i vicini.

"Nessuno si offenderà se me ne vado" rifletté. "Aristotele conosce la città molto meglio di me e non ha bisogno di una guida. E Pammene è troppo occupato per accorgersene. Questa festa non è divertente... starei decisamente meglio nel mio letto."

Era molto semplice. Non doveva far altro che alzarsi e uscire, e, se anche qualcuno lo avesse notato, avrebbe creduto che andava a vuotarsi la vescica. Si mosse a zigzag tra i servi che recavano dalla cantina brocche ancora gocciolanti, e a gomitate si fece largo fra la gente che, per qualche insondabile motivo, si accalcava nell'anticamera come foglie d'autunno nei canali di sfogo. Quando fu sugli scalini, nel piccolo cerchio di luce che filtrava dalla porta, la prima folata d'aria pura, non impregnata dell'odore del vino e dell'umanità, gli parve fredda come neve. L'oscurità era accogliente.

«Vai già a casa, Filippo? O è il richiamo dei bordelli a farsi sentire?»

Filippo, principe di Macedonia, non era tipo da farsi cogliere di sorpresa, ma al suono di quella voce che sembrava scaturita dal nulla si irrigidì e la sua mente incominciò a lavorare furiosamente mentre...

«Arrideo? Sei tu? Sei proprio tu?»

Qualcosa si mosse nelle ombre che si addensavano intorno alla facciata della casa di fronte. Forse Filippo colse il movimento, o forse semplicemente lo intuì. L'ombra divenne l'orlo di un mantello, poi un uomo.

Era il suo fratellastro, che gli sorrideva con aria un po' mesta.

Con una risata Filippo si precipitò giù per i gradini, lo abbracciò con forza e lo baciò. Poco dopo ridevano tutti e due.

«Come sapevi che mi avresti trovato qui?» Nella voce di Filippo si mescolavano piacere e stupore.

«Non lo sapevo.» Arrideo gli afferrò la barba con entrambe le mani e la tirò scherzosamente. «Non sapevo neppure che eri ad Atene, ma prima o poi tutti capitano a casa di Aristodemo. Era inevitabile...»

Un'altra figura emerse dal buio, un giovane alto e sottile, di forse vent'anni. La bocca dura, petulante, tradiva un certo divertito disprezzo, quasi che il ragazzo si ritenesse molto al di sopra degli affetti dovuti alla parentela. I suoi occhi vagarono per qualche istante prima di posarsi su Filippo e fu subito chiaro che ciò che vedeva non era di suo gusto. Si sarebbe potuto credere che fosse geloso.

«Sì.» Arrideo fece un passo indietro, imbarazzato. «Filippo, lui è Demostene, le cui parole indugiano sulla lingua come miele quando parla all'assemblea.»

«In questo caso spero di poterlo ascoltare, un giorno o l'altro» disse Filippo, tendendo la mano.

Né gli elogi di Arrideo né il gesto di Filippo parvero molto apprezzati. La mano venne blandamente stretta e subito lasciata cadere come se fosse qualcosa di morto e di disgustoso, e gli elogi furono semplicemente ignorati.

«Onorato.»

Non disse altro, ma quell'unica parola bastò. Per un brevissimo istante sembrò rimanergli in gola, per poi uscire con una specie di sbuffo, come se lui avesse voluto scagliarla a chissà quale distanza. Era evidente che gli dèi avevano inflitto al grande oratore il castigo della balbuzie.

Filippo si sforzò di mantenere l'espressione neutra di chi non si è accorto di nulla, ma un uomo oppresso da un grave difetto è sempre rapido a cogliere le reazioni altrui. Le linee intorno alla bocca di Demostene sembrarono accentuarsi.

«Eravate diretti qui?» Filippo si rivolse al fratellastro. «Me ne stavo andando, ma...»

«No, no. Sono sicuro che Demostene ci scuserà... vuole conoscere il grande Pammene e la mia presenza potrebbe risultare imbarazzante.»

Arrideo fece una risatina nervosa, alla maniera di chi vorrebbe essere contraddetto, ma Demostene si accontentò di inarcare le sopracciglia e guardare altrove.

«Devi fare co-come preferisci» disse. Senza aspettare, salì i gradini e scomparve quasi subito tra la folla assiepata nella grande anticamera.

«Be'... a quanto pare siamo liberi.» Con un sorriso, Arrideo buttò un braccio intorno alle spalle di Filippo. «Che ne dici di attenerci al tuo progetto originale e di cercare un bordello?»

«Il mio progetto non prevedeva niente del genere. Il mio progetto originale era di tornarmene al mio letto, che è vuoto, ahimè.»

«I progetti si possono modificare.»

«Già, immagino di sì.»

Non finirono esattamente in un bordello, ma in un posto che gli assomigliava molto. Arrideo conosceva una taverna proprio ai piedi del colle di Colono, frequentata dai giovani più eleganti della città. Al piano superiore c'erano alcune stanze per i trattenimenti privati, dove si serviva vino diluito con tre sole parti d'acqua. Il cibo era ottimo, molto migliore di quello che compariva sulla tavola di Aristodemo, e in fatto di compagnia ce n'era per tutti i gusti.

«L'ultima volta che sono stato qui mi sono preso un ragazzo» disse Arrideo, mentre accarezzava la schiena nuda della giovane che gli stava accovacciata accanto e che, fingendosi alle prese con il vino, ne approfittava per sfregargli i capezzoli sul petto. «Tanto per cambiare... Le donne possono diventare noiose, se un uomo non si concede qualcosa di diverso, di tanto in tanto.»

«Non me n'ero accorto» replicò Filippo.

La ragazza intenta a lavargli le gambe era fulva come un leone e le poche parole che pronunciava avevano un accento ionico; probabilmente era originaria di una delle città greche che sorgevano lungo la costa asiatica. Aveva gli occhi grandi e castani di un cerbiatto. Erano il tratto che Filippo apprezzava di più in lei; quando li alzava per sorridergli, gli si chiudeva la gola.

Arrideo si era accigliato.

«Be', certo, tu non sei mai stato un esule. Quando si vive tra stranieri...

«Ma io vivo fra stranieri.» Con gentilezza Filippo posò il piede sul ventre della giovane nell'intento di allontanarla, ma il contatto con la sua pelle gli procurò una sensazione così intensa che cambiò idea.

«Sì, ma se tornassi a casa nessuno ti taglierebbe la gola.»

«Non ne sono del tutto certo... e non lo sarò finché sarà vivo Tolomeo.»

«Può essere, ma io la certezza ce l'ho.» Da quando aveva lasciato la Macedonia, Arrideo era ingrassato e sotto le sue mascelle era già visibile un cuscinetto di adipe. Quando chinò la testa sul petto, il suo collo parve gonfiarsi. «Tu correresti il rischio di morire in qualche intrigo di palazzo, ma io dovrei affrontare una pubblica esecuzione e il mio cadavere verrebbe crocifisso sopra il tumulo di Alessandro. A proposito, Filippo, io non ho avuto alcuna parte nell'omicidio di tuo fratello.»

«Se lo avessi creduto, saresti morto già da qualche ora» fu la risposta di Filippo, accompagnata da un sorriso amabile. «Il complice di Praxis è ancora a Pella, sposato a mia madre.»

Forse colpita dall'improvviso silenzio, la ragazza dagli occhi di cerbiatto alzò la testa, ma nel vedere l'espressione dei due la abbassò in fretta.

Poi, da un momento all'altro, Arrideo parve perdere ogni interesse per l'argomento.

«Atene mi piace» osservò, senza smettere di accarezzare la schiena della giovane che si occupava di lui — sembrava quasi che si riferisse a lei. «L'ho sempre venerata, ma non immaginavo quanto potesse essere gradevole vivere nella città più civile del mondo. Non c'è piacere fisico o mentale che non si possa sperimentare e io non devo sottostare ad alcuna limitazione. Mi diverto, e grazie alla generosità dei miei amici ho denaro a sufficienza. Sì, qui ho tutto il divertimento che si può avere nel mondo.»

«E che cosa, mi chiedo, vorranno i tuoi amici da te, quando il divertimento avrà fine?»

Arrideo guardò Filippo con l'aria di giudicarlo un irrecuperabile sciocco.

«È probabile che un giorno i miei amici riescano a fare di me il re dei Macedoni.» Invece di nascondere la collera, il tono calmo della sua voce la tradiva.

«Nostro fratello Perdicca è re.» Filippo sorrideva, come a dire che ormai nessun tradimento avrebbe più potuto stupirlo. «E se lui dovesse morire senza lasciare figli, io sarei il suo successore. I piani dei tuoi amici prevedono forse l'uccisione di entrambi?»

A sua volta, Arrideo non parve offeso dall'insinuazione. Si limitò a stringersi nelle spalle.

«I miei amici non hanno in progetto di uccidere nessuno. Pensano, ritengo, che sarà Tolomeo a fare il lavoro per loro.»

XX

Se fosse vissuto, Perdicca, re dei Macedoni, avrebbe raggiunto la maggiore età nell'estate del suo secondo anno di regno. Nessuno tuttavia pareva interessarsi granché all'imminente evento — meno di tutti il reggente, che continuava a comportarsi come se il re fosse lui — e Perdicca aveva ben poco desiderio di farglielo notare, certo com'era che il patrigno l'avrebbe ucciso piuttosto che rinunciare al potere. La paura non lo abbandonava mai. Il ricordo della morte del fratello conservava un'inquietante nitidezza, e a volte di notte gli succedeva di svegliarsi di soprassalto, trattenendo a fatica un grido mentre cercava di rammentare se era suo o di Alessandro il sangue che in sogno imbrattava la spada dell'assassino.

Quella notte il sogno era stato ancora più terribile. Seduto sul bordo del letto, tremante e col viso rigato di lacrime, Perdicca scrutava l'oscurità quasi aspettandosi di vederne sbucare un nemico.

Alla fine si alzò e a tastoni cercò la bacinella e la brocca che teneva su un tavolo vicino al baule con i suoi indumenti. Doveva fare piano. La camera della madre era adiacente alla sua e quella notte Tolomeo dormiva con lei. Si lavò il viso con la furtività di un uomo che trafuga le offerte da un altare.

Dopo si sentì meglio e poté sedersi di nuovo sul letto a meditare ancora una volta sul problema in cui gradatamente aveva scoperto stare la chiave stessa della sua sopravvivenza: l'uccisione del reggente.

Non era una questione semplice come poteva sembrare. Tolomeo dormiva nella stanza accanto, ma Perdicca non avrebbe mai potuto insinuarvisi e trafiggerlo con una picca. Dopotutto, in quel letto c'era anche sua madre, e come poteva massacrare Tolomeo sotto gli occhi di lei? La sola idea — le urla

e le maledizioni, il sangue che le imbrattava il corpo nudo —
era insopportabile.

A condizione che la cosa accadesse lontano dalla sua vista,
si disse Perdicca, e che le venisse lasciato il tempo di pensarci
su, sua madre avrebbe capito che lui aveva fatto l'unica cosa
giusta che un uomo potesse fare in quella situazione, e lo avrebbe perdonato. Avrebbe compreso che non gli era stata lasciata
scelta... certo non amava quell'uomo quanto amava il suo stesso
figlio. Avrebbe pianto, ma dopo un po', riconosciuta l'inevitabilità del tutto, si sarebbe riavvicinata a lui. Il sangue, in
fondo, era un legame più forte del desiderio.

Nel buio di innumerevoli notti insonni, Perdicca aveva svi-
scerato ogni punto della questione. Sua madre lo avrebbe perdonato. Giudicava quel perdono certo e inevitabile, eppure nel
profondo del cuore ne dubitava ancora. Forse, pensò, era quel
dubbio a trattenerlo.

Ma non era solo di sua madre che aveva paura. Tolomeo
era un guerriero esperto, sopravvissuto a molte battaglie, e Perdicca sapeva di non essere troppo abile con le armi. Non gli
sarebbe stato facile ucciderlo apertamente, ma proprio su questo
si basava il suo onore di sovrano. Nessuno lo avrebbe biasi-
mato se un giorno avesse sguainato la spada e sparso a terra
le viscere del reggente. Un re aveva la facoltà di uccidere chiunque costituisse una minaccia per lui, a condizione che lo facesse esercitando il proprio diritto, e fosse pronto ad agire di
fronte al mondo intero.

Ma attentare alla vita di Tolomeo, pubblicamente e in presenza di testimoni, comportava un rischio spaventevole, e, pur
non essendo un codardo, Perdicca non era neppure uno sciocco.

Era tutta una questione di opportunità, e l'opportunità non
si era ancora presentata.

Chissà se Tolomeo intuiva qualcosa di quello che passava
nella sua mente? Sera dopo sera, i due uomini sedevano vicini
al tavolo del banchetto, a volte scambiandosi un'occhiata o una
parola, ma con la noncuranza di chi è persuaso di poter leggere nel cuore dell'altro. Perdicca aveva scoperto di non riuscire
a tollerare quei momenti, se prima non aveva bevuto due o
tre coppe di vino puro, nell'intimità della sua stanza. Era, pensava, come banchettare con uno scorpione.

Poiché la vita di Perdicca non avrebbe avuto più alcun valore se anche un solo sospetto si fosse affacciato alla mente del

reggente, la salvezza stava nel disprezzo che Tolomeo provava per lui, nella convinzione che Perdicca fosse del tutto innocuo.

C'erano giorni in cui Perdicca si costringeva ad allontanare ogni pensiero di violenza. Sarebbe stato esattamente come il reggente credeva che fosse, il docile sciocco che nessuno avrebbe mai potuto considerare una minaccia, e allora forse...

Ma non serviva. Che scegliesse o meno di prenderne atto, il pericolo era lo stesso. Un sospetto, un semplice sospetto in Tolomeo, e lui sarebbe stato pronto per il rogo funebre.

Una volta, una sola, aveva parlato dei suoi timori alla madre, ma lei ne aveva sorriso.

«Non hai nulla da temere da parte di Tolomeo» gli aveva detto. «Tu sei la sua protezione.»

«Da che cosa? Da che cosa deve proteggersi il reggente?»

«Da tuo fratello, sciocco e cieco che sei. Sa che, se ti accadesse qualcosa, Filippo tornerebbe.»

«Sì, questo posso capirlo» aveva assentito Perdicca, pur incominciando a sospettare di non aver capito niente. «Se morissi, i Tebani...»

Lo aveva interrotto la risata di lei.

«Sei un idiota!» La voce di Euridice grondava astio. «Credi che forse Tolomeo tema semplicemente che Filippo torni alla testa di un esercito? Se tuo fratello arrivasse solo, con un coltello da cucina avvolto nella coperta da viaggio, sarebbe la stessa cosa. Il solo pensiero di Filippo basta a tramutargli le budella in acqua. Vive nel terrore di rivederlo.»

Scoprire che la propria vita dipendeva dalla tolleranza del fratello minore era amaro, quasi come vivere nel costante timore di perderla. A volte persino di più.

Doveva uccidere Tolomeo. Solo così si sarebbe liberato di entrambi.

Da sotto la porta filtrava un bagliore tenue: anche nella camera accanto qualcuno vegliava. Non era un evento insolito, e Perdicca non ne fu allarmato. Forse con l'età la vescica del reggente incominciava a indebolirsi. Gli sarebbe piaciuto poter credere che fossero i brutti sogni a tormentarlo, ma ne dubitava. Qualunque cosa dicesse sua madre, gli riusciva inconcepibile che Tolomeo potesse avere paura di qualcosa.

La luce si spense. Pervaso dalla calma mortale che scaturisce dalla disperazione, Perdicca tornò a sdraiarsi. Era quasi l'alba quando finalmente si addormentò.

Non era stato il reggente ad accendere la lampada in piena notte, bensì sua moglie. Tolomeo dormiva, sdraiato di fianco con il viso rivolto verso la parete, e non si accorse di Euridice che scivolava in silenzio fuori del letto.

Ormai non dormiva quasi più. Il sonno richiedeva una certa dose di tranquillità mentale, o almeno di indifferenza al destino. Ma, a mano a mano che le circostanze della sua vita si facevano sempre meno tollerabili, lei si scopriva sempre più incapace di ignorarle. Suo figlio ansioso e irascibile, che meditava chissà quale sconsideratezza; sua figlia che ancora si sforzava di concepire un figlio dall'uomo che aveva divorziato da lei e che ora la trattava come una sguattera. E Tolomeo, che ingurgitava più vino di quanto sarebbe stato saggio, ed era perfino più impaurito di Perdicca. Tutti apparentemente trascinati in un vortice a cui non c'era possibilità di sfuggire.

Sollevò la lampada per vedere il marito, ma riuscì a scorgerne soltanto la nuca. Qualche filo grigio gli solcava già la barba, ma i capelli erano ancora neri e lucidi.

Le bastava guardarlo perché qualcosa le vibrasse in petto, quasi fosse una quindicenne travolta dalla prima passione. No, molto peggio. L'amore la stava consumando, come se gli dèi avessero fatto di lui lo strumento della sua distruzione. Tolomeo era falso e malvagio, pronto a sacrificare tutto e tutti sull'altare della sua ambizione. A differenza di molti altri, lei non credeva che avesse avuto una parte nella morte di Alessandro — non permetteva a se stessa di crederci perché in caso contrario la vita le sarebbe diventata insopportabile —, ma non poteva ignorare il fatto che lui fosse del tutto privo di scrupoli. Non c'era peccato davanti a cui Tolomeo arretrasse, lo vedeva con chiarezza, ma questo non cambiava nulla. Ecco qual era la sua maledizione: amarlo senza farsi illusioni. E amarlo con tanta divorante intensità che a volte le sembrava di andare in pezzi, come una brocca che si infrange sulle pietre del pavimento. C'erano momenti in cui era sicura di stare impazzendo.

Tolomeo si agitò nel sonno, mormorando qualcosa di inintelligibile ma in tono pressante, e lei si affrettò a schermare la lampada con la mano. Ma non era la luce a disturbarlo; era tormentato da sogni orribili e c'erano notti in cui si svegliava madido di sudore, gli occhi sbarrati. Ne dava la colpa al vino, ma naturalmente non era vero. Lui non aveva mai voluto raccontarle i suoi sogni.

Non che ce ne fosse bisogno. Euridice poteva immaginarli.

Portando con sé la lampada, si diresse verso la camera della figlia. Sapeva che l'avrebbe trovata sveglia.

E in effetti Meda non dormiva, sebbene nessuna luce trapelasse da sotto la sua porta.

«Sei tu, madre?»

«Sì, bambina.» Euridice sorrise prima di aggiungere, del tutto inutilmente: «Non ti ho svegliata?».

Senza rispondere, Meda si fece da parte per permettere alla madre di sedersi.

La sua camera era piccola, così piccola che una lampada bastava a illuminarne tutti e quattro gli angoli. Conteneva solo il letto, un baule e uno sgabello a tre gambe su cui nessuno sedeva mai. Come infastidita dal chiarore, Meda abbassò gli occhi.

«Dorme?» chiese poi.

«Sì. Se dovesse svegliarsi, berrà un po' di vino. Non si accorge mai quando non sono al suo fianco.»

Meda sembrò sollevata, anche se restava un mistero il motivo per cui temeva tanto che l'ex marito le scoprisse insieme. Meda nutriva convinzioni bizzarre in merito al possesso... come se in quella casa il concetto di proprietà avesse ancora un senso!

Stranamente, Euridice aveva incominciato ad amare la figlia solo dopo averla sostituita al fianco di Tolomeo. Non aveva mai avuto troppa pazienza con i bambini e Meda era stata mandata in sposa giovane, sparendo del tutto dalla sua vista, come se le sue ceneri fossero state sigillate all'interno di un'urna funebre. Poi però Tolomeo l'aveva messa da parte per sposarne la madre.

Euridice posò la lampada sul pavimento e le ombre tornarono a infittirsi intorno al volto della giovane, che ne sembrò sollevata.

«Credo di essere incinta» mormorò. «La luna era piena, la sera prima della sua ultima visita. Penso che significhi che la mia sterilità sta per cessare.»

Euridice sorrise ma non replicò. Da quando vivevano di

nuovo insieme, Meda ripeteva parole simili ogni poche setti-mane. Sarebbe stata una fortuna per lei se fosse davvero ri-masta incinta — un bambino l'avrebbe distratta —, ma non poteva accadere.

«Vedrai. Mi amerà di nuovo quando gli avrò dato un fi-glio.»

Euridice si chinò ad accarezzarle i capelli. «Lui non ama nessuno. Neppure il figlio che già ha. Ti ha sposato per ambi-zione, e, quando io gli sono diventata più utile di te, mi ha messo al tuo posto. Non ama nessuno.»

«Come puoi dire una cosa simile? Sei sua moglie.»

«Chi meglio di me può saperlo? Ti ha trattata in modo in-fame... certo non puoi ignorare la sua vera natura. È un uo-mo malvagio.»

«Eppure lo ami.»

«Sì. Questa è la mia maledizione.»

Nello sfiorare con i polpastrelli il viso della figlia, Euridice lo sentì bagnato di lacrime.

«Non devi piangere» sussurrò allora. «Bensì mettere da parte le tue illusioni. Tutto andrebbe meglio se imparassi a odiarlo, e certo si merita il tuo odio. Non devi mai piangere per lui.»

«Eppure tu lo fai.»

Fu come se qualcosa le dilaniasse il cuore e per un momento Euridice desiderò che fosse proprio così, desiderò di morire.

«No, io non piango mai» disse.

XXI

Filippo si svegliò di soprassalto e per un istante rimase immobile, in attesa che i suoi occhi si abituassero all'oscurità. Ma non c'era nulla; le ombre della minuscola stanza gli erano tutte familiari e l'unico suono era quello del respiro regolare di Madzos, addormentata al suo fianco.

Forse a destarlo era stato un rumore esterno. Forse avrebbe fatto bene ad andare a vedere. Scese dal letto e andò ad aprire l'unica finestra. La luna aveva cominciato a calare da due notti soltanto e la notte era chiara. Filippo riusciva a distinguere ogni pietra delle mura; la strada, una dozzina di cubiti più sotto, era deserta. Tutto taceva. Era notte fonda e a Tebe la gente perbene dormiva.

Poi lo udì di nuovo.

Il tetto dell'edificio antistante era quasi a livello con la finestra, e appollaiato sul bordo, così vicino che Filippo si stupì di non averlo notato subito, c'era un gufo che lo fissava con i suoi enormi occhi gialli. Era stato il suo verso a svegliarlo.

Per un breve istante l'uccello rimase perfettamente immobile, poi aprì le ali e le sbatté con forza, come per richiamare l'attenzione prima di spiccare il volo. Infine descrisse un cerchio e volò via, verso nord.

Non c'era bisogno di interrogarsi sul significato di quello strano episodio. Le intenzioni della dea non avrebbero potuto essere più chiare.

«Ti sei alzato?»

Filippo si voltò e sorrise, sebbene probabilmente Madzos non potesse vederlo. Dopo quanto era accaduto, anche quel sorriso gli parve un piccolo tradimento.

«Sono in piedi, sì.»

«Che cosa c'è?»

C'era una nota strana nella sua voce? Dopo tutto quel tempo, probabilmente Madzos poteva leggere in lui come avrebbe letto una pergamena, se avesse saputo leggere. E una ragazza cresciuta in una taverna imparava a conoscere in ogni sfumatura le debolezze e la perfidia umane. Mentirle sarebbe stato inutile.

«Devo tornare» disse, stupito del suono falso delle sue parole.

«Tornare dove?»

Si era messa a sedere. Ancora un istante e avrebbe acceso la lampada, e lui avrebbe visto i suoi lunghi capelli corvini ricaderle a cascata sulle spalle, coprendole in parte il seno. Dormiva con lei da due anni, ma non l'aveva mai desiderata tanto; anelava al contatto della sua carne.

«In Macedonia. Devo andare a casa.»

Lei non replicò subito, e quando il chiarore le illuminò il viso, non sembrò neppure sorpresa. Ma d'altronde, che cosa mai avrebbe potuto sorprendere una donna che era stata portata in quella casa all'età di otto anni e che vi aveva lavorato come una schiava fino a quando il proprietario non l'aveva sposata? Moglie a quindici anni, vedova a diciassette, e padrona di se stessa ormai da dieci anni. Ne aveva quasi altrettanti più di Filippo, ma la diversità data dall'esperienza non aveva nulla a che fare con l'età.

«Non stanotte, però» disse, spegnendo la lampada, quasi pensasse che accenderla fosse stato un errore. «Torna a letto... potrai almeno tenermi calda fino a domattina.»

E quando il mattino arrivò, Filippo andò a casa di Pammene; lo trovò nel giardino antistante, intento a fare colazione.

«Stai dicendo che *devi* tornare?» domandò Pammene, dopo aver ascoltato il racconto di Filippo. Gli versò del vino, diluito, data l'ora, con cinque parti d'acqua. «Ma vedere un gufo in piena notte non è un evento così insolito da essere necessariamente interpretato come un ordine divino.»

«Si può assistere alla cosa più banale del mondo, ma sentire nelle proprie viscere che è un segno degli dèi.» Filippo sorrise, consapevole dell'apparente follia delle sue parole. «Sono stato chiamato e non ho altra scelta che obbedire.»

«Voi Macedoni siete tipi superstiziosi. Ma nella tua ansia

di rispondere al richiamo divino hai tenuto conto di quante probabilità di sopravvivere ti resteranno, una volta che sarai di nuovo alla portata di Tolomeo?»

L'unica risposta fu una stretta di spalle e Pammene non insisté.

«Capisco. Dunque hai già fatto i tuoi progetti?»

«Il mio solo progetto è di lasciare la città questa mattina, come se uscissi per andare a caccia. Dopodiché, potresti essere tu a informare il reggente della mia fuga. Mi sei sempre stato amico, e non desidero assolutamente caricarti sulle spalle un qualche problema diplomatico.»

Pammene ebbe una smorfia sprezzante mentre intingeva nel vino un pezzetto di pane non lievitato.

«La Macedonia non è così potente da indurre Tebe a temere l'ira di Tolomeo... Non voglio offendere il tuo patriottismo, Filippo, ma è la verità.»

Lo guardò socchiudendo gli occhi, poi di colpo sorrise.

«Ma che cosa ci guadagneremmo, a mettere all'erta le spie del tuo patrigno? Viaggerai via terra?»

«È il modo più sicuro per rientrare inosservato in Macedonia.»

«Ma il viaggio a cavallo, e soprattutto in questa stagione, non durerebbe meno di dodici giorni, mentre una lettera inviata per mare sarebbe a Pella in tre. Credo che la fuga non sia la soluzione migliore.»

Erano seduti sotto un pergolato e Pammene guardava aggrondato un cardellino appollaiato fra le viti. Si chinò a raccogliere una manciata di sassolini e li scagliò con forza contro l'uccellino, che riuscì tuttavia a volar via indenne.

«Mia moglie aveva l'abitudine di nutrirli» borbottò lui. «E loro si ostinano a tornare. Poi, non trovando briciole, beccchettano gli acini.»

Conosceva Pammene da più di due anni, realizzò in quel momento Filippo, ed era la prima volta che lo sentiva parlare di una moglie. Ma non ne avrebbe saputo di più, perché già l'altro era tornato all'argomento principale.

«Domani un messo partirà per Delfi» disse. «Ufficialmente per consultare l'oracolo, ma in realtà con intenti ben più pratici e che tu non hai bisogno di conoscere. Potresti viaggiare con lui per mezza giornata, ossia finché non sarete abbastanza lontani dalla città, e poi deviare verso nord. Ti fornirò un salvacondotto che ti sarà utile fino in Tessaglia, ma forse è opportuno che tu non l'abbia con te quando varcherai il confine con la Macedonia.»

«Non ho alcun desiderio di mostrarlo al reggente» replicò Filippo, ma la sua battuta non ebbe successo e il cipiglio di Pammene si accentuò.

«Mi preoccupa molto di più la possibilità che lo trovi sul tuo cadavere, principe. Il tuo ritorno costituirà per Tolomeo una sfida troppo diretta perché possa ignorarla, e sappiamo tutti e due che non è uomo da farsi troppi scrupoli. Ecco perché non credo che tu abbia molte speranze di sopravvivere.»

«È tutto nelle mani della dea» replicò Filippo con una semplicità che rivelava la profondità della sua convinzione. «Posso solo sperare che Atena decida di risparmiarmi per qualche suo intento nascosto.»

«Sì, già, la devozione è una gran bella cosa...» Ancora cupo in volto, Pammene scrutava il verde baldacchino della pergola, quasi temesse di veder comparire un intero stormo di voraci uccellini. «E se dopo che sarai partito sentirò ancora parlare di te, Filippo, sarò certo che la tua vita è sotto un incantesimo.»

Il viaggio a nord fu come una fuga dal carcere. Fra le altre cose, Filippo aveva scoperto che dopotutto a Tebe era stato realmente un ostaggio — se non dei Tebani, almeno del senso di inutilità che non aveva mai smesso di affliggerlo. In quella città si era sentito come un uomo che assiste impotente a una catastrofe. Uno dei suoi fratelli era stato assassinato e la sopravvivenza dell'altro dipendeva dal capriccio dell'assassino. Una situazione intollerabile, che tuttavia poteva soltanto essere tollerata. Filippo non era mai riuscito a liberarsi della sensazione che la sua forzata inattività non fosse che una vergognosa concessione alla viltà e alla debolezza.

Ma ora la dea lo aveva liberato. Sapeva bene che cosa si aspettava da lui: che tornasse a Pella e uccidesse Tolomeo o perisse nell'impresa, com'era molto più probabile che accadesse. Ma Pella distava nove o dieci giorni di viaggio e nel frattempo, mentre cavalcava attraverso le vaste pianure della Grecia settentrionale, poteva assaporare il gusto delizioso di libertà che scaturiva dalla consapevolezza di aver preso la sola decisione possibile.

Pur tenendosi sulla strada principale, a volte passava un'intera giornata senza che incontrasse nessuno. L'inverno stava lasciando il passo alla primavera, ed erano cominciate le piogge. Nel pomeriggio, talvolta senza alcun preavviso, le cateratte del cielo si aprivano e per un'ora o due inondavano il mondo. In quei casi, la sola cosa da fare era cercarsi un rifugio — e non ce n'erano molti in quella zona pianeggiante — e aspettare. In quel periodo dell'anno viaggiava solo chi non poteva farne a meno.

Due ore prima di arrivare in vista delle torri di guardia di Farsalo, Filippo fu sorpreso allo scoperto da uno scroscio di pioggia gelida che in pochi minuti lo bagnò come se si fosse tuffato in un fiume. Perfino la sua coperta da viaggio era fradicia. Per rispetto a Pammene che, senza dirlo a chiare lettere, gli aveva fatto capire che preferiva che il suo salvacondotto venisse usato il meno possibile, Filippo aveva evitato le città, procurandosi cibo per sé e per il cavallo nelle fattorie che incontrava lungo la strada, ma quella sera si scoprì incapace di resistere all'allettante prospettiva di una taverna dove poter cenare con carne arrosto, riscaldarsi davanti al fuoco e infine coricarsi in un letto asciutto.

Fu fortunato: gli uomini di guardia stavano giocando a dadi e non lo degnarono neppure di un'occhiata. Non lo avrebbero notato neppure se, invece di un uomo solo, fosse stato un esercito d'invasori.

Affidò il cavallo al garzone della prima taverna in cui si imbatté ed entrò portando con sé la borsa e la coperta. Lo accolsero il suono di risate e un calore confortante in cui aleggiava l'aroma del cibo. Un quarto di montone arrostiva sullo spiedo e lasciava cadere sfrigolanti gocce di grasso sul fuoco. Filippo non ricordava di aver mai avuto tanta fame.

Poco più tardi, con i vestiti asciutti, il ventre pieno e la testa che gli ronzava per il vino, andò a sedersi vicino al focolare in attesa dell'ora nona, quando le lampade sarebbero state abbassate e la gente del posto rimandata nel proprio letto. A quel punto il proprietario del locale gli avrebbe steso per terra una coperta e lui avrebbe potuto finalmente dormire. Filippo si stava godendo la stanchezza quasi voluttuosa che l'aveva invaso, quando una folata d'aria fredda gli investì la nuca, seguita subito dopo dal tonfo della porta che si chiudeva. Si voltò senza troppo interesse e vide che era arrivato un altro viaggiatore.

«Qualcosa da mangiare, padrone, e una brocca del vostro robusto vino di Tessaglia. Il vento è gelido stasera, e ho bisogno di proteggermi la gola. Per gli dèi, non lascerei uscire un cane in una serata così.»

Filippo comprese subito che l'uomo era un trace; il suo accento suonava barbaro perfino a orecchie macedoni e il pesante mantello di lana verde scuro lo identificava come un membro di una delle tribù costiere. Era alto, come quasi tutti quelli della sua razza, sui trent'anni, e con una barba nera e ricciuta. Quando non erano occupati a razziare il bestiame altrui, i Traci battevano il Nord della Grecia facendo commerci di ogni genere.

Da dove arrivava? Il confine con la Macedonia non distava più di quattro giorni di viaggio. Forse nel suo viaggio a sud l'uomo era passato per Pella. Fu con timore e trepida aspettativa che Filippo comprese che, dopo più di due anni, stava forse per avere notizie fresche della sua patria.

«Mentre aspetti che l'oste trovi la strada per la cantina, assaggia un po' del mio vino, amico» disse nel dialetto campagnolo che aveva imparato sulle ginocchia di Alcmene. Senza alzarsi, tese la sua tazza all'uomo perché ne esaminasse il contenuto. «Denso come sciroppo e rosso come il sangue... ci potresti catturare le mosche con questo.»

Il trace la prese e, rivolgendo a Filippo un sorriso malizioso, la vuotò fino all'ultima goccia.

«È andato giù a meraviglia, amico» sospirò alla fine, sedendoglisi accanto. «E te ne sono grato, perché questi Greci non hanno più senso dell'ospitalità di quanto ne abbia una mucca col culo coperto di mosche. Da quanto tempo manchi da casa?»

«Più di due anni. Sono stato a Tebe a studiare medicina, ma temo di non essermela cavata troppo bene.»

E sorrise con l'aria di chi non si perita di mostrare le proprie debolezze. Da molto tempo aveva imparato che la gente è disposta a credere a qualunque cosa negativa un uomo dica di sé e voleva anticipare eventuali domande. Si sentì sollevato nel vedere il trace annuire con comprensione.

«So come va a finire... hai passato più tempo a studiare anatomia con le puttane che con i tuoi maestri, eh? Ah! Ah! Che diamine, si è giovani una volta sola. Non è che per caso hai un altro po' di quel grasso per ruote...?»

Mezz'ora dopo avevano vuotato la brocca di Filippo, quella che l'oste aveva portato al trace ed erano alle prese con una terza; Filippo sapeva tutto sulle complessità del commercio del pellame — il suo compagno aveva battuto tutte le regioni settentrionali, dalla Calcidica all'Acarnania —, quando la conversazione prese finalmente una piega più promettente.

«Sarai felice di tornare a casa, no?» Il mercante scosse la testa. «Immagino che tu sia di Pella, dato che le altre città della Macedonia non sono che tuguri di fango. Posto noioso, Pella.»

«Ci sei stato di recente?»

«Oh, sì. Ero lì i primi del mese scorso. Ci ho fatto buoni affari. Ho comprato qualche centinaio di pelli di cavallo. Questo bisogna concederglielo, i Macedoni con i cavalli ci sanno fare. Quelle pelli erano perfette, senza una macchia né altri difetti. Ma sono stato felice di andarmene.»

«E come sta il re?» Il tempo sembrò fermarsi, mentre Filippo aspettava la risposta.

«Bene, per quanto ne so. Perché? È uno dei tuoi beniamini?» Ridendo, il trace gli allungò una manata sulla spalla. «Sì, piuttosto bene. Una volta l'ho visto. Mi è passato vicino proprio sulla porta della città. Andava a caccia, immagino. Dicono che sia un cacciatore appassionato. Un bel tipo. Ho ammirato molto il suo cavallo.»

E sorseggiò con aria meditabonda il suo vino. Forse stava rivivendo quell'unico incontro con il re dei Macedoni, o forse pensava a che bell'effetto avrebbe fatto la pelle del cavallo del monarca, stesa ad asciugare su una delle sue rastrelliere.

C'era qualcosa che non quadrava. A meno che non fosse enormemente migliorato in quei due anni, Perdicca non era mai stato un gran cavallerizzo.

«Forse non era il re quello che hai visto» azzardò Filippo. «Forse...»

«Oh sì, era proprio lui. Ricordo che qualcuno disse: "Ecco il re". Un uomo sulla cinquantina, in sella a uno stallone nero. Era Tolomeo.»

La fitta di paura che trapassò le viscere di Filippo fu intensissima. Ma uno straniero poteva sempre sbagliarsi...

«Il re è giovane» ribatté con voce neutra. «Poco più vecchio di me. Quando partii, era appena stato eletto un reggente... credo che si chiamasse proprio Tolomeo. Se nel frattempo qualcosa è cambiato, mi stupisce che non me ne sia arrivata notizia.»

«Be', tutto quello che so è che qualcuno lo ha chiamato "re".» Il trace parlò in tono impetuoso, come risentito dei dubbi di Filippo, ma la sua collera sfumò in un baleno. «Forse però quell'imbecille si sbagliava. Agli occhi dei più, un reggente non vale meno di un re. Per quanto mi riguarda, ero molto più interessato al suo cavallo che a Tolomeo. Per gli dèi, se era grosso quello stallone! E così fiero che sembrava respirasse fuoco. Se Tolomeo non è re, forse dovrebbe esserlo, con un cavallo come quello.»

Quella notte, mentre giaceva nel buio rotto solo dal fioco baluginare delle braci, Filippo si sforzò di acquietare i propri timori ed esaminare con obiettività la situazione. Dopotutto, aveva lasciato Tebe da soli quattro giorni, e, se Tolomeo si fosse dichiarato re, certo Pammene ne sarebbe stato informato con l'arrivo della prima nave da Pella. Le notizie fornitegli da quel mercante ubriacone, che ora russava sonoramente dando la schiena al fuoco, erano vecchie di almeno un mese e mezzo. Di conseguenza Perdicca era ancora vivo e nessun mutamento sostanziale era intervenuto.

Il trace si era limitato a dare voce a una realtà di fatto. *Agli occhi dei più, un reggente non vale meno di un re*. Semplicemente, la gente si era abituata a vedere Tolomeo agire come se fosse davvero il sovrano.

E lui ne era certo ben contento, dato che non aveva alcuna intenzione di cedere il potere. Senza dubbio, ormai nessuno si sarebbe sorpreso troppo se Perdicca fosse stato messo da parte e Tolomeo fosse divenuto re di nome oltre che di fatto.

"È proprio questo che progetta di fare" si disse Filippo. "E presto." Di lì a due mesi Perdicca avrebbe compiuto diciotto anni e la presenza di un reggente non avrebbe più avuto alcun significato. Le uniche alternative rimaste a Tolomeo erano la morte o l'omicidio, perché, una volta libero, Perdicca avrebbe certo ordinato di ucciderlo —, non per rafforzare la propria posizione o vendicare Alessandro, ma spinto semplicemente dal desiderio di vendetta che nasce dalla paura. Perdicca lo avrebbe schiacciato per provare a se stesso di non avere più paura. E questo, Tolomeo lo sapeva bene come chiunque altro.

A ovest il cielo era ancora buio quando Filippo si alzò e si vestì. Seduto davanti alla cenere ormai fredda, fece colazione con gli avanzi della cena della sera prima. Nel sorprenderlo lì, l'oste pensò subito che stesse cercando di filarsela mentre tutti dormivano ancora, per non pagare il conto.

«Il tuo denaro è nella borsa appesa allo spiedo» disse Filippo. «Due dracme ateniesi d'argento, nel caso tu pensi che voglia derubarti.»

Una volta rovesciata la borsa e recuperate le dracme, l'oste dichiarò che un simile sospetto non aveva nemmeno attraversato la sua mente, e per fare ammenda — e perché due dracme d'argento erano sufficienti a pagare un banchetto — offrì al giovane una tazza di vino per sciacquarsi la gola e gli preparò una colazione al sacco a base di pane e formaggio più una brocca del suo miglior vino di Lemno. Per due dracme d'argento, avrebbe offerto a Filippo anche la propria figlia.

Quando all'alba le porte della città vennero aperte, Filippo fu il primo a varcarle.

Dava forse la misura della fretta che lo animava il fatto che, tre sere dopo aver lasciato Farsalo, Filippo dormisse nell'ultima delle colonie settentrionali greche, la città di Metone. La mattina seguente, sulla strada che correva lungo la costa, chiese a un contadino, che portava una zappa in spalla, il nome del villaggio successivo e il marcato accento smozzicato dell'uomo gli disse che era arrivato a casa.

Nel primo pomeriggio era ad Aloro. Da lì, non gli sarebbe stato difficile affittare una barca con cui raggiungere Pella, ma sui moli della capitale il suo viso era noto. Certo qualcuno lo avrebbe riconosciuto e nel giro di un'ora Tolomeo sarebbe stato informato del suo ritorno. Si era spinto troppo oltre per rischiare di rovinare tutto per l'eccessiva impazienza, così, sebbene ardesse dal desiderio di arrivare a casa, non abbandonò la strada che si snodava lungo il bordo dell'acqua simile a un amo da pesca. Quella notte dormì all'aperto e il pomeriggio successivo, quando ormai Pella distava solo poche ore, e il paesaggio cominciava a diventargli familiare, si diresse verso l'entroterra. Per la notte avrebbe trovato rifugio nelle pianure in cui da ragazzo aveva giocato e cacciato e dove, con la mente sgombra, avrebbe potuto decidere il da farsi.

Era buio quando si fermò a mangiare in un folto di querce così vicino alla città natìa che poteva vedere il fuoco acceso dagli uomini di guardia alla porta principale. Sì, era vicinissimo, eppure non osava entrarvi... Pella era la città del reggente e la mano di ogni suddito leale si sarebbe levata contro di lui. Ma ritornare in patria senza permesso lo faceva sentire un fuorilegge.

Seduto accanto al fuoco languente, si lambiccò il cervello alla ricerca della maniera per avvicinare Tolomeo quanto bastava per ucciderlo senza che nessuno avesse il tempo di intervenire. Poteva irrompere nel cortile del palazzo e sorprenderlo mentre faceva colazione, ma Tolomeo non era uno sciocco e certo non permetteva a nessuno di entrare armato negli appartamenti reali. Se anche non l'avessero arrestato, gli avrebbero tolto la spada, dopodiché ci avrebbe pensato il reggente a non concedergli un'altra possibilità. Filippo sarebbe finito in una segreta o direttamente in un fossato.

No, bisognava che accadesse all'aperto. Bisognava coglierlo di sorpresa, così da costringerlo a reagire e a impegnarsi in un confronto uomo a uomo, senza trucchi o sotterfugi. E la sfida doveva avere dei testimoni, in modo che Tolomeo non potesse rifiutarla, pena la perdita della sua reputazione di uomo d'onore e coraggioso.

Ma dove? E ancora più importante, come? Filippo non lo sapeva. Avrebbe dovuto lasciare tutto nelle mani degli dèi.

Fu solo al suo risveglio il mattino dopo — un risveglio tardivo perché, quando aprì gli occhi, il sole era già alto nel cielo — che riconobbe il boschetto. Proprio lì, quattro anni prima, il gufo era calato su di lui e gli aveva artigliato il viso. In un certo senso, quello era il luogo in cui Filippo era divenuto adulto.

«Perché mi hai ricondotto qui, Signora?» bisbigliò. «A quale fine? Mostrami ciò che vuoi da me.»

La sua preghiera ebbe una risposta immediata: in lontananza, proveniente da Pella, una macchia scura si stagliava all'orizzonte, una macchia che gradatamente si rivelò essere un drappello di cavalieri. Filippo li vide prima, e dopo poco li udì... il mormorìo di molte voci mescolato ai latrati dei cani e al gemito lungo e sottile del corno. Si stava svolgendo una partita di caccia. E, a giudicare dalle dimensioni, una partita di caccia reale.

Col cuore che gli batteva nel petto come una volpe in trappola, Filippo balzò in piedi. Nascosto dietro il tronco di una quercia, aguzzò gli occhi nel tentativo di dare un volto alle sagome ancora indistinte. Quasi subito riconobbe Gerone, il capostalliere, e immediatamente dopo, in sella al grande stallone nero di cui gli aveva parlato il trace, il reggente in persona, Tolomeo.

«Sei saggia, Signora dai grigi occhi» mormorò allora, come se la dea fosse proprio lì, al suo fianco. «Grazie per aver consegnato il nemico nelle mie mani.»

Poi una subitanea realizzazione lo colpì. "Alastor! Quel figlio di una sgualdrina! Si è preso il mio cavallo!"

«Per gli dèi, se era grosso quello stallone!» aveva detto il trace. *«E così fiero che sembrava respirasse fuoco.»* Filippo non riusciva a capacitarsi; come aveva fatto a non capire?

"Il mio cavallo. Per gli dèi, come ha osato farlo?"

Gli anni avevano attutito la sua collera, ma ora quel sentimento tornava ad ardere più vivo che mai. E lui sapeva che ne avrebbe avuto bisogno.

Un secondo più tardi riconobbe anche il fratello. Dunque non era arrivato troppo tardi.

Il suo cavallo era legato pochi passi più in là. Filippo gli tolse le pastoie e lo imbrigliò, poi raccolse la spada e balzò in sella. I cacciatori erano a non più di un quarto d'ora di distanza.

Uscì dal boschetto ed emerse nella luce. Avrebbe potuto indicare il momento esatto in cui era stato riconosciuto, perché come un solo uomo l'intero drappello tirò le redini e si fermò di colpo. Una strana calma cadde sui cavalieri, quasi fossero usciti dal tempo — tutti, tranne Tolomeo che aveva il suo da fare per tenere quieta la sua cavalcatura.

Filippo si fece avanti e, quando fu a non più di settanta, ottanta passi da loro, gridò la sua sfida.

«Tolomeo di Aloro, io ti accuso di tradimento. Ti accuso di complicità nell'assassinio di re Alessandro. Ti accuso di aver complottato per uccidere re Perdicca e prenderne il posto.»

Per qualche istante non ci fu risposta. Poi il reggente rovesciò all'indietro la testa e rise.

«Queste cose le abbiamo già udite dal principe Filippo» disse. «Come ognuno ricorderà, una volta il mio figliastro mi accusò di aver tramato la sua stessa morte.» Si girò a guardare Perdicca, che era proprio alla sua destra, e rise di nuovo, ma il re non si unì a lui e distolse gli occhi, palesemente diviso tra la paura e l'imbarazzo. Gli altri tacevano, in attesa.

«Quali sono le tue prove, Filippo?» riprese allora Tolomeo. «Mi accusi di crimini atroci, per cui dovrei essere chiamato a rispondere con la vita. Quali sono le tue prove?»

«La prova è nel tuo cuore colpevole, mio signore. Io ti accuso davanti agli dèi luminosi, a cui nulla è celato, e offro la prova della mia spada. Intendo vendicare la mia famiglia, signore, e non credo che oserai rifiutare la mia sfida, perché, se così fosse, io griderò il tuo tradimento al cielo finché avrò fiato. Combatti con me, Tolomeo di Aloro.»

Smontò e non appena a terra estrasse la spada. Poi con una pacca allontanò il cavallo.

«Filippo!» gridò finalmente Perdicca, come svegliandosi da uno stato di trance. «Filippo, ti proibisco, ti proibisco di...»

«La faccenda è andata troppo oltre perché si possa fermarla» lo interruppe Tolomeo, sfilando un giavellotto dalle mani di uno degli stallieri. «Filippo, figlio di Aminta, mio giovane sciocco, hai chiamato la morte su di te!»

Affondò i calcagni nei fianchi del cavallo con tanta forza che ne sprizzò sangue; gridando come un ossesso, lo stallone scattò in avanti.

Per un momento, immobile e come nudo, Filippo sentì il terrore paralizzargli la mente. Tolomeo non intendeva combattere; lo avrebbe semplicemente travolto, spiaccicandolo a terra come un ranocchio.

Poi il terrore lasciò il posto alla collera: Tolomeo era un codardo che aveva rinunciato al proprio onore.

Ebbene, lui non aveva nessuna intenzione di farsi uccidere dal suo stesso cavallo.

«Alastor!» gridò. «Alastor, fermati!»

Negli anni a venire, quelli che erano stati testimoni dell'accaduto dicevano a volte che in quel momento il grande stallone doveva essere posseduto da un dio, perché, a differenza di quella dell'uomo, la mente di un cavallo non è fatta per conservare i ricordi. Un cane riconoscerà il suo padrone anche dopo una vita intera — il poeta Omero non raccontava forse che, ormai vecchio e debole, il cane di Odisseo aveva leccato la mano del mendicante disprezzato da tutti, riconoscendo in lui il signore della casa, tornato dopo anni e anni d'assenza? Ma non un cavallo. La memoria di un cavallo è come una coppa fatta di sabbia. Non trattiene nulla. Di conseguenza, dicevano gli uomini, un dio doveva aver infuso nel cuore della bestia la propria volontà.

Al suono della voce di Filippo, Alastor compì la profezia insita nel suo nome, fermandosi di botto e impennandosi e frustando l'aria. Tolomeo fu scaraventato a terra e stava cercando di strisciare via quando lo stallone ruotò su se stesso e gli calò i grandi zoccoli sulla schiena... una, due, tre volte, come determinato a ridurlo in poltiglia.

«Basta, Alastor!» Filippo lasciò cadere la spada, ormai inutile, e si avvicinò di corsa. «Basta.»

E subito lo stallone si acquietò. Non reagì quando Filippo gli posò una mano sul collo e non si mosse mentre lui si accostava al nemico vinto, che, chissà come, era riuscito a girarsi supino.

Tolomeo fece un vago, futile tentativo di afferrare il giavellotto, che giaceva a terra poco distante.

«Non sento più le gambe» ansimò, quando Filippo si inginocchiò al suo fianco. «Quella bestia mi ha ucciso. Mi ha spezzato la schiena come se fosse un ramoscello... Tua madre diceva sempre che, se non lo avessi fatto tu, ci avrebbe pensato il tuo cavallo.» Cercò di sorridere, ma il sorriso si tramutò in una smorfia di dolore. «Per gli dèi, è il modo di morire, questo?» Ormai le sue parole erano poco più che un sussurro. «Finiscimi... dimostra un po' di pietà. Dov'è la tua spada? Trovala e vendica tuo fratello, perché quell'idiota di Praxis lo uccise dietro mio ordine. Ma lo sapevi già. Finiscimi, maledetto ragazzo. Avevi capito tutto, fin dall'inizio. Ora completa il tuo trionfo su di me.»

Un'ombra oscurò il viso del morente. A Filippo sarebbe bastato alzare gli occhi per vedere suo fratello Perdicca incombere su Tolomeo.

«Rivendico per me quest'onore, mio signore» sibilò Perdicca.

Solo allora Filippo alzò la testa e vide. Sollevò il braccio come per deviare il colpo e fece per dire qualcosa, ma era troppo tardi. Stringendo l'asta del giavellotto con entrambe le mani, Perdicca cercò il punto giusto nel petto di Tolomeo e gli trapassò il cuore.

XXII

«Non lo dimenticherò, Filippo. Mi hai reso un grande servizio.»

«Non avresti dovuto ucciderlo.»

Filippo e suo fratello non sarebbero rimasti soli ancora per molto. Già gli altri stavano smontando di sella e si precipitavano verso di loro.

«Perché no? Era un traditore... lo hai udito dalle sue stesse labbra. O forse volevi ucciderlo tu stesso?»

«Non si tratta soltanto di questo. Se fosse morto per mano mia, tutto sarebbe rimasto nei limiti di una lite privata. Ma è stato ucciso dal re, e per legge questo fa di lui un traditore. Ora la stessa accusa ricade su tutta la sua famiglia. Potrai salvare nostra madre, ma lui aveva un figlio.»

«Filosseno? Gli sei molto amico? Per quanto mi riguarda, posso fare benissimo a meno di lui.»

«È bene che sia così, perché lo hai appena condannato.»

Nessuno sentì, forse neppure Perdicca. Gli occhi degli uomini che si assiepavano intorno a loro erano fissi sul volto del morto. Sembravano incapaci di credere che, dopotutto, anche lui era stato un essere mortale.

Nessuno fece caso a Filippo che si allontanava. Gli restava un ultimo dovere verso il fratello ed era ansioso di compierlo. Forse avrebbe cancellato il ricordo di quella odiosa scena.

Trovò la spada, e tra il bagaglio dei cacciatori recuperò un piccolo scudo di bronzo. Avvicinandosi agli uomini che ancora muti fissavano il cadavere del loro signore, cominciò a percuotere lo scudo con il lato piatto della spada.

«Il re ha agito da uomo e si è disfatto del traditore Tolomeo» gridò. «Rimetto la mia vita e il mio onore a Perdicca, re dei Macedoni. Lunga vita a Perdicca!»

Per un momento lo guardarono come se fosse impazzito. Poi cominciarono a capire: l'uno dopo l'altro sguainarono le spade e iniziarono a batterle contro gli scudi.

«Perdicca!» gridavano. «Perdicca, re dei macedoni!»

Nella loro esultanza, avevano già quasi dimenticato il reggente.

Per quel giorno non ci sarebbe stata caccia. Invece sarebbe toccato al corpo di Tolomeo di essere legato sul dorso di una delle bestie da soma come un grosso cinghiale abbattuto. Era tempo di tornare a casa.

Filippo si accostò ad Alastor che pascolava tranquillamente. Il grande stallone accettò senza reagire il tocco della sua mano, e, quando alzò la testa, lui si affrettò a togliergli il morso.

«Ti prometto che non lo porterai mai più» sussurrò all'orecchio del cavallo, mentre esaminava il morso — uno strumento crudele, abbastanza aguzzo da tagliare la carne. «Aveva così paura di te, dunque? Di te, che sei docile come un gattino appena nato?»

Si afferrò con entrambe le mani alla criniera di Alastor e con leggerezza gli saltò in groppa. Alla prima, lieve pressione delle sue ginocchia, lo stallone partì: al passo, poi al trotto e infine, brevemente, al galoppo, prima di fermarsi di nuovo. Ancora una volta e come in passato, cavallo e cavaliere parvero fondersi in un solo essere.

Filippo si chinò ad accarezzargli il collo.«Non ti abbandonerò mai più.» Non aveva mai provato tanto amore, un amore fatto di gratitudine e sollievo, per una creatura vivente. «Finché avremo vita, tu apparterrai a me e a me soltanto. Te lo giuro.»

Durante il tragitto, Perdicca e Filippo, re e principe, si tennero un po' in disparte dagli altri.

«Fra due mesi sarò maggiorenne» disse Perdicca, che sembrava elettrizzato dalla prospettiva. «E allora sarò re di fatto e non solo di nome. Fra due mesi potrai chiedermi qualunque ricompensa, e la otterrai.»

Filippo si girò a guardarlo. Dall'espressione disgustata del suo viso, lo si sarebbe detto offeso.

«Sei già re di fatto, se solo ti deciderai a capirlo. Oggi ti sei dichiarato adulto. Non ci sarà un altro reggente.»

«Credi davvero?»

«Chi oserebbe proporlo, dopo quanto è successo?»

La sua risposta parve soddisfare enormemente Perdicca. Ebbe un sorriso teso, quasi si sforzasse di contenere la propria esultanza, e assentì. «In questo caso fa' la tua richiesta.»

L'altro non rispose e, dopo lunghi minuti di silenzio, fu di nuovo Perdicca a prendere la parola.

«Darò subito il via all'epurazione degli amici di Tolomeo» annunciò. «Convocherò il consiglio...»

«Attento, fratello. Ci sono molti bravi uomini in consiglio, uomini che non puoi permetterti di avere contro. Non sono colpevoli di alcun crimine.»

«Non è un crimine servire un traditore?» Perdicca era sul punto di infuriarsi, ma Filippo scosse la testa.

«Se lo fosse, allora tutti i Macedoni sarebbero traditori. Certo, alcuni dovranno essere mandati in esilio... Lucio, per esempio. Sciocco com'è, se restasse a Pella provocherebbe sicuramente qualche guaio... Ma non dovranno esserci esecuzioni. Il Paese è già abbastanza debole.»

«Sembri dimenticare che sono io, e non tu, il re.»

Filippo, che non aveva mai imparato a temere il fratello, si accontentò di guardarlo con tanto disprezzo che Perdicca arrossì.

«Esilieremo Lucio» assentì a disagio quest'ultimo. «Alla sua giovane sposa non farà piacere... puoi immaginare che vita sarà la sua, segregata in qualche tana di montagna con quell'imbecille. Ma hai ragione. Quell'uomo è un idiota pericoloso.»

«Si è già risposato?» sogghignò Filippo, che aveva deciso di accettare le scuse inespresse del fratello. «Chi se lo è preso?»

«Nostra cugina Arsinoe. Non è uno spreco da far piangere gli dèi? Ha persino messo al mondo un figlio, sebbene in giro si mormori che non è di Lucio. È stato Tolomeo a organizzare il matrimonio. Sembrava considerarlo uno scherzo terribilmente divertente.»

Rise forte. Aveva evidentemente dimenticato la parte di Filippo in quella vicenda e non si accorse degli sforzi che il fratello faceva per mantenere la calma, né di quanto poco ci riuscisse.

Ormai erano così vicini alla città da distinguere i soldati di guardia sulle mura. Bisognava tornare alla realtà

«Vedi come ci osservano?» disse Filippo. «Si stanno chiedendo per quale motivo i cacciatori rientrano così presto, e forse si sono già accorti che sono io, e non Tolomeo, a cavalcare al tuo fianco. Presto noteranno anche il fardello caricato sulla bestia da soma e capiranno che è un cadavere. Nello spazio di un quarto d'ora, tutta la città saprà che Tolomeo è morto. Sarà meglio che tu pensi a ciò che dirai a nostra madre.»

«Quando verrà informata della verità, capirà.» Perdicca deglutì con una certa fatica, come se la verità avesse un gusto amaro anche per lui. «Era un uomo malvagio, ed è impossibile che lei fosse così cieca da non capirlo. Quando saprà che è stato lui a uccidere Alessandro...» La voce gli morì in gola mentre cominciava a realizzare ciò che lo attendeva. Faceva quasi pena.

Filippo non rispose subito. Non amava la madre e questo gli garantiva una maggiore obiettività. La passione di Euridice per Tolomeo era sempre rimasta un mistero per lui come per Perdicca, ma non commetteva l'errore di sottovalutarla.

«Forse dovresti precederci e annunciarle l'accaduto» suggerì infine.

Perdicca si limitò a un cenno di diniego.

Già parecchia gente si era radunata alle porte della città. Erano ancora troppo lontani perché Filippo potesse distinguere i volti degli uomini, ma, da come stavano raggruppati in piccoli capannelli, appariva evidente che sapevano già della morte del reggente. Era una tragedia, anche se Tolomeo non aveva mai ispirato troppo affetto. Si dolevano per se stessi, non per lui. Che cosa sapevano di Perdicca? Nulla. Per la gente comune, che a volte è più saggia dei suoi governanti, i cambiamenti sono sempre in peggio.

«Io resterò indietro con gli altri» dichiarò Filippo. «Tu sei il re. Pella è la tua città, ora, e devi prenderne possesso.»

Perdicca non rispose, ma il suo viso mutò. La sua espressione era un misto di ansietà e trionfo, e fu il trionfo a prevalere. No, non avrebbe voluto dividere quel momento con nessuno.

Ma fu un trionfo breve, il suo. Il re e i suoi compagni varcarono le porte, aprendosi il passaggio tra la folla muta e timorosa. Nessuno gettò manciate di fango contro il corpo del reggente e non ci furono grida di esultanza. Per evitare contrasti con Tolomeo, Perdicca era quasi sempre stato tenuto lontano dagli occhi dei suoi concittadini. Quasi nessuno lo riconobbe e quei pochi che lo fecero non sapevano che razza di governante si sarebbe dimostrato. Vedevano soltanto il futuro passare in mezzo a loro con il passato gettato sul dorso di un animale da soma. Il futuro era un'incognita; tutto sommato, preferivano il passato.

Un'analoga apprensione sembrava attanagliare i componenti della scorta reale, che svanirono come per magia lungo il breve tragitto dalle porte al cortile del palazzo reale. Forse temevano di diventare i bersagli di una vendetta, forse preferivano starsene in disparte per un po', in attesa di vedere che uso Perdicca avrebbe fatto del potere. O forse fiutavano il tributo di sangue che la morte di Tolomeo avrebbe preteso e non desideravano essere ricordati come i testimoni di quanto sarebbe inevitabilmente accaduto una volta che il re avesse varcato la soglia. Comunque fosse, si erano ridotti a uno sparuto gruppetto quando porsero le redini agli stallieri.

Euridice aspettava in piedi al centro della corte. Il suo viso era pallido e, seppure rigato dalle lacrime, immobile come una pietra.

«Mostrami il suo corpo» disse; dalla sua voce non trapelava nulla e si alzò appena quanto bastava perché tutti la udissero e percepissero l'autorità di chi era stata madre e sposa di re.

Slegarono il cadavere di Tolomeo e lo adagiarono per terra davanti a lei, ancora avvolto nella coperta. Euridice si chinò a sollevarla per un angolo e la tirò via.

Il viso del morto era irrigidito in un'espressione di stupore. Euridice gli si inginocchiò accanto e, con la mano scossa da un tremito quasi impercettibile, gli chiuse gli occhi. Poi gli toccò la barba e il volto, come aveva fatto mille volte quando lui era ancora in vita. Quella carezza, in cui si mescolavano tenerezza e passione, tradiva la più profonda delle angosce. Gli sfiorò il petto con le dita e trasalì quando le ritrasse sporche di sangue. Rimase a fissarle, un lampo di follia negli occhi.

Perdicca si fece avanti e la prese per le spalle. Fu l'azione più coraggiosa della sua vita.

Bruscamente lei sollevò la testa e lo guardò. Per un istante parvero diventare due statue, impietriti per sempre in un tempo e in una realtà che appartenevano solo a loro.

«Com'è morto?»

«Era un traditore, madre. Ha assassinato Alessandro e avrebbe...»

«Com'è morto?» ripeté lei, scandendo le parole a una a una. «Chi l'ha ucciso?»

Perdicca la lasciò andare e indietreggiò. Aveva esaurito tutto il suo coraggio; non gliene restava a sufficienza nemmeno per mentire.

«Sono stato io.» La sua faccia si raggrinzì, come se stesse per scoppiare a piangere. «Ho dovuto, madre. Se...»

Lei si alzò di scatto, simile a un serpente che svolge le sue spire, e levò la mano, con le unghie protese ad artiglio. Sembrava pronta a colpirlo, a lacerargli il viso, ma non lo fece. Non c'era più nulla di umano in lei.

«Io ti maledico!» gridò. «Maledico l'ora in cui ti ho messo al mondo, l'ora in cui non ti ho strangolato con il cordone ombelicale. Maledico tutti i giorni della tua vita. Che tu possa morire com'è morto lui, sotto occhi stranieri. Che il tuo regno sfoci nella distruzione e nessun figlio prenda il tuo posto. Ti maledico, Perdicca! La maledizione materna ricada su di te!»

Poi si girò e corse dentro. Non vide Filippo che si avvicinava.

«È pazza!» gemette Perdicca, posando una mano sulla spalla del fratello come se non si fidasse delle proprie gambe.

«Lo è da molto tempo... davvero lo ignoravi? Solo gli dèi sanno che cosa farà ora. Forse sarebbe meglio non lasciarla sola.»

«Mi ha maledetto. Ha invocato su di me morte e rovina.» Pazzo di terrore, il re dei Macedoni si avvinghiò al fratello minore come un bambino alla sua nutrice. «Dev'essere costretta a ritrattare la sua maledizione.»

Filippo scosse la testa, raggelato fin nel profondo dell'anima.

«Non lo farà. Non la ritratterà, neppure se tu la facessi fare a pezzi. Sa odiare, quella donna.»

Gentilmente, con delicatezza quasi femminile, si liberò della stretta.

«Qualcuno deve andare da lei» mormorò. «Lo farò io.»

Da più di due anni non metteva piede nel palazzo. Conosceva la strada, ma la percorse come immerso nel sogno, dove ciò che è familiare ci è al tempo stesso ignoto. Passò accanto a servi troppo sorpresi perfino per inchinarsi.

La porta degli appartamenti del reggente era chiusa a chiave.

«Madre, lasciami entrare. Sono io, Filippo.»

Nessuna risposta, ma un momento dopo echeggiò un grido. Non sembrava la voce di Euridice.

«Madre, apri la porta... subito!»

Picchiò i pugni contro le pesanti assi di legno e infine ci si scagliò contro con tutto il peso del corpo, ma la porta era solida come un muro.

"Mi serve aiuto" pensò allora. "Prima che sia troppo tardi." Ma dentro di sé sapeva che era già troppo tardi.

Nel grande salone trovò Glauco, che lo stava cercando. Non ci fu neppure il tempo per un abbraccio.

«Chiamate due uomini e portate qui quella panca» ordinò, incespicando nelle parole per la fretta. «E avvertite il vecchio Nicomaco... potrebbe esserci bisogno di lui.»

Il corridoio era stretto e la porta robusta. Furono necessari parecchi tentativi per abbatterla. Appena dentro, Filippo sentì l'odore del sangue.

Una servetta stava accovacciata sotto un tavolo; tremava e piangeva, troppo impaurita per rispondere alle loro domande. All'altezza del seno la sua tunica era sporca di sangue, ma non era ferita. Solo gli dèi sapevano a quale spettacolo aveva assistito.

Filippo entrò solo nella camera della madre. Lei era lì, bocconi sul letto, la testa immersa in una pozza di sangue. Si era tagliata la gola.

Il coltello era accanto al cadavere.

«Anche tua sorella è morta.»

Filippo si girò verso Nicomaco, in piedi sulla soglia. Aveva le mani lorde di sangue.

«Meda?»

«Sì... Meda.» L'anziano medico scosse la testa, come incapace di crederci lui stesso. «Io l'avevo aiutata a nascere. Io...»

Filippo non provava nulla. Sapeva che più tardi, una volta che la realtà gli fosse piombata addosso, sarebbe arrivato anche il dolore, ma in quel momento non riusciva neppure a piangere. Si chinò a raccogliere il coltello.

«Deve aver ucciso Meda e poi essere corsa qui, a suicidarsi. Quale demone l'aveva invasa?»

Nicomaco rimase in silenzio. Non aveva risposte da offrire.

«La mia famiglia vive sotto il giogo di una maledizione» disse Filippo, stupefatto dalle sue stesse parole. «Una maledizione che non ha ancora distillato tutto il suo veleno.»

XXIII

Il cadavere di Tolomeo fu portato a Ege, la vecchia capitale dove venivano sepolti tutti i re di Macedonia, per essere crocifisso sulla tomba di Alessandro. Il figlio Filosseno, per legge accusato a sua volta di tradimento, era stato condotto davanti all'assemblea e quindi impalato sulle lance di quegli stessi uomini che, meno di tre anni prima, avevano eletto reggente suo padre.

In quanto capo della famiglia, Perdicca appiccò personalmente il fuoco al rogo funebre della sorella, le cui ossa vennero avvolte in stoffe oro e porpora e collocate in una scatola d'oro nel vestibolo della tomba paterna. Come tutti i suicidi, Euridice fu cremata durante la notte, perché la sua vista non offendesse gli dèi, e l'urna finì in una tomba anonima fuori delle mura cittadine.

Tutto ciò venne sbrigato nel giro di pochi giorni dopo che la morte di Tolomeo era stata sanzionata dalla legge e dalla tradizione, ma nulla avrebbe potuto cancellare la macchia che lordava l'avvento del regno di Perdicca. La gente diceva che sarebbe stato un re sfortunato, segnato per sempre dalla maledizione della madre.

E in un primo tempo Perdicca stesso parve voler confermare quei timori, perché il suo comportamento era quello di un uomo travolto dal panico. Si circondò degli uomini che non avevano goduto del favore di Tolomeo e che si vendicarono di tre anni di soprusi sollecitandolo a eliminare tutti i seguaci del defunto reggente. Molti processi di tradimento si svolsero davanti all'assemblea, così tanti, in effetti, che i soldati finirono per stancarsene e rifiutarsi di arrestare uomini il cui solo crimine consisteva nell'essere stati fedeli a un'autorità che tutti avevano accettato. Infine lo stesso Perdicca comprese che quei processi erano malvisti e pericolosi, e vi pose fine.

Ma la paura non lo abbandonò. Avrebbe temuto perfino il fratello minore, se fosse stato possibile. Ma neppure Perdicca poteva dubitare della lealtà di Filippo, e inoltre il giovane non manifestava alcun interesse per il potere. Le morti della madre e della sorella parevano averne fiaccato lo spirito.

Aveva voluto bene a Meda, sebbene l'avesse vista di rado dopo il matrimonio con Tolomeo. Sua madre lo aveva detestato e sfuggito e proprio per questo, perversamente, Filippo soffrì della sua morte, come sempre si soffre per chi non ci ha mai neppure permesso di amarlo. Fu lui, l'ultimo e il meno amato dei suoi figli, a scavare la tomba di Euridice, a fare offerte di vino al suo spirito perché trovasse riposo.

Filippo stava incominciando a credere che la maledizione di Euridice fosse stata, più che l'esternazione della sua sofferenza e della sua follia, l'espressione della volontà divina. Gli sembrava che la casa degli Argeadi avesse perso per sempre il favore degli dèi e fosse ormai condannata all'annientamento e all'estinzione. Prima Alessandro, poi Meda e sua madre... tutte vittime del tradimento e della follia. Della famiglia reale era rimasto solo Perdicca, e Perdicca era un re geloso e apprensivo, infinitamente lontano da lui. Solo sporadicamente Filippo riusciva a esercitare la sua influenza sul fratello; per la maggior parte del tempo i suoi consigli cadevano nel vuoto.

Unicamente di una cosa Filippo poteva dirsi soddisfatto. Con una parola al momento opportuno aveva evitato a Lucio un destino ben peggiore della messa al bando. Almeno sei dei seguaci del reggente erano stati condannati a morte e Lucio, che aveva seguito Tolomeo come un cane fedele fin dalla fanciullezza, che aveva persino dato il suo nome al figlio, avrebbe avuto la loro stessa sorte se Filippo, del tutto casualmente, non avesse fatto il suo nome parlando di coloro nei cui confronti il re avrebbe dovuto mitigare la propria collera.

Perché Lucio non sarebbe morto solo. La condanna per tradimento prevedeva la distruzione di un'intera linea di parentela — moglie, fratello e bambini, fino ai figli ancora nel ventre materno. La legge non operava distinzioni tra il colpevole e l'innocente. E nessuno, neppure il re, poteva cambiare la legge.

Per caso, e senza averne intenzione, Filippo si trovò fra la folla che si era radunata per assistere alla partenza di Lucio. Il nobile caduto in disgrazia percorse a cavallo le strade di Pella, perso nei propri pensieri e senza guardare nessuno; lo seguivano i servi, curvi sui bastoni come già stanchi all'inizio del viaggio, e, su un carro coperto da un telone, la sua famiglia. Fu così che Filippo vide per l'ultima volta Arsinoe.

Era bella come un tempo, forse ancora di più perché in alcune donne la collera conferisce maggiore personalità ai tratti del viso. E mentre il carro procedeva lento, gli occhi di lei frugavano tra la moltitudine, come a volersi imprimere nella mente i volti dei nemici in previsione di una futura vendetta.

Quando vide Filippo — e chi può dire se per tutto il tempo non avesse cercato lui e lui solo? — il suo viso si indurì ancora di più. Prese tra le braccia il figlio e se lo portò al seno. Mentre lo accarezzava e lo baciava, i suoi occhi non lasciarono mai il volto di Filippo.

"Sì, è mio figlio" pensò lui. "E vuole che io lo sappia. È l'unica vendetta che le sia consentita, ed è sufficiente."

Gli sembrò che quella fosse l'ultima, suprema sconfitta.

E, un poco alla volta, Filippo si chiuse sempre di più in se stesso. A meno che non avesse affari da sbrigare, e capitava di rado, non si recava quasi mai a corte. Un appartamento era a sua disposizione nel palazzo, ma lui continuò a vivere nella casa del vecchio Glauco. Trascorreva gran parte del suo tempo fra la gente comune, soldati e artigiani. Anzi, ne passava così tanto nei cantieri intorno a Pella che cominciò a circolare la voce che volesse lui stesso diventare tagliapietre.

Era una voce infondata, ma solo nei fatti, perché proprio quello era il destino a cui Filippo, principe di Macedonia ed erede al trono, anelava con l'ardore che gli altri uomini riservano alle donne o al denaro. Avrebbe rinunciato a tutto pur di dimenticare che nelle sue vene scorreva sangue di re, perché la nascita lo aveva legato a un destino malvagio che sembrava essere l'unica legittima eredità della famiglia.

Essere un tagliapietre e passare la vita a riempirsi le mani di calli. O, ancor meglio, imbarcarsi con i marinai che facevano sosta in città sulla rotta per il Mar Nero... non sarebbe stato magnifico prendere il largo con la brezza del mattino e non vedere mai più Pella?

Ma nulla di questo poteva accadere, perché lui era non solo un argeade ma anche un macedone. Non gli era rimasto altro; negarlo non gli sarebbe valso a nulla e di questo fu ancor più consapevole quando ricevette la convocazione del re suo fratello.

Trovò Perdicca nella stanza che era stata lo studio del padre, e in cui lui non era entrato più di due volte in tutta la sua vita. Il re sedeva a un grande tavolo e alle sue spalle, intento a illustrargli qualcosa su una mappa, stava un ciambellano che Filippo non conosceva. Il viso di Perdicca era imbronciato, ma negli ultimi tempi quell'espressione gli era divenuta consueta e non significava necessariamente che quanto ascoltava gli riuscisse sgradevole. Passò qualche istante prima che si accorgesse di Filippo e allora il suo cipiglio si accentuò.

«Dove ti eri rintanato? A giocare col fango insieme con i tuoi amici operai?»

Filippo non rispose, non lo guardò neppure. Teneva gli occhi fissi sul ciambellano, quasi stesse cercando di capire che cosa mai ci faceva lì. Alla fine Perdicca comprese e alzò la mano in un gesto di congedo.

«Molto bene, Skopos, puoi andare ora. Voglio parlare con il principe Filippo da solo.»

Entrambi attesero in silenzio che l'uomo uscisse e chiudesse la porta dietro di sé.

«Quest'ultimo mese quasi non ti ho visto» esordì allora Perdicca. «Non vieni mai a corte... la gente comincia a chiacchierare!»

«Non mi inviti a sedermi? Oppure sono in disgrazia?»

Con un cenno impaziente e quasi risentito, il re gli indicò l'unica altra sedia della stanza.

«Voglio che d'ora in poi tu partecipi alle riunioni del consiglio.»

«Perché dovrei? Hai già i tuoi consiglieri.»

«Perché sei l'erede!»

«Hai forse avuto premonizioni di morte?» Filippo sogghignò, ma subito dopo provò un po' di vergogna. «Non hai bisogno di me, Perdicca, e io preferisco starmene alla larga. Invecchierò come tuo erede.»

«Nondimeno, la tua assenza sta incominciando a creare l'impressione che ci siano dei dissidi tra di noi. Sappiamo tutti e due come vanno queste cose... Non vorrei che il tuo atteggiamento favorisse la nascita di fazioni a me ostili.» La risata di Filippo parve irritarlo ulteriormente. «Non c'è niente da ridere» continuò Perdicca. «La Macedonia è già abbastanza debole e non possiamo permetterci una spaccatura proprio al vertice.»

«Stavo semplicemente pensando in quale triste sorte incorrerebbe un mio eventuale partigiano. Che cosa farebbe? Si unirebbe a me nel trasporto delle pietre destinate alla costruzione del nuovo granaio cittadino? Un paio di giorni basterebbero a rammentargli la lealtà che è dovuta al re.» E Filippo alzò le spalle, come a sottolineare l'assurdità di quell'idea. «Ma non mi hai chiamato per sollecitarmi a partecipare alle riunioni del consiglio. Le poche volte che ho presenziato, nessuno ha prestato ascolto alle mie parole. Così mi sono detto che tanto valeva che la smettessi di causarti imbarazzo. Dimmi piuttosto che vuoi realmente.»

«Che cosa sai dell'Elimea?» Palesemente lieto di quell'opportunità per cambiare argomento, Perdicca spinse verso il fratello la mappa. Filippo la degnò appena di uno sguardo.

«Che cosa c'è da sapere?»

«Hanno un nuovo re, e si ribellano alla mia autorità.»

Filippo sorrise. «Ti prego di non prenderlo come un affronto alla tua persona, fratello, ma i re di Elimea si ribellano al potere centrale da più di un secolo a questa parte.»

«Già, ma questo fa sul serio. Continua a inviare uomini a devastare le pianure, e dev'essere persuaso a desistere. *Tu* devi convincerlo a smetterla.»

«Ma di che cosa stai parlando?»

Questa volta toccò a Perdicca sorridere. Finalmente era riuscito a stupirlo.

«Voglio che tu vada a Eana e ti occupi di questo bandito che si proclama re. Ho bisogno di pace lungo il confine occidentale e mi aspetto che sia tu ad assicurarmela. Corrompilo, minaccialo, fa' tutto quello che ritieni necessario, ma persuadilo a sospendere le incursioni.»

«No.» Filippo fece un cenno di diniego. «Manda qualcun altro. Manda un ambasciatore... esistono per questo, no?»

«Con tutta probabilità Derda mi rimanderebbe i miei ambasciatori fatti a pezzi.»

«Ah, molte grazie!»

«Oh, tu non correrai rischi.» Perdicca fece un gesto noncurante, con la mano. «Sa che, se ti uccidesse, sarebbe la guerra e inoltre ci sono non so quali legami di parentela tra noi. Puoi partire domani?»

Filippo era sul punto di rifiutare ancora, quando si rese conto che in realtà non lo desiderava affatto. Non faceva grande affidamento sul senso della famiglia di Derda, ma almeno avrebbe avuto qualcosa da fare.

Per la prima volta dopo intere settimane, avvertì una scintilla di interesse per la vita.

«Molto bene, allora... domani mattina.»

Quando Filippo lasciò la città, era così presto che solo le guardie alle porte assistettero alla sua partenza. Perdicca gli aveva offerto una scorta militare, ma lui l'aveva rifiutata; da solo si sarebbe mosso più rapidamente e inoltre, se Derda avesse avuto intenzione di ucciderlo, una volta a Eana i venti o trenta uomini della scorta gli sarebbero stati di ben poca utilità.

Per il viaggio si era concesso tre giorni. «Non sono disposto a tollerare l'ospitalità di quei barbari per più di due notti» aveva detto al fratello. «Ciò che non potrà essere risolto in questo lasso di tempo, non lo sarà mai più. Dopodiché ritornerò. Se non mi rivedrai entro dieci giorni, saprai che sono morto.»

«E sarai vendicato» fu l'amabile osservazione di Perdicca.

«Ma Derda non oserà...»

«Perché no? Non finisco mai di stupirmi di ciò che gli uomini osano.»

Filippo sfruttò al massimo la prima giornata di viaggio e quella sera si accampò nelle pianure occidentali, ai piedi delle montagne, da cui il mare era ormai invisibile. In seguito però il terreno si fece più accidentato e la sua marcia più lenta. I campi coltivati diminuivano e aumentavano le greggi, ma anche a occhi chiusi il giovane avrebbe capito di essere ormai nella Macedonia superiore. Sentiva gli zoccoli di Alastor graffiare il suolo sassoso.

Di tanto in tanto faceva sosta in un villaggio per rifornirsi di cibo e acqua. Gli anziani lo accoglievano con cordialità, felici di avere notizie fresche e un ascoltatore nuovo su cui riversare le proprie lamentele. Se gli chiedevano come si chiamasse, lui si accontentava di rispondere: «Filippo, figlio di Aminta», e quelli annuivano. Un nome di per sé non significa nulla e per quella gente Filippo era semplicemente uno straniero. Gli parlarono delle incursioni lungo il confine.

«Il re dovrebbe fare qualcosa. Abbiamo bisogno di una guarnigione; solo così gli Elimioti se ne staranno tranquilli.»

«La situazione è dunque così brutta?»

«La sorella di mia moglie ha sposato un uomo originario di un villaggio che dista due ore di cammino da qui. È stato ucciso e la sua casa bruciata. Avranno anche dei bei cavalli, ma questi nobili delle montagne non sono altro che ladri.»

Lanciò un'occhiata alla cavalcatura di Filippo e parve imbarazzato, ma lui rise e spostò la conversazione sulle prospettive del raccolto.

Ma ciò che l'uomo gli aveva raccontato rispondeva a verità. Circa un'ora prima del tramonto, si trovò a passare per un villaggio che era stato raso al suolo non più di quattro giorni prima. Molta gente era morta, fra cui tre bambini, e quasi tutte le greggi trafugate. Filippo lasciò agli abitanti un po' di denaro a nome del re, ma non poté promettere sicurezza né vendetta e si allontanò con i lamenti delle donne che ancora gli echeggiavano negli orecchi.

Quella sera si accampò nelle ombre del monte Bermion, che delimitava il confine del regno di suo fratello. L'indomani si sarebbe trovato nella terra degli Elimioti.

Era stato mandato lì a morire? Perdicca si *aspettava* che lui fosse ucciso? Filippo non riusciva a crederlo. Perdicca non aveva nulla da temere da lui e la sua morte non gli avrebbe portato alcun vantaggio. Inoltre, il Paese era troppo debole persino per sostenere una guerra contro Derda, e l'esercito avrebbe preteso la guerra se l'erede al trono fosse stato assassinato. Eppure Perdicca non aveva esitato a mettere a repentaglio la vita del fratello, sulla semplice considerazione che il re di quella miserevole tribù avrebbe forse scelto di comportarsi come uno statista e non come un bandito. E Alessandro lo aveva mandato come ostaggio a Bardili, re degli Illiri, lasciando la sua vita appesa a un filo altrettanto sottile. Che cosa c'era di sbagliato nei suoi familiari, si chiedeva Filippo, perché dessero così poco peso ai legami affettivi?

In pianura era estate, ma a quell'altitudine il vento che soffiava dalle montagne aveva un vago sentore di neve. Filippo, fortunatamente, aveva trovato riparo sotto una sporgenza rocciosa e, ben avviluppato nella coperta da viaggio, non era troppo scomodo. Aveva passato all'aperto nottate ben peggiori.

Si sforzò di elaborare un piano, ma rinunciò quasi subito,

preferendo affidarsi all'istinto. Solo gli dèi sapevano che cosa avrebbe trovato una volta raggiunta Eana. E solo gli dèi sapevano che razza di uomo fosse Derda, succeduto al padre meno di un anno prima e praticamente sconosciuto al di fuori del proprio regno. Molto, molto meglio non avere alcun piano... un piano poteva solo intralciarlo.

E mentre così rifletteva, si rese conto di essere felice. Finalmente i suoi pensieri indugiavano su questioni che non erano automaticamente fonte di rimorso o di dolore. I suoi occhi erano di nuovo rivolti al mondo e per lui la fuga da se stesso era forse la condizione che più si avvicinava alla felicità.

Mezzogiorno era passato da pochi minuti quando, il giorno dopo, avvistò la prima sentinella elimiota — un uomo a cavallo, su un crinale che si stagliava contro il cielo come la lama di un coltello, a circa mezz'ora di marcia. Cavallo e cavaliere rimasero immobili a lungo, prima di scomparire all'orizzonte. La sentinella aveva esaurito il suo compito; aveva fatto sì che Filippo prendesse atto della sua presenza.

Ma già da un po' di tempo Filippo si sentiva osservato — bisognava essere ciechi per non accorgersene. Quello non fu che il primo avvistamento, e naturalmente ne seguirono altri. Secondo i calcoli di Filippo, la pattuglia che da circa tre ore lo tallonava era composta da dieci o dodici uomini.

Sembravano seguire un preciso protocollo. Non gli si avvicinavano, ma volevano fargli sapere che erano lì, non fosse altro che per affermare l'autorità del loro re. A quell'ora certo un messo era già in viaggio per Eana, e loro non avrebbero agito prima di ricevere istruzioni.

Probabilmente, si disse Filippo, non sapevano che cosa pensare di lui. Non aveva bestie da soma, di conseguenza non era un mercante. Cavallo e bardatura lo indicavano come un aristocratico, ma di norma diplomatici o membri dell'aristocrazia in visita viaggiavano con molta più pompa. Forse sospettavano che fosse un fuggiasco, e in questo caso il suo arrivo nel regno di Derda avrebbe potuto essere una fortuna quanto un motivo di problemi diplomatici. Una cosa era certa: finché non fosse arrivato in città, mille interrogativi si sarebbero affollati nelle menti dei ministri del re.

"Bene" si disse Filippo. "Che si lambicchino pure il cervello." Era deciso a sfruttare tutto il vantaggio della sorpresa.

Aveva già attraversato due o tre grossi villaggi, ma senza

mai fermarsi. Le donne e i bambini scappavano nel vederlo, e gli uomini abbassavano gli occhi, quasi sperando di renderlo invisibile. Perfino sulle montagne i Macedoni erano generalmente ben accolti, ma non lì. Forse anche i locali percepivano la vigilanza dei soldati del re, e avevano paura.

Nel primo pomeriggio, mentre percorreva una valle angusta, se li trovò improvvisamente su entrambi i lati, disposti in fila lungo i sentieri che si snodavano tra le colline a nord e a sud. Ne contò undici in tutto. Probabilmente in quel momento il dodicesimo stava facendo il suo rapporto a Eana.

Erano così vicini che, gridando, Filippo avrebbe potuto farsi sentire, e non gli sarebbe dispiaciuto farlo, se non altro per stuzzicare i loro nervi delicati, dato che ormai l'intento intimidatorio era palese, ma rimase zitto. Non sarebbe stato cortese da parte sua.

Era quasi sera quando arrivò in vista della città. Alzò gli occhi e improvvisamente se la trovò davanti — una cerchia di mura e poche torri sulla sommità di una bassa collina. Si diceva che vi abitassero quattro o cinquemila persone, ma di primo acchito Eana non sembrava molto più di un villaggio fortificato.

I suoi accompagnatori dovevano aver deciso che ormai si era avvicinato a sufficienza, perché, sebbene Filippo si fosse fermato per attenderli, lanciarono i cavalli al galoppo e nel giro di pochi minuti il giovane si trovò circondato da un gruppo di soldati armati.

«La tua spada, straniero, e il motivo della tua venuta» ringhiò in una versione leggermente più rozza del dialetto macedone uno di loro, presumibilmente l'ufficiale in comando. Era un uomo dall'aspetto fiero — si sarebbe detto che per lui fosse un punto d'onore apparire tale — e sembrò particolarmente sorpreso quando Filippo gli indirizzò un sorriso.

«Il motivo della mia venuta riguarda solo il tuo signore, bifolco, non te. E se insisti per farmi estrarre la spada, è probabile che finirai col pentirtene.»

La sua risposta strappò una breve risata agli altri soldati, che però si azzittirono subito nel vedere l'espressione irata del loro capo.

«Sostieni dunque di essere un ambasciatore?» chiese questi, sperando evidentemente di poter fare marcia indietro senza perdere la faccia. Filippo tuttavia non era propenso a fargliela passare tanto liscia.

«Non sostengo proprio niente, se non che stai cominciando a diventare noioso. Quindi accetta il mio consiglio e togliti dai piedi.»

Fu una di quelle decisioni che sembrano formarsi in modo autonomo. Filippo era solo. Qualunque autorità si attribuisse gli veniva solo da una lettera con il sigillo di Perdicca e dalla sua audacia che, sospettava, delle due era la garanzia migliore: se non si fosse guadagnato il rispetto di quei rustici, non sarebbe uscito vivo dall'incontro.

Inoltre, per quanto fosse sicuro che l'ufficiale non perdeva occasione per angariare i suoi subordinati, Filippo non lo giudicava più pericoloso di un cane che abbaia senza mai mordere. Con tutta probabilità, era salito di rango mescolando con attenzione spacconeria e servilismo, ma nel suo intimo doveva essere un gran codardo. Non avrebbe corso il rischio di uccidere uno straniero che poteva rivelarsi un emissario — Derda lo avrebbe fatto appendere per i talloni prima che fosse sera — e neppure aveva il fegato per litigare con uno sconosciuto che sembrava non avere alcuna paura di lui. Filippo era pronto a scommettere la vita che l'ufficiale non avrebbe raccolto la sua sfida.

E in gioco c'era proprio la sua vita.

«Dovrò fare rapporto al capitano delle guardie» brontolò l'ufficiale che adesso aveva l'aspetto di chi si è appena svegliato con un forte mal di testa. «Vorrà conoscere almeno il tuo nome.»

«Che venga a chiedermelo, allora.»

L'altro arrossì, ma non disse nulla e si allontanò al galoppo. Filippo sfiorò i fianchi di Alastor mettendolo al passo; non si unì alle risate divertite dei soldati, e neppure parve notarle, e i cavalieri si misero sulla sua scia, così che sembrava essere lui il capo della pattuglia.

Ad aspettarlo sulla porta trovò una compagnia di circa cinquanta uomini, parecchi con le spade già sguainate, come pronti a combattere per la stessa vita. Un ufficiale si fece avanti, ma Filippo si fermò solo quando il muso di Alastor quasi gli sfiorò il petto.

«Ora sono io a chiedertelo» disse l'uomo. «Il tuo nome, mio signore.»

Filippo balzò a terra.

«Filippo, principe di Macedonia» rispose con noncuranza. Dalla tunica estrasse un piccolo rotolo di pergamena: «E questa, come puoi vedere, porta il sigillo del mio re. Ho degli affari da sbrigare con Derda degli Elimioti, servo e vassallo del mio signore».

Il fatto che nessuno avesse la temerarietà di ridergli in faccia gli sembrò un segno favorevole.

XXIV

Quella sera ci fu un banchetto. Filippo ne fu informato la uno dei ciambellani di palazzo, che sottolineò come quella fosse un'ottima occasione per riempirsi la pancia; inoltre, gli assicurò, nessuno si sarebbe preso il disturbo di chiedergli se era stato invitato. Quando gli domandò se il re sarebbe stato presente, Filippo ricevette per tutta risposta uno sguardo perplesso; evidentemente l'altro non capiva che differenza facesse. A scanso di equivoci, Filippo fece un bagno e indossò la sola tunica pulita che avesse con sé.

Nessuno l'aveva aspettato e gli bastò un'occhiata per capire che la sua missione non aveva alcuna speranza di riuscita. Fra i circa centocinquanta uomini presenti, sarebbe stato impossibile individuare Derda e dal frastuono che regnava ovunque era facile dedurre che le libagioni si succedevano ormai da ore. Parecchi ospiti avevano le vesti lorde di sangue; evidentemente erano stati a caccia e non si erano preoccupati di cambiarsi per il banchetto. I servi correvano qua e là rapidi come ratti, attenti a evitare lanci di vino e di cibi. Neppure alla corte di suo padre, pensò Filippo, ci si comportava in modo tanto indecoroso.

Notò che tutti i presenti avevano più o meno la sua età. Non c'erano anziani e neppure una barba grigia in mezzo a tutta quella gioventù. Derda, che, come Filippo sapeva, aveva appena vent'anni, doveva essersi circondato dei propri amici, liberandosi dei consiglieri del padre. Pur essendo lui stesso appena un ragazzo, Filippo la giudicò una circostanza sfavorevole — per la sua missione e forse ancora di più per l'Elimea, perché gli amici di un uomo, e soprattutto se sono molto giovani, gli dicono solo ciò che lui desidera sentirsi dire, mentre un buon re deve imparare a digerire anche verità spiacevoli

A un tavolo vicino alla porta, un membro dell'aristocrazia locale, uno degli scelti compagni del re, teneva la testa appoggiata a una mano e col dito tracciava disegni in una pozza di vino. Era talmente concentrato che Filippo dovette dargli uno scrollone per attirare la sua attenzione.

«Chi di questi è Derda?» domandò con un sorriso benevolo.

L'altro non sembrò offeso per il rude trattamento, ma aggrottò la fronte e si grattò la testa, come se la risposta presentasse grandi difficoltà.

«Quello laggiù» disse alla fine, indicando una tavola collocata quasi al centro della sala. «Quello con la barba ricciuta è il re.»

Filippo lo individuò subito: Derda era un giovane alto e piuttosto attraente con capelli e barba neri e ricciuti. Dal suo aspetto si sarebbe detto che possedeva tutte le qualità di un grande re tranne l'intelligenza, ma l'espressione vacua del viso sarebbe potuta dipendere tanto da una mente ottusa quanto da una serata di abbondanti bevute. Forse, si disse Filippo, c'era ancora qualche speranza.

Con il re sedevano tre giovani piuttosto raffinati. Dal modo in cui si aggrappava al tavolo, quello che stava alla sua destra sembrava sul punto di caderci sotto. Pensando che un uomo così ubriaco si sarebbe trovato più a suo agio per terra che seduto, Filippo lo aiutò con una spintarella e sedette al suo posto. Assaggiò il vino e, dopo aver deciso che il cantiniere del re era un grande imbroglione, abbandonò la tazza e posò la mano sulla spalla di Derda.

«Mio signore, abbiamo qualcosa da discutere, tu e io.»

Derda non sarebbe apparso più sorpreso se, voltandosi, si fosse trovato con un coltello puntato alla gola. Alla fine, con la voce rauca di chi ha gridato troppo, sussurrò: «Che fine ha fatto Dipsaleo? Un minuto fa era seduto proprio qui. E tu chi sei?».

«Un messaggero, mio signore. E il mio messaggio è che dovresti frenare la tua sventatezza, perché hai offeso Perdicca, re di tutti i Macedoni, e rischi di risvegliare la sua ira.»

«Se dicessi di capire di che cosa stai parlando, amico, sarei uno sciocco.» E ridendo smodatamente si rivolse all'uomo alla sua sinistra. «Hai sentito, Antinoo? Sono uno sciocco!»

La battuta suscitò l'ilarità di tutti — di tutti quelli, almeno, ancora abbastanza sobri da capire che cosa si aspettava da loro. Filippo, dal canto suo, rimase serio, e anzi accentuò la propria gravità, perché ora sapeva di avere a che fare con uno sciocco e per di più con uno sciocco che nessuno si era curato di informare del suo arrivo.

«Che tu sia o meno uno sciocco, non sta a me dirlo. Ma ti consiglio di ritirarti presto questa sera, mio signore, perché domattina io sarò ad aspettarti.»

Derda lo fissava a bocca aperta, con l'aria di un uomo che non è del tutto sicuro di aver appena ascoltato uno scherzo, ma che è disposto a riderne comunque. Filippo aveva una gran voglia di ficcare un pugno in bocca a quell'ubriacone, ma si limitò ad alzarsi e a lasciare la sala senza aggiungere altro.

Fuori, indugiò nel passaggio coperto che delimitava i quattro lati di un giardino e offrì il viso all'aria fresca della sera.

«Che cosa vuole il re di Pella da mio fratello?»

Una giovane donna, poco più di una ragazza, era ferma alle sue spalle. Indossava una tunica bianca lunga fino ai piedi, ed era anche straordinariamente graziosa, con i capelli neri inanellati e una carnagione perfetta. Fatta eccezione per gli occhi, splendenti di intelligenza, assomigliava tanto a Derda, che Filippo non ebbe bisogno di interrogarla sulla sua identità.

«Avevo previsto di avere questa conversazione con il re di Eana» replicò, sorridendo di piacere suo malgrado. «Perché tu sei al corrente della mia missione, mentre lui lo ignora?»

«Mio fratello non è sposato e dalla morte di nostra madre sono io a occuparmi della casa. I ciambellani mi riferiscono tutto.»

«E non hanno annunciato anche a lui il mio arrivo?»

«Non li avrebbe ascoltati.»

La giovane pronunciò quelle parole senza enfasi; la sua non fu che la semplice enunciazione di una realtà. Desiderava che l'ospite capisse la situazione, ma non voleva criticare apertamente il fratello. Una combinazione interessante, che lasciava intuire il conflitto tra lealtà e prudenza in cui si esauriva probabilmente gran parte della sua vita.

«Perché non li avrebbe ascoltati?» incalzò Filippo, spinto soprattutto dal piacere di sentirla parlare.

«Sei arrivato tardi, e mio fratello non ama essere disturbato quando è in compagnia dei suoi amici.»

«Così i ciambellani ne hanno parlato a te, nella speranza che tu glielo riferissi.»

«Sì. E lo avrei fatto, domattina. Le donne non possono partecipare ai banchetti del re. Domattina lo troverai... diverso.»

«E tu sarai al suo fianco, a sussurrargli all'orecchio ciò che deve dire?»

Il sorriso di Filippo era carico di malizia, così che indusse la sorella del re ad abbassare gli occhi, e fu un peccato perché li aveva davvero molto belli.

«Mio fratello ti riceverà solo.» La sua risposta suonò quasi come un rimprovero.

Ma prima lei gli avrebbe parlato, si disse Filippo e, dato che lo conosceva bene, avrebbe potuto forse infondergli un po' di buon senso. Non sarebbe stata una cattiva mossa informare la giovane del motivo della sua presenza lì.

E poi, la conversazione gli piaceva.

«In questo caso gli parlerò come preferirei non fare con sua sorella.» Adesso era serio. «Gli dirò che rischia di attirare su di sé l'ira di Perdicca, perché ha devastato villaggi che si trovano ben oltre il confine, uccidendo e saccheggiando e lasciando dietro di sé molti morti.»

«Il re dell'Elimea non è un bandito» protestò la giovane con una foga che non doveva essere insolita in lei.

«Ho visto io stesso le capanne ridotte in cenere e le tombe... con questi occhi le ho viste, a non più di due giorni di marcia da questo tranquillo giardino. Se tuo fratello non è un bandito, allora i suoi soldati si comportano male a sua insaputa, sapendo che lui, e non loro, sarà chiamato a rispondere del sangue innocente che hanno versato. È davvero così incurante? È re, qui, o solo il principale animatore delle gozzoviglie serali? Che cosa ti addolorerebbe di meno, sapere che è un bandito o uno stupido?»

Ancora una volta lei abbassò gli occhi, incapace di rispondere. Si era già voltata, quando lui la richiamò.

«Sì, mio signore?» rispose lei.

Guardandola, Filippo provò un improvviso moto di pietà.
«Qual è il tuo nome?»

«Il mio nome...?» C'era una nota di genuina sorpresa nella sua voce, quasi le riuscisse impossibile capire il motivo di quella domanda. «Mi chiamo Fila, mio signore.»

Questa volta, quando si dileguò silenziosa nella notte, Filippo non tentò di trattenerla, sebbene la sua assenza rendesse più buia la notte.

Fila si era sbagliata. Quando Filippo fu ricevuto dal sovrano, nella tarda mattinata, questi non era solo.

Il principe macedone trovò Derda nelle scuderie dove, circondati dagli stallieri che si preparavano a un'altra giornata di caccia, lui e i tre compagni, che sedevano al suo tavolo la sera prima, stavano consumando una colazione a base di pane, carne di capra e vino. Il giovane era sobrio — nessuno che avesse anche solo un briciolo di buon senso sarebbe montato a cavallo ubriaco —, ma i suoi occhi erano spenti e opachi come lo erano stati la sera prima. Accolse Filippo con la cordialità di un vecchio amico.

«Unisciti a noi, mio signore. Hai già mangiato?»

«Grazie, sì. Ho già mangiato.» Filippo si guardava intorno con un certo disgusto. In situazioni normali, avrebbe trovato insultante che un re straniero lo ricevesse in una stanza che puzzava di escrementi di cane e di fieno, ma intuiva che non c'era nulla di volutamente offensivo nel comportamento di Derda.

«Allora vieni a caccia con noi — i cinghiali delle foreste a poche ore da qui sono grossi come buoi!»

«E se non troviamo cinghiali,» interloquì uno dei suoi compagni — la sera prima il suo nome era Dipsaleo ed era quindi probabile che si chiamasse ancora così «il re conosce da quelle parti un taglialegna che ha cinque figlie. Pensa, cinque figlie! Abbastanza per tutti!»

«Mio signore, concedimi di parlarti in privato» disse Filippo, quando le risate si furono spente. «Ho viaggiato fin qui per discutere questioni che per te dovrebbero rivestire più importanza di una giornata di caccia.»

«Oh, mi fido dei miei amici» replicò il re, buttando il braccio intorno alle spalle di uno dei compagni. «Parla, mio signore, hai tutta la mia attenzione.»

Seguì un momento di silenzio, rotto solo da una risatina, prontamente repressa, di Dipsaleo; un verso simile a un raglio d'asino soffocato da un cuscino.

«Mio signore...» Filippo impiegò qualche istante a trasformare la sua collera in disprezzo. «Mio signore, i tuoi soldati effettuano scorrerie oltre confine. Il re Perdicca, a cui stanno a cuore la vita e la sicurezza dei suoi sudditi, vuole che tu...»

«Vuole?» lo interruppe l'uomo le cui spalle sorreggevano in quel momento il braccio del re. «Chi osa *volere* qualcosa da

Derda, re degli Elimioti? A Pella è forse permesso apostrofare in questo modo un re, ma qui le tue parole non sono più di...»

La sua mano stava tracciando un breve gesto di noncuranza quando Filippo gli afferrò il polso, serrandolo quanto bastava perché l'amico del re dovesse stringere i denti per non urlare.

«Osa? Chi *osa*?» Mollò la stretta con sdegnosa violenza, mandando il giovane a cadere su una pila di coperte da cavallo. «Perdicca, il suo re, osa. Forse hai sentito parlare di lui. Lui è Perdicca, signore di tutti i Macedoni, e fu il suo bisnonno a insediare sul trono il primo Derda... questo è il Perdicca di cui parlo. O forse gli Elimioti hanno dimenticato di essere Macedoni?»

Fu un brutto momento. Dipsaleo aveva già posato la mano sull'elsa. Impossibile sapere che cosa sarebbe successo se Derda, la cui espressione perplessa indicava come non avesse neppure afferrato il motivo della disputa, non fosse scoppiato a ridere.

«Ti serva di lezione, Antinoo» sbraitò. «Mia sorella mi aveva avvertito di trattare con rispetto Filippo. Ah, ah!»

Poi, come improvvisamente dimentico di tutto, intinse un pezzo di pane nel vino e cominciò a ruminare con la lenta pensosità di una mucca.

«Però non ha tutti i torti» disse, guardando Filippo. «Pella è molto lontana e i Macedoni hanno molti re... Perdicca è solo uno di loro. E poi, io non so nulla di queste scorrerie.»

Derda non era abbastanza intelligente per aver appreso l'arte di celare i propri pensieri, e a Filippo un'occhiata fu sufficiente per capire che mentiva.

«Forse i signori del posto hanno semplicemente voluto riprendersi ciò che gli era stato rubato» suggerì Antinoo con malizia. «Lo sanno tutti che i contadini non fanno che rubare.»

Derda si illuminò in viso. «Forse è proprio così. Forse, invece di accusare i re suoi vicini, Perdicca dovrebbe interrogare gli abitanti dei villaggi che sorgono all'interno dei suoi confini.»

E con questo, sembrò che la questione fosse risolta. Magnifico, pensò Filippo, ormai perfettamente consapevole di sprecare il suo tempo. Quei tre bifolchi si stavano facendo beffe di lui; nondimeno, si sentiva in dovere di fare un altro tentativo.

«Mio signore, nessun governante può sapere tutto ciò che accade nel suo regno» esordì, sforzandosi di trattenere la collera. «Re Perdicca questo lo sa ed è disposto a soprassedere a quanto è accaduto, a condizione che tu gli garantisca che non ci saranno altre razzie. Scrivi al re una lettera in cui ti impegni a rispettare i confini e a far sì che i tuoi nobili facciano altrettanto, e tutto sarà appianato. Ripartirò per Pella in mattinata. Porterò la tua missiva con me.»

Filippo si inchinò prima di ritirarsi. Non voleva dare a quell'idiota la possibilità di rifiutare. Che riflettesse sulla questione. E se sua sorella aveva una qualche influenza su di lui, bisognava lasciarle il tempo di esercitarla.

«Aspetterò la tua convocazione, mio signore.»

Ma la convocazione non arrivò. Quella sera la cena gli fu servita in camera, insieme con l'informazione che il re e i suoi compagni celebravano una qualche famosa battaglia con un banchetto da cui gli stranieri erano esclusi. Il mattino seguente Filippo tentò di raggiungere Derda nei suoi appartamenti privati, ma gli venne detto che il re era indisposto e non riceveva nessuno. A metà mattina, il giovane principe ne ebbe abbastanza. Andò alle scuderie a recuperare il suo cavallo e lasciò la città.

Questa volta non c'era nessuno a osservare le sue mosse. Le guardie alla porta non lo salutarono neppure quando passò — ormai probabilmente conoscevano il motivo della sua missione e sapevano che era fallita, e non provavano più alcun interesse per lui. A quattro ore di viaggio da Eana, Filippo era ormai certo che nessuno lo seguisse.

Si fermò per la notte in un piccolo villaggio vicino alla frontiera; gli abitanti dovevano sapere che era solo perché la loro accoglienza fu ben diversa da quella che gli avevano riservato due giorni prima. Il capo lo invitò ad alloggiare nella sua capanna e, dopo che Filippo ebbe acquistato un paio di pecore da arrostire e distribuire a tutti gli abitanti, venne festeggiato con birra e dolci al miele.

Quella sera Filippo e l'anziano del villaggio bevvero molto. La moglie dell'uomo era morta da cinque anni e i suoi figli erano cresciuti, così che lui aveva ben poca compagnia. E la birra lo rendeva incauto, o forse aveva deciso che poteva fidarsi dell'ospite. Comunque fosse, non ci volle molto perché desse il via alle domande.

«Sei stato nella grande città?» fu la prima e, quando Filippo annuì, fece a sua volta un cenno d'assenso, come se avesse previsto la risposta. «E sei riuscito a vedere il re?»

Filippo intuì che dalla conversazione avrebbe potuto ricavare qualche informazione utile; tutto ciò che serviva al suo interlocutore era un po' di incoraggiamento. Assentì di nuovo.

«Sì,» sospirò «ho visto il re... per quello che mi è servito.»

«Hai avanzato la tua richiesta?» Per quale motivo un forestiero avrebbe dovuto affrontare un viaggio così lungo, se non per sollecitare un favore?

«Ero andato da lui per conto del grande re di Pella. Ci sono state delle scorrerie nei villaggi oltre confine e il mio compito era di persuadere re Derda a farle cessare. Non ci sono riuscito.»

«Allora ci sarà la guerra?»

La sua era semplice curiosità, perché non erano i pastori a combattere le guerre. Forse, se una battaglia si fosse svolta nelle vicinanze, gli uomini del villaggio si sarebbero riservati un'oretta per osservarla da distanza di sicurezza; magari si sarebbero portati la colazione da consumare mentre infuriavano i combattimenti. E, dopo, si sarebbero avventurati sul campo di battaglia per spogliare i morti. Ma per il resto la guerra aveva per loro ben poco significato.

«Non lo so» rispose Filippo.

Il pastore parve riflettere sulla questione, poi bevve un'altra lunga sorsata di birra.

«Ebbene, se ci sarà,» disse alla fine, asciugandosi la barba con il dorso della mano «spero che i tuoi signori sappiano combattere. Abbiamo bisogno di un nuovo re.»

«Quello che avete non vi soddisfa?»

L'altro non rispose subito; forse intuiva di essersi addentrato in un terreno pericoloso. «Il padre non era male, ma il figlio...» scosse la testa. «A volte i nobili devastano anche i nostri villaggi. Un re dovrebbe sapersi imporre... in caso contrario, chiunque abbia una spada e un cavallo è libero di fare ciò che più gli aggrada.»

Nei due giorni successivi un'idea andò lentamente formandosi nella mente di Filippo. Forse, più che un'idea era una convinzione, ma intuiva comunque di essere in procinto di dare una svolta alla propria vita.

Non era arrivato neppure da un'ora quando ne parlò a Perdicca. «Devi mandare un esercito in Elimea e abbattere Derda» esordì senza preamboli.

«Ne deduco che la tua missione non ha avuto successo» fu la reazione del fratello. Perdicca aveva preso l'abitudine di schiacciare un pisolino prima di cena e Filippo l'aveva svegliato, ma lui non se n'era risentito: stava sognando sua madre.

«No, non ha avuto successo. Quell'uomo è un idiota, convinto che la vita sia un'infinita successione di partite di caccia e festini. I suoi nobili sono teppaglia e la gente comune non lo ama. Possiamo abbatterlo, ed è necessario farlo.»

«Derda è in grado di schierare quattromila uomini. A noi ne servirebbero almeno seimila per assicurarci la vittoria, e, se indebolissi in tal misura le guarnigioni settentrionali, i Traci e gli Illiri ci piomberebbero addosso come un branco di lupi.»

«Forma un nuovo esercito, allora.»

«Non c'è denaro. Non posso permettermi di mettere insieme un nuovo esercito.»

«Non puoi permetterti neppure di non farlo. Se non dai subito una prova di forza, altri seguiranno l'esempio di Derda; premeranno contro le nostre frontiere e la Macedonia si sbriciolerà come pane secco.»

Perdicca non rispose subito. Seduto sul bordo del letto, squadrava il fratello con un'espressione molto simile all'odio, ma naturalmente sapeva che Filippo aveva ragione.

«Non posso permettermi un esercito di seimila uomini» dichiarò alla fine.

«Non ti servono seimila uomini per liquidare quel bandito senza cervello. Se non puoi arrivare a tanto, dammene mille.»

Perdicca si irrigidì; fissò la tazza che si stava accostando alle labbra come se contenesse sangue fresco, poi la posò con fare disgustato.

«Sei pazzo?» mormorò. «Un serpente ti ha morso sulle montagne, o sei caduto e hai battuto la testa? Inviare in Elimea un esercito di mille uomini servirebbe soltanto a trasformare una guerra in un disastro.»

Filippo si premette entrambe le mani sulla bocca e guardò il fratello con occhi quasi supplichevoli.

«Ho passato gran parte degli ultimi tre anni a Tebe» disse, quasi parlando tra sé e sé. «I Tebani di guerra ne sanno più di chiunque altro, e ho imparato molte cose. Credimi, fratello, quando ti dico che un piccolo esercito, se ben addestrato, è sempre in grado di schiacciare la teppaglia. Concedimi mille uomini, e l'estate e l'inverno per addestrarli, e spezzerò gli Elimioti come se fossero legno vecchio.»

I due uomini si scrutarono, ciascuno cercando di valutare le ragioni e gli intenti dell'altro. Nella loro mente si affacciavano i mille piccoli dubbi e sospetti generati da tanti anni di vita in comune. Perdicca era troppo debole per afferrare al volo l'opportunità? Filippo stava cercando di accrescere ulteriormente il prestigio di cui godeva tra i militari? Era saggio fidarsi di lui?

Finalmente il re si decise a bere quel sorso di vino tanto a lungo rimandato.

«Molto bene... avrai i tuoi mille uomini e l'estate e l'inverno per addestrarli. Se allo scadere di questo periodo avrai operato il miracolo, potrai guidarli in Elimea. In caso contrario, andranno a nord a rafforzare le nostre guarnigioni. E tu li seguirai.»

Era tutto quello che Filippo aveva bisogno di sentire. Era quasi alla porta quando Perdicca gli rivolse un'ultima domanda.

«Dimmi, Filippo... quando avrai sconfitto Derda, prenderai il suo posto e diventerai signore degli Elimioti?»

Lui si costrinse a sorridere. «No, fratello. Quando lo avrò sconfitto, diventerò qualunque cosa deciderai per me, ma sarai tu il signore.»

XXV

Quando Filippo annunciò che voleva armature e armi per settecento fanti, Perdicca pensò che fosse impazzito. «Derda dispone di quasi trecento cavalieri. Che cosa farai sulle montagne con una masnada di soldati a piedi?»

«Per cominciare, le montagne creano non pochi intralci alla cavalleria e io mi troverò in vantaggio. Inoltre, quando avrò terminato l'addestramento, la mia fanteria non sarà una masnada ma un esercito. Gran parte dell'esercito tebano è costituito da fanti.»

«Be', naturalmente, che scelta hanno? I cavalli greci sono poco più grandi di cani.»

«Allora perché abbiamo tanta paura di confrontarci con loro?»

Perdicca se ne andò risentito, ma i fabbri furono messi a forgiare lance e corazze. E, dato che la guarnigione di Pella poteva fare tranquillamente a meno di cento cavalli da destinare al nuovo esercito, a Filippo non restò che iniziare le operazioni di reclutamento.

Per trovare i suoi fanti volse gli occhi alle montagne a ovest, alle terre che gli Elimioti continuavano a saccheggiare. Gli servivano uomini il cui coraggio fosse rafforzato dalla consapevolezza di combattere per proteggere la propria casa.

Per un mese Filippo vagabondò tra i villaggi che sorgevano nella stretta striscia di terra attraversata dal fiume Aliacmo, molti dei quali erano stati devastati e dati alle fiamme dai cavalieri elimioti. Aveva l'autorità di ricorrere all'arruolamento forzato, ma non ne fece uso. Non ne aveva bisogno. C'era abbondanza di pastori che, depredati delle loro greggi, non sapevano come sarebbero sopravvissuti all'inverno. A loro Filippo dava una paga in dracme ateniesi d'argento e la possibilità di vendicarsi.

Era sempre un avvenimento quando il principe Filippo compariva in qualche povero agglomerato di capanne di fango: accompagnato solo da due o tre cavalieri, comprava pecore e birra per tutti gli abitanti del villaggio, molti dei quali non assaggiavano carne per metà dell'anno, e diceva loro che quella era la munificenza del re.

Aveva il dono di riuscire simpatico perché, pur essendo principe e quindi oggetto del reverente timore che il popolo riservava ai figli degli Argeadi, non dava mai l'impressione di ritenersi superiore agli altri. Scherzava con i ragazzi e persino con i bambini, e si consigliava con gli anziani, parlando di rado ma ascoltando con rispettoso interesse.

La sera, quando gli uomini avevano il ventre pieno e il cuore in festa, andava a mettersi vicino al fuoco, la cui luce giocava sul suo viso rendendolo più simile a un segnale nella notte che a un uomo, e lentamente, quasi con diffidenza, catalizzando l'attenzione generale con la sua sola presenza, cominciava a parlare.

«A non più di mezza giornata di marcia a ovest da qui,» esordiva, levando il braccio verso gli ultimi raggi del sole «c'è un gruppo di case bruciate che non ritornerà più a vivere. Era un villaggio contadino, abitato da gente povera, e, non trovandovi bottino sufficiente, gli Elimioti hanno espresso il loro disappunto massacrando gli uomini e facendo prigionieri donne e bambini. Ora l'erba cresce sui pavimenti delle capanne e il vento soffia sulle ossa dei morti non sepolti. Fanciulle che sognavano un marito consumeranno la loro vita in case straniere, vecchie prima di raggiungere i vent'anni; di giorno la dura fatica schianta la loro anima e di notte sono schiave nei letti degli assassini dei loro genitori. Come devono invidiare i morti!»

E un mormorìo di assenso si levava dagli ascoltatori, perché le sue parole non facevano che esprimere ciò che albergava nei loro cuori, rendendoli consapevoli di quello che avevano sempre saputo. Molti dicevano che ascoltare il principe Filippo era come udire le voci delle Parche sussurrarti all'orecchio.

«Al di là di quelle colline, questa notte ci saranno solo lacrime e lamento e fame, perché gli Elimioti sono come le cavallette che lasciano solo desolazione dietro di sé. Saccheggiano e devastano, eppure chi sono? Non sono forse uomini come noi? Non sono nostri fratelli? Non sono... Macedoni? E dunque, che cosa ci induce a temerli? E *perché*?

«Noi, figli di Macedonia e progenie del grande dio Zeus, non siamo come gli altri uomini» proseguiva, simile a un sacerdote che recitasse un incantesimo. «I popoli delle terre a sud sono governati da tiranni o da consigli di cinquanta e più uomini, ma a memoria d'uomo noi siamo sempre stati fedeli ai nostri re. E al di sopra di tutti gli insignificanti sovrani macedoni, gli dèi hanno voluto porre gli uomini della famiglia degli Argeadi, i discendenti di Eracle. Essi sono stati la nostra gloria e, a volte, la nostra afflizione. Perché un uomo non è sempre saggio, né giusto e neppure virtuoso solo perché è re. Un cattivo re conduce il suo popolo al disonore e alla rovina, incitandolo a combattere contro i propri fratelli, e a ricoprire d'onta il suo nome. Così è Derda, re degli Elimioti: un piccolo uomo vano, malvagio e sciocco.

«È forse sfuggito alla sua attenzione che a Pella c'è un re? O immagina che Perdicca, signore suo come nostro, padre di tutti i Macedoni, sopporterà in silenzio di vederlo uccidere e stuprare i suoi sudditi? No, io vi dico che non lo farà! Manderà bensì fuoco e ferro contro i saccheggiatori del suo regno. Li caccerà nelle regioni tetre della morte, perché Perdicca il re vuole vendetta per la sua nazione!»

E gli abitanti dei villaggi, che avevano finalmente trovato la loro voce, accoglievano con gioia la visione prospettata da Filippo. Ovunque andasse, gli uomini supplicavano l'onore di seguirlo in battaglia, costringendolo a respingerne molti.

«Non pensiate che fare il soldato sia facile» diceva ai ragazzi di campagna che lo attorniavano. «L'addestramento sarà duro e i combattimenti ancora di più. Non c'è sicurezza alcuna in guerra. Conoscerete la sofferenza e il dolore e per alcuni di voi non ci sarà altra vittoria che la morte. Ma il sacrificio della vostra vita servirà a garantire la pace a coloro che sopravviveranno. I vostri fratelli e le vostre sorelle vivranno senza più timori, e benediranno il vostro ricordo, così che ognuno di voi sarà come un padre per le generazioni a venire.»

Filippo tornò dal suo viaggio tra le montagne con quasi ottocento uomini. Stabilì l'accampamento a un'ora di viaggio da Pella — perché esporre quei villici alle tentazioni della città? Vi aggregò un centinaio di soldati della guarnigione, e dette il via alle esercitazioni che avrebbe fatto di quella moltitudine un vero esercito.

Ma a un esercito non basta solo l'addestramento. Ha bisogno di essere nutrito e rifornito e così, appena tornato a Pella e ancor prima di incontrarsi con Perdicca, Filippo si recò dal vecchio Glauco.

«Ho bisogno di te» gli disse. «Ho bisogno di un uomo che si assicuri che i miei soldati abbiano carne fresca e calzature che non si disfino dopo una giornata nella neve. Ho bisogno di sfruttare al meglio ogni dracma di cui disponiamo. Perdicca non è stato troppo generoso.»

Seduto accanto al focolare, dove dalla morte di sua moglie il fuoco veniva acceso di rado, Glauco ascoltava in silenzio. Quando sollevò la testa, Filippo vide le lacrime nei suoi occhi.

«Sì, certo. Perché non dovrei seguirti, mio principe? Ma io sono il capoeconomo del re e suo servitore. Avrò bisogno della sua autorizzazione.»

Il giovane annuì e la sua espressione era quella di un uomo a cui neppure un re avrebbe rifiutato a cuor leggero qualcosa. «Di questo mi occuperò io.»

Perdicca non rifiutò. Perdicca, in realtà, aveva incominciato ad avere un po' paura del fratello minore, perché Filippo agiva come un invasato. Bastava guardarlo mentre guidava le esercitazioni delle sue schiere per riconoscere in lui l'uomo che ha finalmente scoperto ciò per cui è nato.

A meno che non lo si raggiungesse sulle pianure, incontrarlo era quasi impossibile perché non lasciava quasi mai i suoi uomini. Si alzava con loro prima dell'alba; mangiava con loro e con loro marciava — non a cavallo, ma a piedi e con gli stessi sandali. Nel pomeriggio li addestrava all'uso delle armi, maneggiando una spada di legno fino a quando non riusciva più a muovere il braccio per la stanchezza. Non appena ebbero imparato abbastanza per poterli schierare secondo lo schema delle falangi tebane che tanto aveva stupito i suoi ufficiali — com'era possibile che gli uomini combattessero così addossati l'uno all'altro? —, Filippo si mise alla loro testa. I soldati compresero quindi che sarebbe stato con loro in battaglia, pronto a rischiare la propria vita, e lo amarono per questo.

La sua cavalleria era costituita da cento cavalieri, provenienti in buona parte da famiglie nobili ma, come Filippo, figli minori senza grandi prospettive di eredità, uomini che guardavano alla guerra come a una possibilità per cambiare il proprio futuro. Filippo insegnò loro le strategie apprese da Pelopida, modificate in modo da sfruttare le maggiori dimensioni dei cavalli macedoni e la perizia di chi li montava. Li divise in diverse compagnie che addestrò insieme finché non ebbero che una volontà sola. Al momento opportuno, avrebbero dovuto essere in grado di infrangere qualunque formazione nemica senza rompere i ranghi, e lanciarsi all'inseguimento rimanendo compatti. Era un'impresa ardua, perché i Macedoni non conoscevano quel metodo di combattimento.

E ancora più arduo fu insegnare loro che avrebbero dovuto dividere l'onore con la fanteria, che la cavalleria era semplicemente un'arma da utilizzarsi insieme con le altre e che nascita e lignaggio non garantivano loro alcuna superiorità. In un'occasione, e all'unico scopo di dimostrare che faceva sul serio, Filippo fece frustare un ufficiale di cavalleria che aveva insultato un fante e, quando la schiena dell'uomo fu rossa di sangue, volle che il cavaliere facesse al galoppo il giro dell'accampamento, perché tutti lo vedessero. A quel primo episodio non ne seguirono altri e non ci fu più bisogno di punizioni.

A volte, quando gli uomini erano sull'orlo del crollo, Filippo concedeva loro un giorno di riposo, faceva arrostire otto o dieci buoi e nel pomeriggio organizzava dei giochi. Partecipava lui stesso al lancio del giavellotto e alla corsa podistica, ma non prese mai parte a quelle equestri, sostenendo che la sua vittoria avrebbe soltanto dimostrato ciò che tutti già sapevano: che lui come cavaliere valeva ben poco, ma che Alastor era più veloce di Pegaso. Solo una volta si aggiudicò l'alloro in una corsa podistica, e gli uomini lo portarono in trionfo per tutto l'accampamento perché lo amavano e il suo trionfo era diventato il loro.

Perdicca si trovò a passare di lì al rientro da una giornata di caccia, il giorno successivo alla prima tormenta di neve. I soldati di Filippo compresero chi fosse solo quando videro il loro comandante rompere i ranghi, accostarsi al drappello di cavalieri e aiutare uno di loro a smontare.

«Dimmi che hai operato il miracolo» disse il re, mentre con il fratello assisteva a un falso combattimento tra due compagnie di fanti schierate in falangi. «Dimmi che i tuoi uomini sono diventati abilissimi in questo nuovo metodo di guerreggiare.»

«Non sono acrobati, ma almeno non crollano nella neve.» Filippo allontanò una piuma con il piede, che affondava sotto una coltre candida alta almeno una spanna.

Perdicca lo guardò orripilato. «Dove sono i tuoi stivali? Rischi il congelamento con quei sandali.»

«Finché si sta in movimento, il freddo è solo disagevole. Porto i sandali perché così fanno i miei uomini. Quando saremo sulle montagne, li rifornirò di stivali; ma voglio che, paragonata a tutto questo, la campagna vera e propria gli appaia una specie di festa.» Rise, ma Perdicca non lo imitò.

«Dunque intendi davvero guidare questi novellini in Elimea?»

«Non sono tutti novellini. Tra di loro ci sono soldati che furono con Alessandro in Tessaglia. Ma sì, intendo guidarli in Elimea. Credo che dovrei affrontare una ribellione se non lo facessi, perché non vedono l'ora di combattere.»

E guardò il fratello socchiudendo gli occhi. Dal giorno in cui il re lo aveva autorizzato a formare il nuovo esercito, non si era più parlato di guarnigioni a nord, ma nessuno dei due aveva dimenticato.

Perdicca distolse lo sguardo.

«Le incursioni di Derda lungo il fiume Aliacmo si fanno sempre più frequenti» osservò alla fine. «In consiglio c'è chi è convinto che intenda annettersi l'intera vallata.»

«Lo ha già fatto, fratello... dopotutto, è lui a riscuotere i tributi.»

«Quando sarai pronto per la partenza?»

«Dopo il mese di santico.»

«Non aspetterai neppure la primavera?»

«No. Dovremo già trovarci tra le montagne quando le piogge trasformeranno la neve in fango. E Derda ci penserà due volte prima di impegnare una grossa parte della sua cavalleria su un terreno ancora ghiacciato. A primavera ti scriverò per informarti della nostra avanzata... ti scriverò da Eana.»

Sorrideva, ma Perdicca sospettava che parlasse sul serio.

Il re spostò la sua attenzione sulle falangi in lotta, una delle quali stava infrangendo le prime linee di quella avversaria. In un combattimento autentico, quello sarebbe stato il momento decisivo.

«Immagino che non abbiamo altra scelta» disse.

«Nessuna.»

Nevicò durante il mese di santico e, come accade talvolta in Macedonia, l'ultima nevicata fu la peggiore. I rami degli alberi cedettero sotto il peso della neve, e il vento la ammassava in mucchi che a volte arrivavano al ventre di un cavallo. Era neve dura e ghiacciata che tagliava le gambe degli uomini.

Il giorno successivo Filippo dette il segnale di partenza; i carri dei rifornimenti aprivano la strada, in modo da rendere più agevole la marcia dei soldati, ma a sera non avevano coperto neppure cento *stadioi*. Il giorno successivo faceva più caldo e poterono proseguire con maggiore speditezza, ma mancavano ancora sei giorni di marcia per arrivare alle pendici del monte Bermion.

«Ora ci troviamo nel territorio degli Elimioti» annunciò Filippo ai suoi uomini. «In realtà il confine dista ancora un giorno di marcia a ovest, ma di recente Derda si è curato ben poco delle frontiere. Potremmo imbatterci nella sua cavalleria da un momento all'altro ed è necessario dissuaderla a ogni costo dall'idea di attaccarci. Di conseguenza, a partire da oggi, e fino a quando non dormiremo ad Eana, appronteremo ogni sera una linea difensiva.»

Sotto la neve la terra era ancora gelata, e gli uomini imprecavano mentre scavavano le trincee ed eseguivano i lavori di sterro. Filippo mandò alcune pattuglie in avanscoperta. Tornarono al tramonto e gli uomini erano scossi e pallidi in viso, perché non avevano trovato il nemico ma le tracce del suo passaggio.

«Un villaggio, a non più di un'ora da qui» riferì il capo. «Abbiamo contato più di cinquanta cadaveri. Vecchi, donne, perfino bambini... pare che abbiano ucciso tutti. Quel posto puzza di sangue.»

Quella notte uno dei soldati, originario del villaggio distrutto, impazzì e si gettò sulla propria spada.

Il giorno seguente una delle pattuglie riferì di avere avuto un primo contatto con il nemico. Filippo aveva ordinato di evitare ogni provocazione, ma c'era stata una breve scaramuccia, e due uomini erano morti.

«Nessuno degli Elimioti è stato ucciso?»

«Uno di loro è caduto da cavallo, signore, ma non so se fosse morto o ferito.»

«Spero che fosse solo ubriaco, e che torni dal suo re con le natiche sbucciate e la notizia che siamo fuggiti come conigli impauriti. Voglio che Derda si senta al sicuro. Lasciamo che le sue pattuglie si avvicinino a sufficienza per poterci contare.»

Nove giorni dopo aver lasciato Pella, i soldati di Filippo arrivarono in vista di Eana. I cavalieri nemici li avevano tenuti d'occhio e a volte si erano avvicinati per insultarli, ma non si erano verificati altri scontri. Nessuno li disturbò quel pomeriggio, mentre scavavano le trincee.

In serata, accompagnato solo da Glauco, Filippo fece un giro intorno al perimetro dell'accampamento.

«Ho paura» bisbigliò l'economo, e parve stupefatto quando Filippo si limitò a sorridere.

«Non devi; riserva piuttosto la tua paura per domani... non ci attaccheranno prima di allora. Non ci attaccheranno affatto finché non usciremo allo scoperto.»

«Come fai a esserne tanto certo?»

«So quello che passa per la testa di Derda. Ha visto che siamo in pochi e aspira a una grande vittoria, in pieno giorno e sotto le mura della sua città. Di conseguenza, è abbastanza sciocco da lasciare che sia io a scegliere il luogo e il momento per dare battaglia.»

«Senti il vento. È diventato più freddo, o la colpa è solo dell'età?» Glauco si avviluppò più strettamente nel mantello.

Filippo, che non lo portava mai, scavò con il piede nella terra, ora morbida e cedevole sotto la neve.

«È diventato più freddo» replicò con evidente compiacimento. «Forse, se gli dèi ci sono favorevoli, nevicherà ancora prima di domattina... l'ideale per ostacolare la cavalleria di Derda.»

Rise forte, una risata che agli orecchi di Glauco risuonò più gelida del vento.

«Non sono mai stato in battaglia» disse quest'ultimo. «Ho trascorso tutta la mia vita nelle proprietà del re e non ho mai visto la guerra.»

«Neppure io.» Il gesto di Filippo parve voler abbracciare l'intero orizzonte. «Nessuno di noi... probabilmente neppure Derda.»

«E tuttavia non hai paura.»

«No.»

Era lui stesso sorpreso come sembrava? Glauco cominciava a rendersi conto che sapeva ben poco dello strano uomo che aveva cresciuto come un figlio.

«No, non ho paura» riprese Filippo. «Domani, se scoprirò di avervi portati qui a morire, forse ne conoscerò il sapore.»

XXVI

Gli dèi non furono così compiacenti da inviare un'altra nevicata, ma all'alba il terreno era duro come roccia e in alcuni punti scivoloso come ghiaccio. Il cielo era coperto da nubi grigio-ferro. A quell'altezza il tempo era mutevole e capriccioso: poteva darsi che il sole si aprisse un varco nel giro di pochi minuti, così come poteva scoppiare una tormenta; Filippo non era disposto a sprecare l'occasione.

Alle prime luci inviò messaggeri per tutto l'accampamento: ognuno aveva mezz'ora di tempo per prepararsi. Uomini che ignoravano se sarebbero sopravvissuti fino al mezzogiorno consumarono una colazione fredda e affilarono un'ultima volta la spada, scambiandosi solo mute occhiate. Nessuno voleva parlare della propria paura e non c'era altro da dire.

La fanteria si schierò in quattro falangi al di là dei terrapieni. La cavalleria era come scomparsa — aveva già ricevuto le necessarie istruzioni.

Non appena il sole si levò sulle mura di Eana, Filippo lasciò l'accampamento in sella al suo demonio nero. Nessuno ne fu sorpreso, dato che gli aristocratici macedoni avevano sempre combattuto a cavallo. Parlando, percorreva avanti e indietro le due grandi ali del suo esercito.

«Gli Elimioti sono convinti che oggi ci distruggeranno» disse. «Sono molti e noi siamo in pochi, e pensano di poterci travolgere con i loro cavalli come travolgerebbero le spighe di un campo di grano. Pensano che voi romperete le file e fuggirete, perché così si comporterebbe la loro fanteria. Se sono nel giusto, ebbene, morirete qui, sulla terra ghiacciata. Il sangue delle vostre ferite gelerà e quando arriverà il disgelo i corvi si ingrasseranno con le vostre budella imputridite. Questo è il destino dei vinti, giacere all'aperto finché anche le loro ossa si disintegrano.

«Ma voi non romperete lo schieramento. Resterete compatti, e quando correrete sarà verso il nemico e non via da lui. Ricorderete tutto quello che avete imparato in questi ultimi mesi e manterrete la formazione perché questa è la vostra unica salvezza. E se la cavalleria degli Elimioti dovesse essere così folle da caricarvi, la ridurrete a pezzi come una brocca di birra contro la pietra.

«Gli uomini che vi stanno ai lati vi proteggeranno mentre voi proteggerete loro. Mantenete serrati i ranghi e non vergognatevi di avere paura. Un po' di paura è utile e fa lavorare meglio il cervello — solo uno sciocco non avrebbe paura il mattino della sua prima battaglia —, ma cacciate il terrore dai vostri cuori, perché il terrore significa morte certa. E ora è tempo che smonti di sella.» Si chinò ad accarezzare il collo dello stallone. «Alastor, come tutti sapete, ha il coraggio di sei uomini e anela a travolgere il nemico, ma ciò non dev'essere. A battaglia vinta, cavalcherò con lui fin dentro le mura di Eana per accettarne la resa nel nome di re Perdicca, ma fino a quel momento combatterò a piedi con voi. Vi guiderò dall'angolo interno della falange sinistra, da dove non avrete difficoltà a udire i miei ordini. Combatteremo come un uomo che abbia una sola voce e mille cuori; schiacceremo Derda come un insetto e finalmente vendicheremo gli innocenti massacrati!»

Balzò a terra e un grido possente si levò dalle gole dei suoi soldati. Tutti sapevano che la posizione che Filippo si era scelta era quella in cui il combattimento sarebbe infuriato con maggiore violenza. Con una pacca lui spedì Alastor verso gli stallieri e gli uomini si slanciarono a offrirgli le spade e le lance, perfino l'idolenzimento delle loro gambe. Che cosa non avrebbero offerto a lui che aveva rinunciato alla regalità della sua nascita per diventare uno di loro e con quell'unico gesto si era impossessato delle loro anime?

Non distavano ormai più di quattrocento passi dalla porta della città, e ancora Derda non attaccava. I soldati di Filippo percuotevano gli scudi con l'estremità delle lance, urlando parole di sfida nel vento freddo che soffiava dalle montagne. Era un giorno tetro per morire.

La terra digradava dolcemente dalle mura di Eana, una circostanza che in altre occasioni avrebbe costituito un vantaggio per i difensori, ma due ore dopo il sorgere del sole il ghiaccio era ancora solido e i cavalli di Derdas avrebbero potuto trovarsi in difficoltà sul terreno duro e sdrucciolevole. Lo slancio dell'assalto avrebbe potuto ritorcersi contro di loro.

In quanto sfidante, a Filippo toccava il privilegio di scegliere il campo di battaglia e il giorno prima era uscito solo con Alastor e aveva passato due ore a studiare le caratteristiche del luogo. Basandosi su quella rilevazione, aveva fatto schierare le truppe su un vasto appezzamento sassoso che, agevole per i fanti, si sarebbe rivelato ostico per i cavalli, soprattutto se lanciati al galoppo. Poiché a nord lo spiazzo era chiuso da alberi e cespugli bassi, un attacco avrebbe dovuto necessariamente essere sferrato da ovest o, se Derda avesse optato per una manovra di aggiramento, da sud. Lungo il margine superiore scorreva un margine, ora gelato. Era abbastanza ampio da indurre la cavalleria nemica a non attraversarlo al galoppo, lasciandole di conseguenza non più di cinquanta o sessanta passi per riunirsi in vista della carica. E nel frattempo sarebbe rimasta esposta alle frecce e ai giavellotti macedoni.

Non era una trappola così palese da spingere Derda a rifiutare la battaglia, ma avrebbe funzionato. Filippo era soddisfatto della scelta. Aveva bisogno del vantaggio che essa gli garantiva per bilanciare la superiorità numerica del nemico.

Ma non sarebbe stata la cavalleria il primo avversario dei suoi soldati. Quando il sole fu alto in cielo, le porte si aprirono e incominciò a sfilare la fanteria elimiota.

Erano almeno mille e cinquecento uomini, ma di militare avevano ben poco: erano semplici contadini a cui era stato sottratto ogni avere per mettergli in mano una picca, intimandogli di andare a combattere per il re. Di certo avevano ben poca voglia di menare le mani e neppure Derda poteva essere così sciocco da contare su di loro per la vittoria. No, erano solo carne da macello; sarebbero morti a centinaia nell'unico intento di tenere impegnate le forze macedoni e forse indurle a fermarsi. Dopodiché, sarebbe intervenuta la cavalleria per approfittare della confusione e distruggere ciò che restava.

Filippo sapeva di dover affrontare quel primo attacco in fretta e con successo, o tutto sarebbe finito ancor prima di cominciare.

La fanteria nemica si era disposta in tre lunghe file, una dietro l'altra. Non quadrati, ma semplici file — avrebbero caricato a ondate. Filippo non riusciva a credere a tanta fortuna.

Quando arrivò la prima, un feroce grido di battaglia si levò dalle schiere elimiote. Era un suono raggelante, ma Filippo aveva provveduto a preparare i suoi uomini. «Saranno senza fiato quando arriveranno da noi» aveva detto, e tutti erano scoppiati a ridere. Ora gli parve quasi di sentire i suoi compagni che si irrigidivano in attesa dell'impatto.

Gli Elimioti non avevano percorso neppure cento passi quando le tre file incominciarono a sbandare. Non erano un esercito, soltanto un'accozzaglia di individui, ciascuno solo con la sua arma e il suo coraggio e un terribile desiderio di sopravvivere.

Altri cento passi e il primo cadde, con il collo trapassato da una freccia macedone. Molti ne seguirono e molti, morendo, gettavano via le armi come per accogliere il colpo che li uccideva.

Nei cento passi successivi dovettero vedersela anche con i giavellotti. Un giavellotto è capace di spaccare in due un uomo e com'è atroce sentire quella spessa asta di legno penetrarti nel petto fino alle viscere!

Era partita la seconda ondata, a cui toccò di confrontarsi anche con il lugubre spettacolo dei cadaveri dei compagni che li avevano preceduti. Ma caricarono, e perirono a loro volta.

Gli Elimioti erano arrivati al fiumiciattolo gelato. Dovettero usare cautela nell'attraversarne la superficie ghiacciata e quando furono al di là, a non più di cinquanta passi dal nemico, si guardarono intorno e forse per la prima volta si resero conto di quanto si fosse ridotto il loro numero. Proseguire significava morte certa, perché le lance della prima linea macedone erano così fitte da sembrare un muro, ma gli Elimioti non potevano risolversi a indietreggiare. Senza sapere che cosa fare, attesero, ormai allo sbando, di venire abbattuti.

"Che macellaio" pensava Filippo. "Che macellaio un uomo che manda i suoi sudditi a morire così." Ma tornò subito soldato — il comandante con una lama di ghiaccio al posto del cuore —, quando si rese conto che l'intrico di cadaveri avrebbe ulteriormente ostacolato la cavalleria di Derda.

Ma non erano solo gli Elimioti a morire, perché anche loro sapevano usare le armi. L'uomo che gli stava a fianco venne centrato a un occhio da un giavellotto e l'arma gli spaccò la testa, facendone sprizzare il sangue. Con un calcio Filippo allontanò il cadavere e l'uomo che nella colonna stava dietro al morto si fece avanti per recuperare la lancia e lo scudo. I Macedoni morivano un po' dappertutto, ma le difese tenevano e, quando un soldato cadeva, ce n'era sempre uno pronto a sostituirlo.

E la disciplina venne ricompensata. Per ogni macedone ucciso, otto o dieci Elimioti morirono in quella carneficina.

Le prime due ondate di fanteria nemica si erano esaurite e la terza era appena arrivata alla portata degli arcieri quando Filippo decise che era giunto il momento di porre fine a quell'agonia. Sollevò la lancia e gridò: «Avanti!». Il suo grido rimbalzò di fila in fila, propagandosi come un'onda: era il segnale per le due falangi centrali di avanzare velocemente, mentre la destra e la sinistra le avrebbero seguite più lentamente.

L'effetto fu devastante. Fino a quel momento gli elimioti avevano dovuto vedersela con una compatta parete di scudi dietro la quale partivano nugoli di frecce e di giavellotti, ma ecco che il muro al centro dilagava verso di loro e avanzava inesorabile e spietato. Fu troppo per degli uomini che avevano visto i loro compagni cadere a grappoli. Fuggirono, e nella confusione e nel panico della fuga si scontrarono con l'ultima ondata della loro fanteria. Perfino coloro che non avevano ancora raggiunto il campo di battaglia, quando compresero ciò che era accaduto — quando assistettero al terrore di quelli che li precedevano — si voltarono e si diedero alla fuga.

Nel giro di un'ora la prima fase della battaglia si era conclusa, lasciando i Macedoni padroni del campo e con le file intatte.

«Che mandino i loro cavalieri!» gridò Filippo, quasi fuori di sé per l'esultanza. «Che vengano, se ne hanno il coraggio, e vedranno che cosa li aspetta!»

Dette il segnale di ritirarsi sulle posizioni originarie e di riformare lo schieramento. Non ebbero che pochi minuti di tregua, prima che la cavalleria elimiota cominciasse a radunarsi fuori delle porte. Il confronto risolutivo era ormai prossimo.

Le operazioni di raduno si protrassero per quasi un'ora — i cavalieri erano almeno sette o ottocento, tutti quelli che Derda era riuscito a mettere insieme con un preavviso così breve — e questa volta sembrava che il sovrano avesse deciso di adottare una qualche strategia. Aveva diviso la cavalleria in due gruppi diseguali, il più piccolo dei quali si andava schierando a sud, in modo che l'attacco venisse sferrato simultaneamente da due diverse direzioni.

I cavalieri erano troppo lontani perché se ne potessero distinguere i volti, ma Filippo sapeva che gli sarebbe stato utile individuare Derda: se lo aveva giudicato correttamente, il re elimiota avrebbe assunto il comando del gruppo a cui, nelle sue intenzioni, spettava di sferrare il colpo decisivo.

L'interrogativo si risolse da solo quando il grosso della cavalleria, che avrebbe attaccato frontalmente, cominciò a disporsi in parecchie file, secondo lo stesso schema utilizzato dalla fanteria.

Filippo intuì subito il significato dello schieramento. Ci sarebbe stata una prima carica, forse due, sullo stesso terreno su cui giacevano i cadaveri dei fanti, così da tenere impegnate le truppe macedoni, e nel frattempo la forza più piccola sarebbe piombata da sud. Tutti sapevano che i quadrati di fanteria erano particolarmente vulnerabili agli attacchi laterali e Derdas sperava di piombare sul nemico da due parti contemporaneamente, senza lasciargli la possibilità di proteggere il fianco esposto. Poi, una volta che le schiere macedoni avessero rotto la formazione precipitando nel caos, avrebbe sferrato l'attacco finale e decisivo.

Era un buon piano, a suo modo. Non sfruttava però al massimo il terreno, il che, considerato che per tutta la vita Derda aveva avuto quell'appezzamento sotto gli occhi, la diceva lunga sul cervello del suo ideatore. Ma la sua più grave lacuna era che, almeno in termini generali, Filippo lo aveva previsto.

La prima ondata di cavalieri partì al passo e non distava più di centocinquanta passi quando iniziò la carica. A cento, quando erano già sotto il tiro degli arcieri macedoni, Filippo ordinò alle due falangi di destra di avanzare lentamente. Era proprio quello che Derda si aspettava, la mossa su cui contava per scoprire il fianco del nemico. Sarebbe stato un peccato deluderlo.

Nel raggiungere il fiume ghiacciato, i primi cavalieri elimioti non frenarono il proprio impeto e molti cavalli rovinarono a terra. Quelli che li seguivano rallentarono e, dopo un'esitazione breve ma rischiosa, iniziarono una cauta attraversata. Ormai erano un bersaglio facile e cadaveri di uomini e cavalli morti andavano ammucchiandosi sulle due sponde. "Che razza di imbecilli" pensava Filippo. Sembrava che non avessero neppure previsto di trovare il fiume gelato.

Ormai non più di quaranta passi separavano i due eserciti, troppo pochi perché i cavalieri elimioti riacquistassero slancio. Ma erano uomini coraggiosi e si scagliarono contro le truppe di Filippo con furia disperata.

L'aria echeggiava delle urla dei cavalli sventrati dalle picche macedoni, ma, se molti morirono, molti riuscirono ad aprirsi un varco. Lungo tutto il fronte delle prime due falangi c'erano larghi squarci là dove gli uomini erano stati calpestati a morte. A volte cavallo e cavaliere arrivavano al centro solo per essere abbattuti, mentre altri raggiungevano la salvezza colpendo all'impazzata i fanti macedoni.

Un gruppo di cavalieri elimioti virò per attaccare dal retro le due falangi di sinistra. Compensarono con l'impeto la scarsa forza numerica, e i danni che inflissero furono pesanti.

Ma i soldati di Filippo non cedettero al panico. Gli uomini che cadevano venivano prontamente sostituiti e le file si richiudevano come l'acqua di una pozzanghera in cui fosse stato scagliato un ciottolo.

Quando la forza della prima ondata si fu esaurita, Filippo gridò: «Ruotare a sinistra!» e le due falangi di retroguardia, come una barca che vira ad angolo retto per contrastare la corrente, iniziarono un'imponente manovra facendo perno sul centro, per accingersi ad affrontare il nuovo attacco, che già arrivava da sud.

Qui le condizioni del terreno erano più favorevoli agli Elimioti, e le falangi macedoni erano due soltanto. Per la prima volta, Filippo avvertì sulla lingua il gusto metallico della paura.

"Non c'è un posto in cui rifugiarsi" pensò, mentre i cavalieri elimioti gli si precipitavano incontro. "Nessuna via di scampo." Ma trovò ugualmente la forza di pensare e di emanare l'ordine decisivo.

«Giù!» gridò. Uno dopo l'altro gli uomini della prima fila caddero su un ginocchio, conficcando l'estremità della picca nel terreno dietro di sé, in modo da creare una lunga distesa di punte, più o meno all'altezza del petto.

Ora il campo visivo era sgombro per i lanciatori di giavellotto, che punirono crudelmente gli Elimioti. Gli uomini cadevano e venivano schiacciati dalle loro stesse cavalcature, i corpi straziati dagli zoccoli.

La carica era stata frenata, ma non interrotta. Molti dei cavalieri elimioti non si lasciarono fermare e sfondarono le schiere macedoni come un sasso sfonda una staccionata di vimini. Molti rimasero indietro, in attesa che la confusione garantisse loro un'apertura migliore. E alcuni dei cavalli caduti piombarono sulla prima fila di scudi e nella loro agonia seminarono ancora morte.

D'un tratto Filippo sentì la picca spezzarsi nella sua mano mentre la affondava nel torace di un cavallo grigio. Il suo cavaliere gli piombò addosso con la spada e di colpo lui si ritrovò a combattere per salvarsi la vita. Con istintiva tempestività, si scagliò in avanti nel momento in cui la spada dell'avversario completava la sua parabola, e lo gettò a terra. Prima ancora di rendersene conto, gli aveva trapassato la gola con la picca. Il viso dell'elimiota era un orrore gonfio e purpureo quando smise di dimenarsi; dall'orecchio destro gli usciva sangue. Filippo lo lasciò andare solo quando fu sicuro che era morto, poi, colto da uno spasimo di ripugnanza, vomitò sul cadavere.

Soltanto quando fu di nuovo in piedi si accorse di avere il davanti della tunica intriso di sangue: una lunga ferita superficiale gli correva dalla spalla allo sterno. In qualche modo quella scoperta gli fece bene.

"Non morirò per così poco" pensò in un improvviso empito di gioia e non poté trattenersi dal ridere. "Non morirò per così poco."

Recuperò lo scudo, prese la picca che qualcuno gli tendeva e tornò in prima linea. Erano passati solo pochi minuti.

«Riformate le righe» urlò e miracolosamente gli uomini che combattevano per la propria vita udirono il suo grido e obbedirono. Nel pieno dell'attacco elimiota, le falangi resistettero e serrarono i ranghi.

Questa volta toccò alla cavalleria elimiota piombare nel caos. Non c'era più la possibilità di effettuare una ritirata per poi tornare a radunarsi, e dopo la carica iniziale i due gruppi che erano piombati sull'ala destra e sull'ala sinistra dell'esercito macedone erano ormai allo sbando. I loro attacchi erano ancora pericolosi, ma disordinati e privi di coordinamento e nel complesso non più molesti di uno sciame di zanzare.

Il terzo assalto trovò le due ali della fanteria di Filippo disposte quasi ad angolo retto. Fu un altro forte colpo, ma le falangi lo assorbirono e la battaglia stava ormai raggiungendo un punto morto; gli Elimioti erano incapaci di sfondare i ranghi macedoni e le sorti del combattimento pareva si sarebbero decise quando solo un uomo fosse rimasto in piedi.

Fu allora che la cavalleria macedone attaccò.

Fino a quel momento era rimasta invisibile dietro i terrapieni dell'accampamento e solo ora che tutte le forze elimiote erano impegnate nella battaglia entrava finalmente in gioco. Nel vederla, la fanteria di Filippo la salutò con un'ovazione.

La sorpresa fu totale; sembrava quasi che gli Elimioti avessero dimenticato che i loro nemici erano macedoni, e cavallerizzi non meno abili di loro. Forte di soli duecento uomini, la cavalleria rimase compatta e aprì uno squarcio immenso nel tumulto delle schiere elimiote. I morti si succedevano ai morti e il terrore era quasi tangibile.

Ma un'altra brutta sorpresa aspettava gli Elimioti, perché, dopo la carica iniziale, i Macedoni non si fermarono. Cavalcarono finché non furono in campo aperto, e poi fecero dietrofront e, senza rompere la formazione a cuneo, caricarono di nuovo.

Ma, già prima di quella seconda carica, era tutto finito e la cavalleria elimiota ridotta a una massa tumultuante e in preda al panico, facile bersaglio delle frecce e dei giavellotti macedoni. Incapaci di organizzare una qualsiasi forma di resistenza, i suoi uomini non avevano scelta: fuggire o morire. Fuggirono a centinaia.

Fu allora che Filippo vide Derda. Il re sconfitto era a una cinquantina di passi da lui, in sella a un magnifico stallone fulvo che lui sembrava quasi incapace di controllare. Agitava la spada sopra la testa e gridava, forse per incitare i suoi uomini, ma la confusione era tale che la sua voce si perdeva nel frastuono.

Ma non faceva differenza, perché non lo avrebbero ascoltato comunque. I cavalieri elimioti sciamavano verso Eana, in così gran numero che i cavalli intasavano le porte della città, e alla fine Derda gettò via la spada e li seguì.

Quello che accadde poi ebbe dell'incredibile: sotto gli occhi attoniti di Filippo, le porte di Eana cominciarono a girare sui cardini. Le grandi porte di legno, contro cui premeva una massa isterica di uomini e di cavalli, si chiusero quasi sulla faccia di Derda. Qualcuno aveva dato l'ordine di sigillare la città, lasciando il re e gli altri superstiti al loro destino.

Quanti ne restavano? Quattro, forse cinquecento elimioti erano ancora in sella, ma senza più un posto in cui rifugiarsi e sapevano che solo la resa li avrebbe salvati dall'annientamento. L'unica alternativa era la fuga.

Derda spronò il suo stallone e gridò qualosa — una maledizione, a giudicare dall'espressione del suo viso. Poi lui e molti altri puntarono a nord, l'unica direzione possibile.

«Inseguiteli» sbraitò Filippo e ancora una volta il suo ordine fu ripreso da molte altri voci. Due compagnie di cavalleria effettuarono una rapida inversione e si lanciarono al galoppo dietro il sovrano in fuga. Le loro cavalcature erano più fresche, ma Derda conosceva il terreno. Filippo lo voleva far prigioniero, perché in caso contrario lui e i suoi si sarebbero rifugiati sulle montagne e certo non avrebbero rinunciato a combattere.

Alla loro partenza seguì una quiete quasi innaturale. Neppure i Macedoni osavano dare sfogo alla loro esultanza; rimasero in silenzio mentre, a uno a uno, gli Elimioti facevano cadere la spada in segno di resa.

Uno di loro, un uomo di forse trent'anni, cavalcò verso le schiere macedoni. Era ovvio che veniva a parlamentare.

Filippo tese la sua picca al soldato che gli stava accanto — adesso era di nuovo il comandante.

«Chi di voi è il capo?» gridò l'uomo. Parve sorpreso quando la risposta giunse dalle file dei fanti.

«Io sono Filippo, principe di Macedonia» disse Filippo, senza quasi alzare la voce. «Di' quello che sei venuto a dire.»

L'altro gli si accostò. Pareva trovare enormemente disgustoso il suo compito.

«Che cosa offri perché vi apriamo le porte della città?»

Filippo gli rivolse un sorriso feroce. «Faresti meglio a chiedermi che cosa ti offrirò se non lo farete.»

XXVII

«Ne abbiamo uccisi circa una ventina e catturati una cinquantina» riferì il comandante della cavalleria. Più o meno coetaneo di Filippo, si chiamava Korous. I due giovani si conoscevano da sempre. «Ma la maggior parte è fuggita.»

«Avete preso Derda?» Era l'unica cosa che contasse.

«No. Un prigioniero ha identificato i morti; non era tra loro.» Chinò lievemente la testa, come un bambino che aspetta la punizione per aver smarrito un giocattolo.

Korous era alto, bello e biondo; a Filippo aveva sempre ricordato Alessandro, a cui assomigliava nell'aspetto come nel carattere. Umiliare un uomo così sarebbe stato un errore.

«Questo ci risparmia il fastidio di decidere che cosa fare di lui» commentò con un sogghigno. «Di' ai tuoi uomini che oggi hanno combattuto bene. Ci hanno salvati.»

Poi, per pura esultanza, incominciò a ridere.

«Oggi abbiamo vinto una grande battaglia, Korous... come quando eravamo ragazzi.»

Risero insieme. Avevano vinto, contemplavano la vittoria dall'alto della loro giovinezza e Derda era dimenticato.

Mezz'ora dopo, nel pomeriggio di una giornata che pareva già lunga un secolo, Filippo montò Alastor per entrare nella città vinta. Davanti a lui era schierato l'esercito e, seduti per terra qua e là e palesemente esausti, i mille guerrieri elimioti che si erano arresi. Aspettavano tutti che Filippo parlasse, perché ormai la sua voce era l'unica che avesse un peso.

«La città e i suoi abitanti sono sotto la protezione di Perdicca, re di tutti i Macedoni, tra cui devono annoverarsi anche gli Elimioti. Non ci saranno saccheggi né rappresaglie. Siamo di nuovo tutti connazionali, e siamo tutti fratelli. Coloro che sono morti oggi giacciono fianco a fianco, affrancati da ogni rivalità... e così sia anche per noi.

«Derda è fuggito quando le sorti della battaglia gli sono divenute avverse. Non tornerà. Il suo avo fu insediato sul trono da Alessandro il Macedone, e ora un discendente di quello stesso re lo ha scalzato. Ha perso il suo diritto a regnare e non gli dovete più alcuna fedeltà, ma io dico agli uomini dell'Elimea che la sua caduta non è la loro. Tutti quelli che giureranno fedeltà a re Perdicca e ai suoi eredi, conserveranno rango e beni. Chi non lo farà diventerà suo nemico. Che ciascuno decida per proprio conto.

«Ai miei soldati, perché non si sentano defraudati del loro diritto al saccheggio, verrà equamente distribuito un terzo del tesoro di re Derda... abbiamo diviso il pericolo, nello stesso modo divideremo la ricompensa. Fino al momento della distribuzione, forse gli osti di Eana ci faranno credito.»

Parecchie ovazioni si levarono dalle schiere macedoni, che ben sapevano come un terzo del bottino fosse la tradizionale ricompensa del comandante. Anche qualche elimiota si unì a loro, seppure forse per motivi diversi. Comunque fosse, passò qualche minuto prima che Filippo potesse riprendere a parlare.

«Entriamo ora in questa città che oggi torna a essere macedone, e possa questo trionfo costituire un nuovo inizio per vincitori e vinti.»

Quando le massicce porte vennero spalancate, si sarebbe detto che gli abitanti di Eana si fossero radunati per festeggiare il proprio esercito vincitore. La gente si riversava sulla via principale, gettava fiori sotto gli zoccoli di Alastor, stringendolo così da vicino che Filippo ebbe il suo da fare per tenerlo quieto. Le donne piangevano e gli mostravano i figli, e gli uomini lo osannavano. Era come se avessero trovato un nuovo eroe.

"E perché non dovrebbero osannarmi?" si chiese lui, mentre salutava e sorrideva. "Sanno bene qual è di solito il destino delle città sconfitte. Sono felici di aver salva la vita."

Quando entrò nella corte del palazzo, dove sei mesi prima era giunto nelle vesti di supplicante, trovò ad accoglierlo solo servi e alcuni vecchi segretari, gli scribacchini del regno abbattuto. L'unica persona d'alto rango era Fila.

Indossava una tunica blu scuro con un lembo tirato sui capelli e il suo viso era privo d'espressione, quasi fosse in attesa del suo giustiziere.

«Ti accompagnerò ai tuoi appartamenti» disse con voce quasi perfettamente calma. «Dato che non c'è nessun altro che possa farlo.»

«E quali sarebbero questi appartamenti?»

La domanda sembrò stupirla. «Quelli che sceglierai, poiché questa casa e quanto contiene ti appartengono, ora.»

Le sue parole non grondavano risentimento, ma non erano neppure invitanti. Si limitavano a enunciare la realtà. E tuttavia, mentre la seguiva nella granda sala dei ricevimenti, Filippo non poté fare a meno di chiedersi se avesse compreso anche se stessa nell'elenco dei suoi nuovi averi.

Più che altro per scacciare quel pensiero le domandò: «Chi ha ordinato che venissero chiuse le porte?».

Sorrise, vedendo che lei non accennava a rispondere.

«Sei stata tu, non è vero?»

Ora l'angoscia era visibile negli occhi di lei. «Mio fratello era così sicuro della vittoria! Sapevo che avresti preteso la sua resa in cambio della pace, e sapevo che lui non avrebbe mai acconsentito. Non mi sono mai fatta illusioni sul suo conto. Aveva perduto — questo era evidente — e non aveva fatto alcun preparativo in vista di un eventuale assedio. Nulla avrebbe potuto impedirti di prendere Eana, ora o fra un mese, e a prezzo di quali sofferenze? Alla fine l'avresti espugnata comunque, e io so che cosa accade alle città vinte che rifiutano di sottomettersi.»

«Così...»

«Così l'ho tradito.» Lacrime fredde come pioggia le rigavano il viso. «Era a me che affidava ogni autorità quando si allontanava da casa, e la gente è abituata a obbedire ai miei ordini. In questo caso, poi, sono stati tutti anche troppo ansiosi...»

«È naturale che lo fossero... sapevano che, così facendo, li avresti salvati.»

E Filippo distolse lo sguardo, fingendo di ammirare i dipinti alle pareti per farle capire che non si aspettava una risposta e darle il tempo di riprendersi. Le volgeva quasi la schiena quando parlò.

«Sei a un tempo nobile e saggia... una combinazione rara. Sono quasi felice che tuo fratello abbia avuta salva la vita.»

Eana accettò senza difficoltà la sconfitta, e né quella notte né il giorno dopo si verificarono incidenti. Filippo aveva emanato un proclama in cui dichiarava che agli ostaggi prelevati dagli Elimioti durante le scorrerie oltre frontiera sarebbe stato sufficiente presentarsi per riavere la liberà, e nel giro di pochissimo circa duecento persone, in gran parte giovani donne, giunsero all'accampamento macedone. La maggioranza arrivava dai grandi possedimenti nobiliari, quasi tutti molto lontani dalla città, ma nessuno aveva cercato di trattenerli. Nessuno era disposto a ignorare gli ordini di Filippo.

Ma più che la giustizia a lui stava a cuore la riconciliazione. Per molti giorni il fumo dei roghi funebri annerì l'aria. I Macedoni avevano perso non meno di centocinquanta uomini, ma le perdite degli Elimioti erano di gran lunga più gravi. Almeno mille di loro erano caduti in quelle poche ore di combattimento. Filippo decretò che le loro spoglie venissero restituite alle famiglie, e quelli che nessuno reclamò ricevettero degna sepoltura insieme con i soldati macedoni.

Il suo comportamento impressionò gli Elimioti, che non erano mai stati famosi per la loro clemenza; con il passare dei giorni, a gruppi oppure da soli, i nobili di Derda cominciarono a presentarsi al suo cospetto per giurare fedeltà a re Perdicca, e altrettanto fecero i soldati della guarnigione.

Dato però che a volte gli uomini sono più fedeli al corpo di appartenenza che a qualsiasi comandante, Filippo volle che il vecchio esercito elimiota venisse assorbito nel suo. La fusione della fanteria non presentò particolari difficoltà: molti dei suoi componenti erano stati arruolati forzatamente e non desideravano altro che tornare alle fattorie dei loro padri, ma per la cavalleria non fu altrettanto semplice. Tanto per cominciare, gli Elimioti erano numericamente superiori. Dei cavalieri che avevano combattuto contro i soldati di Filippo, ne erano sopravvissuti circa duecento. E Filippo non aveva abbastanza ufficiali da mettere a capo delle compagnie elimiote. Inoltre, Derda non aveva avuto il tempo di chiamare a raccolta tutta la sua gente. In alcune guarnigioni semisolate, la notizia della sconfitta non sarebbe arrivata prima di quindici giorni almeno.

Ma come tutta la Macedonia, l'Elimea era divisa dagli odi regionali. Per gli uomini delle pianure, chiunque vivesse sulle montagne a ovest non poteva che essere un barbaro, e gli abitanti delle zone al di là del passo di Siatista parlavano un dialetto così vicino all'illirico da risultare incomprensibile a chi non era nato tra loro. Gli unici autentici legami erano quelli di parentela e di clan. I cavalieri avevano partecipato alla battaglia al seguito dei rispettivi signori ed era soprattutto ad essi che andava la loro lealtà.

Così Filippo mescolò i superstiti come fossero stati sale e sabbia. "Che imparino un nuovo modo di fare la guerra" pensava. "Che imparino a essere Macedoni."

Era passato un mese dal giorno della vittoria, quando un gruppo di nobili elimioti sollecitò un'udienza privata con Filippo. Lui li stava aspettando.

«Derda è scomparso» dissero quelli. «Non tornerà — dopo quello che è accaduto non lo rivorremmo — ed era l'ultimo della sua stirpe. Abbiamo bisogno di un nuovo re.»

«Ce l'avete» replicò Filippo. «Il suo nome è Perdicca.»

«Perdicca è a Pella. Non sappiamo nulla di lui, e a che serve un re che vive a quattro giorni di marcia? Gli uomini vogliono un sovrano che possano vedere.»

«Che cosa suggerite?»

«Vorremmo proporre il tuo nome all'assemblea degli Elimioti. Ti sei guadagnato con le armi il diritto a regnare, e sei di sangue reale. Inoltre, sei già più potente di quanto potrebbe essere qualunque re, e gli uomini sopporteranno meglio l'onta della sconfitta se potranno giurare fedeltà a te e non a uno sconosciuto. Accetterai?»

«Gli altri nobili sono d'accordo, o parlate solo per voi?»

«Non siamo degli sciocchi, Filippo. Ci serve un re, perché in caso contrario finiremmo col farci a pezzi l'un l'altro... è sempre stato così. La vittoria conferisce prestigio e autorevolezza a un uomo, quindi meglio te di un altro.»

«Dovrò scrivere a mio fratello per chiedere la sua autorizzazione. Che diventi o meno il vostro re, resterò suo suddito.»

«Lo comprendiamo.»

«In questo caso, scriverò.»

Perdicca non seppe subito che cosa pensare della lettera del fratello. *È soprattutto una questione di forma e di orgoglio ferito da lenire* scriveva Filippo. *Come chiunque altro, preferirebbero essere governati da un re di loro scelta piuttosto che da uno sconosciuto. In ogni caso, dovrò trattenermi qui ancora per qualche tempo; la riorganizzazio-*

*ne e l'addestramento delle truppe elimiote sarà una faccenda lunga. For-
se verso la fine dell'estate potremmo scambiare qualche compagnia con,
diciamo, una delle guarnigioni della frontiera orientale...* Filippo sembrava considerare la questione da un punto di vista puramente pratico, come se per lui diventare re degli Elimioti non avesse
alcuna importanza. E tuttavia doveva importargliene. Che cosa
aveva in mente?

Filippo era andato a ovest con un esercito di circa mille
uomini, quasi tutti fanti, ed ecco che, come si incappa in una
monetina di bronzo, lungo la strada aveva raccolto altri trecento cavalieri. La sua reputazione di comandante era salita
alle stelle. La conquista dell'Elimea era sulla bocca di tutti,
al punto che Perdicca non sopportava più di sentire tessere le
lodi di suo fratello. E ora Filippo voleva diventare re. Naturalmente. Perché non avrebbe dovuto desiderarlo?

Perdicca, che solo di recente si era scrollato di dosso la scomoda ombra di un fratello, adesso trovava un nuovo rivale nel-
l'altro. Filippo stava creando un esercito. Che cosa avrebbe
deciso di farne, alla fine?

*Se qualcuno, io o un altro, non provvede a mantenere una salda pre-
sa su questa regione, la situazione precipiterà. I nobili sono gelosi e hanno
paura l'uno dell'altro. Se li abbandono a loro stessi, quanto tempo pas-
serà prima che incomincino a cercare protezione altrove? O controlliamo
l'Elimea con fermezza, e dal centro, o essa ci sfuggirà lentamente di mano.*

Su questo punto Filippo aveva ragione. Gli Elimioti dovevano avere un re ed era necessario che quel re fosse soggetto
alla Macedonia.

Ma non Filippo... chiunque, tranne Filippo.

Eppure chi, se non Filippo?

Un re, si dice, non deve fidarsi di nessuno. Quale dei suoi
nobili, una volta a Eana, non avrebbe incominciato a sognare
di svincolarsi dal potere centrale? Nessuno, assolutamente nessuno.

Tranne Filippo. Perché nel suo intimo Perdicca sapeva che
il fratello non lo avrebbe mai tradito. Con Filippo a capo degli
Elimioti, le sue frontiere occidentali sarebbero state al sicuro.

Per di più, gli sarebbe stato di sollievo sapere Filippo a
Eana, invischiato negli intrighi di quei selvaggi, e non a Pella
a godersi il suo trionfo. Quali onori lo avrebbero atteso nella
capitale! Se non voleva essere giudicato ingrato, o addirittura

geloso —, Perdicca avrebbe dovuto innalzarlo alla gloria. No, era un pensiero intollerabile.

Ebbene, dunque, che diventasse il re di quel piccolo regno pietroso... sempre meglio che averlo a casa. Perdicca decise che gli avrebbe risposto al più presto per concedergli la sua autorizzazione.

Dopo la fuga del fratello, Fila era rimasta a corte e, in mancanza di istruzioni diverse, aveva continuato a occuparsi dell'andamento del palazzo. Filippo lo utilizzava come quartier generale, ma preferiva dormire in una tenda dell'accampamento che i suoi uomini avevano allestito fuori delle mura cittadine, mentre si dedicavano ai lavori di ampliamento delle caserme. A lavori ultimati, Fila ne era certa, il giovane principe si sarebbe trasferito lì.

Lo vedeva di rado e solo fuggevolmente. Sembrava quasi che lui volesse evitarla.

Il suo stupore fu quindi ancor più grande quando una mattina ricevette l'invito — un invito, naturalmente, che aveva il valore di un ordine — a raggiungerlo per il pasto di mezzogiorno nella vecchia sala del consiglio di Derda.

Fila, che non vi era più entrata dall'arrivo di Filippo, quasi non la riconobbe. All'epoca di suo fratello, che la usava di rado, era una stanza spoglia e malinconica, ma ora molti tavoli erano stati accatastati contro la parete di fronte e dei due rimasti uno era ingombro di carte e mappe. Lì stava Filippo, circondato da un gruppetto di ufficiali macedoni ed elimioti. Parlava a voce troppo bassa perché lei potesse sentirlo, ma non le sfuggirono il tono pressante della sua voce né l'attenzione quasi rapita degli uomini. Almeno per quel momento, lui era padrone delle loro anime.

Quella scena le parve un simbolo, una sorta di distillato di tutti i giudizi che aveva formulato su di lui fin dal giorno in cui era giunto a Eana per parlare con Derda. Era serio. Non si curava delle apparenze; preferiva vedere il mondo per quello che era e descriverlo con parole brusche, quasi brutali, ma veritiere. Gli altri uomini lo seguivano d'istinto.

Passò qualche istante prima che Filippo si accorgesse di lei. «Signori, continueremo in un altro momento» disse allora senza sorridere.

Entrò un servo che andò a posare sul tavolo un vassoio con del cibo. C'erano pane, formaggio, una ciotola di fichi e una piccola brocca di vino. Senza sedersi, Filippo prese un fico e lo aprì con un coltello.

«Siediti, Fila.» Sembrava tutto assorbito nel compito di sbucciare il frutto. «E sii così gentile da versare il vino per entrambi.»

Fila riempì due piccole tazze e tornò a posare la brocca. Non bevve e neppure toccò cibo. I suoi pensieri erano altrove.

«Perché mi hai convocata, mio signore?»

«Convocata?» Lui la guardò e finalmente sorrise, divertito dalla scelta di quel termine. «Sai che cosa accadrà fra cinque giorni?»

«Si riunirà l'assemblea.»

«E poi?»

«Sarai eletto re.»

Filippo sedette, prese un pezzo di pane e lo intinse nel vino. Sembrava quasi che non l'avesse udita.

«Ti addolora che io diventi re?» domandò, e quando lei non rispose si spostò leggermente di lato, in modo da appoggiare la spalla alla parete. Rimase a lungo in silenzio, masticando il pane e scrutandola in viso, quasi fosse ancora in attesa di una risposta.

«Sarò re non perché lo desidero, ma perché è necessario» osservò alla fine. «Se anche Derda tornasse e mio fratello decidesse di perdonarlo, non potrebbe più regnare... i suoi nobili non dimenticheranno l'umiliante sconfitta a cui li ha condotti. Forse ascoltare tutto questo ti dispiace, ma è la verità. Sarò re perché non c'è nessun altro che possa esserlo.»

Fila non poteva risolversi a guardarlo in faccia. Sapeva di essere vicinissima alle lacrime, ma non erano le parole di lui ad addolorarla. Semplicemente, l'intensità del suo sguardo le riusciva intollerabile.

«Che cosa vuoi?»

La domanda ebbe perlomeno l'effetto di fargli distogliere gli occhi. Di colpo parve indaffaratissimo con il pane e il formaggio e con profonda meraviglia Fila comprese che era imbarazzato.

«Voglio essere un buon re, fedele a mio fratello e alla vostra gente. Voglio governare in pace e mettere fine a tutte le divisioni e le ostilità.»

«E che cosa ha a che fare questo con me?»

Adesso Filippo era così imbarazzato che arrossì. Le diede una vaga sensazione di trionfo sapere di essere, almeno per il momento, in vantaggio.

«È dovere di un re proteggere il suo popolo» riprese il giovane principe, con l'aria di chi recita un discorso imparato a memoria. «In vita come dopo la morte. Un re ha bisogno di un erede. Vorrei prenderti in moglie...»

Per un momento Fila dimenticò persino di respirare. La sua sorpresa era tale da cancellare ogni altra emozione.

Ma lui stava ancora parlando.

«Mi dispiace... Non desidero offenderti e sono sicuro che l'argomento ti è penoso, ma, dato che non hai parenti maschi — nessuno, almeno, che sia nella posizione di potersene occupare —, non posso far altro che rivolgermi direttamente a te. Ma non temere, non ho intenzione di costringerti. Se la mia proposta ti è sgradita o se pensi che non sarebbe onorevole accettarla, ti assegnerò una delle proprietà reali dove potrai vivere come più ti aggrada. Nondimeno, sarebbe preferibile che tu accettassi. Sei l'ultima della vecchia stirpe.»

«È solo questo che vuoi?» chiese lei. «Una legittimazione?»

«Mi sono guadagnato la "legittimazione", come l'hai definita, con la punta della mia spada.» Le dita di Filippo si strinsero intorno alla tazza e per un momento Fila temette che volesse spezzarla. «Sarò re per volere dell'assemblea degli Elimioti. Sono persuasi che faccia loro un grande favore ad accettare e hanno ragione di pensarlo. Io sono il solo che possa metter fine alle antiche divisioni... per il bene della nazione.»

«Di quale nazione?» lo interruppe Fila, senza neppure capire perché si sentisse tanto ferita. «L'Elimea o la Macedonia?»

Sotto lo sguardo di quegli occhi grigio-azzurri, occhi freddi e acuti come quelli di un gatto, sentì ancora una volta di essere sul punto di sciogliersi in lacrime.

Ma non doveva piangere. Le donne della casa reale degli Elimioti non piangevano davanti a un estraneo. Sarebbe morta piuttosto che rivelare a Filippo i sentimenti che si agitavano in lei.

«Gli Elimioti *sono* Macedoni.» La stretta delle dita di lui intorno alla tazza si rilassò, ma Filippo non bevve. «Siamo un solo popolo. *Dobbiamo* essere un solo popolo.

«Rifletti sulla mia proposta» riprese, con il tono di chi discute il prezzo di un cavallo. «Vorrei una risposta prima che l'assemblea si riunisca... Un'altra cosa. Se deciderai di accettare, dovrai rinunciare a ogni pretesa di lealtà verso tuo fratello.»

«L'ho già tradito una volta. Non è una garanzia sufficiente?»

Lui scosse il capo. «No. Quando una donna si sposa, lascia una famiglia per entrare in un'altra, e i nemici di suo marito diventano i suoi. Voglio soltanto che tu veda chiaro in te stessa.»

Fila si alzò, e prima che Filippo potesse impedirglielo, gli rivolse un inchino.

«Grazie, mio signore. Avrai la mia risposta prima che si riunisca l'assemblea.»

Solo quando fu nella sua stanza, dove nessuno poteva vederla, dette sfogo al pianto. Pianse fino a farsi quasi scoppiare il cuore. Pianse fino a quando la gola le si inaridì, fino a quando non ebbe più lacrime.

Sdraiata sul letto, protetta dalla porta chiusa a chiave, pensò a che cosa debole e insignificante fosse una donna. Filippo la desiderava? La voleva per se stessa? Era probabile, ma anche in caso contrario non avrebbe fatto alcuna differenza. Ciò che le proponeva era un'alleanza dinastica, proprio il genere di matrimonio per cui Fila era stata allevata, e tuttavia la amareggiava che fosse proprio *lui* a proporglielo. Lasciare la sua casa, la sua famiglia per diventare la sposa di uno sconosciuto... tutto questo avrebbe saputo affrontarlo con cuore più leggero. Ma diventare la moglie di Filippo di Macedonia, e solo perché lui la riteneva la mossa più opportuna, "per il bene della nazione"...

Perché lei lo amava. Forse lo aveva amato fin dal primo momento, quando si erano incontrati nel vecchio giardino di suo padre. E a una parola di lui avrebbe commesso qualunque crimine.

Era per questo che aveva chiuso le porte in faccia a Derda? Al momento non lo aveva creduto, ma ora non ne era più così sicura. Non lo sarebbe stata mai.

"Sì, prendimi, se vuoi" pensò. "E io ti amerò dell'amore abietto, ignobile, di una donna. Anche se non mi guarderai mai, anche se non dovessi mai vedere il tuo sorriso, ti amerò finché avrò vita."

XXVIII

Cinque giorni dopo, alle prime luci dell'alba, gli Elimioti si riunirono in assemblea. La mozione presentata per la deposizione di re Derda fu accolta da acclamazioni e, quando Filippo venne eletto re, gli uomini gli si strinsero intorno, percuotendosi la corazza con la spada e gridando il suo nome in segno di fedeltà. Nessuno aveva mosso obiezioni contro di lui perché, sebbene l'esercito macedone fosse accampato fuori Eana, l'elezione di un altro candidato avrebbe inevitabilmente condotto alla guerra civile.

Dopo che il cane fu ucciso e il suo sangue sprizzò davanti all'anfiteatro, Filippo guidò i componenti dell'esercito, ora suoi sudditi, al recinto dei templi per purificare le armi e offrire sacrifici a Zeus. Come voleva la consuetudine, entrò solo e in veste di primo sacerdote sacrificò sul fuoco un femore di bue avvolto nel proprio grasso. Le fiamme si levarono alte, un presagio tradizionalmente ritenuto favorevole.

Fuori, l'intera popolazione cittadina si era radunata per rendergli omaggio. Le ovazioni quasi lo assordavano, mentre sollevava la spada in segno di saluto.

Sarai mai re, Filippo? Il bisnonno ha detto che un giorno sarò la sposa di un grande re.

La piccola Audata, seduta sul bordo di una cisterna di pietra, con le ginocchia strette al petto, gli chiedeva se era lui il suo destino. Perché proprio quel ricordo si affacciava alla sua mente? Gli sembrava che fosse passata un'eternità.

"Sì" bisbigliò a fior di labbra, ascoltando le grida osannanti di quelli che fino a pochi mesi prima erano i suoi nemici, e che ora mettevano la propria sorte nelle sue mani. "Sì, ora sono re. Ma per noi è troppo tardi."

Non avrebbe saputo spiegare perché, nel momento del trionfo, il suo animo era pervaso da tanta desolazione.

Più tardi ci furono banchetti e giochi. Gli Elimioti e i soldati di Filippo gareggiarono da eguali e si divisero equamente i premi. Violando una regola personale, Filippo partecipò alla corsa equestre e vinse.

Il giorno dopo, con molta discrezione, i beni di Fila furono trasportati in una proprietà reale a un'ora di viaggio da Eana. In quanto re, ora Filippo si sentiva in dovere di trasferirsi nel palazzo, e non era conveniente che i due giovani dormissero sotto lo stesso tetto. Fila sarebbe tornata a corte solo come sua sposa.

Avevano deciso che il matrimonio sarebbe stato celebrato nel mese di Peritio, considerato propizio alle unioni. Per allora sarebbe stato pieno inverno, ma Filippo non si rammaricava del ritardo. Prima di prendere in moglie una donna della caduta casa reale, era opportuno che il suo popolo si abituasse a lui. Non voleva dare l'impressione di aver bisogno di rafforzare i suoi diritti.

Adesso tutti i beni della corona gli appartenevano; per legge Fila non possedeva nulla e la sua stessa vita dipendeva da Filippo. Se lui avesse voluto, avrebbe perfino potuto venderla come schiava.

Ma poiché sarebbe stato disonorevole per Fila arrivare al matrimonio spogliata di tutto, Filippo le assegnò la tenuta in cui si era trasferita, insieme con una dote di trentamila dracme ateniesi d'argento. Lui e Fila non si sarebbero incontrati spesso prima della data fissata per il fidanzamento, che precedeva solo di pochi giorni il matrimonio. Fare altrimenti non sarebbe stato decoroso e in ogni caso Filippo doveva occuparsi di molte altre cose. L'ampliamento delle caserme reali procedeva con rapidità e il re, che di falegnameria e opere in pietra se ne intendeva abbastanza da provare un autentico interesse per i lavori, si recava al cantiere quasi ogni giorno, trattenendovisi spesso per parecchie ore. Gli Elimioti si chiedevano perché un re dovesse trasportare pietre sulla schiena o ricevere i suoi ministri mentre intonacava un muro, ma non ne erano dispiaciuti. Di rado gli uomini si rammaricano se chi li governa si interessa a ciò che costituisce la loro vita e divenne presto evidente che Filippo aspirava a diventare un buon re.

Fu Glauco a prendere in mano le redini della conduzione

della casa, servendo il figlio adottivo così come aveva servito per generazioni i re macedoni. Quando non doveva intrattenere i nobili della sua corte o partecipare a qualche pranzo formale, Filippo lo raggiungeva nei suoi appartamenti e mangiavano insieme, attingendo dalla stessa pentola.

Filippo dedicava quasi tutto il suo tempo alla riorganizzazione dell'esercito. Si addestrava con i suoi uomini, e non risparmiava né loro né se stesso. A differenza dei Macedoni, gli Elimioti non erano abituati a lavorare tanto, e all'inizio se ne lamentavano apertamente.

«Avete già assaggiato il sapore della sconfitta» fu la risposta di Filippo. «E ora quasi la metà di voi è cenere. Voglio che non dobbiate più mangiare da quel piatto.»

Le lamentele cessarono.

E naturalmente c'erano le questioni economiche. Le finanze della casa reale erano in condizioni deplorevoli; Filippo introdusse un nuovo sistema di contabilità appreso a Tebe, controllando i resoconti di persona.

Inoltre, doveva occuparsi delle proprietà elimiote. Gli eredi dei caduti in battaglia conservavano i loro diritti, nessuno deve essere punito per aver fatto il proprio dovere —, ma i beni di coloro che erano fuggiti con Derda non appartenevano più a nessuno e c'era anche chi era morto senza lasciare successori. Terre, bestiame, greggi e granai entrarono a far parte del tesoro della corona.

Filippo li utilizzò per ricompensare i Macedoni che si erano particolarmente distinti in battaglia. Soldati semplici ricevettero appezzamenti di terra e bestiame che permisero loro di iniziare a Eana una nuova vita. Alcuni furono fatti nobili; molti sposarono donne del posto e si stabilirono tra i nemici di un tempo, divenendo essi stessi Elimioti. Con questi strumenti il nuovo re legò la nazione a sé e alla Macedonia.

Ma di tanto in tanto, pur in mezzo a tanti doveri, capitava che Filippo sparisse per un intero pomeriggio. Inutilmente nobili e ministri lo cercavano, e lo stesso Glauco sosteneva di non sapere dove fosse.

«Forse è andato a caccia» suggeriva con un sorrisetto che i nobili elimioti trovavano esasperante. Ma chi avrebbe osato alzare la voce con il capoeconomo del re, l'unico che godesse di tutta la sua fiducia?

«Sciocchezze. Un re non va a caccia da solo.»

«Perfino un re fa molte cose da solo, e questo re più degli altri. Ma non temete, tornerà prima che vengano chiuse le porte.»

E quando tornava, in sella al suo grande stallone nero ma senza neppure una carcassa di maiale selvatico che giustificasse la sua assenza, Filippo rispondeva a chi era tanto temerario da chiedergli spiegazioni con un'occhiata che induceva il malcapitato a non provarci più.

Erano quelli i momenti che Filippo dedicava alla futura moglie. Sapeva che avrebbe dovuto starle lontano — lo volevano la prudenza e le convenienze —, ma era attirato da lei quasi contro la sua volontà.

Non era innamorato. L'amore, per Filippo, era una follia, una maledizione che gli dèi scagliavano contro coloro che volevano distruggere. Sua madre aveva amato, e la sua passione aveva distrutto molte vite. No, non era innamorato. Se qualcuno avesse avuto l'audacia di interrogarlo in proposito, avrebbe detto che era curioso. Voleva conoscere il cuore di lei, leggere nella sua mente, perché innumerevoli cose dipendevano dalla sua natura. Dopotutto, un giorno un futuro re avrebbe succhiato il latte dal suo seno.

Ma non avrebbe ammesso, perché quasi non se ne rendeva conto lui stesso, che solo in compagnia di Fila trovava finalmente un po' di pace. La sua voce gentile lo placava, e il suo sorriso attenuava la solitudine che gli riempiva l'anima come l'aria riempie una giara vuota. Filippo si era fatto uomo consapevole di essere profondamente solo, ma quando era con lei il mondo gli appariva un luogo meno desolato.

E tuttavia non era innamorato.

«L'estate prossima ti porterò a Pella» le disse un pomeriggio d'autunno. Stavano passeggiando nel frutteto della proprietà e il vento che soffiava dalle montagne, apparentemente così remote sull'orizzonte a nord e tuttavia raggiungibili in un giorno di viaggio, faceva volteggiare le foglie cadute. «Ti mostrerò il mare.»

«Non l'ho mai visto. Com'è?»

Filippo sorrise. «Freddo e bagnato.» Le aveva preso la mano e lei non l'aveva ritirata. Era la prima volta che si toccavano.

«Andrai a Pella per incontrare tuo fratello?» La domanda suonò così innocente che Filippo non poté fare a meno di lanciarle un'occhiata, sospettando che sottintendesse altro.

«Sì... per incontrare mio fratello.» Ma non voleva parlare di Perdicca, bensì del modo in cui il vento arruffava i capelli neri di lei, e li faceva danzare. «Ho idea che non sarà troppo felice di vedermi, ma lo rassicurerà constatare che l'esercito non mi ha accompagnato.»

«Dunque non si fida di te?»

«È un re. E un re non si fida di nessuno, tanto meno della sua famiglia.»

Rimpianse di aver parlato quando la vide oscurarsi in viso. Certo aveva interpretato le sue parole come un'allusione a lei e a suo fratello.

«Perdicca non ha avuto una vita facile» riprese, nel tentativo di distrarla. «Ha avuto la disgrazia di essere allevato da nostra madre.»

«E tu no?»

«Io no. Fui affidato alla moglie del capoeconomo del re la notte stessa della mia nascita. L'ho sempre considerata una fortuna, ma forse spiega perché la gente dice che ho più l'aspetto di un mozzo di stalla che di un re.»

Fila non rise. «Non ho mai sentito dire nulla del genere.»

«Allora forse non lo dicono. Forse sono soltanto io a dirlo a me stesso. Non ho mai rimpianto di essere quello che sono, ma questo non accresce certo la mia... regalità.»

«Mio fratello credeva che essere re significasse vivere al di sopra delle cure degli altri uomini, e proprio questo è stata la sua rovina. Penso che tu sia più saggio.»

In un empito di gratitudine lui si portò la sua mano alle labbra e la baciò. Per un istante rimasero così, le mani intrecciate, e c'era un accenno di lacrime negli occhi di lei. Filippo sentì che tremava e comprese che, se l'avesse presa tra le braccia, non gli avrebbe resistito, perché in quel momento non avrebbe potuto rifiutargli nulla. Ma non lo fece. La desiderava, al punto da provare un dolore quasi fisico, ma non fece nulla. Lei doveva accostarsi al suo letto di sposa senza essere oppressa da alcun peso, e per il momento a lui bastava sapersi amato. Era una consapevolezza più gratificante del desiderio soddisfatto.

L'attimo passò e la passeggiata riprese.

Il terzo giorno del mese di Peritio, un nobile elimiota di nome Lachio lasciò la propria casa a disposizione di Fila. Lachio aveva guidato la seconda carica di cavalleria contro le schiere macedoni, ma da allora aveva concepito una grande ammirazione per Filippo che a sua volta lo considerava con amicizia al punto da onorarlo della sua confidenza. Lachio si trasferì dal cognato che, seppure sorpreso, si mostrò compiacente quando seppe che era la volontà del re, e quella notte Fila dormì a pochi minuti di strada dal palazzo in cui aveva trascorso quasi tutta la sua vita.

Il mattino seguente, un gruppo di servi agli ordini del capoeconomo del re venne a prendere possesso della cucina e a preparare le grandi sale dei ricevimenti. Nel pomeriggio, Filippo convocò a casa di Lachio alcune centinaia dei suoi nobili e fece servire loro vino e dolci di sesamo. Quando li raggiunse a sua volta, teneva per mano una donna che indossava una tunica bianca e aveva il viso nascosto da un velo.

«È mio desiderio prendere in sposa Fila, figlia della deposta casa reale. Sei disposta ad accettarmi, mia signora?»

«Sono disposta, mio signore.»

«Allora dichiaro concluso il nostro fidanzamento; che venga reso noto a tutti.»

Tranne per il fatto che nessun parente maschio aveva potuto parlare per conto di Fila, tutto si era svolto secondo la tradizione. Nondimeno, un silenzio stupito regnò sugli astanti fino a quando non fu rotto da un grido levatosi dal fondo della sala: «Possano gli dèi benedire questo matrimonio con molti figli!». Lachio sorrise quando il suo augurio fu ripreso da tutti.

Fu così che il popolo di Elimea apprese che il suo re stava per sposarsi.

Tre sere più tardi c'era la luna piena. Nei suoi appartamenti, Fila onorò la consuetudine, dedicando i suoi giocattoli di bambina alla dea Artemide, poi, nuovamente velata, discese la grande scalinata in fondo alla quale aspettava una folla ben più numerosa di quella che aveva presenziato al fidanzamento. Furono recitate preghiere e il re, in veste di sacerdote, sacrificò all'altare di famiglia un agnello e una ciocca dei capelli della sposa. Seguì un banchetto che fu gaio e festoso, ma, poiché le donne cenavano in un'altra sala, Fila non vide il marito fino a quando non fu annunciato l'arrivo del cocchio nuziale.

Filippo la aspettava nel vestibolo. Sorrise, un po' nervoso, e le tese la mano. Quando venne aperta la porta, si scoprì che stava nevicando e che il suolo era già coperto da almeno una spanna di neve. Era un presagio tradizionalmente ritenuto favorevole.

Gli sposi salirono sul cocchio, che era trainato da una coppia di candide giumente, e gli invitati gli si strinsero intorno intonando il canto nuziale. Le loro torce splendevano come stelle nella gelida aria della notte mentre il corteo muoveva verso il palazzo, dove li accolsero lanci di coriandoli che andarono a mescolarsi bizzarramente alla neve.

Un cerimoniere portò un vassoio d'argento con un'unica mela cotogna, simbolo di fecondità. Fila scostò il velo e la addentò. Quando ebbe finito, un'ovazione si alzò tra i presenti e Filippo si chinò a sollevare la sposa fra le braccia.

Gli ospiti li accompagnarono cantando fino alla camera nuziale, adorna di ghirlande di fiori e profumata con essenza di giacinto. La porta si richiuse alle spalle dei due giovani, che tuttavia non si mossero fino a quando anche l'ultima risata si fu spenta.

«Era la stanza di mio padre» disse allora Fila, e nel vedere l'espressione del marito si affrettò ad aggiungere: «Lo amavo e sono felice che tu l'abbia scelta».

«Mi era sembrata la più bella.» Filippo si guardava intorno come se vedesse la camera per la prima volta. «Ma forse avrei dovuto consultarmi con uno dei servi anziani.»

«No... hai scelto bene.»

Era la verità. Forse la sua reazione sarebbe stata diversa se, insieme con uno sposo quasi sconosciuto, il matrimonio le avesse portato anche una nuova casa, ma in quella stanza si sentiva al sicuro e le emozioni che vi associava erano note e confortanti.

Quel pensiero le dette il coraggio di prendere la mano di Filippo, che si sentì a sua volta rincuorato. Dopo un istante le scostò il velo dal viso, come avrebbe fatto con una ragnatela.

«È andato tutto bene» mormorò con un sorrisetto teso — e fu con sorpresa ma con una punta di trionfo che Fila comprese che suo marito era vagamente impaurito. «Credo che tutti siano rimasti contenti. E io lo sono a mia volta.»

Senza quasi che se ne fossero resi conto, non erano più fianco a fianco, ma uno di fronte all'altra. Filippo le sfiorò la guancia, poi lentamente, come per voler assaporare il contatto con i suoi capelli, le posò la mano sulla nuca. Ora erano vicinissimi. Lei socchiuse gli occhi e gli offrì il viso.

Nessuno, neppure suo padre, l'aveva mai baciata sulla bocca. La morbidezza delle labbra di lui, la pungente carezza della sua barba... visse ogni cosa come un'esperienza a sé, ma in ultimo si fusero tutte nel battito ardente del suo cuore e in un'emozione che assomigliava alla paura ma paura non era. No, non aveva paura. Qualunque cosa stesse per accadere, non avrebbe opposto resistenza, ma anzi l'avrebbe accolta con gioia.

La profonda scollatura della tunica nuziale le lasciava scoperte le spalle. Era stata la sua vecchia nutrice a cucirla parecchi mesi prima, subito dopo che Filippo aveva fatto la sua offerta.

«Mi sentirò quasi indecente con questa addosso» aveva protestato Fila, e la donna si era limitata a sorridere.

«Il velo ti coprirà il viso... Quanto al resto, capirai tutto a tempo debito.»

Lo comprese ora, mentre la mano di Filippo le accarezzava le spalle e faceva scivolare la tunica lungo le braccia, scoprendola fino alla vita.

«Sei il mio signore» sussurrò Fila, gli passò le braccia intorno al collo e premette i seni contro il suo petto. Che pensasse pure ciò che voleva, lei desiderava solo legarlo a sé. «Ti appartengo, anima e corpo. Non vorrei nessun altro.»

Si svegliò nelle prime ore del mattino e quando andò ad aprire le imposte vide che il cielo era ancora buio. Anche l'ultimo ospite si era ritirato e tutto era silenzio; i servi non si sarebbero alzati ancora per molto tempo. Tornò a letto e si strinse al marito che dormiva profondamente e non si mosse neppure. Giacque lì, ascoltando il suo respiro, chiedendosi se avrebbe osato toccarlo.

Solo poche ore prima, al lato opposto di un baratro su cui era gettato solo un sonno leggero, era stata un'altra. Chi? Non lo ricordava. La vecchia Fila le appariva quasi una sconosciuta, e poteva dedicarle solo una vaga compassione divertita. Perché ora era la sposa di Filippo, principe di Macedonia e re dell'Elimea... Filippo, suo marito. Doveva incominciare a pensare a lui solo come a Filippo. In quella stanza, in quel letto, non aveva altri nomi né titoli.

E ora lei aveva in grembo il suo seme.

Era stato doloroso. In un primo momento, l'impeto del desiderio di lui l'aveva terrorizzata. Ma tutto, paura e sofferenza, era stato rapidamente vinto.

Era così per tutte le donne? Era stato così anche per sua madre? Sua madre era morta da molto tempo, lasciandosi dietro tante di quelle cose inespresse che lei sentiva quasi di poterla piangere di nuovo.

Ma non credeva che fosse lo stesso per tutte le donne... non tutte erano sposate a Filippo.

C'erano uomini, si diceva, il cui splendore offuscava persino gli dèi, e che divenivano i beniamini del cielo. Certo Filippo era uno di loro. Il vincitore di un esercito che avrebbe dovuto schiacciarlo con la facilità con cui un martello schiaccia un grappolo d'uva, re non ancora ventenne... certo non era come gli altri uomini.

Di conseguenza, la sua felicità non era come quella delle altre donne, e non sarebbe durata a lungo.

Nel buio della sua notte di nozze, Fila percepì le ali nere della morte e seppe che la sua ora sarebbe stata breve.

E tuttavia, che cos'era la morte di fronte a questo?

XXIX

«Hai l'aria stanca, mio signore.» Poi uno scroscio di risa. Molte volte Filippo si trovò oggetto di simili battute scherzose nelle settimane immediatamente successive al suo matrimonio. Le accettava di buon grado, perché non era nella sua natura mostrarsi altezzoso, e per gli amici ogni neomarito è una buona occasione per fare sfoggio del proprio spirito. Sotto questo aspetto, un re non era diverso dagli altri uomini.

Inoltre, Filippo aveva deciso che la moglie gli piaceva. Ciò che era iniziato come un dovere di Stato si stava rivelando un'esperienza piacevole. Quando tornava a casa dopo una giornata passata con le sue truppe, Fila era sempre pronta a massaggiargli i muscoli indolenziti e ad ascoltarlo parlare delle esercitazioni. Filippo non aveva remore a illustrarle i suoi piani per la nazione, perché a Fila interessava lui e non il potere. Era un grande sollievo.

«Non è escluso che un giorno tu decida di prendere una concubina» gli aveva detto Lachio, quando Filippo gli aveva confidato i suoi progetti matrimoniali. «Non so nulla di Fila, non credo di avere scambiato più di cinque parole con lei, ma queste donne di alto lignaggio non sono mai compagne comode. Ti danno dei figli, ma sono troppo fiere e troppo fredde perché un uomo possa divertirsi nel loro letto. Così, una volta che avrai fatto il tuo dovere, sarai libero di concederti un po' di distrazione con qualche puttanella capace di spalancare a dovere le gambe. Io ne possiedo tre o quattro che se la cavano piuttosto bene. Quando sarai pronto, fammelo sapere e ti regalerò quella che ti piace di più.»

Era stata un'offerta gentile e, dato che in quel momento i due giovani erano piuttosto alticci, Filippo si era profuso in ringraziamenti, lo aveva chiamato compagno e gli aveva battuto sulla schiena fin quasi a togliergli il fiato. Ma ora, pochi giorni dopo il suo matrimonio, non riusciva a concepire di potersi interessare alle ragazze di Lachio.

Fila non era né fredda né orgogliosa. Lo accoglieva nel suo letto quasi con gratitudine e, sebbene sembrasse ignorare tutto sulle relazioni fisiche tra uomo e donna, era ansiosa di imparare e ancora di più di compiacerlo. Madzos, che amava ripetere che a Tebe una ragazza di taverna finiva per saperne più di tutte le puttane di Corinto, avrebbe riso se avesse saputo che parte della sua vasta conoscenza veniva ora avidamente appresa dalla sedicenne consorte di un re barbaro.

Era una passione diversa da quelle che Filippo aveva sperimentato fino ad allora. Nel corso dell'unica notte che aveva trascorso con Arsinoe, era stato consumato dalla paura non meno che dal desiderio — la paura di quella realtà ignota ed eccitante che era il corpo della donna amata. Forse, se avessero avuto la possibilità di conoscersi meglio, le cose sarebbero andate diversamente, ma ormai il loro breve incontro si era impresso nella memoria di Filippo come un'esperienza dall'intensità quasi sovrumana, un momento irripetibile... e che non era sicuro di desiderare che si ripetesse.

Con le donne conosciute dopo di allora, le puttane di Tebe e di Atene, e perfino con Madzos, si trattava solo di lussuria, forse il più convenzionale degli appetiti che affliggono l'umanità. Fare l'amore era un po' come ubriacarsi, non fosse stato per una certa sensazione di freddo distacco che l'accompagnava. A dispetto delle loro innumerevoli notti insieme, Madzos non aveva pianto quando lui se n'era andato. E per quanto lo riguardava, Filippo non l'aveva rimpianta neppure per un momento. Era una faccenda chiusa, e la carne non ha memoria.

Ma l'amore con Fila andava oltre la carne, e al tempo stesso era rilassante e privo di complicazioni, come la soddisfazione che segue un buon pasto. Era come disporre di una borsa piena di monete da spendere solo per il proprio piacere. E lo venava la felicità pacata e altruistica che si prova in compagnia dei bambini, una percezione della bontà e dell'innocenza che un tempo erano state del mondo. Era il piacere del dare piacere. Una fuga dalla tirannia del proprio essere.

«Per un uomo è diverso?» gli chiese lei un giorno.

«I poeti dicono che quando Zeus ed Era chiesero a Tiresia, che per qualche tempo aveva vissuto in un corpo di donna, quale dei due sessi traesse più piacere dall'amore, egli si dichiarò a favore delle donne. Non sono nella posizione per confermare il suo giudizio, ma sospetto che non sia troppo lontano dal vero.»

Fila era arrossita. Anche nella luce fioca dell'unica lampada posata accanto al letto, lui vide il rossore salirle alle guance — lo stesso che ravvivava il suo incarnato nei momenti di piacere. Quella vista lo eccitò; seppellì il viso tra i seni di lei.

«Io credo che per un uomo il piacere sia più acuto» bisbigliò Fila, accarezzandogli i capelli mentre lui le baciava i capezzoli. «Più simile al dolore.»

«A volte è così.»

Ma non era il matrimonio a riempire la vita di Filippo. Per quanto lo rendesse felice, quello non era che un rifugio per lui, un modo per riposare e sfuggire alla realtà. Ciò che occupava la sua mente e signoreggiava nel suo cuore era l'esercizio della sovranità. Per quello, stava cominciando a capire, era nato.

Ed era un compito che esigeva tutta la sua attenzione, perché un cambiamento al vertice risveglia invariabilmente le ambizioni di molti. Quando un sovrano viene ucciso o deposto, i suoi potenti vicini, come lupi che seguono un branco di cervi per avventarsi sui più deboli e sugli smarriti, restano in attesa di segnali di disordine e di rivalità. Sperano di approfittare di un cedimento, di assicurarsi qualche vantaggio o semplicemente di rubare. Così era stato quando la sorte aveva vinto Tolomeo... Derda non era stato il solo a vedere nella sua caduta l'occasione per violare le frontiere della Macedonia. E così fu quando Filippo sconfisse Derda.

In primavera gli giunsero alcune lettere in cui Perdicca lo informava che gli Eordei, il cui regno si stendeva a nord dell'Elimea, avevano stretto con Menealo di Lincestide un trattato che lasciava loro la libertà di minacciare le città delle pianure occidentali. Ege era sottoposta ad attacchi più o meno incessanti.

«A quanto pare la sconfitta degli Elimioti non li ha impressionati a sufficienza» si lamentava Perdicca. «E io non posso permettermi di rinforzare le guarnigioni a ovest.»

«Non puoi permetterti neppure di non farlo» gli rispose Filippo. «Crea un nuovo esercito e dimostra a re Aiace e al nostro amato zio che hai ancora tutti i denti.»

«Ho già creato un esercito» replicò secco il re macedone. «Ce l'hai tu.»

Era una considerazione che poneva Filippo di fronte a un problema interessante. Lui era un suddito del fratello e il suo nuovo esercito, composto da Macedoni e da Elimioti, non aveva ancora combattuto. D'altro canto, era anche il re dell'Elimea e i suoi sudditi non avrebbero accolto con favore la prospettiva di entrare in guerra solo per far piacere al re di Pella. Aveva bisogno di un pretesto.

E Aiace fu così compiacente da fornirglielo.

Il quinto giorno del mese di desio, quando già cominciava il disgelo, la fanteria eordea tese un agguato a un drappello di Elimioti che stava pattugliando la frontiera. Gli Eordei attirarono gli Elimioti in una gola e li bersagliarono di frecce fino a quando il comandante non fu costretto ad arrendersi. Dopodiché massacrarono i superstiti, spingendosi fino a tagliare la gola ai loro cavalli.

Aiace offrì scuse poco convinte, sostenendo che la pattuglia elimiota aveva sconfinato, ma di fatto stava semplicemente sondando il terreno per capire quanto il nuovo re degli Elimioti fosse disposto a subire. Quando ricevette le scuse, Filippo era già in marcia per il Nord alla testa di millecinquecento fanti e quattrocento cavalieri.

Per lui era la guerra; non aveva alcun interesse a effettuare scorrerie. I villaggi che l'esercito attraversò dovettero fornire il cibo per gli uomini e per i cavalli, ma non subirono molestie di alcun tipo. Restò oltre frontiera per soli otto giorni e combatté due volte.

Nel primo caso si trattò soltanto di una scaramuccia. Non durò neppure un'ora, e al termine restarono sul campo duecentosettanta uomini, quasi tutti eordei. Due giorni più tardi, Aiace aveva radunato più di tremila uomini e il combattimento, iniziato al mattino, si protrasse per metà pomeriggio, ma a quel punto era già palese che il re degli Eordei non aveva strumenti con cui opporsi a quel nuovo metodo bellico. Sferrò innumerevoli cariche di cavalleria contro la fanteria elimiota, ma in ultimo fu costretto a chiedere una tregua e così Filippo stabilì le condizioni della resa. Dopo aver contato le sue vittime — centododici morti e settantadue feriti contro quasi mille nemici —, Filippo pretese un tributo di mille dracme d'argento, trentasei villaggi e l'annullamento del trattato con la Lincestide, la sospensione degli attacchi a Ege e i due figli di Aiace in ostaggio. Al re dell'Eordea non restò che accettare.

Di ritorno a Eana, Filippo scrisse al fratello: *Col tuo permesso, questa estate porterò a Pella mia moglie perché tu la riceva. Condurrò anche il figlio maggiore ed erede di re Aiace, un ragazzo dai modi cortesi ma molto spaventato. Gli ho promesso che non ti permetterò di tagliargli la testa e mangiarla. Dal padre non avremo più alcun fastidio.*

Perdicca, che aveva già ricevuto l'ambasciatore della Lincestide ed era al corrente dell'accaduto, non trovò divertente lo scherzo. Nella sua risposta quasi non accennò alla vittoria di Filippo, ma gli chiese la restituzione dei cento cavalli che avevano costituito la forza originaria del nuovo esercito.

Il tempo necessario a questo scambio epistolare fu sufficiente ai due figli di Aiace, rispettivamente di dodici e nove anni, per adattarsi talmente bene alla prigionia da augurarsi che non avesse mai fine.

Il maggiore, di nome Deucalione, era abbastanza grande per guardarsi intorno e notare le differenze tra Eana e la città natia, tra Filippo e suo padre. Alcune di queste diversità gli apparvero con chiarezza nel corso della sua prima serata alla corte degli Elimioti, quando a lui solo, e non al fratello Ctesio, fu consentito di partecipare al banchetto dei compagni del re.

«Fratelli, lasciate che vi presenti il nostro onorato ospite» ruggì re Filippo, balzando su un tavolo e trascinando con sé il ragazzetto terrorizzato. «Questo bel giovane è il principe Deucalione, figlio ed erede di Aiace, re dell'Eordea. Diamogli il benvenuto e accogliamolo tra di noi, perché ha la stoffa di un autentico macedone. Che ne dite... è abbastanza grande per mangiare con gli uomini?»

Le sue parole furono accolte con grandi ovazioni e seguite da una stupefacente cerimonia d'iniziazione durante la quale il re e i suoi nobili si caricarono a turno il ragazzo sulle spalle per fargli fare il giro della sala. Al termine, Deucalione era talmente colmo di felicità e di orgoglio che avrebbe dato la vita per re Filippo.

Niente di simile sarebbe potuto accadere a casa sua. Re Filippo pareva fidarsi dei suoi nobili al punto che questi non si peritavano di parlare francamente in sua presenza e di trattarlo come un uomo fra gli uomini, mentre, alla corte di suo padre, al re venivano accordati onori degni quasi di un dio dai nobili che non facevano che tramare alle sue spalle.

Deucalione sapeva che un giorno sarebbe divenuto re, ma di che cosa? Aiace era poco più di un capotribù, perennemente minacciato dai suoi nobili, ciascuno con i propri vassalli, fedeli a lui soltanto, e con le sue ambizioni. Non era escluso che prima o poi uno di loro riuscisse nell'intento di abbatterlo. Non era neppure certo che Aiace sarebbe sopravvissuto alla sconfitta infertagli dagli Elimioti e che un giorno sarebbe stato in grado di passare la corona al figlio. Una volta compreso che i suoi custodi non avevano alcuna intenzione di fargli del male, Deucalione fu ben felice di trovarsi fuori dell'Eordea dove, se suo padre avesse perduto il potere, lui e Ctesio sarebbero stati certamente uccisi.

Com'era diversa l'atmosfera alla corte degli Elimioti, dove tutta l'autorità pareva fluire da un'unica fonte e dove tutti, nobili e soldati semplici, erano uomini del re e suoi fedeli servitori. Quello non era il genere di potere che, come un serpente afferrato incautamente, si rivolta per mordere la mano di chi l'ha catturato. Quello era il potere che operava per la sicurezza di un intero popolo.

E com'era diverso re Filippo.

Deucalione non avrebbe saputo dire quando era divenuto consapevole dell'odio che circondava suo padre. Era infatti una consapevolezza che era andata formandosi gradualmente, con un processo troppo lento e indiretto per poterlo individuare con precisione, ma sapeva che tutti — dai nobili agli schiavi che spazzavano i pavimenti di pietra del cortile — guardavano ad Aiace con un misto di avversione e di paura. Se ci avesse riflettuto, avrebbe forse compreso che per un re era inevitabile suscitare odio e paura. E come poteva essere altrimenti, quando gli uomini obbedivano solo perché in caso contrario il potere li avrebbe annientati? Un simile potere non può che rendere crudele un uomo, perché dev'essere crudele per conservarlo. «Sono tutti invidiosi» gli aveva detto una volta suo padre. «E tutti vorrebbero essere al mio posto... lo scoprirai anche tu quando sarai re.»

Re Filippo sosteneva invece che la crudeltà era un'ammissione di debolezza, e che gli uomini sono crudeli solo quando

hanno paura. «Un uomo costretto a ubbidirti per paura ti tra-
dirà alla prima occasione. E prima o poi l'occasione capiterà.
Non ci si assicura la fedeltà fracassando ossa.»

Non faceva neppure frustare i suoi soldati e, quando Deucalione gli chiese il perché, sembrò non capire la domanda.
«Per quale motivo dovrei frustarli? Fanno del loro meglio. Ciascuno di loro sa che in battaglia la sua sopravvivenza dipende
dal coraggio e dall'abilità dell'uomo che gli sta accanto. Questo è sufficiente.»

Ed era vero. I soldati di Filippo — così amavano chiamar-
si loro stessi — non sopportavano di venire giudicati inetti e
consideravano un grande onore il combattere nelle prime file.
«È lì che combatte il nostro re» spiegavano.

Il nostro re. Ecco come definivano quello straniero, quel
macedone delle pianure: "il nostro re". Non c'era soldato di
cui Filippo non conoscesse il nome e quello dei suoi figli. Uomini che avevano il doppio della sua età lo amavano di un amore filiale. Lui era il loro orgoglio, perché sapevano che era orgoglioso di loro.

Per Deucalione e il suo fratellino, re Filippo passò rapidamente dal ruolo di nemico odiato e temuto a quello di amico
con una scintilla di divino in sé. Lo adoravano; era come se
uno dei grandi eroi del tempo antico fosse tornato in vita per
insegnare loro ad allacciarsi le cinghie dei sandali. Ogni mattina facevano colazione con il re e dopo lo accompagnavano
alle esercitazioni a cui sottoponeva il suo invincibile esercito.
Aveva perfino assunto un precettore ateniese perché leggesse
loro l'*Iliade*, sostenendo che un guerriero e un governante di
uomini non può essere un barbaro.

Filippo era per loro un fratello maggiore, quasi un secondo padre, e non sospettarono mai che la sua gentilezza fosse
in realtà una manovra politica, destinata a suscitare nei loro
giovani cuori la fedeltà a lui e all'idea di una Macedonia uni-
ta, di cui un giorno l'Eordea non sarebbe stata che una provincia.

A Pella, tuttavia, Perdicca non pensava affatto al grande
Stato il cui concetto suo fratello stava inculcando nella mente
di un principe adolescente. A preoccuparlo era unicamente
Atene.

Atene era in guerra con la Lega calcidica, e aveva conquistato due città portuali del Golfo Termaico, Pidna e Metone. Entrambe colonie commerciali greche fin da quando era possibile ricordare, non avevano mai costituito una minaccia, sebbene non distassero più di un'ora di marcia dall'antica capitale di Ege. Tutto però cambiava con una flotta ateniese all'àncora nei loro porti. Ora le due città volevano "un'alleanza", il che significava l'invio della cavalleria perché le aiutasse contro Anfipoli. Era un vero e proprio ricatto — se Atene avesse vinto, la Macedonia non avrebbe guadagnato nulla —, ma Perdicca sapeva di non avere scelta.

Ciò nonostante, la Lega calcidica era alleata con i Traci e prima o poi Tebe si sarebbe schierata al loro fianco, un'iniziativa che si sarebbe inevitabilmente tradotta in un confronto diretto tra Atene e Tebe. Di norma Perdicca favoriva Tebe, le cui ambizioni non lo minacciavano mai troppo da vicino, e al momento stava addirittura fornendo legname per la flotta che Epaminonda intendeva varare in primavera. Ma la situazione era mutata. Non gli sorrideva l'idea che Atene stabilisse una base solida nel golfo, ma non poteva neppure permettersi di ostacolarla direttamente.

Di conseguenza, Atene avrebbe avuto la cavalleria macedone con cui spaventare i Calcidesi ed Epaminonda sarebbe stato costretto a procurarsi altrove il legname. Era il prezzo della pace.

«Perlomeno, se le cose dovessero andar male per gli Ateniesi, il mio signore potrà infrangere quest'alleanza con la coscienza pulita. Prima o poi, Atene tradisce sempre i suoi amici.»

Perdicca alzò gli occhi dalla lettera del generale ateniese Timoteo che aveva sul tavolo. Quando i loro sguardi si incontrarono, Eufreo sorrise, del suo abituale sorriso un po' acido, come se avesse qualcosa sullo stomaco.

Un tempo allievo di Platone, Eufreo era entrato al servizio del re come maestro di filosofia e arte del governo. Assumendolo, Tolomeo aveva creduto di poter occupare così il figliastro, ma Perdicca non era mai stato portato per lo studio. Era solo dopo la morte del reggente che il sofista, ormai di mezza età, aveva suscitato il suo interesse. Il giovane re aveva scoperto in lui una grande conoscenza delle realtà che si celavano dietro gli ideali e lo aveva innalzato fino a farne in pratica un ministro di Stato.

Ed Eufreo odiava gli Ateniesi. Per motivi che non sembrava disposto a spiegare nei particolari, non sarebbe mai più potuto tornare nella città natia. Perdicca non lo interrogava in proposito — la cosa non aveva importanza. Forse Eufreo era un furfante, ma era un furfante intelligente e suo fedele servitore. A lui bastava.

«Se Timoteo incespica nella Calcidica e la flotta tebana sarà pronta entro l'estate, tutto cambierà» riprese Eufreo, stringendosi nelle spalle magre. «E tu sarai libero di sceglierti gli alleati che preferisci.»

«Soprattutto se la nostra cavalleria si farà onore contro i Calcidesi.»

Eufreo annuì con aria di approvazione.

«Soprattutto in quel caso, mio signore.»

Gli occhi di Perdicca vagarono sul tavolo per fermarsi infine su un rotolo di pergamena coperto della calligrafia larga e un po' rozza del fratello.

«Filippo arriverà questo mese» mormorò, come parlando a se stesso. «Vuole che riceva la sua sposa.»

«Non c'è alcun male in questo, mio signore.»

«Forse dovrei affidargli il comando delle forze che intendo prestare a Timoteo. Forse questa volta qualcuno riuscirà a ucciderlo.»

«Oppure si assicurerà un'altra travolgente vittoria.» Eufreo, che conosceva l'ambivalenza del re nei confronti del fratello, scrollò la testa. «Non è mai saggio mettere un suddito troppo in alto nella stima del popolo. Troppe lodi possono esaltare la mente di un giovane e trasformarlo in un grande pericolo per lo Stato.»

«Filippo mi è assolutamente fedele» replicò Perdicca, con una nota di rimprovero nella voce. Dopo tutto quello che era successo, dubitarne gli sarebbe stato impossibile.

«Per il momento lo è, certo. Ed è bene che lo rimanga. Forse potresti lasciare che sia lui a nominare un comandante.»

Il re gli lanciò un'occhiata dura, ma alla fine assentì. «Non ci vedo alcun rischio.»

«No, mio signore. Alcun rischio.»

«E forse una piccola parte dell'esercito potrebbe essere costituita dai suoi soldati.»

«Forse una larga parte, mio signore. Dalla facilità con cui ha sopraffatto gli Eordei, è facile capire che il suo esercito non soffrirà della mancanza di qualche compagnia a cavallo.»

Fu così che, ancora prima dell'arrivo a Pella di Filippo e della sua sposa, quasi metà della sua cavalleria elimiota, al comando di Lachio, lasciò la città per andare a rafforzare le truppe ateniesi che cingevano d'assedio Anfipoli.

«Non insisterò perché tu assuma il comando» aveva detto Filippo, mentre lui e Lachio si dividevano una brocca di vino al termine di un'esercitazione. Sedevano con la schiena appoggiata alle ruote di un carro e a pochi passi di distanza gli stallieri stavano strigliando i loro cavalli. Dall'inizio della primavera, quella era la prima giornata realmente calda. «Sei il primo a cui ho pensato, ma la Calcidica è lontana e, se tu rifiutassi, capirei.»

«Rifiutare? Perché dovrei? Non mi lascerei sfuggire quest'occasione neppure per un regno.» Con un sogghigno, Lachio finì il vino e tese a Filippo la brocca vuota. «Vorrei solo che venissi anche tu. Non mi piace l'idea di combattere agli ordini di un generale straniero.»

«Io sono l'Uomo delle Pianure, ricordi?»

«Certamente, ma per questo ti ho già perdonato. E almeno non sei ateniese. Questo Timoteo, a quanto ho sentito dire, non è neppure un vero soldato.»

«È un politico.»

«Un *cosa*?»

«Aspira ad accrescere la sua influenza ad Atene, ecco perché ci tiene che la campagna sia un successo. Fai bene a non fidarti di lui, e questo è anche il motivo per cui ho scelto te.»

Lachio scosse la testa e si asciugò gli occhi. «Non ti seguo.»

«Non voglio che abbia la possibilità di mandare al macello i nostri soldati per risparmiare i suoi. Sarai tu a fare in modo che gli Ateniesi non annientino i Macedoni fino all'ultimo uomo.»

«Può un suddito fare una domanda al re?»

«Fai la tua domanda.»

«Perché tuo fratello ha messo il dito proprio in questo barile di pece?»

Filippo si alzò e rivolse un'occhiata corrucciata al sole, poi gettò a terra la brocca vuota che rotolò per qualche passo prima di fermarsi. La pausa era finita ed era tempo di rimettersi al lavoro.

«Non credo che avesse altra scelta.»

Nella tarda estate, Filippo e la sua sposa, il giovane Deucalione e una guardia d'onore di cinquanta uomini partirono per Pella. Non avevano fretta e Fila si stancava con facilità, così che il viaggio durò sei giorni. Durante il tragitto si fermarono una giornata a Ege per offrire sacrifici sulle tombe del padre e del fratello maggiore di Filippo. E il quarto giorno arrivarono in vista del mare.

«Domani ci imbarcheremo per Pella» disse il re, prendendo la mano della moglie. «Vieni... passeggeremo sulla battigia e capirai che non ti ho mentito.»

«Quando mi hai detto che il mare è freddo e bagnato?»
«Sì.»

Passeggiarono per una mezz'ora sulla spiaggia sassosa a sud di Aloro, allegri come bambini, e indugiarono a lungo a guardare i gabbiani che facevano cadere le cozze sugli scogli per fracassarne il guscio.

«Stasera mangeremo rombo» esclamò Filippo. «Ce ne faremo trovare uno grande come la ruota di un carro.»

Fila immerse la mano nell'acqua. «È davvero salata» osservò, leccandosi le dita.

Quel commento strappò una risata a Filippo, che poi dovette affrettarsi a baciarla perché lei aveva messo il broncio.

Il giorno successivo attraversarono il golfo e quindi risalirono verso Pella. Ad attenderli sul molo c'era re Perdicca con una folta compagnia.

«Grandi notizie! Notizie magnifiche!» gridò il re abbracciando Filippo e baciandolo. «Ad Anfipoli gli Ateniesi sono stati costretti alla resa.»

XXX

Filippo apprese i particolari dell'accaduto da Lachio, che era appena tornato risalendo con i suoi uomini il fiume Strimone.

«Chiunque avesse un po' di buon senso poteva vedere come sarebbe finita» raccontò, quando lui e il suo re furono soli nella cucina della vecchia casa di Glauco, l'unico posto in cui nessuno avrebbe potuto sentirli. Lachio non era uomo da spaventarsi facilmente, ma i suoi occhi avevano l'espressione attonita di chi ha assistito a uno sconvolgente disastro. «Gli Ateniesi non erano equipaggiati per condurre un lungo assedio e neppure la loro flotta è riuscita a chiudere i canali di rifornimento della città. Timoteo deve aver saputo fin dall'inizio che non aveva alcuna speranza di vittoria.»

«È una creatura dell'assemblea ateniese, dove troppe sono le menti e troppi gli occhi. Deve fare quello che può con quello che ha.»

«Be', avrai notato che non si è trattenuto neppure per assistere alla fine, ma ha preferito filarsela e mandare qualcun altro ad arrendersi ai Traci. Tuo fratello nel frattempo se n'era già andato, affidandomi il comando. Io sono rimasto fino alla partenza di Timoteo, poi ho richiamato i miei uomini.»

«Hai fatto la cosa giusta» osservò Filippo con il tono neutro di chi prende atto di una realtà. «Non abbiamo verso gli Ateniesi obblighi tali da costringerci a sacrificare i nostri soldati solo per salvare la faccia. Come ha commentato Perdicca il tuo rientro?»

«Non ha detto nulla.» Sul viso di Lachio era riflesso un profondo sbalordimento. «Sono qui ormai da quindici giorni, e ancora il re non mi ha ricevuto. Ignoro se conti di congratularsi con me per la mia prudenza o di farmi giustiziare per diserzione.»

«Ti aveva ordinato esplicitamente di restare?»

«No.»

«In questo caso, ti sei limitato a fare ciò che ti suggeriva il buon senso, e da un comandante non si può pretendere nulla di diverso. Senza dubbio ha voluto aspettare di vedere che piega avrebbero preso gli eventi. Mi sembra molto soddisfatto della sconfitta di Atene, quindi dovresti essere al sicuro. A ogni buon conto, non farà nulla contro di te se mi appellerò a lui in questo senso, ed è esattamente quello che farò in caso di necessità.»

«Grazie, Filippo.»

Il giovane accennò un gesto, come a dire che una simile sciocchezza non aveva bisogno di ringraziamenti, e intanto i suoi occhi frugavano la stanza. Lo sgabello di Alcmene era ancora vicino al focolare. Da bambino lui aveva giocato su quel pavimento, e a quel tavolo Glauco gli aveva insegnato a fare di conto. Ora Alcmene era morta e a Eana Glauco era impegnato nella direzione della casa reale. Il focolare era coperto di polvere e nella cucina si respirava aria di abbandono. Filippo lo trovò infinitamente deprimente.

«Per quanto tempo mio fratello si è trattenuto ad Anfipoli?» domandò poi.

«Un mese, forse un po' più a lungo. Lo trovai lì al mio arrivo.»

«Che impressione ti ha fatto?»

Lachio lo guardò per un lungo momento prima di rispondere. I re, lo sapeva, erano creature imprevedibili quando era in gioco l'orgòglio della famiglia. Nessuno aveva mai avuto il coraggio di dire a Derda qualcosa che lui non volesse sentire, ma Filippo era diverso. Con Filippo, pensò, il pericolo più grande stava nel tacergli la verità.

«Non lo si potrebbe definire un codardo» disse infine. «Direi che è abbastanza coraggioso. Sarebbe un buon comandante di compagnia. Ma gli manca la fantasia necessaria a un generale. Elabora un piano, utilizzando le tattiche che tutti abbiamo imparato da ragazzi, ma se non funziona se ne risente. Si aspetta che sia la battaglia a uniformarsi alla sua strategia, non il contrario. Non mi piacerebbe dovergli affidare di nuovo la mia vita.»

A guardarlo, nessuno avrebbe saputo dire in che modo Filippo avesse preso quel giudizio. Il suo viso era impenetrabile. Infine posò una mano sul braccio di Lachio.

«Ti ringrazio» disse. «Hai parlato da amico. E ora andiamocene di qui e mettiamoci in cerca di un fuoco e di un po' di vino. Mi sento come se fossi stato sigillato nella mia urna funebre.»

Quando tre giorni dopo Filippo si recò negli appartamenti del re di prima mattina, nella speranza di trovarlo da solo, Perdicca si dimostrò poco propenso a discutere della recente campagna militare. Aveva altre notizie.

«Se ti tratterrai fino alla fine del mese, potrai assistere al mio matrimonio» annunciò con il sorriso dell'uomo consapevole di riferire una novità sgradita. Ma, se si aspettava di scorgere sul volto del fratello qualche segno di disappunto, rimase deluso perché la risposta di Filippo fu un vigoroso abbraccio.

«Mi congratulo con te» tuonò quasi ridendo. «Una brava donna può rendere un uomo molto felice. Credimi... parlo per esperienza. Chi è lei? La conosco?»

Nel constatare l'autentica soddisfazione del fratello, Perdicca decise per motivi tutti suoi di sentirsi soddisfatto a sua volta. Il suo sorriso si fece più caldo.

«Conosci certamente la famiglia. È la figlia di Agapenore, l'unico a possedere grandi proprietà vicino al confine con la Lincestide. Credo che non sarà male dargli un motivo per ricordare che sono io il re, non nostro zio Menelao. Per di più, la ragazza mi porterà una ricca dote.»

«Ma ti piace? È graziosa?»

«Il fidanzamento avrà luogo tra dieci giorni. Lo scoprirò allora.» Perdicca si strinse nelle spalle, come per sottomettersi alla volontà del fato. «Viene reputata una bellezza. Sono sicuro che sarà all'altezza.»

Questa volta Filippo rise di cuore. «Non sarai così indifferente da qui a dieci giorni... spero che terrà il tuo letto caldo come una pentola sul fuoco e ti dia dieci figli prima che tu compia i trent'anni!»

Perdicca si liberò dal suo abbraccio e sedette al tavolo da cui i servi non avevano eliminato i resti della colazione. Si guardava intorno con l'aria di pensare che la sua presenza in quella stanza, un tempo lo studio di Alessandro, era il simbolo del suo successo, ma non pareva compiaciuto. Aveva avuto un certo timore del fratello maggiore, che lo sbeffeggiava per la sua mancanza di grazia e avvenenza, e la disinvoltura con cui Filippo trattava Alessandro gli era sempre apparsa come una mancanza di rispetto. C'erano momenti, e questo era uno di quelli, in cui sospettava che anche Filippo si prendesse gioco di lui.

«Non dovresti essere così rapido a risentirti» osservò ora il fratello, che aveva intuito i suoi pensieri. «Vorresti che mi comportassi come un suddito anche in privato?»

«Sei un mio suddito.» Inutilmente Perdicca si sforzò di apparire genuinamente offeso. «Sei un mio suddito» ribadì.

«Sono anche tuo fratello... e omicidio, tradimento e follia hanno richiesto un pesante tributo alla nostra famiglia. Restiamo solo tu e io. Se non posso scherzare sul tuo matrimonio, allora non ti rimarrà più nessuno con cui essere un uomo e non solo un re. Noi siamo tutto ciò che ci è vicendevolmente rimasto.»

Perdicca non rispose. Fissava la parete alle spalle di Filippo con aria vacua, come se avesse dimenticato di non essere solo, o come se la marea dei ricordi lo avesse trascinato chissà dove. È questo il modo in cui alcuni uomini celano il proprio imbarazzo.

«La tua cavalleria ha combattuto bene a Anfipoli» disse alla fine. «Potrei tenerla di guarnigione a Pella per qualche tempo.»

Filippo socchiuse gli occhi. «Che cosa hai in mente?»

«Solo che forse stiamo combattendo contro il nemico sbagliato.»

Il re di Macedonia prese la coppa di vino e, dopo essersi accertato che fosse vuota, tornò a posarla. Non la riempì attingendo dalla brocca posata lì accanto e sembrò dimenticarsene subito.

«Atene dovrebbe essere tenuta lontana dal Nord» seguitò, continuando a guardare nel vuoto. «Dovrebbe soddisfare la sua avidità vendendo vasellame all'Asia. I Calcidesi sanno che sono stato costretto a questa alleanza e ora mi manderanno i loro emissari. Forse è arrivato il momento di schierarsi dall'altra parte.»

«E fare che cosa?»

«Cacciare gli Ateniesi da Pidna e Metone.»

E sorrise, come se il dirlo e il farlo fossero una cosa sola.

«Per cominciare, gli Ateniesi non si faranno cacciare dal Nord» fu pronto a replicare Filippo. «Non da noi, almeno. Pensaci, fratello... siamo deboli e minacciati da troppe parti per litigare con Atene per il controllo di Pidna e Metone.»

«Le guarnigioni che vi hanno lasciato sono scarne, e hanno appena subìto una sconfitta. La loro assemblea non sarà così ansiosa di spendere altro denaro per rafforzarle, non dopo il modo in cui la nostra cavalleria ha combattuto ad Anfipoli. E potremmo contare su Tebe e la Lega calcidica come alleati.»

«Tebani e Calcidesi saranno felicissimi di vederci attaccare le guarnigioni ateniesi. Se Atene reagirà — e lo farà perché non avrà altra scelta —, non alzeranno un dito per aiutarci.»

«Io credo che tu abbia paura.» Perdicca si alzò, assumendo una posa che sarebbe apparsa minacciosa se qualche passo non avesse separato i due uomini.

«Del tuo progetto? Sì! Se dichiari guerra ad Atene, commetterai una follia che sarà ricordata per mille anni. Sarà questo il tuo legato, fratello? Sei così ansioso di essere l'ultimo re di Macedonia?»

«Io credo che tu abbia paura» ripeté Perdicca, come se non avesse sentito. «Ti sei fatto un nome per aver schiacciato qualche insignificante tribù e non sopporti l'idea di vedere la tua gloria oscurata... NEPPURE DA CHI È TUO FRATELLO MAGGIORE E RE!»

Filippo sbirciò la porta, temendo che, nel sentire le grida, qualcuno si precipitasse lì credendo che stessero assassinando il re. Forse fu un bene che nessuno dei due fosse armato, perché Perdicca era paonazzo e nel suo collo le vene sporgevano come corde.

«Dunque si tratta di gloria» osservò Filippo con voce troppo pacata. «Vuoi essere un grande conquistatore? Allora non fare la guerra ad Atene. Se vuoi, mi impegno a restarmene a letto, nella mia casa, la prossima volta che si verificherà un incidente di frontiera con l'Eordea. Ma non metterti contro Atene. Se davvero mi considerassi tuo rivale, ti incoraggerei a farlo, perché al tuo posto non mi spingerei mai a tanto.»

«Vattene, Filippo.»

A lungo, dopo che il fratello fu uscito, Perdicca rimase seduto a bere ciò che restava del vino portatogli a colazione. Il vino era abbondantemente diluito, ma a Perdicca, abitualmente quasi astemio, fu sufficiente perché i contorni delle cose si facessero gradevolmente sfumati. Senza il vino, pensò, sarebbe finito soffocato dalla sua stessa collera.

Perché il fratello minore scatenava sempre quella reazione in lui? Non credeva realmente che Filippo si sarebbe risentito se anche lui si fosse preso la sua parte di gloria. La gelosia non era un tratto del suo carattere e si era sempre dimostrato il più leale degli amici. Quand'erano ragazzi, non aveva mai mancato di difenderlo, anche contro lo stesso Alessandro. Forse era questa la ragione. Chiunque avrebbe trovato esasperante sapersi protetto dal fratellino minore.

Ma in tutta onestà non poteva biasimare Filippo per questo. In qualche modo, avrebbe dovuto rappacificarsi con lui. Inoltre, avrebbe avuto bisogno del suo appoggio se qualcosa fosse andato storto nell'avventura ateniese.

Non che lo giudicasse probabile. Gli Ateniesi risentivano ancora della sconfitta subita ad Anfipoli, ed Eufreo riteneva che quella fosse un'eccellente opportunità per cacciarli dal golfo — in certe faccende Eufreo era un giudice più acuto di Filippo. Suo fratello era un buon soldato, ma non era uno statista.

Ricomporre un dissidio è sempre più difficile che scatenarne uno. Perdicca pensava che qualche complimento in pubblico avrebbe costituito un'offerta di pace adeguata, ma, quando scoprì che Filippo si stava preparando a ripartire per l'Elimea, fu costretto ad andare da lui e a riconoscere di aver perduto la calma. Fu un bene che Filippo non fosse uomo da serbare rancore, e che ammettesse di aver probabilmente parlato troppo bruscamente, liquidando la questione come uno stupido equivoco, perché Perdicca si era già spinto fin dove la sua dignità gli consentiva.

In ogni caso, Filippo era ancora a Pella il giorno del fidanzamento del re.

La sposa era davvero una bellezza. Si chiamava Arete, e aveva capelli colore del miele, lineamenti delicati e una carnagione così chiara da essere quasi trasparente. Quindicenne, era una ragazza docile, chiaramente sopraffatta da quell'improvviso innalzamento di rango. Filippo notò che non osava quasi guardare in faccia il promesso sposo.

«Credo, per usare un'espressione di mio fratello, che sarà all'altezza» disse quella sera Filippo alla moglie. Era sdraiato sul letto e la guardava intrecciarsi i capelli. Seduta davanti a uno specchio di bronzo, Fila gli dava la schiena, e, come gli succedeva quasi ogni sera, lui pensò che aveva delle belle braccia. «Spero che quando smetterà di avere paura di lui, sia abbastanza intelligente da non farglielo capire. A Perdicca farà molto più piacere una costante esibizione di reverente timore.»

«Ti ha deluso fino a questo punto?»

Filippo non si mosse, ma, se si fosse girata, Fila avrebbe visto che i suoi occhi non erano più fissi su di lei. Sembrava che si stesse chiedendo se non aveva detto troppo.

Criticare Perdicca non gli piaceva, ma a quanto pareva era proprio quello che aveva fatto. Sì, decise alla fine, lo aveva deluso a tal punto, sebbene dirlo fosse inutile.

«Questa sera ho scambiato qualche parola con lei» disse Fila, quando comprese che non avrebbe avuto risposta. «Mi è sembrata dolce e gradevole... forse saprà rendere felice tuo fratello.»

«Mai felice come tu hai reso me.»

Lei lo guardò di sottecchi e vide che sorrideva; dunque non si era offeso.

«Ma la più grande felicità che potrebbe dargli sua moglie è un figlio maschio. Credo che respirerà più facilmente quando non sarò più io il suo erede diretto.»

Qualche minuto dopo, Fila soffiò sulla lanterna e si infilò a letto accanto al marito. Mentre gli passava una mano sul petto, pensò che il suo corpo era come pietra viva.

«E tu? Respirerai più facilmente quando avrai un erede?»

«Forse lo faranno i miei sudditi.»

Ci volle un momento perché le implicazioni della domanda gli fossero chiare, ma quando avvenne ebbero l'effetto di un colpo. La fissò, incapace di parlare, incapace perfino di pensare.

«Aspetto un figlio» annunciò finalmente Fila con semplicità. «Lo sospettavo già da prima che lasciassimo Eana, ma ora ne sono certa. Sei felice?»

Gli si premette contro mentre lui, apparentemente, cercava di decidere.

«Non... non lo so» alitò alla fine. «Sì, certo che sono felice. Ne sei davvero sicura?»

Con cautela le posò una mano sul ventre nudo.

«Non riscontrerai ancora alcun cambiamento, e sì, ne sono sicura.» Fila gli guidò la mano sul seno. «Il bambino nascerà solo fra molti mesi e nel frattempo non mi romperò.»

A un mese dall'inizio, la campagna voluta da Perdicca per liberare Pidna e Metone arrivò alla sua penosa conclusione. La neve dell'ultima tormenta invernale era ancora fresca quando Perdicca, a capo del suo esercito, discese la costa occidentale del Golfo Termaico, e all'arrivo della primavera sedeva sotto una tenda a discutere con il generale ateniese Callistene il prezzo che la Macedonia avrebbe dovuto pagare per la pace.

Non aveva neppure la consolazione di una sconfitta gloriosa e drammatica, perché gli scontri erano stati due soltanto e in entrambi i Macedoni non avevano altre alternative che una rapida ritirata o l'annientamento totale. Gli Ateniesi avevano rinforzato le loro guarnigioni con rapidità stupefacente e la patetica offensiva di Perdicca era miseramente naufragata.

Quando sedettero a parlamentare, Callistene aveva l'aria piuttosto divertita. Come un uomo che allunga uno scappellotto a un bambino colpevole del furto di qualche mela, offrì condizioni quanto mai miti: centomila dracme d'argento, quale riscatto per tutti i soldati Macedoni fatti prigionieri, e il ripristino dell'alleanza. Considerato che fra Atene e la Macedonia non si poteva certo parlare di equilibrio di forze, il suo fu un sorprendente sfoggio di generosità. Non trascurò neppure di mostrarsi rispettoso e quasi consolatorio verso il giovane re sconfitto — il suo trionfo era stato talmente completo.

«La guerra è una maestra dura, ma col tempo un comandante impara a conoscere i limiti del possibile» osservò, offrendo a Perdicca una coppa di vino. «Da giovane ho commesso errori terribili, non meno gravi del tuo, ma per mia fortuna ero ancora un subordinato. È una crudeltà che responsabilità così grandi ricadano su un uomo ancora tanto giovane.»

Ascoltare simili parole, sapendo che non erano le più dure che Callistene avrebbe potuto rivolgergli, fu per Perdicca una punizione più amara della morte. Il peggio sarebbe arrivato con il rientro dei prigionieri.

Quando seppe che parecchi cavalieri elimioti erano stati fatti prigionieri, Filippo scrisse per informarsi sul riscatto richiesto e, appena avuta la risposta dal fratello, agì senza indugi. L'argento viaggiò con una scorta militare e Perdicca lo ricevette meno di quindici giorni dopo la resa a Callistene.

Le casse del re erano quasi vuote e non gli sarebbe stato facile ottemperare alle richieste ateniesi. Per un po', Perdicca si trastullò con l'idea di utilizzare l'argento di Filippo per riscattare i suoi soldati, lasciando gli Elimioti a languire in prigionia, ma in ultimo non osò. Sapeva che Filippo non gli avrebbe mai perdonato un simile tradimento e ora più che mai aveva bisogno del fratello. La cosa gli bruciava quasi come la sconfitta stessa, ma non poteva fare a meno di lui.

E così Perdicca fu costretto ad assistere al ritorno dei nobili elimioti e del loro comandante Lachio.

Era un miracolo che Lachio fosse ancora vivo — un miracolo, dal punto di vista di Perdicca, quanto mai inopportuno. Un giavellotto gli aveva trapassato la coscia, uccidendo il suo cavallo. A salvarlo dalla morte per dissanguamento era stata la rapidità della ritirata macedone: Lachio era stato catturato e affidato a un medico ateniese nel giro di pochi minuti dalla caduta. Venticinque giorni dopo, aveva dovuto essere trasportato in lettiga nel luogo concordato per lo scambio.

A Pella gli fu offerto l'uso di un appartamento reale, ma lui preferì occupare una casa vuota nei pressi del porto, dove erano i suoi stessi servi ad accudirlo. Una schiava che era sua concubina da anni gli preparava i pasti e ogni mattina andava al mercato a comperare verdure fresche e carne. Lachio non accettava nulla che provenisse dalle cucine del re e nessun medico era autorizzato a curargli le ferite a eccezione del vecchio Nicomaco, e solo perché in un'occasione Filippo aveva parlato di lui come di un uomo degno di fiducia. Se il comportamento del comandante elimiota fosse dettato dal timore di venire assassinato o semplicemente dalla sua avversione per Perdicca, non era facile da capire.

Il re andò a trovarlo una sola volta, pochi giorni dopo il suo arrivo in città. Lachio era ancora debole, ma nel corso di quella visita le sue grida risuonarono per tutta la casa.

«E quando scriverai a Filippo,» sbraitò dietro a Perdicca,

quando questi cercò di congedarsi «informalo pure che tornerò in Elimea non appena potrò montare di nuovo in sella. E digli anche che ho tutte le intenzioni di restarci finché a regnare sulla Macedonia sarà quello stupido pasticcione di suo fratello!»

La risposta di Perdicca, se anche ci fu, non è registrata negli annali.

XXXI

Quell'anno l'inverno tardava ad allentare la sua morsa sull'Elimea. Nel mese di santico il terreno era ancora ghiacciato e mentre per Fila si approssimava il momento del parto, su Eana le nubi incombevano scure e gonfie di neve.

Era stata una gravidanza difficile. Fila aveva cominciato a sanguinare poco dopo il loro ritorno da Pella, e l'emorragia non si era mai arrestata del tutto. Dietro consiglio del medico, un piccolo, brillante cipriota con la barba a punta, considerato un esperto di disturbi femminili, Filippo la condusse in un casino di caccia vicino alle montagne, ma la solitudine aveva un effetto deprimente su Fila. Quando arrivò al punto di immaginare che il bambino fosse già morto nel suo grembo, lui la riportò a casa. Per la sua salute era lo stesso, ma almeno il suo animo era più sereno.

All'inizio del settimo mese, il cipriota dichiarò che non gli piaceva il colore del sangue che fuoriusciva da lei e ordinò che restasse a letto.

«Proteggi tuo figlio e te stessa» le disse. «Ma non agitarti, perché non c'è nulla da temere.» In privato, rivelò a Filippo che, se sul viso della gestante fossero comparse delle chiazze rosee, le speranze che sopravvivesse fino al parto si sarebbero ridotte a ben poca cosa.

Una mattina dell'ultimo mese di gravidanza, Filippo scorse un fitto reticolato di venuzze sulla guancia sinistra della moglie. Non gliene parlò, ma più tardi si recò al tempio di Era per offrirle una focaccia di grano e qualche pelo della sua barba.

Forse la dea ne fu compiaciuta, perché Fila sopravvisse fino al momento del parto.

Doveva però aver intuito la perdita di una qualche armonia interna, perché sapeva di essere in pericolo. «Posso accettare la morte se nostro figlio vivrà» disse una sera mentre Filippo cercava di distrarla leggendole una lettera di Aristotele, ancora ad Atene.

«Non morirai, e neppure il bambino morirà.» Filippo sorrise e le prese una mano. «E in ogni caso, potrebbe essere una bambina.»

«È un maschio. Me lo dice il modo in cui scalcia la notte... *so* che è un maschio.»

Non aggiunse altro e lui riprese la lettura, ma la sua espressione gli disse che la moglie non lo stava realmente ascoltando.

Di notte Fila non dormiva quasi ed era tormentata da sogni spaventosi. Il medico le spiegò che gli incubi non erano fenomeni insoliti nelle donne incinte, ma lei non volle mai parlare a Filippo dei suoi sogni, e quella reticenza lo spaventò. A volte, quando Fila si svegliava urlando, la prendeva fra le braccia per calmarla, ma inutilmente le domandava che cosa l'avesse spaventata. Lei non rispondeva mai.

Quando una notte venne destato da un gemito e dalla pressione della mano di Fila sul suo viso, per un momento Filippo credette che si trattasse di un altro sogno.

«Non è che il vento» bofonchiò mezzo addormentato, e si girò per offrirle il conforto del suo abbraccio.

«Chiama il medico. Sono cominciate le doglie.»

Improvvisamente sveglio, lui le si inginocchiò accanto e le posò una mano sul ventre gonfio. Non aveva mai avuto tanta paura, nemmeno in battaglia.

«Ne sei certa?»

«Sì... ne sono certa. Vai a chiamarlo.»

Un istante dopo Filippo si precipitava in corridoio, tentando di coprire le sue nudità con una tunica che aveva arraffato al volo. Ormai da parecchie notti aveva ordinato che un servo fosse sempre di guardia alla loro porta, ma, quando il momento arrivò, il servo dormiva sul suo sgabello e Filippo non lo vide né si ricordò della sua esistenza.

Al medico era stata assegnata una camera vicina all'appartamento reale. Filippo sferrò un calcio all'uscio, gridando come se volesse destare l'intero palazzo.

«Macaone! Svegliati! C'è bisogno di te!»

La porta si aprì e comparve il piccolo cipriota, vestito di tutto punto e con l'aria di essere sveglio da ore.

«Immaginavo che sarebbe stato per stanotte» disse con voce pacata. «Non chiedermi perché, ma...»

«Non te lo chiederò... vieni!»

Nella mezz'ora successiva, Filippo restò in attesa nel vestibolo della sua stanza, gli orecchi tesi a captare il rumore più lieve e maledicendo il vento. Quando il medico lo raggiunse, la sua impazienza era tale che lo afferrò per le spalle.

«Siamo solo all'inizio, mio signore» disse Macaone senza scomporsi. «Ci aspetta una lunga attesa. Trovati un letto da qualche parte. Tuo figlio potrebbe non nascere ancora per molte ore, e, con il dovuto rispetto, tu qui saresti solo d'impiccio.»

Era un ottimo consiglio, e Filippo lo capì. Andò nel suo studio, dove teneva una coperta, e la stese su un divano. Giacque lì almeno per mezz'ora, rigido come un blocco di marmo, incapace di chiudere occhio. Si chiedeva se Macaone avesse mai realmente aiutato una donna a partorire.

Fu un sollievo quando sentì bussare e il vecchio Glauco mise dentro la testa.

«Ho saputo che sono iniziate le doglie» disse, e i suoi occhi splendevano come schegge di vetro. Lui e Alcmene, rammentò Filippo, avevano avuto solo un figlio nato morto. Chissà se era quel ricordo a rendere così lucidi gli occhi dell'anziano servitore. «Ho pensato...»

«Entra e resta con me.» Filippo gli tese la mano. «Stanotte sono pieno di paura.»

Sedettero vicini, senza parlare, per quasi due ore. Fu un sollievo per entrambi.

«Forse dovresti andare a vedere come procede» mormorò alla fine Glauco.

«Forse dovrei.»

Filippo si alzò e andò alla porta della sua camera. Rimase lì in attesa per molti lunghi minuti, senza avere il coraggio di bussare. Poi una donna che ne usciva portando una bacinella piena d'acqua rosata quasi non gli andò a sbattere contro. La serva si affrettò a richiudere la porta dietro di sé, ma Filippo ebbe il tempo di intravedere il viso della moglie, bianco come cera.

Un istante dopo lo raggiunse il medico. Aveva un'aria cupa.

«Le doglie sono eccezionalmente lunghe» lo informò, puntando il mento contro Filippo come se volesse pugnalarlo con la punta della barba. «È un travaglio difficile, più difficile di quanto avessi previsto. Il bambino non dà segni di vita e lei sta perdendo molto sangue. Non nutro grandi speranze.»

«Non si può fare nulla?»

«Nulla, mio signore. Un medico può solo facilitare l'inevitabile, ma alla fine tutto è nelle mani degli dèi.»

«Sono nella stanza accanto. Chiamami se...»

«Sì... Se dovesse verificarsi un cambiamento.»

Filippo tornò nello studio per ragguagliare Glauco sulle tristi novità.

«Che accadde al figlio di Alcmene?» chiese alla fine, posando una mano sul ginocchio del compagno. «Parlarne ti addolora?»

«Non più che pensarci. E come potrei non pensarci, stanotte? Non c'erano state difficoltà, ma il bambino nacque con il cordone ombelicale stretto intorno al collo. Lo aveva soffocato.»

«Alcmene soffrì molto?»

«Non nel corpo... e solo finché non arrivasti tu. Credo che, se non fosse stato per te, avrebbe seguito nostro figlio molto presto.»

«Le tue parole mi riempiono il cuore di gioia» sussurrò Filippo.

«È meglio essere preparati al peggio. Quando non si pensa alla morte, la sorpresa è più grande. Se invece tutto andrà bene, un giorno ti ricorderai di questa conversazione e sorriderai.»

Attesero cinque ore. Di tanto in tanto si azzardavano a varcare la porta dello studio, e allora lo schiocco dei loro sandali riecheggiava nel vestibolo della camera reale. Filippo tentò di valutare la gravità della situazione in base all'urgenza dei passi delle serve, ma comprese quasi subito che era una follia.

A opprimerlo erano soprattutto la consapevolezza della propria impotenza, la sensazione che tutta la sua esistenza fosse in balìa del caso. Attivo per natura, si era sempre considerato il principale agente della propria sorte, e ora gli riusciva difficile accettare il peso della sua irrilevanza. Fila e suo figlio potevano vivere o morire, non dipendeva da lui. Non poteva aiutarli.

Infine udì il passo misurato di un uomo. La porta venne socchiusa e Filippo vide il medico che gli faceva cenno. Gli bastò guardarlo in viso per capire ogni cosa.

«Il bambino è morto» mormorò il cipriota. «Credo lo fosse già da ore, ma non c'è modo di saperlo con certezza.»

«Era un maschio, dunque?»

«Sì.» Per la prima volta, uno spasimo di autentica angoscia attraversò il volto del medico. «Mi dispiace... Tutto quello che possono le arti terapeutiche è stato tentato, ma non era abbastanza.»

«Mia moglie lo sa?»

L'altro fece un lento cenno di diniego. «Se vuoi essere tu a dirglielo, credo che sia giusto. Ha sanguinato molto, e l'emorragia non cessa ancora. Non sopravviverà più di un'ora o due.»

«Sta morendo?»

«Sì, sta morendo. E non c'è speranza di ripresa. Se vuoi parlarle, farai bene ad affrettarti.»

Fu solo con un enorme sforzo di volontà che Filippo riuscì a coprire la breve distanza che lo separava dalla camera in cui Fila giaceva nel letto sporco di sangue. Con il bel volto devastato e pallidissimo e gli occhi chiusi, sembrava già morta, e forse sarebbe stato meglio se fosse stato davvero così.

Le si inginocchiò accanto, costringendosi a una calma gelida, distaccata; sapeva che, se le fosse venuto a mancare ora, avrebbe commesso un errore irrimediabile. Le prese la mano e dopo un momento lei aprì gli occhi.

«Abbiamo un figlio» le mormorò piano, e sentì che la lieve pressione delle sue dita si accentuava.

«Mostramelo.»

Filippo scosse la testa. «È con la nutrice. Dopo che avrai riposato un poco te lo farò portare.»

«Ma è vivo? Lo hai visto?»

«Certo che è vivo.» Filippo riuscì a dare l'impressione di giudicare vagamente assurda la domanda. «E da come urla, prevedo che sarà un grande re.»

«Vale la pena di morire per questo.»

Con rassegnata stanchezza, Fila chiuse nuovamente gli occhi. Ora, sembrava dire il suo viso, era pronta ad affidarsi alla morte.

«Non morirai.» Lacrime brucianti riempivano gli occhi di Filippo, ma la sua voce rimase ferma. «Hai affrontato una prova difficile, ma ora è finita e...»

D'un tratto comprese che lei non lo sentiva più. Le rimase vicino finché non si addormentò, finché non scivolò nel sonno da cui non c'è risveglio.

Filippo non vide mai il cadavere del figlio. Non lo desiderava, e il corpicino che non aveva mai conosciuto la vita fu avvolto in panni di lino e collocato vicino a quello della madre, perché venissero entrambi consumati dal fuoco purificatore.

Era considerato indecoroso che un re piangesse una moglie, ma un figlio maschio era tutt'altra faccenda, e Filippo poté concedersi il lusso di dolersi per i suoi morti. Ma gli sembrava di non provare nulla, nulla se non un tetro disappunto rivolto contro se stesso e l'opera del fato. Non era riuscito a dare un erede ai suoi sudditi. Non era riuscito a proteggere Fila. Aveva quasi l'impressione di averla uccisa con le sue mani. A confortarlo c'era solo la consapevolezza che lei era morta ignorando di aver sacrificato inutilmente la propria vita.

Agli amici appariva appena un po' più grave, appena un po' più lento al sorriso. Nessuno sospettò mai i lunghi periodi di astrazione che lo affliggevano quando era solo, quando il tempo pareva fermarsi e lui perdeva il senso della realtà, come se la sua mente si oscurasse fino a riflettere soltanto il ricordo di quegli ultimi minuti con la moglie.

Fila sapeva che suo figlio era nato morto? Oppure adesso era ridotta a un'ombra tremolante nell'Ade, condannata a piangere per sempre la sua perdita? Quell'idea lo tormentava. Forse, pensava a volte, forse avrebbe dovuto dirle la verità. Ma sua moglie aveva sofferto così tanto, e c'erano dei limiti alla capacità di sopportazione della carne. Aveva fatto bene a lasciarla morire in pace, sperava solo che avesse davvero raggiunto la pace.

Sentiva la sua mancanza. A volte di notte la nostalgia si faceva acutissima, e si scopriva a tendere l'orecchio per cercare di captare la sua voce nel buio. Ma incolpava se stesso perché non soffriva di più, perché il suo cuore non si era spezzato, perché non desiderava morire a sua volta. Anche in questo intuiva di esserle venuto meno, lei lo aveva amato talmente tanto. Era morta per lui; non meritava forse il tributo di un po' di sofferenza? Lui sarebbe vissuto e avrebbe superato il dolore, mentre lei sarebbe sbiadita sempre di più nel passato ormai inaccessibile.

«Devi risposarti» gli disse Glauco circa tre mesi dopo la morte di Fila. I due uomini, che cenavano insieme nell'appartamento del vecchio, erano rimasti a lungo in silenzio. «So che ti manca più di quanto dai a vedere, ma non puoi cedere al rimpianto. Ti serve una nuova moglie.»

Filippo sorrise. Glauco, pensava, era l'unico uomo al mondo che osasse parlargli in quel modo, e certo l'unico che lui fosse disposto ad ascoltare.

«Tu non ti sei risposato» osservò.

«Io sono un suddito, tu sei un re. Devi avere un erede. E poi, io ero più vecchio.»

«Una nuova moglie potrebbe farmi dimenticare la vecchia?»

«No.»

«Ne sono lieto, perché in caso contrario non prenderei mai più un'altra sposa.» Filippo scosse la testa, con l'aria di un uomo che ha appena preso una decisione. «Mi risposerò non appena sarò nuovamente in grado di amare.»

«La amavi, dunque?»

«Sì.»

Sì, l'aveva amata. Ecco la scoperta che aveva fatto dopo averla perduta. Ecco il peso che gli gravava sull'anima.

XXXII

Perdicca, re dei Macedoni, aveva abbandonato ogni speranza di cacciare gli Ateniesi da Pidna e da Metone. Violando il trattato di pace firmato con callistene, continuava a inviare truppe in aiuto alla Lega Calcidica, ma neppure la definitiva sconfitta di Atene ad Anfipoli, dove era stata obbligata a dar fuoco alla propria flotta, riuscì a ovviare alla debolezza della Macedonia. Nessuno era disposto ad aiutarla ad allontanare gli Ateniesi dal golfo, e da sola non poteva farcela.

Perfino Eufreo sembrava aver perso ogni interesse per la questione, e sempre più di frequente richiamava l'attenzione del re su altri pericoli: gli Illiri si erano alleati con Menelao di Lincestide e ancora una volta minacciavano le frontiere a nord.

«Forse dovrei mandare Filippo a scoraggiarli» disse Perdicca, e con quella battuta scherzosa parve finalmente riconoscere che ormai da due anni le regioni occidentali erano tranquille. Eufreo gli rivolse il suo consueto, sgradevole sorriso.

«A quanto pare, nessuno desidera sfidare il signore dell'Elimea» replicò, sapendo quanto poco il suo sovrano amasse sentir cantare le lodi del fratello. «Gli uomini stanno bene attenti a non calpestare una vipera.»

«Lasciami, Eufreo.»

Neppure un barlume di sorpresa comparve negli occhi del filosofo a quel brusco congedo. Consapevole di aver colpito nel segno, si inchinò e uscì.

Perché Perdicca aveva capito perfettamente, e non era neppure incollerito mentre, seduto nella stanza che un tempo era stata lo studio di Alessandro, giocherellava con l'elsa di una spada che suo padre aveva conservato in ricordo di una battaglia ormai dimenticata. L'emozione che lo agitava era più simile alla malinconia che alla collera.

Gradatamente, Perdicca era giunto a comprendere che in qualità di re dei Macedoni aveva fallito. I motivi, tuttavia, gli sfuggivano. Non era certo per mancanza di capacità, dato che non era in nulla inferiore ai suoi predecessori. Non era uno sciocco e neppure un codardo, ciò nonostante il suo regno si stava risolvendo in una serie di disastri.

Se fosse vissuto, Alessandro avrebbe dovuto confrontarsi con quella medesima realtà? O il cieco favore degli dèi, che solo in ultimo lo avevano abbandonato, gli avrebbe spianato la via? Lo consolava pensare il contrario, ma al tempo stesso gli riusciva difficile immaginare Alessandro costretto ad ascoltare un generale ateniese che gli parlava dell'importanza di fare tesoro degli errori commessi.

E il loro padre, che aveva regnato tanto a lungo, non aveva forse conosciuto molti rovesci in gioventù? Gli Illiri non lo avevano forse scalzato dal trono? Ma allora i tempi erano diversi e Aminta era stato eletto re dopo un lungo periodo di disordini e lotte intestine. Il suo trionfo era consistito nel lasciare una successione che non si prestava a equivoci e un Paese debole ma in pace. No, il raffronto col padre non gli offriva alcuna consolazione.

Neppure Filippo aveva posto nelle sue riflessioni, perché dopotutto il fratello era solo uno zotico che la sorte aveva innalzato e che senza dubbio avrebbe abbattuto di lì a poco. Nel complesso, neppure Filippo contava.

Che cosa restava, allora, se non la sensazione che gli eventi gli fossero sfuggiti di mano, che lui e la Macedonia stessero precipitando verso una rovina che non era in grado di impedire e neppure di prevedere? Gli Ateniesi avevano stabilito guarnigioni quasi davanti alla sua porta di casa, Traci e Lega calcidica avevano stretto un'alleanza che minacciava le frontiere orientali, e adesso ci si mettevano anche gli Illiri. Era come vivere in una stanza le cui pareti si andavano sgretolando.

Nel corso degli ultimi anni Bardili di Illiria aveva soggiogato i suoi vicini fino a creare un vasto impero montuoso che si protendeva verso i regni di lingua greca come una mano verso un cesto di mele. Ora, assicuratosi la tranquillità a nord grazie all'alleanza con la Lincestide, il vecchio bandito aveva invaso la terra dei Molossi e Aribba, il loro re, doveva accontentarsi di azioni di rappresaglia mentre le case dei suoi sudditi venivano sistematicamente saccheggiate. Aribba non era un amico, ma la sua caduta costituiva per i confini meridionali una minaccia che la Macedonia non poteva ignorare. Bisognava decidere il da farsi.

La soluzione più semplice, e forse la più ragionevole, stava nel tradurre in realtà il suo scherzo e mandare Filippo. Lui aveva esperienza di combattimenti in montagna e conosceva bene gli Illiri. Inoltre, quali che fossero i suoi limiti, era un soldato eccellente.

Ma le obiezioni erano molte.

Tanto per cominciare, Bardili non era un piccolo capobanda ribelle, e Filippo avrebbe avuto bisogno di un esercito di almeno tremila uomini. E, se avesse trionfato, sarebbe divenuto perfino più pericoloso degli Illiri. Re dell'Elimea, con una forza militare di quella portata e il suo prestigio rafforzato da una nuova vittoria, non sarebbe più stato un suddito uguale agli altri, e, a parte la sua fedeltà verso il re, nulla avrebbe potuto fermarlo. Certo, Filippo era leale — per il momento. Ma un re, se vuole restare tale, deve poter esigere la lealtà, non chiederla come un favore.

E in ogni caso, Filippo non era un mago. Se era possibile sconfiggere Bardili, ebbene, lui non era certo l'unico in grado di farlo. Perdicca stesso era ragionevolmente sicuro di essere all'altezza dell'impresa.

E se avesse fallito, se gli dèi avevano realmente deciso il suo annientamento, una campagna contro gli Illiri era un modo come un altro per adempiere il proprio destino.

A ventitré anni, il re dei Macedoni si sentiva a volte un vecchio, logoro e finito. Era stanco di regnare; per certi versi era stanco di vivere. Era stanco del senso di incertezza che permeava la sua esistenza e avvertiva fortissimo il desiderio di scatenare una grande crisi, dopo la quale tutti i dubbi si sarebbero necessariamente risolti. Forse in questo stava la grande attrazione esercitata dalla guerra, la fonte stessa del suo fascino: nella consapevolezza che poteva cambiare tutto.

Per quel giorno, decise Perdicca, basta con il lavoro. L'indomani avrebbe iniziato i preparativi per un'offensiva al Nord — se Bardili era ancora nel Sud, intento a saccheggiare villaggi, era logico attaccarlo là dove era più debole —, ma quel giorno non avrebbe fatto altro. Andò a trovare la moglie e il figlio.

Il matrimonio era la sola cosa che non lo avesse deluso.

Forse perché lo aveva affrontato con aspettative quanto mai limitate. Perdicca era sempre stato dell'avviso che il piacere del congiungimento fisico fosse ampiamente sopravvalutato — i poeti lo cantavano, ma non cantavano anche l'ubriachezza e le corse dei cavalli? E non era presso la moglie che un uomo di buon senso cercava compagnia. Arete era virtuosa, docile e feconda, e Perdicca non le chiedeva altro. A un anno e mezzo dalle nozze, gli aveva dato un figlio; da allora erano trascorsi sei mesi e lei e il piccolo Aminta fiorivano. Filippo aveva perduto moglie e figlio e non mostrava alcun desiderio di sfidare nuovamente la sorte, così, almeno sotto questo aspetto, Perdicca era in vantaggio.

Era orgoglioso di suo figlio, un bambino grassoccio e robusto con due dentini che cominciavano a far capolino dalle gengive e sempre pronto a strisciare sui tappeti di pelliccia della sua camera. Fu un piacere passare un'ora con lui, sorreggerne il corpicino sodo mentre cercava di mettersi in piedi, ascoltare la madre raccontare i suoi ultimi piccoli trionfi. Perdicca sapeva che nutrire tanto interesse per un bambino non era dignitoso, ma ormai l'esistenza aveva così pochi piaceri per lui che si sentiva autorizzato a concedersi saltuariamente almeno questo. Lo gratificava vedere che il piccolo sembrava riconoscerlo e lo accoglieva sempre con un largo sorriso.

Ma anche quel piacere era venato da un senso di disagio, perché Perdicca non aveva dimenticato la maledizione di sua madre: *Che tu possa morire com'è morto lui, sotto occhi stranieri. Che il tuo regno sfoci nella distruzione e nessun figlio prenda il tuo posto.* Per questo, faceva il possibile per proteggere il suo rampollo. Il principe Aminta aveva il suo medico personale e i suoi pasti non uscivano dalla cucina comune, bensì venivano preparati sotto gli occhi della madre. Le donne che si occupavano di lui sapevano che una sbucciatura al ginocchio sarebbe costata loro una frustata. Aminta doveva succedere al padre... Perdicca era disposto a tutto perché così fosse. Euridice non aveva espresso il volere degli dèi, e il suo odio non sarebbe stato sufficiente a sottrargli il figlio e la corona. Era morta ormai da tre anni, e in tutto quel tempo la sua maledizione non aveva trovato alcun riscontro.

E poi ci sarebbero stati altri principi. Arete era giovane e robusta; sarebbero arrivati altri bambini grassocci. Perché dunque la sua discendenza non avrebbe dovuto protrarsi nel tempo, per l'eternità?

«Sarai Aminta IV» bisbigliava a volte Perdicca al figlio che gli sedeva in grembo, giocherellando con i suoi anelli. «Regnerai dopo di me, e Filippo invecchierà e morirà come mio suddito e tuo.»

Anche Filippo era stato informato della difficile situazione in cui versavano i Molossi. Aveva stabilito rapporti d'amicizia con Pitea, re dei Tinfei, e questi gli scriveva parlandogli dei profughi che si riversavano quotidianamente al di là delle montagne occidentali per sfuggire alla ferocia illirica. Lassù, in quel periodo dell'anno nevicava già, ma i Molossi preferivano il freddo e la fame alla sorte, qualunque potesse essere, che gli avrebbero riservato gli Illiri. I racconti di quelli che erano riusciti a fuggire facevano gelare il sangue.

La posta in gioco era naturalmente il valico di Zygos: chiunque lo controllasse si garantiva l'accesso a tutti i regni della Macedonia inferiore. Aribba continuava le sue rappresaglie contro l'invasore, ma la sua non era altro che un'azione tesa a rimandare l'inevitabile sconfitta e Filippo non si fidava di lui al punto da offrirgli la sua protezione. Raggiunse rapidamente un accordo con Pitea, che dopotutto era il sovrano minacciato più da vicino, e stabilì una guarnigione di cinquecento uomini sulla sommità del valico. Bardili poteva tirar calci quanto voleva, l'accesso era sigillato.

Poi, Filippo scrisse al fratello suggerendogli un'alleanza con i Molossi — Aribba non era nelle condizioni di poterla rifiutare — e un attacco immediato sul versante opposto del monte Pindo. Nel frattempo, il grosso dell'esercito macedone avrebbe marciato a nord per persuadere la Lincestide alla neutralià e tagliare la strada agli Illiri.

Il latore della missiva aveva ricevuto l'ordine di aspettare la risposta. Al suo ritorno riferì a Filippo: «Il re non mi ha ricevuto. Il terzo giorno, un suo ministro mi ha comunicato che non c'era risposta. Ha detto che devi aspettare gli ordini del re». Il corriere, un ragazzo sui sedici anni, pareva imbarazzato; certo trovava strano che qualcuno potesse intimare al signore dell'Elimea — il suo signore — di aspettare gli ordini.

«Qual era il nome del ministro?»

«Eufreo.»

Filippo ne sapeva abbastanza: non ci sarebbe stata alcuna campagna. Nondimeno, inviò un secondo messo con un'altra lettera dello stesso tenore. Questa volta passarono venti giorni prima che l'uomo facesse ritorno, ma aveva con sé una lettera scritta personalmente da Perdicca.

Non credere, fratellino, di potermi insegnare l'arte della guerra, scriveva il re macedone. *Tratterò con Bardili a modo mio e quando lo riterrò opportuno; fino ad allora, mi basterà che tu lo tenga lontano dal Sud. In ogni caso, la stagione è troppo inoltrata per pensare a una campagna.*

Lachio era con lui quando Filippo lesse la missiva. Si trovavano nelle scuderie dopo una giornata di caccia e poco più in là gli stallieri stavano strigliando i loro cavalli. Era quasi il tramonto e nell'aria aleggiava l'odore gradevole del fieno e del sudore degli animali. Dopo averla letta, Filippo porse la lettera al suo comandante senza fare commenti.

«Ogni volta che penso a tuo fratello a capo di un esercito, le cicatrici cominciano a dolermi» brontolò l'elimiota, arrotolando con cura la pergamena prima di restituirgliela. «Non mi attira la prospettiva di attraversare le montagne in questo periodo dell'anno, ma Perdicca immagina forse che sarà più facile sconfiggere gli Illiri dopo che questi avranno passato l'inverno a impinguarsi nella terra dei Molossi?»

Filippo prese la lettera e la accortocciò nel pugno. «Ho una bruttissima sensazione» confessò. «Vedo con chiarezza la trappola che si apre sul suo cammino, ma, per quanto forte io gridi, non riesco a indurlo ad abbassare gli occhi sul terreno che frana sotto i suoi piedi.»

«Nessuno ha preparato una trappola per il re dei Macedoni. È lui stesso l'autore della propria rovina. Credimi, se è deciso a distruggersi, nessuno potrà impedirglielo, e tu meno di chiunque altro.» Con un gesto quasi compassionevole, circondò con un braccio le spalle del re. «Ti propongo di ubriacarci, stasera.»

«Ottima idea.»

XXXIII

La neve che si scioglieva stava trasformando la vita in un inferno. Nulla restava asciutto e al mattino capitava di scoprire che l'acqua filtrata il giorno prima negli stivali vi aveva formato uno strato di ghiaccio. Di tanto in tanto si verificava qualche caso di congelamento, ma un dito annerito non era nulla in confronto alle condizioni di generale degradazione. E ora anche le provviste incominciavano a guastarsi. La situazione era talmente pesante che i soldati avevano perfino smesso di lamentarsi. Un tetro silenzio incombeva sull'esercito di Perdicca, ma il re sapeva, senza bisogno che gli venisse detto, che incolpavano lui delle loro sofferenze.

Aveva pensato di sferrare un'offensiva lampo a nord, mentre il terreno era ancora gelato, seguendo il percorso indicato da Filippo nelle sue lettere, e di piombare sugli Illiri acquartierati per l'inverno. E il suo piano avrebbe funzionato se non fosse intervenuto un disgelo precoce che aveva trasformato le strade in pantano. Ora, nelle vallate dei laghi a ovest del passo di Pisoderi, sulle pareti rocciose ruscellava l'acqua che colava dalle montagne circostanti. L'avanzata dell'esercito era rallentata fino a fermarsi quasi del tutto, e ogni passo nel fango vischioso era una fatica disumana. Se anche in ultimo le loro sofferenze fossero state ricompensate dalla vittoria e tutto l'impero di Bardili fosse caduto nelle loro mani, non sarebbe stato comunque sufficiente a compensare l'agonia di quelle giornate.

E quella mattina, poco prima dell'alba aveva cominciato a piovere.

Fu il ticchettìo della pioggia a destare Perdicca. Grosse come acini, le gocce esplodevano con uno schiocco sonoro, schiacciandosi contro la tenda di pelle. Il re guardò fuori e vide i fuochi sibilare e fumare sotto il rovescio. Era improbabile che una colazione fredda e bagnata migliorasse l'umore dei suoi uomini.

Si erano accampati sulla sponda di un vastissimo lago che le mappe non riportavano. Le montagne che si ergevano sulla riva opposta erano solo una presenza vaga, indistinta, e sotto la pioggia il lago ribolliva e fumava come l'acqua di un calderone. Li circondava un paesaggio spettrale, buono solo a purgare gli uomini dai loro peccati.

Arrivò di corsa un ufficiale — meno ansioso, si poteva sospettare, di ricevere istruzioni che di trovarsi all'asciutto —, e salutò il re da sotto la protezione del lembo della tenda.

«Concedetegli mezz'ora di tempo, poi date l'ordine di prepararsi alla marcia» gli disse Perdicca. «Se dovesse continuare a piovere, sarà comunque meglio muoverci che restare qui a infradiciarci.»

Di nuovo solo, il re scrutò con disgusto le nubi gonfie colore dell'acciaio che veleggiavano nel cielo. Quello non era che un rovescio, ma nel giro di un'ora poteva trasformarsi in un diluvio. La prospettiva di una giornata a cavallo non gli sorrideva; la pioggia sarebbe penetrata nella corazza, tramutando la tunica che portava a contatto della pelle in un fradicio strumento di tortura. Impossibile tenersi asciutti con un tempo simile. Non valeva neppure la pena di avvolgersi nel mantello: l'acqua lo avrebbe intriso fino a renderlo pesante come piombo.

Quel giorno i suoi uomini avrebbero arrancato attraverso un mare di fango, e al calar della sera, quando si fossero seduti per terra a consumare un pasto lugubre e freddo, avrebbero potuto dirsi fortunati se avessero percorso un tratto che col bel tempo non avrebbe richiesto più di due ore. Che fosse un re o l'aiutante di un cuoco, la vita di un soldato era comunque miserabile.

A mezzogiorno la pioggia scrosciava così violenta da soffocare la voce di un uomo a cinquanta passi di distanza. Perdicca continuava ad asciugarsi il viso, ma sapeva che l'esercito illirico avrebbe potuto farsi più vicino del portatore del suo stendardo prima che fosse possibile avvistarlo. La bufera li avviluppava completamente, rendendo il mondo quasi invisibile.

Un cavaliere gli si accostò, sollevando schizzi di fango così alti che il cavallo del re scartò bruscamente. Perdicca riconobbe Elpènore, il capo degli esploratori, un uomo abbastanza anziano da aver combattuto con re Aminta e che aveva goduto del favore di Alessandro.

«Chiedo l'autorizzazione a fare rapporto. Gli esploratori stanno cominciando a riferire presenze nemiche più in alto lungo la vallata. Probabilmente una pattuglia mandata in avanscoperta.»

«Qualcuno di loro ha effettivamente visto un illirio?»

«No, mio signore, ma hanno trovato escrementi freschi di cavallo a non più di un'ora da qui, e dicono di sentire qualcosa...»

«*Sentire?*» Il re dei Macedoni si concesse una breve risata priva di allegria. «Chiunque può salire in groppa a un cavallo, e gli Illiri non hanno motivo di sospettare che un esercito macedone si sta avvicinando... i tuoi esploratori non avranno visto lo spettro del nemico? La pioggia fa di questi scherzi. Con tutta probabilità si sono confusi.»

Elpenore si accigliò e strinse con più forza le redini.

«Mio signore, sono uomini validi... esperti. Se dicono di credere che il nemico è vicino, sarebbe opportuno tenere nella dovuta considerazione i loro rapporti.»

Perdicca sospirò pesantemente. «Molto bene. Che cosa consigli?»

«Suggerirei di effettuare una ricognizione in forze. Se gli Illiri sono informati della nostra presenza e ci sorprendono durante la marcia, le cose si metteranno male per noi.»

«Fai raddoppiare le pattuglie. Che spieghino la loro rete quanto più ampiamente possibile.»

Ma alla fine del secondo giorno, durante il quale non aveva mai cessato di piovere, gli esploratori non riferirono alcun avvistamento.

«Io l'avevo previsto» disse Perdicca, guardando con intenzione Elpenore. Parecchi ufficiali si erano riuniti nella tenda del re e l'odore della lana bagnata e dei corpi non lavati era opprimente, ma almeno non erano costretti a urlare per farsi sentire al di sopra del tambureggiare della pioggia.

Elpenore, cupo in volto, scrollò il capo.

«Queste montagne sono piene di piccole valli riparate perfettamente in grado di contenere un esercito di diecimila uomini. Questo è territorio degli Illiri, non nostro... sanno come tenersi nascosti.»

«Ma se avessero inviato delle pattuglie, ce ne saremmo accorti» ribatté Tossaicme, un giovane ufficiale attraente e dai modi garbati che aveva servito sotto Perdicca ad Anfìpoli e godeva della sua benevolenza. «Grandi quantità di cavalieri lasciano inevitabilmente delle tracce.»

Elpenore gli rivolse un sorriso condiscendente. «Il terreno è così zuppo che non conserverebbe l'impronta di uno zoccolo per un'ora.» Guardò Perdicca. «Quello che intendo dire, mio signore, è che non possiamo sapere se gli Illiri ci hanno individuato. Ma è possibile, e di conseguenza mi sembra ovvio che agiamo in base a questo presupposto. In caso contrario rischiamo il disastro.»

Perdicca alzò gli occhi.

«Credo che l'intensità della pioggia stia diminuendo» osservò, e per un istante tutti si azzittirono per ascoltare il ticchettìo sulla tenda. «Sì, sono sicuro che non è violenta com'era un quarto d'ora fa. Forse potremo contare su qualche giorno di bel tempo.»

«In questo caso dovremmo sfruttare al massimo l'opportunità che ci viene offerta» proclamò Tossaicme con aria compiaciuta, e parecchi fecero un cenno d'assenso. «Con un po' di fortuna, in dieci giorni avremo superato le montagne e saremo nella terra dei Molossi.»

«Non è questo il momento di pensare a un rapido slancio oltre le montagne.» Elpenore era incollerito. «Gli uomini sono esausti, non potrebbero né dare battaglia né affrontare una marcia forzata su un terreno difficile. Dovremmo piuttosto trovare una buona posizione difensiva dove scavare le trincee e guardarci un po' intorno.»

Non era un discorso che potesse piacere a molti, e certo non piacque a colui a cui era indirizzato. Perdicca palesò la sua disapprovazione atteggiando il viso a un'espressione di sdegnoso stupore. Sembrava quasi che considerasse un affronto la proposta di Elpenore.

«Gli uomini» cominciò in tono neutro «saranno ben felici di abbandonare questa infernale regione di laghi e umidità. Dopo quello che abbiamo sopportato qui, l'attraversamento delle montagne ci sembrerà una passeggiata in un meleto. Non vedo motivo di restarcene in mezzo al fango in attesa di essere attaccati da un nemico che probabilmente sta dormendo in una bella caserma asciutta nella terra dei Molossi, senza neppure sospettare che ci sono dei Macedoni più vicini di quelli della guarnigione di Ege.»

Scrutò i volti dei suoi ufficiali, che guardarono lui, poi il viso blando e sorridente di Tossaicme, e uno dopo l'altro mormorarono un assenso.

Quando la riunione si sciolse, con un cenno discreto Perdicca segnalò a Tossaicme di restare. A lungo i due uomini rimasero in silenzio, spartendosi una brocca di vino che aveva il sapore dell'acqua piovana.

«Voglio che tu prenda il posto di Elpenore a capo delle squadre di ricognizione» disse alla fine il re. «Forse avrei dovuto affidargli già da tempo altre incombenze, perché l'incarico che riveste è di quelli che finiscono col logorare un uomo. Sta cominciando a vedere Illiri dappertutto, e non mi sorprenderebbe se la sua eccessiva apprensione contagiasse anche i suoi uomini. È probabile che ti troverai nella necessità di sostituirne alcuni.»

«Sarà fatto come chiedi, signore.»

E infine la pioggia cessò. Pe tre giorni, le nubi conservarono il colore del ferro brunito, quasi fossero gravide di un'imponente bufera, ma non dettero corso alla minaccia. Il terreno si stava asciugando e dopo qualche pasto caldo tutti si sentirono meglio. Gli esploratori, ora agli ordini di Tossaicme, non riferirono avvistamenti.

Perdicca scoprì che con il clima era migliorato anche il suo umore. Iniziava a nutrire più fiducia per l'esito della campagna, la stessa fiducia che lo aveva animato a Pella, quando lui ed Eufreo l'avevano pianificata. Nel giro di pochi giorni avrebbero raggiunto le montagne, e una volta sull'alto versante sarebbero piombati sugli Illiri come un fulmine a ciel sereno. L'effetto sorpresa avrebbe assicurato loro il successo.

Aveva fatto bene a escludere Filippo dai suoi progetti. Dopotutto, Aribba era ancora nel sud del Paese dei Molossi, ancora alla testa di un esercito di forse millecinquecento uomini, non sufficienti a fermare il nemico, ma comunque in grado di continuare a tormentarlo. Dopo qualche vittoria dei Macedoni, certo Aribba avrebbe radunato le sue schiere e attaccato gli Illiri alle spalle. Non se la sarebbe cavata peggio di Filippo.

E Filippo non avrebbe gradito il successo della campagna. Perché ormai Perdicca era certo che il principale motivo per cui il fratello aveva caldeggiato un doppio attacco era il timore di perdere la sua parte di gloria. Filippo senza dubbio teneva molto alla sua reputazione di comandante, ma in fondo Elimioti ed Eordei erano solo tribù delle colline, neppure paragonabili agli Illiri. Sconfiggendoli, Perdicca avrebbe surclassato tutti i trionfi di Filippo.

Fu in questo piacevole stato d'animo che il re dei Macedoni pensava al futuro mentre guardava il suo esercito attraverso quell'ampio e inospitale Paese, fittamente punteggiato di laghi e paludi. Forse il vento della fortuna stava cambiando.

Il terzo giorno si lasciarono alle spalle i laghi. Le montagne, che ormai non distavano più di quarantotto ore di marcia, non apparivano poi così formidabili. Perdicca inviò una pattuglia alla ricerca di un valico agibile. Avrebbero continuato a marciare finché il terreno fosse rimasto pianeggiante e al ritorno degli esploratori i soldati avrebbero potuto riposare.

Il mattino del quarto giorno riprese a piovere. Inizialmente fu solo una pioggerella leggera anche se incessante, ma a sera si era trasformata in un diluvio fitto come nebbia. L'indomani, un cavallo senza cavaliere fece ritorno all'accampamento.

«Qualcuno ha avuto un incidente» dichiarò Tossaicme.

«Nondimeno, manderemo altre pattuglie perché cerchino di mettersi in contatto con la prima. Meglio accertarsi dell'accaduto.»

Perdicca non prevedeva alcun pericolo, ma gli premeva sapere qualcosa di più della conformazione geografica al di là delle montagne.

Quella sera non ordinò che venissero scavate nuove trincee; gli sembrava superfluo e in ogni caso gli uomini erano esausti.

L'attacco fu sferrato poco prima dell'alba.

Quando le trombe lo svegliarono, per un momento Perdicca pensò di stare ancora sognando. Poi si rese conto che non sentiva più la pioggia battere sulla tenda.

No, non era un sogno. Ecco di nuovo le trombe, e grida. In quel momento il lembo della tenda venne scostato ed entrò un ufficiale.

«Signore, gli Illiri si stanno radunando» sbraitò.

Perdicca prese la spada ma non degnò di un'occhiata la corazza posata accanto al letto. Non c'era tempo.

Fuori, in quell'ora buia che precedeva un'alba destinata

forse a non sorgere mai, il re individuò con prontezza la direzione da cui giungeva il pericolo. Non dovette far altro che seguire il frastuono. Sul bordo nordoccidentale del perimetro difensivo, circondato da un capannello di soldati, vide uno degli esploratori: era sdraiato su una coperta, le mani premute sul fianco sinistro, e il sangue gli filtrava attraverso le dita. Accovacciato vicino a lui, uno dei medici gli cullava la testa fra le braccia. Il ferito stava morendo.

«Ci siamo imbattuti nelle prime colonne a non più di quindici minuti da qui» mormorò, quando Perdicca si inginocchiò al suo fianco. «È stato un caso, signore... ce li siamo trovati davanti sul limitare di un folto d'alberi. Un giavellotto mi ha colpito al ventre, ma sono riuscito a fuggire. Gli altri ce l'hanno fatta?»

Perdicca alzò gli occhi sugli uomini che lo attorniavano, ma a uno a uno quelli scossero il capo.

«Quanti erano?»

Il morente rovesciò all'indietro la testa, come sopraffatto dalla domanda. «Impossibile stabilirlo, signore, era troppo buio. Ma sembravano molti... non era certo una pattuglia. Appena si sono accorti di noi, ci sono piombati addosso. Credo che non volessero che qualcuno tornasse per fare rapporto.»

«Ebbene, tu sei tornato» disse Perdicca, posandogli una mano sulla spalla. «E forse in questo modo ci hai salvati tutti.»

Ma mentre si rimetteva in piedi, sapeva già che non c'erano più speranze di salvezza. Elpenore aveva visto giusto... il grosso delle forze illiriche aveva approfittato della notte per concentrarsi nelle vicinanze, e ora si preparava ad attaccare. I suoi uomini erano sfiniti e con tutta probabilità il nemico li avrebbe sconfitti in pochi minuti. Non c'era bisogno che fosse qualcun altro a mostrargli l'enormità della sua caduta.

Gli Illiri erano noti per la crudeltà con cui trattavano i prigionieri. Aveva guidato un esercito di quattromila uomini a farsi massacrare su quelle montagne da una masnada di macellai; quella sarebbe stata l'inevitabile conclusione di tutte le sue speranze e dei suoi piani. Tutto ciò che incominciava finiva miseramente. Il suo fallimento, come soldato e come re, gli si era rivelato in tutta la sua pienezza.

Che tu possa morire sotto occhi stranieri. Che il tuo regno sfoci nella distruzione.

Ecco che tutto si avverava. La maledizione di Euridice aveva compiuto il suo corso, ponendo fine alle sue ambizioni e alla sua stessa vita.

Ebbene, se così doveva essere, Perdicca era deciso almeno a non mancare del coraggio necessario per affrontare la sorte. Poteva ancora risparmiare a se stesso l'onta suprema di una morte da codardo.

«Che gli uomini occupino le postazioni difensive» ordinò, e forse per la prima volta la sua voce ebbe l'autorevolezza del comando. «Accendete tutti i fuochi... bruciate i carri, se necessario. Prepariamoci ad accogliere degnamente i nostri visitatori.»

XXXIV

Ci volle qualche tempo prima che il mondo sapesse che re Perdicca era stato massacrato dagli Illiri insieme con quattromila soldati. I pochi superstiti avevano vagato per molti giorni prima di poter raggiungere Ege e raccontare la loro storia.

Quando il comandante della guarnigione di stanza in città comprese la portata del disastro, si affrettò a mandare un messaggero a Eana — non a Pella, la capitale, dove l'erede del re era ancora un infante e dove nessuno avrebbe potuto arginare l'inevitabile ondata di panico, ma a Eana. Considerata la gravità della crisi, riflettè, c'era solo un uomo a cui i Macedoni avrebbero potuto giurare fedeltà, un uomo che età e lignaggio rendevano degno di esercitare la sovranità. Ora toccava a Filippo.

«Non vorrei essere al suo posto per tutto l'oro del mondo» confidò il comandante al suo intendente. «Il nostro Paese è un agnello circondato dai lupi. Da un momento all'altro uno di essi potrebbe piombargli addosso e allora tutti parteciperebbero al massacro fino a ridurlo a brandelli. Non vorrei essere il re di Macedonia in quest'ora buia.»

Il re di Elimea stava cenando con i suoi ufficiali quando un ciambellano entrò per informarlo dell'arrivo di un messo da Ege. Senza una parola Filippo si alzò e lo seguì. Ricevette il messaggero nel suo studio, solo.

Gli bastò guardarlo in faccia per capire che recava cattive notizie. Dopo averlo salutato, l'uomo gli porse una pergamena con il sigillo del comandante della guarnigione.

«Ne conosci il contenuto?» lo interrogò Filippo.

«Sì, signore.»

«Non parlarne con nessuno. Senza dubbio sarai stanco e affamato... il mio ciambellano si occuperà di te.»

Attese che l'altro fosse uscito prima di rompere il sigillo.

A credito di Filippo, si può dire che la sua prima reazione fu di dolore. Suo fratello era morto e quattromila soldati del re avevano subìto la stessa sorte. Non pensò a che cosa significasse per lui l'accaduto, non subito. Semplicemente, si prese la testa fra le mani e pianse.

Infine, ricordò chi era e mandò a chiamare Lachio e Korous, i suoi luogotenenti più fidati.

«Il re mio fratello e tutto il suo esercito sono stati annientati dagli Illiri.»

I due uomini, che avevano combattuto su opposti schieramenti quando Filippo aveva conquistato l'Elimea, si scambiarono un'occhiata mentre prendevano posto di fronte al signore che entrambi amavano. Entrambi avevano compreso all'istante le implicazioni della notizia.

«Devo andare a Pella. Korous, dato che occupi un posto nell'assemblea, vorrei che tu organizzassi una scorta e venissi con me. Lachio mi sostituirà con pieni poteri fino al nostro ritorno... e potrebbe essere molto lontano.»

«Porta un esercito con te e proclamati re» suggerì Lachio, guadagnandosi uno sguardo d'approvazione da parte di Korous.

«Lachio ha ragione» intervenne quest'ultimo. «L'assemblea ti eleggerà se dimostrerai che non intendi accettare un rifiuto. In quest'emergenza non avranno altra scelta.»

Il signore dell'Elimea non replicò subito. Il suo viso era irrigidito e severo mentre guardava nel vuoto, quasi contemplasse il futuro che lo aspettava.

«Non voglio ricorrere alla forza per prendere il posto di mio fratello» dichiarò alla fine. «Solo l'assemblea può scegliere il proprio re e il figlio di Perdicca è il primo nella linea di successione. Come potrei esigere fedeltà da uomini che ho convinto con le minacce a farmi re? La vostra proposta equivale a un invito alla guerra civile. Preparate una scorta di cinquanta uomini e io la porterò a Pella con me.»

«In questo caso dovrà essere nominato un reggente.» Korous scuoteva il capo, come incapace di credere a tanta follia. «Tu sei l'unico candidato possibile, ma tutti i reggenti sono afflitti dalla medesima debolezza... a mano a mano che il re bambino cresce, gli uomini cominciano a pensare al futuro. Il tuo potere sprofonderà nelle mille gelosie di corte.»

Filippo ebbe una breve risata amara.

«Se fra cinque anni ci sarà ancora un macedone di cui essere gelosi, ebbene, sarò ben contento di rinunciare alla carica. Fino ad allora, credo che abbiamo ben poco da temere da un bambino a cui non è ancora spuntato il primo dente.»

Si alzò lentamente, quasi si stesse abituando a un nuovo, pesante fardello.

«Porteremo Deucalione a Pella con noi. Servirà a ricordare a suo padre che ha ancora qualcosa da perdere se decidesse di abbandonarci per schierarsi con gli Illiri. Lachio, fai raddoppiare la vigilanza al valico di Zygos. Cerchiamo di tenere almeno quella porta chiusa per il nemico.

«E manda un rappresentante da Bardili per chiedergli a quali condizioni è disposto a restituirci il corpo del re... dopotutto, Perdicca era un suo pronipote.» Sorrise, consapevole della pochezza della sua battuta.

«Credo che non ci sia altro. Siate così buoni da lasciarmi, ora.»

Di nuovo solo, Filippo chiuse gli occhi e cercò di sgomberare la mente. Non poteva affrontare tutto in una sola volta, era troppo. Si sentiva come una lira di cui qualcuno pizzicasse contemporaneamente tutte le corde; pensieri e sentimenti sembravano fondersi in un ronzìo insensato e discordante.

Sapeva che quello non era il momento di dolersi per il fratello, il cui cadavere, se Bardili non aveva avuto la decenza di bruciarlo, stava ora ingrassando i corvi. No, non era per lui il lusso di piangere i propri morti e non ci sarebbero stati giuramenti di vendetta, perché gli dèi soli sapevano a quali accordi sarebbe dovuto scendere con gli Illiri. Doveva valutare la morte di Perdicca tenendo conto soltanto dei suoi possibili effetti sulla sicurezza nazionale. Non c'era spazio per i sentimenti personali.

Perdicca non c'era più, distrutto con un esercito di quattromila uomini, circa la metà delle intere forze macedoni. Tra gli Illiri e le province nordoccidentali non c'era quasi più nulla. I rapporti con Atene erano tesi, e Peoni e Traci si mostravano, come sempre, ostili e minacciosi. Se avessero voluto, quei quattro non avrebbero avuto difficoltà a spartirsi la nazione e a insediare sul trono qualcuno di loro scelta.

E tutto questo toccava a lui impedirlo. Lui solo stava fra la Macedonia e il caos; non c'era nessun altro. Non prese neppure in considerazione la possibilità di un fallimento; la sola idea era così inquietante da dargli le vertigini.

Al mattino, prima di partire per Pella, Filippo si sarebbe recato al tempio di Atena per offrire un sacrificio alla Signora dai grigi occhi. Di lì a poco avrebbe avuto bisogno di lei.

Per il momento, si accontentò di raggiungere il vecchio Glauco; sapeva che lo avrebbe trovato intento a esaminare i conti di casa, come sempre faceva prima di coricarsi. Portò con sé una brocca di vino.

Non si preoccupò di bussare — un uomo non ha bisogno di un invito per entrare nella casa di suo padre —, e Glauco non parve sorpreso di vederlo. Perché avrebbe dovuto? Alzò gli occhi e sorrise, scorgendo il vino.

«Ci rimettiamo in viaggio» annunciò Filippo, rompendo il sigillo della brocca. «Partiamo per Pella domattina. Sarai pronto?»

Glauco prese due tazze e le posò sul tavolo. «Che cosa è accaduto?»

«Perdicca è morto. La sua avventura tra gli Illiri si è conclusa con un massacro.»

Il capoeconomo del re tacque a lungo; fissava il vino come se fosse stato sangue. Infine sollevò la tazza e ne bevve un sorso.

«Dunque il tuo grande momento è finalmente arrivato.»

«Mi prendi in giro?» Filippo non era mai stato tanto vicino a incollerirsi con l'uomo che l'aveva allevato. «Non credo che mi si possa tacciare di ambizione.»

«Non mi riferisco ai tuoi propositi, ma a quelli degli dèi.» Glauco, che non aveva l'abitudine di riprendere il re, parlò con voce altrettanto severa. «Ogni uomo ha il suo destino, il suo posto nel grande disegno il cui significato deve restarci ignoto ma che indubbiamente regola le nostre vite. Il mio destino era di essere l'economo di quattro re e di crescerti... un destino oscuro, si potrebbe pensare, ma nel complesso, io credo, più grande di quello che molti regnanti possono vantare.»

Si interruppe e bevve un altro cauto sorso, come per sincerarsi che il mercante di vino non lo avesse truffato. Il giovane sovrano non parlò; sapeva che il vecchio non amava che gli fosse messa fretta e che a suo tempo avrebbe chiarito ogni punto. Aveva fatto lo stesso quando Filippo aveva otto o nove anni e lui gli insegnava a conoscere le varie qualità d'olio d'oliva e a stabilirne il prezzo.

«Con il dovuto rispetto, mio signore, i re sono quasi tutti creature meschine, e la loro grandezza è solo un'illusione, perché non sono diversi dagli altri uomini. Che il loro regno sia lungo o breve, si pavoneggiano per qualche tempo e alla fine diventano polvere. Non sono che sassolini scagliati nello stagno della mortalità... l'acqua si richiude sopra di loro e dopo un po' non si vedono neppure più le increspature. Non appena chiusi nelle urne funebri, è come se non fossero mai esistiti, e solo le cronache li ricordano. Così è stato per tuo padre Aminta. Così è stato per Alessandro. E ora anche per Perdicca. Ma non credo che sia questo il destino che gli dèi hanno voluto per te.»

«Stai dicendo che non sarò mai il re dei Macedoni?»

«Sto dicendo che fa poca differenza che tu lo diventi o meno.» Glauco scosse la testa, come se Filippo fosse ancora il ragazzetto a cui insegnava a far di conto e avesse appena commesso un errore. «Ecco perché sbagli nel credere che io ti accusi di ambizione. L'ambizione è per gli uomini piccoli. Io parlo di una gloria che trascende ogni titolo. Parlo di una grandezza che solo gli dèi possono donare a un uomo... e tuttavia forse non è un dono, ma una maledizione, dato che serve ai loro scopi e non a quelli del prescelto. Lo so dalla notte in cui ti portai a casa tenendoti fra le braccia, da quando vidi Eracle ardere in tutto il suo splendore nel cielo nero. E ora, credo, è pronto a rivendicare ciò che gli appartiene.»

Quando Filippo si mise in viaggio per Pella, la notizia della morte di Perdicca si era ormai propagata per le ampie distese della Macedonia come un incendio ravvivato dal vento. Non c'era guardiano di pecore che non ne intuisse le implicazioni. La nazione era assediata dai nemici, metà dell'esercito era perita in qualche regione desolata al di là delle montagne e l'erede al trono era così giovane che non camminava ancora. Erano cominciati tempi bui e la sconfitta del re si sarebbe fatta sentire anche nel villaggio più remoto e nella più umile capanna di contadini.

La consapevolezza era stampata sul volto degli uomini e delle donne che ai lati della strada porgevano il loro tacito omaggio all'ultimo dei figli di Aminta che tornava a casa. Gli bastava guardarli per capire che era a lui che si appellavano perché proteggesse la loro terra e tenesse lontani gli invasori. Quello era l'antico dovere degli Argeadi, la famiglia che fin dall'epoca degli eroi dava alla Macedonia i suoi re, e ora spettava a Filippo adempierlo.

Già a un'ora di distanza dalle porte di Ege, la vecchia capitale, la strada era intasata di fanti e cavalieri della guarnigione cittadina.

«Che cosa fanno qui?» domandò Korous, trattenendo il cavallo, mentre con la mano alzata intimava l'alt. «Si sono ribellati, forse?»

Filippo rise. «Se è così, almeno avrò il conforto di sapere che non è a me che si ribellano, dato che non ho alcuna autorità su di loro.» Sfiorò con i calcagni i fianchi di Alastor, spronandolo a proseguire. «Vieni, andiamo a sentire che cosa vogliono.»

Fu il comandante della guarnigione ad andargli incontro. Era un uomo sulla quarantina, con la faccia rossa e un naso lievemente bulboso che gli dava un'espressione perennemente irritata. Un tempo era stato un giovane ufficiale della guarnigione reale di Pella e Filippo ricordava che da bambino gli aveva ispirato una gran paura.

«Perché quest'accoglienza, Epicle?» gli chiese ora, per nulla intimorito. Fuggevolmente si rese conto della sorpresa dell'altro nel vedersi riconosciuto. «Avete intenzione di fermarci o intendete solo dar prova del vostro senso dell'ospitalità?»

«Né l'uno né l'altro. Vorremmo solo accompagnarti a Pella.» Il soldato si interruppe, forse in attesa di una reazione, poi riprese: «Tu sei l'unico rimasto della stirpe reale, principe, e a nessuno dev'essere permesso di rifiutarti la corona. I soldati hanno già espresso il loro parere e siamo tutti con te».

«Sei in errore, Epicle. Io non sono l'ultimo della nostra stirpe. Perdicca ha lasciato un figlio.»

«Un bambino che succhia ancora il latte non può essere re» fu la pronta risposta. «I soldati sceglieranno te; siamo decisi a fare in modo che sia così.»

Per un lungo momento Filippo lo guardò con una sorta di distaccata curiosità, quasi vedesse in lui un complicato problema di geometria, ma finì con lo stringersi nelle spalle. Per il momento non vedeva alcuna soluzione.

«Se volete accompagnarmi, siete i benvenuti» disse. «Non posso fermarvi e se potessi non lo farei, perché tutti i Macedoni atti alle armi hanno il diritto di partecipare all'assemblea in cui verrà scelto il nuovo re. Ma non pensate che abbia intenzione di sovvertire le antiche leggi. Non mi metterete a capo di un'insurrezione.»

Dopo una breve esitazione, Epicle annuì con vigore. «È abbastanza giusto, signore. Lasceremo che sia l'assemblea a decidere.»

Quella notte Filippo, che aveva rifiutato l'appartamento preparato per lui nel vecchio palazzo, vuoto ormai da più di cinquant'anni, dormì alla guarnigione. Il mattino seguente, mentre faceva colazione, seppe che una delegazione giunta da Berea chiedeva udienza. I rappresentanti della guarnigione volevano giurare fedeltà alla sua causa e ottenere il permesso di accompagnarlo a Pella, e anche loro furono autorizzati a farlo alle medesime condizioni stabilite con Epicle. Nel giro di un'ora, arrivarono i messaggi dei comandanti delle guarnigioni di Aloro e Meiza.

«Immagino che tu capisca il significato di tutto questo» disse Korous quando lui e Filippo risalirono in sella. «Vogliono farti re, che ti piaccia o meno. Non hanno scelta e neppure l'hai tu, se la nazione vuole sopravvivere. Dovresti cominciare a pensare che cosa fare del bambino.»

Filippo avvertì una fitta gelida trapassargli le viscere, perché sapeva bene che cosa intendesse l'altro.

«Sì,» mormorò, guardandosi intorno come per contare i soldati della scorta «so che cosa significa tutto questo.»

Tre giorni dopo, arrivando a Pella, trovò ad attenderlo una folla imponente e silenziosa. Lo guardavano con un misto di curiosità e paura, quasi fosse il capo di un esercito invasore.

"È logico che siano spaventati" si disse. Negli ultimi anni aveva passato ben poco tempo a Pella e l'ambivalenza di Perdicca nei suoi confronti aveva sicuramente contagiato gli abitanti della capitale. Non sapevano che cosa aspettarsi da quello straniero.

Quanto a questo, neppure lui sapeva bene che cosa aspettarsi da se stesso.

Lasciò la scorta alla guarnigione e irruppe al galoppo nel cortile del palazzo. Gran parte degli uomini che vi trovò erano anziani servi che lo avevano conosciuto da ragazzo, ma c'erano anche Eufreo e Arete.

Dal giorno delle nozze di Perdicca, Filippo non l'aveva più

incontrata e la sua vista lo commosse. La abbracciò e pianse, ma fu subito palese che non avrebbe goduto del conforto del dolore condiviso, perché Arete rimase rigida come una pietra, con le braccia serrate contro il corpo.

«Gli dèi sanno quanto è straziante tutto questo» mormorò Filippo con la voce ancora piena di lacrime. «La nostra famiglia chiama a sé la sofferenza come una chioccia i pulcini, ma almeno quest'ultima prova avrebbe potuto esserci risparmiata.»

Lei non rispose; lo fissava come se volesse valutare le sue capacità di attore.

«Non priverai mio figlio del suo diritto di nascita» disse infine. «Ora è lui il re.»

Si liberò dal suo abbraccio e, mentre Filippo azzardava qualche spiegazione, si allontanò quasi di corsa verso il palazzo.

«Non metterai da parte mio figlio!»

Le parole suonarono come una minaccia e rimasero sospese nell'aria a lungo dopo che Arete fu scomparsa.

«Ha paura di te.» Eufreo si era fatto avanti e ora rivolse a Filippo un inchino elaborato. «Crede che tu sia il più pericoloso dei molti nemici che circondano lei e suo figlio... preferirebbe Bardili a te.»

«Chi le ha messo in testa certe idee?»

Il filosofo abbozzò uno dei suoi cupi, irritanti sorrisi.

«Suo marito, immagino.»

«E chi le ha messe in quella di lui?»

Eufreo non rispose subito. Sembrava che non avesse sentito la domanda o forse non l'aveva apprezzata. Distolse lo sguardo da Filippo.

«È pericolosa» aggiunse con un altro sorriso. «Lei e il bambino costituiranno inevitabilmente il fulcro di ogni movimento di opposizione. Non credo che tu possa permettertelo, in questo momento di crisi.»

«Che cosa suggerisci?»

«Falli uccidere entrambi.» Eufreo pronunciò quelle parole senza enfasi alcuna, quasi imbarazzato dall'ovvietà della domanda. «Io potrei esserti utile.»

«Per ucciderli? Non ho bisogno di te per questo, ateniese... i mezzi ci sono sempre.»

«In altri modi. Potrei realmente esserti utile.»

«Come lo sei stato a mio fratello? Hai già fatto abbastanza danni.»

Lo sguardo di Eufreo tornò bruscamente su di lui. Sembrava sciocato. Quella era, evidentemente, l'ultima risposta che si aspettava.

«L'assemblea si riunirà fra due o tre giorni» continuò Filippo con voce calma e dura. «Per allora, farai bene a esserti già imbarcato. Se fossi in te, non starei troppo a sottilizzare in merito alla destinazione, perché, non appena i Macedoni avranno espresso la loro volontà, se sarai ancora in città avrò la tua testa sulla punta di una lancia.»

Quando l'assemblea si riunì, Filippo prese posto in uno dei sedili riservati alla famiglia degli Argeadi, e nulla avrebbe potuto rappresentare più efficacemente la scelta a cui i Macedoni erano chiamati, perché era completamente solo. Non parlò con nessuno e non intervenne al dibattito.

Quasi tutte le guarnigioni avevano fatto in modo di inviare delegazioni quanto più numerose possibile e l'anfiteatro era quasi pieno. Il sole invernale splendeva sulle corazze, strappando riflessi quasi abbaglianti.

Prima ci furono le preghiere e i sacrifici — le ossa e il grasso di un quarto di toro vennero bruciati sull'altare collocato al centro —, poi finalmente si alzò il comandante della guarnigione di Pella. Dardano aveva superato la sessantina e vacillava al punto che il suo luogotenente dovette sorreggerlo, ma ai tempi del vecchio re Aminta era stato un soldato famoso. La consuetudine voleva che fosse lui a prendere la parola per primo.

Alzò una mano per imporre il silenzio.

«Non abbiamo che due alternative» esordì. «Possiamo dichiarare re Aminta, figlio del defunto re Perdicca, e nominare reggente suo zio Filippo finché Aminta non abbia raggiunto la maggiore età, oppure eleggere Filippo re al suo posto. Della dinastia reale loro sono gli unici che la morte o il tradimento abbiano risparmiato.

«In tempi normali, la successione passa di padre in figlio, ma se l'erede naturale viene giudicato inadeguato per motivi di età o altro, o se la situazione contingente lo esige, l'assemblea ha il diritto di scegliere diversamente.

«La questione quindi non è chi regnerà, perché è indubbio che il potere sarà interamente nelle mani di Filippo, ma chi dev'essere re. Per avere la risposta dobbiamo guardare al momento, e non c'è nessuno qui che non sia consapevole come lo sono io della crisi scatenata dalla morte di Perdicca. Altrettanto bene sappiamo che, se il compito di toglierci da questa sciagurata condizione sarà affidato Filippo — e ammesso che ciò sia possibile —, egli avrà bisogno di tutta l'autorità che questa assemblea ha il potere di rimettere. Decidiamo quindi: possiamo permetterci un re bambino, o per il trono della Macedonia abbiamo bisogno di un uomo e di un soldato?»

Dopo quell'introduzione sarebbe stato inpossibile dubitare ancora dell'esito della riunione. Dardano si rimise a sedere, accompagnato da mormorìi di approvazione, e l'uomo che si alzò dopo di lui, il comandante della guarnigione di Ege, propose formalmente di eleggere Filippo, figlio di Aminta, re dei Macedoni.

Nessuno parlò dopo di lui. L'intera assemblea si levò come un sol uomo e andò a mettersi davanti al nuovo re per giurargli fedeltà, gridando il suo nome e battendo con le spade contro le corazze. Il frastuono faceva vibrare l'aria.

Filippo si alzò. Lo circondava un fitto muro di spade e lui si chinò a sfiorare la punta delle più vicine, a indicare così la sua accettazione. Non parlò; i nuovi sudditi non volevano parole e in quel momento nessuno le avrebbe udite, ma attese che gli aprissero un varco fino all'ingresso. Ora doveva svolgere il suo primo atto di sovrano e guidare l'esercito al tempio di Eracle per la purificazione delle armi.

Strani, gli scherzi che a volte gioca la memoria. In piedi sulla porta dell'anfiteatro, circondato da concittadini osannanti, non era loro che sentiva, no, non loro. Gli sembrava invece di essere lui stesso parte di una grande folla adorante e di ammirare, fermo sul ciglio della strada in compagnia del fratello Perdicca e del fratellastro Arrideo, Alessandro che veniva acclamato re. Nella sua mente erano di nuovo tutti vivi, non ancora contaminati dalla morte e dal tradimento. Che grande eroe gli era parso Alessandro quel giorno!

«Mio signore Filippo!» Una voce di donna, simile al grido di un animale e piena di terrore, lo riportò alla realtà. Ignorava chi fosse quando la vide slanciarsi verso di lui e prostrarsi sfiorandogli i piedi in un gesto di supplica.

Poi la donna alzò la testa e Filippo la riconobbe... Arete. Teneva fra le braccia il figlio. Il silenzio calò sulla folla.

«Mio signore Filippo, ti supplico di risparmiare la vita del figlio di tuo fratello» singhiozzò lei. «Faccio atto di sottomissione davanti a te, ma lascialo in vita.»

Di colpo intorno a Filippo fu tutto un brusìo di voci e un fruscìo di spade sguainate. Gli ufficiali che lo attorniavano, molti dei quali ancora ignari di quanto stava accadendo, non sapevano che cosa fare — si trattava forse del preludio a un assassinio? — e si sentivano poco inclini alla pietà; troppe cose dipendevano dalla vita di quell'unico uomo.

«Riponete le armi» intimò Filippo con voce ferma e sicura. «Non c'è nulla da temere.»

«Ti scongiuro di lasciarlo in vita» ripeté Arete, ma la sua supplica si spense in un singhiozzo. Con le mani tese sfiorava ancora la punta dei piedi del re.

«Meglio ucciderli tutti e due» borbottò qualcuno alle spalle di Filippo. Lui non riconobbe la voce, e non avrebbe desiderato farlo. «Siamo in guerra con mezzo mondo e un erede scalzato è sempre un potenziale traditore. Meglio ucciderli ora.»

«E poi? Dovrei muovere guerra anche al cielo?» replicò lui senza voltarsi. «Non voglio che del sangue innocente contamini l'inizio del mio regno.»

Si inginocchiò e, tenendola per le spalle, fece alzare la vedova del fratello.

«Sei al sicuro e così lui.»

Poi prese il bambino e lo sollevò.

«Questo è il figlio di mio fratello Perdicca» annunciò. «Sarò come un padre per lui e, poiché non ho un figlio mio, sarà il mio unico erede. Da questo momento è sotto la mia protezione. Che chiunque progetti di attentare alla sua vita lo sappia, perché i suoi nemici saranno i miei nemici.»

Lo restituì alla madre che si sarebbe inginocchiata a baciargli i piedi se lui non glielo avesse impedito.

«Basta così, Arete. Sei stata la moglie di un re; non umiliarti ulteriormente.»

Per un istante rimasero così, vicini, ed era chiaro che la cittadinanza di Pella approvava, perché ora tutti gridavano più forte di prima. Ma non era loro che Filipppo ascoltava.

Hai visto? Hanno fatto la loro scelta si sentiva dire con la voce del fanciullo che era stato. Poi vide il viso del fratellastro Arrideo, che sorrideva a fatica.

Sì... Hanno fatto la loro scelta.

XXXV

Il mese di artemisio ricoprì di fiori azzurri le brughiere prossime alla frontiera con la Tracia. Filippo e i suoi erano scesi da Eraclea Sintica e si erano accampati sulla sponda meridionale del lago Cercinitis. Erano solo in cento e il nemico non distava più di un'ora di viaggio, ma queste erano le condizioni che re Berisade aveva posto.

«Ho idea che voglia tagliarti la gola, marciare sulla città e insediare tuo cugino Pausania sul trono» borbottò Korous mentre con la punta della spada attizzava il fuoco.

«Rovinerai il filo della lama» lo ammonì per tutta risposta Filippo.

Korous gettò la spada sull'erba alta, ancora umida di rugiada, dove l'arma sibilò come una vipera.

«In ogni caso, è vero che intende ucciderti.»

«E secondo te Pausania sarebbe un re tanto cattivo?» Filippo sorrise e si grattò la barba. Aveva dormito bene, come sempre gli accadeva all'aperto e si sentiva di buonumore. Ma il suo scherzo non divertì Korous.

«Dicono che in esilio sia ingrassato enormemente» replicò tetro. «Ed è sempre stato un vermiciattolo codardo e vendicativo. Ricordi quando ci sorprese mentre davamo delle mele al suo cavallo e fece la spia al capostalliere perché ci frustasse?»

«Probabilmente a quel cavallo di mele ne avevamo fatte mangiare almeno venti... furono frustate meritate.»

«Dal punto di vista dei Traci, sarebbe senz'altro un re eccellente.»

«In questo caso cercherò di ricordare che non devo permettere a Berisade di tagliarmi la gola.»

«Che cosa gli dirai?»

«A Pausania? Perché? Hai un messaggio per lui?»

«Cerca di essere serio, Filippo. Questa faccenda mi spaventa e tu non fai che provocarmi. Che cosa dirai a Berisade?»

Filippo piegò la testa di lato, come per considerare attentamente la questione. In realtà, non aveva quasi pensato ad altro durante quel primo mese di regno.

«Non gli dirò nulla che non sappia già» disse alla fine. «Il difficile sarà rammentargli che lo so anch'io.»

L'incontro era stato studiato nei minimi particolari. Una delle prime iniziative del nuovo sovrano dei Macedoni era stato l'invio di emissari nelle terre dei Traci e dei Peoni, ma quasi tutto un mese se n'era andato nella messa a punto dell'abboccamento con re Berisade. Re Agide, signore dei Peoni, avevano riferito i suoi ministri, era troppo anziano e debole per lasciare la capitale, ma si trattava in realtà di un sotterfugio anche troppo palese. Agide, che era un vecchio bandito scaltro, preferiva aspettare di vedere che cosa avrebbe estorto Berisade al giovane re macedone, per poi chiedere di più. Una circostanza che conferiva un'importanza ancora maggiore a quella prima trattativa.

Era stato Filippo a fare la prima concessione, acconsentendo a che l'incontro si svolgesse in territorio trace, ma in cambio aveva chiesto che avvenisse fuori delle mura di Eione, nello stretto cuneo di terra che i Traci occupavano sulla riva occidentale dello Strimone. In questo modo, se Berisade lo aveva attirato in una trappola, non si sarebbe trovato con l'acqua alle spalle, anche se di fatto si trattava di un misero vantaggio, dato che la città era ben fortificata.

Il luogo stabilito era una vasta radura pianeggiante delimitata a est dal fiume e a sud dal mare, che a quella distanza era solo una vaga caligine sopra l'orizzonte. A ovest e a nord, l'erba punteggiata di fiori sembrava stendersi all'infinito; sarebbe stato difficile trovare un posto meno adatto a un'imboscata.

Buona parte dei Macedoni procedevano verso il fiume, ancora molto lontano, divisi in tre colonne, le cui file erano composte da cinque uomini. Sui lati nord e sud marciavano due pattuglie di dieci soldati ciascuna — non c'era motivo di mostrarsi eccessivamente fiduciosi. Quando videro in lontananza una fila di cavalieri, si fermarono, adottando un identico schieramento per dare ai Traci il modo di calcolare con esattezza il loro numero. Poi dal centro della fila Filippo, insieme con venticinque uomini, si fece avanti per andare incontro a un identico drappello di Traci.

Quando non furono a più di duecento passi l'uno dall'altro, i due gruppi si fermarono. Filippo sguainò la spada, la fece roteare sopra la testa, poi la lasciò cadere al suolo. Una figura al centro del drappello trace, presumibilmente lo stesso Berisade, fece altrettanto. Era il segnale concordato; i due uomini si mossero verso il centro della radura, lasciandosi alle spalle le rispettive scorte.

A dieci passi si arrestarono entrambi e per un momento il solo rumore fu quello del vento che bisbigliava tra l'erba.

«Sei più giovane di quanto credessi» esordì Berisade. Si chinò sul collo della sua cavalcatura per guardare meglio l'interlocutore e sogghignò, esibendo un paio di denti ridotti a moncherini. «Sei poco più di un ragazzo. Tanto valeva che i Macedoni eleggessero il marmocchio di Perdicca.»

Non era quella un'accusa che qualcuno avrebbe potuto muovere al re dei Traci: aveva la gola raggrinzita in mille pieghe e i suoi occhi erano quelli cinici e annoiati degli uomini che hanno vissuto così a lungo da stancarsi persino dei propri peccati. In realtà, aveva solo trentadue anni, ma regnava da otto, ossia da quando il padre era morto, fatto uccidere, si diceva, proprio da lui.

«E quasi l'hanno fatto, ma alla fine hanno preferito qualcuno che almeno avesse ancora tutti i denti.»

Il re dei Macedoni sorrise, in attesa che la battuta pungente arrivasse a segno. Il trace godeva della reputazione di uomo violento e spietato ed era temuto persino dai suoi alleati, ma Filippo sapeva che, se avesse subìto anche solo una volta le sue angherie, non sarebbe più riuscito a guadagnarsi il suo rispetto.

Berisade gettò la testa all'indietro e rise.

«Mi avevano detto che hai la lingua affilata. Attento a non tagliartici la gola.» Rideva ancora, ma nei suoi occhi c'era un avvertimento. «Non sei nella posizione di farti dei nemici.»

«Non sono qui per farmi dei nemici» replicò Filippo, ma col tono di pensare che, in fondo, uno in più o in meno non avrebbe fatto differenza. «Quelli non mi mancano. Sono qui per persuaderti a lasciarmi trattare con loro... uno alla volta, e a modo mio.»

«E io perché sono qui?» Quella di Berisade era una vera e propria domanda. «Mi basterebbe chiamare a raccolta l'esercito, e il principe Filippo di Macedonia potrebbe incominciare a contare il tempo che gli resta da vivere in minuti e non in anni. Che cosa mi trattiene?»

«Il fatto che hai già compreso da solo che per te sarei più pericoloso da morto che da vivo.»

Berisade sorrise, in una sorta di riluttante ammissione di sorpresa. Avanzò di qualche passo, come se l'ampia distesa d'erba che li circondava non gli offrisse sufficiente discrezione e lui volesse avvicinarsi per parlare con maggior confidenza.

«Continua. Concederò ancora qualche minuto alla tua insolenza.»

«È insolenza che due sovrani ammettano l'uno con l'altro le rispettive debolezze? I nostri ambasciatori sono delegati a pronunciare menzogne per nostro conto, e grazie a loro noi possiamo concederci il lusso della franchezza.»

Filippo non sorrideva e i suoi occhi grigio-azzurri fissavano Berisade con intensità quasi dolorosa. Fu il re trace a distogliere per primo lo sguardo.

«Il mio regno corre il pericolo di dissolversi» riprese allora il giovane. «Gli Illiri vogliono impadronirsi delle regioni occidentali, e, non appena si renderanno conto di averne la possibilità, gli Ateniesi cercheranno di prendere il controllo del Golfo Termaico. E a nord i Peoni saranno pronti a raccogliere le briciole.»

«E io stesso nutro qualche ambizione» lo interruppe Berisade, guardandolo come se avesse una gran voglia di divorare lui e il suo cavallo.

Ma non parlava sul serio. Si stava semplicemente vendicando del giovane re macedone che non riusciva a intimidire, e Filippo non ci fece troppo caso. Continuò a parlare come se non ci fossero state interruzioni.

«A mio avviso, gli Ateniesi saranno i primi a colpire. Gli Illiri non hanno approfittato subito della vittoria su mio fratello; credo quindi che aspetteranno... gli dèi solo sanno il perché, dato che non è certo quello che avrei fatto io al posto loro. Ma più gli Ateniesi accresceranno la loro forza, più aumenteranno le pressioni sui Calcidesi, finché la Lega calcidica sarà costretta a reagire e a quel punto i Traci non avranno più alcun accesso al mare.»

«Posso fermarli» mormorò Berisade a mezza voce. Si guardava nervosamente intorno, quasi che l'erba intorno agli zoccoli del suo cavallo stesse tramutandosi in una fanteria nemica. «Con il mio aiuto, la Lega può continuare a resistere.»

Questa volta toccò a Filippo ridere.

«La Lega non ti guarderà neppure» esclamò con disprezzo. «Che cos'è la Tracia, se non un pezzetto di terra semideserto ai confini del mondo? Ad Atene sarebbero sufficienti i diritti portuali di un mese per pagarsi un esercito pari al tuo. Capisci ora? Se io cado, quanto ci vorrà perché arrivi anche il tuo turno? La mia sopravvivenza è la tua sopravvivenza... abbiamo *bisogno* l'uno dell'altro.»

Per un momento Berisade lo guardò con autentico timore. Non era di Atene che aveva paura, né della fine della sua alleanza con la Lega calcidica, bensì di Filippo che, a dispetto della sua giovinezza, guardava al mondo con occhi tanto freddi e acuti. Lo faceva sentire vulnerabile, e la sua paura era accentuata dal crescente sospetto che quel ragazzo, invece, non avesse paura di nulla.

«Che cosa vuoi da me?» si decise a chiedere, sorpreso lui per primo dalla scelta delle parole. Pareva quasi che fosse lui il supplicante.

«Tempo.» Filippo si chinò ad accarezzare Alastor sul collo. Non guardò neppure il trace. «Tempo per riorganizzare l'esercito. Tempo per guardarmi intorno e prepararmi alla guerra contro gli Illiri. Sono disposto a pagare per la pace con la Tracia, ma ti sconsiglio dal propormi un accordo troppo gravoso. Se morissi, nel giro di un anno sul trono di Pella siederebbe un re illirico, e non credo che ti piacerebbe avere Bardili per vicino... dopotutto, che cosa gli impedirebbe di espandersi a est fino a conquistare tutto quello che c'è tra qui e il Bosforo? E a quel punto, il vecchio bandito sarà un problema solo per il re di Persia, perché noi due saremo morti.»

Una volta, quando era ancora un bambino, Berisade era stato sorpreso mentre commetteva una marachella — dopo tanto tempo non ricordava neppure più quale —, e suo padre aveva ordinato che venisse frustato e rinchiuso in un forno di ferro delle cucine. Gli aveva detto che avrebbe deciso in seguito se accendere o meno il fuoco sotto il forno, ma che fino a quel momento doveva restare lì, costretto in uno spazio così angusto che lo obbligava a tenere la testa fra le ginocchia. Vi era rimasto per tre ore e per tutto quel tempo era riuscito a pensare soltanto che suo padre era davvero il tipo d'uomo capace di far arrostire il proprio figlio come una spalla di montone. Non aveva mai dimenticato quell'esperienza; perfino da adulto il ricordo di se stesso chiuso in quel buco nero, reso quasi folle dal terrore di sentire le pareti riscaldarsi, aveva popolato i suoi sogni. Gli aveva insegnato a odiare il padre e a godere della sua morte, e gli aveva fatto conoscere il terrore che scaturisce dalla totale impotenza.

Ecco perché odiava il re dei Macedoni, l'uomo che ancora una volta gli chiudeva sulla faccia lo sportello di ferro. Un giorno, promise a se stesso, si sarebbe vendicato, proprio come si era vendicato del padre, ma quel giorno non era ancora giunto. Per il momento sapeva, come aveva saputo in passato, che la sua unica possibilità stava nell'acquiescenza.

«E che cosa devo fare di Pausania?» chiese. «La sua uccisione dovrà far parte del nostro accordo?»

Per un istante Filippo sembrò perdersi in chissà quale riflessione, e così intensamente da dimenticare dove si trovasse. Poi puntò gli occhi sul re dei Traci e sorrise del sorriso più freddo che Berisade avesse mai visto.

«Sì» disse. «È parte dell'accordo.»

Il colloquio tra il re macedone e il re trace non durò più di un'ora. Quando Filippo tornò dalla scorta, il suo viso non tradiva nulla; sarebbe stato impossibile capire se era la guerra o la pace. Alle domande di Korous, rispose semplicemente scuotendo la testa.

«Che cosa gli hai offerto?»

«La possibilità di sopravvivere. Insieme con centocinquanta talenti d'oro.»

«*Centocinquanta?*» Korous lo guardò incredulo. «Come farai a pagare una cifra simile?»

«È una sciocchezza... quando lo saprà, il re dei Peoni ne chiederà almeno duecento.»

«Che cosa farai?»

«Che cosa farò?» Apparentemente intento a regolare le briglie, Filippo lanciò all'amico un'occhiata obliqua e sorrise. «Coltiverò tutte le arti regali. Mentirò, imbroglierò e mi attaccherò a ogni pretesto per rimandare. Mi sono impegnato a versare quindici talenti entro il mese e il resto in dieci anni, ma non ho alcuna intenzione di tener fede al patto... Credo che questo lo capisca perfino Berisade.»

«Di qui a un anno pretenderà di essere pagato di nuovo.»

«Di qui a un anno potrei essere morto, ma in caso contrario vedremo se avrà la temerarietà di persistere nella sua richiesta, o se io avrò la forza per rifiutare.»

Quando Filippo tacque, Korous non insistette; aveva imparato a rispettare i controllati silenzi dietro cui si trincerava il suo signore. Ciò che voleva che lui sapesse, Filippo glielo avrebbe detto; quanto al resto, la mente del re era chiusa agli sguardi altrui.

Si accamparono dove si erano fermati la notte precedente, su un promontorio nei pressi del lago Cercinitis. Era una serata quieta e si udiva il fruscìo dell'acqua che lambiva la sponda. Filippo parlava di corse equestri, segno sicuro che i suoi pensieri erano altrove.

«Mi sarebbe piaciuto cavalcare Alastor ai giochi pitici, ma è troppo vecchio ormai... ha ancora tutta la sua vivacità, ma potrebbe lacerarsi un muscolo gareggiando con cavalli di due anni. E se perdesse, la sua dignità ne sarebbe offesa. Il primo anno che lo ebbi con me, non aveva eguali da qui al Peloponneso.»

Infine smise anche di fingere e sprofondò in un silenzio meditabondo.

Il mattino seguente, quando Korous si svegliò mezz'ora prima dell'alba, trovò il suo re già intento ad accendere il fuoco.

«Non hai dormito?» gli chiese.

«Ho una gran voglia di andarmene da qui.» Filippo sorrise, come se trovasse un po' ridicola quell'ammissione. «Ho la sensazione che ci aspetti qualcosa di sgradevole...»

«Credi che Berisade voglia tenderci un'imboscata?»

«No. No... Se avesse avuto in mente qualcosa del genere, a quest'ora saremmo già morti. È qualcos'altro...»

Parve tuttavia dimenticarsene durante il tragitto di ritorno a Eraclea Sintica. Scherzò con i soldati della scorta e ascoltò palesemente divertito una canzone oscena che parlava di un asino e della figlia di un barcaiolo. Era di nuovo quello di sempre, il Filippo che Korous conosceva da quando erano ragazzi.

Mancava meno di un'ora al mezzogiorno quando Alastor cominciò a dar segni di nervosismo: nitriva e scuoteva la testa. Filippo allora tirò le redini e alzò un braccio, non tanto per intimare l'alt quanto per chiedere silenzio.

«Che cosa c'è?» fece Korous.

«Non lo so, ma...»

Il re posò una mano sul collo nero e lucido di Alastor. «Senti qualcosa, vero?» gli bisbigliò quasi all'orecchio. «Sai già quello che sta per succedere?»

Ma non accadde nulla. Filippo si volse a guardare, ma dietro di loro l'orizzonte era sgombro.

Poi comparve qualcosa: non era più grosso di un puntino in lontananza, simile a un granello di sabbia che volteggiava silenzioso verso di loro.

«È un uomo a cavallo.» Il viso di Korous mostrava l'intensa concentrazione di un cane da caccia; teneva gli occhi quasi completamente chiusi. «Un uomo solo, e cavalca veloce.»

«In questo caso ci fermeremo ad aspettarlo, se non altro per il bene della sua cavalcatura.»

L'attesa fu più dura per gli uomini di Filippo che per lui: temevano il peggio. Qualcuno scivolò giù di sella e si inginocchiò a terra per tendere la corda dell'arco.

«Un uomo solo non ne attacca cento» disse Filippo. «Qualunque cosa voglia, non intende farci alcun male. Non agiamo in modo avventato.»

Molto prima di sentire lo scalpitìo degli zoccoli, si accorsero che l'uomo era abbigliato alla foggia trace. Il vento soffiava nella loro direzione e, quando il cavaliere li raggiunse, l'aria era piena di polvere.

A un'ottantina di passi di distanza, il trace si fermò bruscamente. Scrutò per un istante gli uomini che gli stavano di fronte, poi estrasse qualcosa da una borsa di pelle che portava in vita — qualcosa della forma e delle dimensioni di un melone — e lo gettò a terra con un gesto carico di disprezzo. Un secondo dopo girava su se stesso e si allontanava al galoppo per tornare là da dove era venuto.

Filippo attese che fosse lontano prima di dire: «Vediamo per che cosa Berisade si è preso tanto disturbo».

Era la testa di un uomo, malconcia ma ancora riconoscibile: le labbra erano gonfie e spaccate, e un occhio mancava. Dai lividi, era chiaro che molte delle ferite gli erano state inferte prima della morte.

L'ultima volta che Filippo l'aveva vista, quella testa era

ancora saldamente piantata sulle spalle di suo cugino Pausania.

Smontò e, toltosi il mantello, vi avvolse il macabro trofeo.

«Voglio che venga purificata e data alle fiamme, ma prima gli venga messa in bocca una moneta d'oro, come prescritto dal rito funebre.» Il suo viso era una maschera di pietra.

«Ma perché?» volle sapere Korous, prendendo il fagotto. «Perché gli hanno fatto questo?»

«La sua uccisione era parte di quello che ho comperato con i centocinquanta talenti d'oro. Solo gli dèi sanno perché abbiano scelto di farlo con tanta ferocia. Forse un avvertimento... o forse hanno voluto vendicarsi per essere stati costretti a tradirlo. Ha forse bisogno di un motivo, un uomo come Berisade?»

Filippo scosse la testa, l'espressione di chi è costretto a rinunciare a una preziosa illusione.

«Eppure io non sono migliore di lui, perché questo sangue sporca più le mie mani delle sue. Siamo uguali. Siamo ciò che un uomo diventa quando altri ne fanno un re.»

XXXVI

Avvicinandosi alla novantina Bardili, re dei Dardani, fu costretto a riconoscere di essere ormai nel pieno crepuscolo della vita. Ci era voluto molto tempo, ma, ora che le sue forze scemavano quasi di giorno in giorno, sentiva l'approssimarsi della sua ultima ora così come un uomo sente nel vento il primo sentore dell'inverno. Non credeva che sarebbe vissuto per più di due anni.

Di conseguenza, non gli restava che affidare una parte sempre maggiore del potere al nipote Pleurato. Era questa una necessità che lo addolorava più della morte stessa, perché detestava e temeva Pleurato. Ma non era per sé che ne aveva paura — aveva vissuto troppo a lungo per coltivare anche di questi timori —, bensì per un futuro che lui non avrebbe visto.

Nessuno si rallegra nel pensare che l'opera della sua vita è destinata alla distruzione, e Bardili sapeva, quasi avesse già sperimentato la catastrofe e potesse con facilità richiamarla alla mente, che il nipote non sarebbe mai riuscito a tenere insieme l'impero da lui edificato con tanto impegno. Ancora in vita, già gli toccava assistere all'inutile guerra che Pleurato conduceva contro i Macedoni.

«Non capisco il motivo della tua ansia» esclamò Pleurato nel suo solito tono offensivo. «Abbiamo esteso e consolidato la nostra posizione su tutta la zona di frontiera... La Lincestide è in pratica una nostra provincia. Abbiamo distrutto l'esercito macedone e il loro re è morto. Credevo che ti saresti congratulato con me per la completezza della vittoria.»

«Hanno un nuovo re, o ancora non lo sapevi?»

«Filippo?» Pleurato si strinse nelle spalle con fare sdegnoso. «Non è che un ragazzo troppo impetuoso. L'ho già valutato.»

«Hai creduto di farlo già una volta in passato, quando cercasti di ucciderlo.»

Era quello un motivo di rancore mai sopito tra di loro. Bardili sapeva tutto del patto che il nipote aveva stretto con Tolomeo e, a prescindere dalla violazione delle norme dell'ospitalità, non era mai riuscito a trovare una giustificazione per un'iniziativa tanto stupida. La giudicava uno di quei grossolani complotti in cui si rischia tutto per guadagnare un'inezia. Dalla mattina in cui aveva messo Filippo in sella a un cavallo e gli aveva intimato di fuggire, i suoi dubbi avevano cominciato ad acquistare la consistenza della certezza: Pleurato non sarebbe mai stato nulla di più di un semplice capotribù. Era incapace di valutare la propria debolezza e i propri limiti nei confronti della forza altrui. Non capiva nulla di diplomazia, ossia dell'arte di dare alla debolezza un'apparenza di solidità, non capiva nulla di nulla se non, forse, di guerra. Il suo regno avrebbe avuto le caratteristiche di una scorreria su larga scala. Se fosse rimasto qualcun altro, se almeno uno dei suoi figli o nipoti fosse stato ancora vivo, da tempo Bardili avrebbe ordinato di tagliare la gola a quell'idiota. Lo avrebbe fatto lui stesso, e con piacere.

E pensare che Filippo, e non quello zoticone, avrebbe potuto essere il suo erede.

«Resta il fatto che l'esercito è stato annientato» riprese Pleurato dopo un lungo silenzio imbronciato. «Un re non vale molto senza un esercito.»

«Presto Filippo ne avrà uno. Ma non è questo il punto.»

«Qual è allora?»

«Il punto è che non *vogliamo* la Macedonia perché non avremmo la forza di mantenerla sotto il nostro dominio... È una lezione che ho imparato quando tu giocavi ancora con le spade di legno, quando cacciai Aminta da Pella. Tornò, non potei impedirglielo. Scoprii che non avrei potuto controllare un territorio tanto vasto, e così ostile, senza diluire pericolosamente le mie forze. È meglio che la Macedonia resti com'è, debole e accondiscendente, piuttosto che prolungare il conflitto fino a indebolirci al punto di lasciarci sfuggire ogni cosa di mano.»

«Sembra che tu dimentichi che ho vinto!» gridò quasi Pleurato. «Perdicca è morto insieme con quasi tutto il suo esercito!»

«Credo che un giorno scoprirai che Filippo è fatto di tutt'altra pasta.»

«È per questo che hai insistito perché gli restituissimo il cadavere del fratello? Possibile che tu abbia paura di lui?»

«No, non ho paura di lui.» Bardili non poteva che cedere davanti all'evidente impossibilità di farsi capire. «Ma tu dovresti averne.»

Ma non fu solo per ragioni politiche che il re dei Dardani proibì al nipote di continuare la guerra contro i Macedoni. I suoi veri motivi non rientravano nella sfera del governatore accorto e realista, e non avrebbe osato rivelarli a Pleurato.

La verità era che l'approssimarsi della morte aveva affrancato Bardili da un'ambizione solo per renderlo schiavo di un'altra. Aveva dedicato la vita alla costruzione di un grande impero e soltanto il concetto di impero in sé contava per lui. Aveva cominciato anelando a vedere il suo popolo che signoreggiava su quelli vicini, ricco e potente. Dopotutto, non era il loro re? Non era ai sudditi che andava la sua fedeltà? Una volta, forse, ma ora non più. Ora guardava quasi con disprezzo a quella tribù di feroci selvaggi. Non si considerava più un dardano. I Dardani non erano che uno dei tanti strumenti a sua disposizione; un bene materiale, come lo era il suo cavallo.

Ciò che contava era che il suo sangue continuasse a regnare sui vasti territori che la sua volontà aveva sottomesso. Col tempo — e forse ci sarebbero volute generazioni — l'impero si sarebbe esteso fino a che i suoi discendenti avrebbero regnato su tutte le terre fra l'Adriatico e il Mar Nero. Ma era sopravvissuto a tutti i suoi figli, e Pleurato era un idiota. Proprio nell'unica cosa che gli stava a cuore era stato beffato, e i trionfi che avevano caratterizzato la sua vita ora gli apparivano vuoti e insensati.

C'era Filippo, tuttavia, anche lui della sua stirpe. In Filippo Bardili rivedeva se stesso giovane. Se non fosse stato macedone, se non avesse subìto lo schiacciante svantaggio di nascere nella famiglia reale di un regno troppo frazionato, sarebbe potuto diventare... be', sarebbe potuto diventare quasi qualunque cosa.

Era un vero peccato. Nel giro di un anno o due, probabilmente Filippo sarebbe morto in battaglia o ucciso da un rivale, e la sua morte avrebbe inevitabilmente dato il via a un'interminabile lotta per la successione. Se per allora fosse stato ancora vivo, con un po' di fortuna Bardili sarebbe forse riuscito a far eleggere un suo candidato, ma neppure questo avrebbe fatto una gran differenza. Il re dei Macedoni era condannato a essere una non entità, per il semplice fatto che *era* il re dei Macedoni. Quel titolo riuniva in sé la duplice maledizione dell'oscurità e della sconfitta.

Filippo era un ragazzo così promettente... Sì, c'era davvero molto da rimpiangere.

Tutto questo, al re dei Dardani veniva ricordato quasi quotidianamente dalla presenza della pronipote Audata che, ormai diciottenne, avrebbe dovuto già da tempo andare in sposa a uno dei re loro amici. Se restava nella casa del padre era perché in vecchiaia Bardili aveva scoperto di amarla molto più di quanto avesse amato la sua innumerevole progenie. La amava al punto, in effetti, da averle fatto l'assurda promessa che non sarebbe stata costretta a prendere un marito che non le piacesse — una promessa che si era rivelata un grave errore perché la piccola Audata, i cui occhi di gatta avevano conquistato il cuore di più di un grande uomo, aveva rifiutato con decisione tutti i pretendenti che si erano fatti avanti. Ed erano così numerosi che il suo atteggiamento era divenuto fonte di innumerevoli problemi diplomatici. Quando Bardili l'aveva rimproverata, chiedendole perché si ostinasse a tal punto, lei gli aveva rivelato il segreto del suo cuore, gli aveva confidato la cosa che forse meno di ogni altra lui avrebbe voluto ascoltare.

«Ricordi quando ero bambina?» gli aveva chiesto Audata. «Ricordi che una volta mi dicesti che sarei stata la moglie di un grande re?»

«Ricordo perfettamente.» Bardili sorrise al ricordo, così remoto per lei e per lui così vicino. «Ce ne sono molti al mondo, e tu ne hai rifiutati una buona metà. Che cosa non va, per fare un esempio, in Lippeo dei Peoni? È un ragazzo presentabile, primogenito di un uomo anziano e malato. Agide non impiegherà un anno o due a morire. O il suo regno non è all'altezza delle tue ambizioni?»

«Un nessuno di bell'aspetto che del tutto casualmente governa una terra vasta e ricca non è un grande re.» Audata pronunciò quelle parole con tanta pacata sicurezza che il re dei Dardani, che si considerava grande, rimase sorpresissimo. Quando si era fatta simili opinioni? Gli sarebbe piaciuto saperlo, ma non osava fare domande. Poteva solo stupirsi e desiderare che Pleurato avesse la metà dello spirito della figlia.

«È evidente che sei molto severa nel giudicare la grandezza» osservò in ultimo. «Mi chiedo se ci sia sulla Terra un uomo che risponda alle tue pretese.»

«Ne ho incontrati due soltanto.»

Come imbarazzata, Audata distolse il viso e gli indirizzò uno dei suoi sorrisi obliqui. Approfittava senza rimorsi della vanità di lui e dell'affetto che le portava, Bardili lo sapeva bene, ma quel sorriso sortì ugualmente l'effetto voluto.

«Tu sei il primo, bisnonno, e in tutto il mondo uno solo ti sta alla pari.»

«Ed evidentemente non si tratta di Lippeo.»

«No. L'uomo di cui parlo è del tuo seme. Un tempo venne qui come prigioniero e da allora non l'ho mai dimenticato.»

Il cuore di Bardili, re dei Dardani, fece un tuffo, come succede a un uomo che in battaglia troppo tardi si accorge della preponderanza del nemico; perché in fondo, quanto era lontano Filippo di Macedonia dai suoi stessi pensieri?

«Era poco più che un ragazzo» disse infine, e non gli sfuggì il fatto di non averne pronunciato il nome. Quella constatazione lo umiliò al punto che volle in qualche modo vendicarsi. «E a quanto pare ti ha dimenticata, dato che ha già sepolto una moglie.»

Nel vedere l'espressione di lei si pentì subito della propria crudeltà... Audata aveva sempre avuto quel vantaggio su di lui, riusciva a fargli provare ciò che lei provava.

«E comunque, ti voglio troppo bene per darti a lui» riprese in fretta. «Probabilmente sarà morto prima dell'inverno. Sei troppo giovane per vestire i panni della vedova e inoltre nessun re di Macedonia sarà mai grande.»

«Lo è già» fu la grave risposta della fanciulla. «La grandezza è insita in lui. Sarebbe così anche se fosse soltanto il capo dei tuoi stallieri.»

«Ebbene, è improbabile che abbia la possibilità di dimostrarlo.»

Povera bambina. Era destinata all'infelicità, perché che cosa poteva esserci di più inutile dell'amore per un uomo condannato? Certo la aspettavano molte lacrime.

Non subito, però. Bardili ricavava ancora un certo piacere dal sabotare le bizzarre ambizioni del nipote, e il giorno in cui il nuovo re macedone sarebbe stato annientato era ancora di là da venire.

Ma sarebbe arrivato. E allora, una volta che i suoi sogni si fossero infranti, e lei fosse stata costretta ad accettare la gloria ordinaria di un Lippeo qualunque, la piccola Audata avrebbe assaporato fino in fondo la sua sciagura. Era abbastanza perché un vecchio fosse lieto di separarsi dalla vita.

XXXVII

Arrideo non si era mai realmente adattato alla vita in esilio. Atene era una città piacevole e divertente, e certi amici con interessi commerciali al Nord gli avevano garantito un appannaggio adeguato al suo rango e alla sua potenziale utilità, ma lì non si era mai sentito a suo agio. La sua non era nostalgia. Non era la Macedonia a mancargli, e neppure i parenti o gli amici. Era piuttosto qualcosa a cui era stato costretto a rinunciare la notte successiva alla morte di Alessandro, quando aveva lasciato Pella per evitare l'epurazione che Tolomeo avrebbe condotto contro tutti coloro che costituivano una minaccia al suo potere. Era la consapevolezza di essere preso sul serio. Ad Atene, non era abbastanza importante perché qualcuno desiderasse la sua morte.

Per questo, quando ricevette la lettera di Filippo, la sua reazione fu ancor più esasperata.

La missiva gli venne consegnata con sgradevole informalità da Aristotele, appena tornato da una visita al padre, a Pella. Pur conoscendosi fin dalla fanciullezza, ad Atene i due giovani si vedevano di rado. Aristotele, senza dubbio, mostrava una cautela del tutto normale e abbastanza giustificata se si pensava che Arrideo era stato dichiarato colpevole di tradimento dall'assemblea, ma la sua non era un'omissione sulla quale Arrideo potesse passar sopra con facilità. Come tutti gli esuli, anche lui aveva sviluppato una memoria lunga per gli affronti. Fu così che, quando una mattina Aristotele si presentò nella casa presa in affitto da Arrideo, non lontano dalla Stoà di Zeus, ricevette un'accoglienza non troppo calorosa dal padrone di casa, intento a fare colazione nel piccolo giardino.

«Quanti anni sono passati?» lo apostrofò Arrideo senza preamboli. E sorrise davanti al suo silenzio.

«Sei, forse sette» seguitò. «Credo, quindi, di avere tutti i diritti di essere sorpreso.»

«Non più di quanto lo sia io.» Senza aspettare di essere invitato, Aristotele sedette su una panca di marmo collocata vicino alla minuscola fontana che occupava il centro del giardino. «Ovviamente ce l'hai con me perché in tutto questo tempo ti ho evitato, ma, date le circostanze, la tua è una reazione piuttosto infantile... Pella non è Atene, ma io preferisco mantenere il diritto di tornarci, di tanto in tanto. Non sono nella posizione di ignorare i pregiudizi dei potenti.»

«Allora perché sei qui?»

«Perché i potenti mi hanno mandato.»

Arrideo ne fu così stupito che, senza pensare, riempì di vino una tazza e gliela porse.

«Si diverte Filippo a fare il re?» domandò, quando ebbe riacquistato la compostezza.

Aristotele assaggiò il vino e con una smorfia posò la tazza.

«Non credo che attribuisca alla regalità connotazioni così personali.» In qualche modo, la sua risposta suonò come un rimprovero. «È molto attivo, ma lo è sempre stato. Direi che è rimasto lo stesso.»

«Un uomo dovrebbe essere fatto di legno per non provare un certo piacere quando raggiunge un posto di tanta eminenza.»

«Ho idea che scambierebbe volentieri questa "eminenza" per un mese di razioni per il suo esercito. Lo conosci, non è mai stato un tipo superbo. Quasi non ci si ricorda che è re.»

E vedendo il sorriso sdegnoso che cominciava a comparire sulle labbra di Arrideo, si affrettò ad aggiungere: «Credo tuttavia che abbia più autorità di quanta ne avesse suo padre. Ti sorprende? Gli uomini lo chiamano ancora "Filippo", ma gli ubbidiscono con la stessa naturalezza con cui respirano, senza chiedersene il perché.»

«E che cosa vuole da me?»

«Non ne ho idea. È un re, ricordi? E a questo riguardo non mi ha onorato della sua confidenza.»

Da una piega della tunica estrasse un piccolo rotolo di pergamena. Arrideo indugiò a fissarlo per un lungo istante prima di prenderlo. Vi era impresso il sigillo della Macedonia, e quando lo ruppe Arrideo riconobbe subito la larga calligrafia di Filippo.

«Ora ti lascio» mormorò Aristotele, con il tono di chi sa

di aver segnato un punto a proprio favore. «Senza dubbio vorrai rimanere solo.»

Arrideo era solo già da un po' prima che si decidesse a leggere la lettera del re dei Macedoni, perché per un buon quarto d'ora si limitò a tenerla in mano e a guardarla, come se la sua esistenza fosse di per sé stupefacente al punto da impedirgli di indagare oltre. Quasi temeva di apprenderne il contenuto.

Alla fine tuttavia la lesse.

Mio diletto fratello e amico, cominciava Filippo. "Un inizio promettente" non poté fare a meno di pensare Arrideo. *Ti scrivo per dirti ciò che spero avrai già capito da solo, e cioè che sei libero di tornare a Pella senza alcun timore. Dovrai naturalmente presentarti davanti all'assemblea, dato che neppure un re ha l'autorità di cancellare l'accusa che grava su di te, ma tutti sanno che non hai avuto alcuna parte nella morte di Alessandro e mi basterà dire "quest'uomo è stato ingiustamente accusato e io ho piena fiducia nella sua innocenza", perché tutto si risolva. Non avere dubbi a questo proposito: il tuo processo non sarà che una formalità, ma le formalità della legge devono essere rispettate. Sbrigata questa faccenda, tutti i tuoi beni ti saranno restituiti e sarai libero di riprendere la vita che ti spetta per rango. Farò tutto quanto è in mio potere per compensarti dell'ingiustizia subita...*

Arrideo fu costretto a interrompere la lettura e posò il rotolo, lieto che non ci fosse nessuno a vedere le lacrime che gli rigavano il viso. Era come se il peso di quei otto anni di esilio gli opprimesse l'anima per la prima volta. *Riprendere la vita che ti spetta per rango...*

Non riusciva neppure a immaginare quale potesse essere quella vita: era poco più di un bambino quando suo fratello Archelao lo aveva strappato dal letto nelle prime ore del mattino per dargli la stupefacente notizia che dovevano fuggire, se volevano sopravvivere. «Tolomeo ha già detto che la morte del re è per noi motivo di gioia. Da questo a un'accusa di tradimento e omicidio il passo è breve, e partendo da lui l'accusa equivarrebbe a una condanna.»

Povero Archelao, morto di febbre a Corinto durante quel primo terribile anno di esilio. Chi avrebbe compensato lui? D'un tratto Arrideo si scoprì il cuore gonfio di collera per tutti gli Argeadi, i vivi come i morti, che avevano reso tanto miserabile la sua vita.

Gli occhi gli caddero sulle ultime righe scritte da Filippo. *Torna a casa, fratello mio, perché ho bisogno di te. Siamo circonda-*

ti dai lupi e il mio animo sarà più tranquillo se avrò intorno a me tutti coloro di cui mi fido.

Fiducia... che beffa nauseante! In una famiglia che pullulava di intrighi e cospirazioni, chi se non Filippo poteva essere così ingenuo da usare quella parola riferita a un consanguineo? Tra i figli e i nipoti dei re macedoni, gli unici affidabili erano quelli morti.

E tuttavia, il sospetto che l'offerta di Filippo non fosse sincera non lo sfiorò neppure. L'unico problema stava nell'individuare il modo migliore per farne uso.

La madre di Arrideo, Gigea, era stata la prima moglie di Aminta, ma era rimasta sterile per molti anni e alla fine l'anziano sovrano aveva sposato una principessa della Lincestide che gli aveva dato un maschio, Alessandro, e quindi una figlia. A quel punto Gigea, che aveva mantenuto il ruolo di favorita del suo signore, aveva inaspettatamente dato alla luce tre figli in quattro anni. Se Alessandro non fosse sopravvissuto al padre, Archelao sarebbe diventato re al suo posto e Arrideo ne sarebbe stato l'erede; infatti, sebbene Menelao, il maggiore dei tre, fosse morto prima di raggiungere la maggiore età, Archelao era più anziano di Perdicca, proprio come Arrideo era più vecchio di Filippo. Il caso era stato l'arbitro dei loro destini, così che ora Filippo era re e Arrideo un esule; gli veniva concesso di tornare in patria in qualità di strumento utile e innocuo, quando la differenza tra i loro diritti di nascita era sottile come un capello.

La cosa non aveva avuto importanza quando erano bambini, entrambi incapaci di immaginare per sé un'esistenza diversa da quella di principi di secondaria importanza, buoni solo a combattere a fianco del re e, forse, a sedere in consiglio con gli altri nobili. A quel tempo si amavano e non dedicavano un solo pensiero agli oscuri dissensi che dividevano i fratelli più anziani. Ma le Parche erano intervenute, spazzando via quasi per intero la casa degli Argeadi e assegnando loro destini diversi. Ora sì che importava.

Ora, sembrava ad Arrideo, il mondo non era più abbastanza grande per contenere lui e Filippo. Era invece un posto angusto, che li costringeva a intralciarsi l'un l'altro di continuo, a infastidirsi vicendevolmente. Forse anche Filippo provava la stessa sensazione, ma un re trova sempre il modo di mettersi a proprio agio. Filippo, probabilmente, non se ne accorgeva neppure.

Arrideo non accusava il fratellastro di condiscendenza, non era così ristretto di mente da rivolgergli una simile accusa, neppure nell'intimo del proprio cuore, ma che l'offerta scaturisse da un affetto genuino e avesse l'intento di rimediare a un'ingiustizia, di cui Filippo pareva quasi attribuirsi la responsabilità, rendeva tutto perfino peggiore. Lo irritava che i diritti che gli spettavano per nascita gli venissero restituiti come un favore, che il suo unico compito fosse quello di costituire per i posteri un esempio della generosità e del senso di giustizia di Filippo. Quale diritto aveva, Filippo, di dispensare magnanimità? Chi era, Filippo, per poter assaporare il potere del perdono? Arrideo, anch'egli figlio di re e in nulla inferiore al fratellastro, non era forse più anziano di lui, e sua madre non era forse la pronipote di Alessandro I, detto Filelleno, mentre la madre di Filippo non era che una barbara delle montagne, poco più di una selvaggia? La consapevolezza di dipendere a tal punto dalla misericordia del fratellastro gli riusciva intollerabile.

Fu in quella disposizione d'animo che nel pomeriggio dello stesso giorno Arrideo ricevette un altro visitatore, l'amico Demostene.

Filippo non era il solo a vedere migliorata la propria condizione da quando loro tre si erano incontrati sulla soglia della casa di Aristodemo, tanti anni prima. Demostene era divenuto grande nelle aule di giustizia, aveva accumulato una notevole fortuna e, per lui ancor più importante, era considerato uno dei principali motori della repubblica ateniese. Ciò nonostante, non aveva mai perduto quella sua aria insoddisfatta e, mentre si sedeva sulla panca di marmo, e a dispetto del bordo dorato della sua tunica, sembrava un uomo che la vita avesse crudelmente deluso.

«Certo sei venuto per ricevere le mie congratulazioni» si decise a dire Arrideo, vedendo che l'ospite, apparentemente troppo occupato a contemplare le proprie disgrazie, non avrebbe aperto bocca. «Tutti non parlano che del tuo atto d'accusa contro Androzione. Ho sentito brani del tuo discorso citati ovunque.»

«Quell'uomo è uno sciocco» asserì Demostene, come se quella fosse al tempo stesso una realtà incontestabile e il difetto che privava la sua vittoria di ogni dolcezza. «Te lo immagini? Dopo tutti questi anni, è ancora convinto che dovremmo seguire una politica ostile ai Persiani! Prima o poi riuscirò ad allontanarlo dalla vita pubblica.»

«C'è da chiedersi che cosa farai, allora.» Nel vedere lo statista inarcare un sopracciglio, assumendo l'espressione più vicina alla curiosità di cui fosse capace, Arrideo sorrise. «Il fatto è che solo l'odio sembra alimentare la tua vita. Che cosa sarà di te, quando avrai eliminato tutti i tuoi nemici?»

Demostene riconobbe giusta l'osservazione, accennando un sorrisetto.

«Farò miei i nemici di Atene e li eliminerò... ne ha a sufficienza per tenermi occupato a lungo.»

«Ebbene, è probabile che presto ne avrai uno di meno.»

Se Arrideo sperava di sorprenderlo, rimase deluso perché il viso del suo ospite non mutò. Per un momento, sembrò addirittura che Demostene non avesse udito.

«Immagino, dunque, che tu abbia ricevuto notizie da tuo fratello il re dei Macedoni.»

Dalla voce di Demostene trapelava una noia rassegnata, come se il mondo fosse ormai troppo prevedibile per lui; in realtà, era ovvio che qualcuno gli aveva parlato della lettera di Filippo. Arrideo non era così sciocco da non aver capito da molto che i suoi servi erano pagati per fornire informazioni sul suo conto, ma non aveva mai sospettato che a pagarli fosse proprio Demostene.

«Ti ha invitato a tornare a casa? Che cosa ti ha promesso? Qualunque cosa sia, saresti uno sciocco ad accettare.»

«Oggi sei un po' troppo pronto a definire tutti sciocchi.» Ma Arrideo non era realmente offeso, neppure dal fatto che l'amico gli avesse piazzato una spia in casa. «E io sono curioso. Perché sarei sciocco ad accettare?»

«Perché al momento la Macedonia ha troppi nemici, e nessun amico potente in grado di tenerli a bada. È evidente a chiunque si prenda il disturbo di guardare, che il regno di Filippo non durerà un altro anno. E se torni a casa, è più che certo che dividerai il suo destino... a condizione, naturalmente, che non ti faccia uccidere non appena avrai superato il confine.»

«Perché dovrebbe farmi uccidere?»

La prima risposta fu una risatina crudele.

«Mio caro Arrideo, credevo che su questo punto i membri della *tua* famiglia non necessitassero di spiegazioni.» Demostene sembrò sul punto di scoppiare di nuovo a ridere, ma frenò la propria ilarità e si fece di colpo molto serio. «Quale re è disposto a tollerare la presenza di un rivale, e come potrebbe tuo fratello, nella precaria posizione in cui si trova, permetterti di vivere quando la tua rivendicazione al trono non è meno fondata della sua? No, no, amico mio. Se tornerai a casa, sarà per morirvi.»

Per la prima volta dall'arrivo della lettera di Filippo, Arrideo sentì la paura serrargli le viscere. Ma non poteva essere vero...

«Conosco Filippo da sempre» dichiarò cupo in volto. «Mi vuole bene. Inoltre, non è infido. Tradirmi non sarebbe da lui.»

«Tu lo ricordi com'era quando eravate ragazzi. Ma non è un ragazzo ora. È un re. E la regalità ha il potere di cambiare un uomo, gli fa vedere le cose sotto una prospettiva diversa, e questo è il motivo per cui Atene ha rinunciato da tempo alla monarchia. Non puoi affidare la tua vita ai ricordi d'infanzia. E poi, non ha già fatto mettere a morte vostro cugino Pausania?»

Sì, Arrideo ne aveva sentito parlare. Ma era tutt'altra faccenda. In quel caso si trattava...

«Pausania si era reso colpevole di tradimento. Già ai tempi di Alessandro aveva rivendicato per sé il trono e incitato il popolo alla ribellione. Per di più...»

«Per di più, Pausania non era il diletto fratello e amico di Filippo» lo interruppe Demostene in tono sprezzante. «Ma i re macedoni non sono famosi per onorare i legami affettivi. E ricorda che Filippo siede piuttosto precariamente sul trono... non è probabile che sia così puntiglioso nel distinguere fra ciò che ᵉ tradimento e ciò che non lo è.»

Arrivò una serva con un vassoio su cui stavano una caraffa di vino e due tazze. I due uomini rimasero seduti in silenzio mentre la giovane schiava a piedi nudi posava il vassoio sul tavolo e si allontanava. L'interruzione non durò più di un minuto ma, come un temporale, bastò ad Arrideo per avere una chiara visione della rovina della sua vita.

Non avrebbe saputo dire se si fidava o no di Demostene, ma in quel caso la fiducia non era una condizione necessaria e non si poteva escludere che lo statista, per ragioni note a lui solo, dicesse la verità. Comunque fosse, capiva che era stato ingenuo a credere di poter tornare in Macedonia e riprendere la sua vita di un tempo come se nulla fosse cambiato.

Non reputava Filippo capace di invitarlo solo per farlo uccidere, e tuttavia riconosceva che era nel suo interesse crederlo, voleva crederlo. Voleva una scusa per evitare di sottomettersi al volere e alla fortuna del fratello. Non aveva alcun desiderio di diventare il fedele suddito di Filippo, quindi forse, dopotutto, Filippo aveva perduto ogni diritto alla sua fedeltà. Era quasi un sollievo pensare che il fratello potesse armare la mano di un assassino.

A volte mezzo minuto è sufficiente perché ci venga svelato il disegno di tutta una vita.

«Che cosa dovrei fare, allora?» chiese, quando furono di nuovo soli — Demostene, notò, lo stava osservando come una volpe osserva una gallina. «Se rifiuto il suo invito e resto ad Atene, certo Filippo mi metterà nel novero dei suoi nemici.»

«Cosa che sicuramente ha già fatto.» Demostene sorrise, come se avesse conseguito un trionfo personale. «Ma non ti sto consigliando di rimanere ad Atene. Credo che dovresti tornare in Macedonia.»

Per qualche istante Arrideo lo fissò senza capire, quasi gli fosse stato proposto un enigma irrisolvibile, poi di colpo comprese.

«Mi chiedevo, amico mio,» disse allora «se non potresti fermarti a cena.»

Sebbene ufficialmente fosse ancora uno studente, Aristotele aveva smesso di frequentare le lezioni. Aveva la sua stanza presso l'Accademia e approfittava largamente della biblioteca, interessandosi di biologia e di politica, ma non c'era più nessuno da cui pensasse di poter ancora imparare qualcosa. La sua non era la vanità di un giovane brillante e consapevole di esserlo. Ormai Platone era vecchio, interveniva di rado alle discussioni, e le tendenze intellettuali dei giovani destinati a succedergli non rispondevano molto al gusto di Aristotele. Speusippo, ad esempio, in cui tutti vedevano il futuro successore del maestro, era così innamorato della geometria da convincersi che era possibile ricondurre tutti gli interrogativi filosofici alla matematica. L'arte, il diritto, la medicina, la gestione del governo, la natura della società per uomini come Speusippo non erano che ombre di nessuna importanza. No, morto Platone, sarebbe arrivato per lui il momento di andarsene.

Ma nel frattempo c'era la biblioteca, forse la più completa dell'intera Grecia, e la stessa città di Atene poteva insegnare molto a chi si fosse preso la briga di guardarsi intorno. Aristotele poteva imparare di più nel corso di una sola serata nelle dimore dei potenti, dimore che erano sempre aperte ai giovani dell'Accademia, che in un mese passato curvo su vecchie pergamene polverose. Le vecchie pergamene polverose non lo infastidivano, gli piacevano anzi, ma anche la conoscenza diretta aveva i suoi vantaggi. Per cominciare, gli dava qualcosa da scrivere nelle lettere a Filippo, che, da quando era diventato re, gli pagava un regolare stipendio perché fosse i suoi occhi e i suoi orecchi tra i nemici che aveva in quella città.

Non c'era nulla di segreto nel loro accordo. Tutti sapevano che lui era cresciuto con il signore dei Macedoni, e, come aveva accettato l'argento di Filippo per spiare gli Ateniesi, era ugualmente disposto a farsi pagare da questi per fornire informazioni sul conto del re. Non avrebbe mai tradito l'amico, ma i governatori di Atene erano quasi tutti degli sciocchi convinti di apprendere qualcosa di molto importante se gli si diceva che Filippo, il cui nome ignoravano fino a sei mesi prima, sapeva citare Omero, era un eccellente cavallerizzo e non provava alcuna attrazione per i ragazzini. Per il solo fatto di poter descrivere la vita del nuovo re dei Macedoni, Aristotele era divenuto un ospite gradito alle tavole a cui era di moda parlare di politica.

Oltre a ciò, era probabile che i grandi della città, sebbene sfavorevoli alla monarchia, provassero una certa soddisfazione nel sapere che i loro nomi comparivano in missive destinate agli occhi di un sovrano. Senza dubbio si sentivano più importanti pensando che venivano nominati quali membri di questo o quel partito, fautore di questa o quella linea politica. E c'era sempre la remota possibilità che quel giovane re sconosciuto sopravvivesse al primo anno di regno. Non era nemmeno inconcepibile che la sua influenza potesse un giorno contare qualcosa nelle oscure lotte di potere che travagliavano i barbari del Nord; un paio tra i più lungimiranti dei governatori democratici di Atene avevano addirittura offerto ad Aristotele doni di considerevole valore purché rendesse nota questa loro opinione a Pella.

Ma Demostene non era tra questi e certo avrebbe declinato l'onore di essere citato come assiduo frequentatore della casa di Arrideo e sostenitore di una politica più ostile nei confronti della debole Macedonia. Dopotutto, Filippo non avrebbe avuto grosse difficoltà a individuare il nesso tra le due cose.

Si parla molto di una qualche spedizione, gli scriveva Aristotele. Non so se si concluderà qualcosa, qui si parla sempre di spedizioni, ma gli Ateniesi sono riluttanti ad allentare i cordoni della borsa. Credo però che tu possa rinunciare alla speranza di avere Arrideo con te. È passata una settimana da quando gli ho consegnato la tua lettera, e da allora non ho più avuto sue notizie. Se avesse avuto in mente di tornare, mi avrebbe certo affidato un messaggio per te. Non desiderando forzarlo, non sono più andato da lui, ma non c'è nulla che indichi un viaggio imminente. Accetta ancora gli inviti e non ha annunciato al padrone di casa l'intenzione di lasciarla libera. Se gli intrighi di Demostene arriveranno mai a qualcosa, credo che scoprirai che tuo fratello si è schierato contro di te.

Aristotele sigillò la missiva con un grumo di cera e la infilò in uno stipo. L'indomani mattina una nave partiva per Metone, e dell'equipaggio faceva parte un lcale macedone. Nel giro di una settimana Filippo avrebbe saputo di essere stato tradito.

XXXVIII

Filippo era a cena quando fu informato dell'arrivo di un delegato della Lincestide che lo pregava di riceverlo non appena fosse stato libero. Lo fece aspettare quindici giorni. Non c'era fretta. Aspettare, dopotutto, era l'essenza stessa della professione di ambasciatore, e i suoi rapporti con lo zio Menelao, che aveva firmato un accordo di alleanza con gli Illiri, non avrebbero potuto essere peggiori. Inoltre, Filippo credeva di sapere già che cosa l'uomo aveva da dirgli.

Ormai Menelao doveva avere scoperto che, per quanto nemici pericolosi, come amici gli Illiri lo erano ancor di più. Si diceva che gli alleati lo tenevano sotto pressione e che lui aspirava a un accordo che lasciasse fuori Bardili. Benissimo. Menelao era uno sciocco e un traditore, ma la Lincestide era parte della Macedonia e Filippo detestava l'idea di vederla annientata. Sfortunatamente, non aveva i mezzi per impedirlo.

Tutte ragioni in più per far attendere l'ambasciatore.

Nel frattempo, mandava dispacci ai comandanti delle guarnigioni della frontiera nordoccidentale, con l'ordine di inviare spie nella Lincestide per scoprire se era in corso un arruolamento forzato tra gli abitanti dei villaggi. Era l'epoca del raccolto e da lì a due mesi sui valichi di montagna avrebbe nevicato. Se Menelao si stava effettivamente preparando, ciò avrebbe significato che contava di scendere in guerra con gli Illiri prima della fine dell'estate.

E nel frattempo ricevette la lettera di Aristotele. A quanto pareva, anche lui sarebbe presto entrato in guerra e in ogni caso Arrideo non contava di tornare a casa.

Mostrò la lettera a Glauco, che reagì in modo inaspettato.

«Qual è il sentimento più forte in te?» gli domandò. «Rabbia o dolore?»

«Dolore... e paura. La prospettiva di una guerra contro Atene mi intimorisce.»

«Ma il tuo cuore non si è indurito nei confronti di Arrideo?»

«No.»

«E saresti felice di averlo di nuovo con te?»

«Certo. È mio fratello e amico.»

«Questo dimostra soltanto che non hai ancora imparato a vedere la vita con gli occhi di un re, perché è proprio di chi ci è più vicino per sangue che dobbiamo diffidare maggiormente. Spero solo che tanta fiducia nei legami familiari non diventi la tua rovina.»

Filippo rise, una risata senza allegria.

«Dubito che avrò l'occasione di ripetere lo stesso errore. Non è rimasto nessun altro.»

Glauco scosse il capo. Evidentemente trovava discutibile lo scherzo.

«Dovresti risposarti, mio signore. Dovresti avere dei figli tuoi su cui riversare il tuo amore.»

«Perché è il mio dovere di re?»

«Non sono le sofferenze del re che compiango, ma le tue.»

«Se Arrideo guiderà contro di me un esercito ateniese, e se sopravviverò allo scontro, sarò io stesso lo strumento della sua morte.»

«Questo lo so. Lo so.»

Dopo quella conversazione, Filippo bruciò la lettera di Aristotele. Non ne parlò con nessuno dei suoi luogotenenti. Non pronunciò mai il nome di Arrideo. Si limitò ad ammonirli che stessero pronti a cogliere eventuali segni di un rafforzamento delle guarnigioni ateniesi di Pidna e Metone.

Il quindicesimo giorno dal suo arrivo, l'ambasciatore di re Menelao fu introdotto nello studio di Filippo.

Si chiamava Klitos. Filippo ricordava di averlo conosciuto durante la sua unica visita nella Lincestide, e gli sembrò strano che Menelao avesse mandato quell'uomo grosso, rumoroso e prepotente, già nella mezza età e apertamente sprezzante verso chi reputava inferiore per rango, ricchezze o anche solo esperienza. Forse, si disse, suo zio sperava in questo modo di forzargli la mano.

«Sono a Pella già da parecchio tempo» esordì Klitos senza neppure prendersi la briga di salutarlo formalmente. «Non sono abituato ad aspettare.»

«È il destino dei supplicanti.» Filippo sorrideva con amabilità. Sembrava che parlasse di una terza persona che contava poco per entrambi.

«Mi sorprende anzi che mio zio abbia mandato una persona come te.» Si interruppe per lasciare all'insulto il tempo di andare a segno. «Ma forse riteneva che, dopotutto, il messaggio fosse più importante del messaggero.»

Stava sondando il terreno. Se Klitos non era abituato ad aspettare, non lo era neppure a controllare il proprio temperamento, e Filippo era curioso di vedere fino a che punto l'ambasciatore di Menelao fosse disposto a sopportare. Avrebbe in questo modo compreso la reale importanza che Klitos attribuiva alla missione e, di conseguenza, l'effettiva situazione in cui versava la Lincestide.

Klitos si rannuvolò e serrò le mascelle, ma non disse nulla, non finse neppure di non avere udito. Menelao doveva essere in guai seri.

«Mio fratello Perdicca rimase molto deluso quando Menelao scelse di allearsi con gli Illiri.» Senza invitare l'altro a fare altrettanto, Filippo andò al suo tavolo e sedette. «Fu un affronto alla lealtà che doveva al re di Macedonia e, ancor più grave, fu un errore.»

Significativamente, Klitos non lo contraddisse su nessuno dei due punti. Ma sembrava a disagio, quasi fosse lui l'autore dei misfatti nominati da Filippo e ora dovesse risponderne.

«Credo che mio zio ti abbia affidato un messaggio per me.»

Il sollievo dell'ambasciatore di re Menelao fu palese. Raddrizzò le spalle come se si fosse liberato di un grosso peso.

«Menelao ricorda con piacere come Filippo, ferito e in fuga, trovò un tempo rifugio nella Lincestide» cominciò, con l'aria di chi recita un discorso imparato a memoria. «All'epoca era tormentato dai nemici e il sovrano della Lincestide fu lieto di dare ospitalità al figlio di sua sorella. E adesso che la Macedonia è ancora una volta lacerata e i suoi nemici la incalzano come i cani selvatici incalzerebbero un fauno, Menelao è pronto a prenderlo sotto la sua protezione, non come un re che offre alleanza a un altro, ma come uno zio che aspira a fare da padre al nipote orfano...»

Andò avanti per un pezzo, e sempre nello stesso tono. Filippo ascoltava con perfetta gravità, senza concedersi neppure un sorriso. Impossibile capire se Menelao era davvero persuaso della veridicità di quelle sciocchezze, se pensava di persuaderne Filippo, o se voleva semplicemente salvare la propria dignità.

Il succo era, prevedibilmente, che Menelao era disposto a violare il trattato con gli Illiri per allearsi con Filippo. Insieme, avrebbero attaccato Bardili e lo avrebbero cacciato dalla Macedonia superiore. Era un piano che non comportava per Filippo alcun vantaggio: se anche fosse riuscito, Menelao avrebbe mantenuto la sua indipendenza, venendo anzi a trovarsi in condizioni di parità con il re di Pella, e la Macedonia sarebbe rimasta indifesa a sud e a est. Ma tutto questo, lui avrebbe dovuto ignorarlo in nome dell'affetto familiare.

Finalmente Klitos tacque e alzò lievemente la testa, quasi si aspettasse una risposta immediata e favorevole.

«È una questione seria» dichiarò Filippo con una certa solennità... voleva dare l'impressione di stare reprimendo a fatica il desiderio di dar sfogo alla propria gratitudine. «E quando si tratta di guerra e di pace ho il dovere di consultarmi con il consiglio. Sarai così cortese da accordarmi la tua pazienza.»

Lui e Klitos si scambiarono un inchino e il colloquio ebbe termine.

Il giorno seguente, Filippo partì per un giro d'ispezione alle guarnigioni occidentali. Lasciò per l'ambasciatore della Lincestide una lettera, da consegnarsi dopo la sua partenza, in cui lo informava che gli avrebbe dato una risposta al suo ritorno, previsto di lì a quasi un mese.

«Fra un mese non resteranno giornate di bel tempo sufficienti a organizzare una campagna» rilevò Lachio. Il cielo aveva ancora una tonalità perlacea quando una guardia d'onore composta da cinquanta uomini varcò le porte occidentali. Lui e Korous, entrambi un po' più alti di Filippo, si scambiarono un'occhiata sopra la sua testa.

«Proprio così.» Filippo sorrise tra sé. «E questo mi evita l'imbarazzo di un netto rifiuto.»

Tutti e tre avevano letto i rapporti concernenti i preparativi bellici in corso nella Lincestide.

«Dunque abbandonerai Menelao al suo destino?»

«Non ho altra scelta. Tranne, forse, affondare con lui.»

«Cosa che lui non farebbe per te» asserì Korous con cupa soddisfazione.

«E neppure dovrebbe.» Con una scrollata di testa Filippo parve voler liquidare un ultimo dubbio, o forse una tentazione. «Un Paese non è proprietà di chi lo governa, e un re non ha il diritto di distruggerlo a suo piacere. Gli uomini dovrebbero forse combattere e morire in nome dei sentimenti personali del loro signore? Quale uomo ragionevole offrirebbe la sua fedeltà a un sovrano che lo pretendesse? Il re che mette i suoi sentimenti al di sopra del bene della nazione non è degno di vivere, e tanto meno di regnare.»

«E tuttavia è quanto fanno quasi tutti i regnanti» obiettò Lachio. «E quanto hanno sempre fatto. Addirittura, è ciò che ci si aspetta da loro.»

Filippo scoppiò a ridere e spronò il cavallo al trotto.

«Forse è per questo che il mondo è un posto tanto litigioso.»

Negli appartamenti privati che occupava nel palazzo del nonno, una lite molto personale occupava i pensieri di Pleurato, che nella propria mente era già succeduto a Bardili. Odiava il Vecchio Bardili — così lo chiamava sempre fra sé e sé — come se l'età gli avesse dato il diritto all'unico titolo di cui era degno e come se questo bastasse ad annullare i vincoli di sangue che li legavano. Odiava Bardili perché gli intralciava il passo, perché consigliava pazienza, perché esigeva attenzione, perché gli negava il titolo e l'autorità assoluta del re. Lo odiava perché non aveva il buongusto di farsi da parte e morire.

Così, Pleurato aveva deciso di distruggerlo da vivo. Poco per volta, gli avrebbe sottratto il potere che tanto significato aveva per lui, che era forse l'ultimo piacere di cui poteva ancora godere, e forse il suo ultimo legame con la vita. Se non poteva governare apertamente in quanto re, ebbene, Pleurato avrebbe governato da dietro le quinte. Alla fine avrebbe regnato comunque, e questa era la sua vendetta.

Lo strumento che aveva scelto era Xuto, un comandante di mediocri capacità di cui Bardili si era liberato mandandolo a dirigere una guarnigione nei pressi del passo di Pisoderi. Xuto, che apparteneva a una famiglia di spicco, ne era stato profondamente umiliato e Pleurato l'aveva convinto che grandi cose lo attendevano nel prossimo regno.

Devi creare un incidente, gli scrisse. *Scegli un villaggio piccolo e poco importante vicinissimo al confine con la Lincestide, e manda una ventina di uomini a razziarlo. Che brucino le case e passino a fil di spada gli abitanti, anche le donne e i bambini... forse soprattutto le donne.*

Lascia che i tuoi soldati si divertano come meglio credono perché questa azione, la cui colpa ricadrà sui Lincesti, infiammerà i cuori. Dopodiché non dovrai far altro che attendere pazientemente la tua ricompensa, nella sicurezza che io non ti verrò meno.

Ancora una volta Pleurato non fu abbastanza tempestivo. «Ha aspettato troppo» fu il commento di Filippo quando seppe della scorreria. Neppure per un momento credette che fosse Menelao l'autore di una simile follia; si trattava evidentemente di una provocazione. «Forse il tempo si manterrà bello quanto basta per consentire a Pleurato di stabilire dei contingenti su questo lato del valico, ma neppure gli Illiri possono conquistare un Paese dove i loro cavalli gelerebbero nella neve. Menelao riuscirà a resistere almeno fino all'epoca del disgelo.»

L'invasione della Lincestide, ormai inevitabile, conferiva una nuova importanza a un'altra notizia arrivata con lo stesso corriere. Si diceva che Aiace, re degli Eordei, fosse vicino a morire.

Filippo attese il buio prima di convocare Deucalione. Quando il giovane fu nella sua tenda, gli consegnò il rapporto senza fare commenti.

«Sono quasi cinque anni che non vedo mio padre» mormorò Deucalione, quando lo ebbe letto. Sembrava quasi intimidito dalla constatazione.

«Ebbene, ora devi andare da lui.» Seduto al piccolo tavolo che usava come scrivania, Filippo giocherellava nervosamente con lo stilo e intanto ricordava la notte della morte di Aminta. «Dovrai essergli accanto quando... Potrebbe avere qualcosa da dirti. Non dimenticare che sei il suo successore.»

Come rendendosi conto solo in quel momento della situazione, il ragazzo si rannuvolò.

«Partirai domani, con un seguito di venti uomini» continuò Filippo. «Ti accompagneranno fino alla frontiera, dove troverai ad accoglierti la scorta che i ministri di tuo padre avranno disposto. Questo pomeriggio ho mandato un corriere; parte del suo messaggio è che il re di Macedonia riconosce Deucalione, figlio di Aiace, come erede legittimo al trono... lui e nessun altro. Credo che capiranno al volo e non si opporranno. Ma prima di scrivermi aspetta di aver ricevuto il giuramento di fedeltà. A quel punto potrai organizzare come meglio credi il viaggio di tuo fratello.»

«Permetterai a Ctesio di tornare con me?»

Filippo scosse la testa, come se non capisse il vero significato della domanda. «Non *con* te, ma *dopo* di te. Le prime ore di un regno sono sempre pericolose, ma la presenza di tuo fratello presso di me ti garantirà una certa protezione. Dopotutto, se un rivale ti uccidesse, ci sarebbe ugualmente un erede legittimo. Ctesio ti raggiungerà non appena avrai rinsaldato la tua posizione.

«Ma non è di questo che volevo discutere con te. Presto la Macedonia sarà in guerra con gli Illiri... in effetti lo siamo già, perché in questo momento i soldati di Bardili si stanno preparando a invadere la Lincestide. Ho bisogno di sapere da che parte si schiererà l'Eordea.»

Sembrò che Deucalione avesse ricevuto uno schiaffo in pieno viso.

«Se sei disposto a rilasciare mio fratello, non puoi non sapere che ti sono fedele» replicò con fierezza. «Lo siamo entrambi. Sei stato come un padre per noi.»

Il volto di Filippo rimase grave, imperscrutabile. «Quando sarai re, imparerai che esistono strumenti di pressione ben più efficaci dell'amicizia. A volte gli Eordei dimenticano di essere Macedoni.»

«Ma proprio tu mi hai permesso di ricordare che siamo un popolo solo.» Il futuro signore dell'Eordea era avanzato di un passo, gli occhi pieni di lacrime. «A una tua parola potrei... Dimmi quale giuramento vuoi da me e io lo pronuncerò.»

Finalmente il re sorrise. «Non ho bisogno di giuramenti. Volevo soltanto che tu leggessi nel tuo cuore.»

«Che cosa vuoi che faccia?» Deucalione sembrava sollevato.

«Nulla.» Filippo si alzò e gli circondò le spalle con un braccio. «Parleremo più a lungo in un altro momento. Ora torna pure alla tua tenda. Evita la compagnia degli altri... Tuo padre sta per morire, e questa potrebbe essere la tua ultima occasione per restare solo con il tuo dolore.»

Deucalione si era dimostrato un buon soldato ed era popolare tra gli uomini di Filippo. Per questo, quando il mattino dopo il re lo abbracciò e gli augurò un viaggio sicuro, un'ovazione si levò dalle schiere macedoni.

«Il nostro giovane amico è piuttosto scuro in volto» osservò Lachio, seguendo con gli occhi il drappello che si allontaverso ovest.

«Ti sorprende?» Sebbene Deucalione fosse ormai troppo lontano, Filippo alzò il braccio in un gesto di saluto. «Presto seppellirà suo padre e diventerà re dell'Eordea. Non è certo da invidiare.»

Lachio proruppe in una risatina. «Non è ciò che lo aspetta a opprimere la sua anima, ma ciò che si lascia alle spalle. Non sai che quel ragazzo preferirebbe comandare un'ala della tua cavalleria piuttosto che essere il re di Persia?»

«Bene. In questo caso forse impedirà ai suoi nobili di allearsi con gli Illiri quando Bardili invaderà la Lincestide.»

«È tutto quello che gli hai chiesto?»

«Se gli chiedessi di più, con tutta probabilità riuscirei soltanto a fargli tagliare la gola. Quando il re è solo un ragazzo, i suoi nobili tendono a credere di potergli obbedire solo quando fa loro comodo. E potrebbero non essere felici di allearsi con noi invece che con gli Illiri, soprattutto perché al momento gli appariamo certo come il contendente più debole. Ma niente paura... Deucalione ci porterà l'Eordea quando sarà il momento.»

E Filippo rivolse a Lachio un sorriso tirato, un sorriso che in qualche modo rifletteva la totale sicurezza di chi non può permettersi di sbagliare.

«Devo scrivere alcune lettere» aggiunse poi, forse con un po' troppa noncuranza. «Se qualcuno mi cerca, sono nella mia tenda.»

Ma quando fu solo, dopo aver avvisato l'uomo di guardia alla sua tenda che non voleva essere disturbato, Filippo non toccò l'occorrente per scrivere. Seduto sul bordo del letto, combatteva contro l'impulso di cedere al pianto.

Nell'anno successivo alla morte della moglie, si era dedicato anima e corpo agli affari del regno, arrivando quasi a dimenticare se stesso. Glauco sosteneva che non aveva ancora imparato a guardare con gli occhi di un re, ma ci aveva provato. Aveva coltivato un freddo distacco, desideroso di vedere il governante soppiantare l'uomo, perché sperava che essere il re dei Macedoni fosse più facile che essere semplicemente Filippo, un giovane che si sentiva andare alla deriva.

Ma la partenza di Deucalione lo aveva stranamente provato. Di colpo era come se fosse di nuovo al capezzale di Fila, a sussurrarle menzogne sul figlio nato morto per cui lei aveva dato la vita. Gli pareva quasi di sentire la pressione delle sue dita. Madre e figlio erano stati bruciati sulla medesima pira, i loro corpi consegnati alle fiamme purificatrici.

Anche Deucalione la ricordava. Da quel giorno non ne avevano più pronunciato il nome, ma la ricordavano entrambi e quel ricordo aveva creato un legame tra loro.

Ora quel legame si era infranto e Filippo era completamente solo.

"Meglio che mi ci abitui" pensò. "Quale re non è solo?"

Era quasi mezzogiorno quando un suono di voci lo distrasse. «... Be', per questo non gli dispiacerà venire disturbato» sentì Korous gridare.

Filippo uscì nella luce sorprendentemente vivida del sole. «Che cosa c'è?»

«Un cavaliere...» Frenetico, Korous fece un gesto per indicare qualcuno alle sue spalle, ma nelle vicinanze non c'era nessuno. «Da sud, Filippo. Gli Ateniesi sono sbarcati in forze a Metone.»

XXXIX

La notte prima c'era stata tempesta sul golfo e sui ponti delle triremi ateniesi ruscellava ancora l'acqua. Arrideo aveva sofferto terribilmente durante il viaggio e l'aria densa di umidità non lo faceva sentire meglio. In piedi sulla prua del vascello del comandante, guardava la linea costiera oscillare su e giù come un panno trasportato dal vento, la mente avviluppata in un risentimento sordo, ostinato.

Macedonia, pensava. Occupata dagli Ateniesi, ma pur sempre Macedonia. Si stupiva di non provare nessuna commozione. Al contrario, la vista della terra natìa suscitava in lui un vago senso di disgusto, simile alla nausea che prende alla gola quando c'è odore di carne guasta. Macedonia.

Ma i disagi fisici giustificavano solo in parte il suo cattivo umore. Arrideo aveva finalmente compreso tutta la portata della sua impotenza. Forse Demostene e i suoi erano disposti ad aiutarlo a diventare re, ma non l'avrebbero mai considerato altro che un loro strumento. Seguivano i loro oscuri intenti, e lui serviva solo a fornire un pretesto plausibile per quella che altrimenti sarebbe apparsa un'altra delle brutali aggressioni ateniesi. Non era stato consultato neppure in merito alla rotta di marcia.

Ebbene, presto avrebbero rimpianto il loro errore. Una volta a Pella, una volta che Filippo fosse morto e l'assemblea tacitata, Arrideo avrebbe insegnato agli Ateniesi quale follia avevano commesso sottovalutandolo. Gli avrebbe reso il Nord così scomodo che non avrebbero avuto alcuna fretta di tornarci.

Nel frattempo aspirava solo a ritrovarsi sulla terra stabile e asciutta, e non sentire più le budella salirgli in gola. La Macedonia sarebbe almeno servita a questo.

«Entro dopodomani potrai proclamarti re a Ege.»

La voce era così vicina che Arrideo trasalì; quando si voltò notò che Mantio, nominalmente il suo luogotenente ma di fatto il comandante della spedizione, era quasi al suo fianco.

«Vorrei poter esserci anch'io» seguitò il soldato, sorridendo con una punta di commiserazione.

«Ci sarai certamente.» Lottando contro un'improvvisa ondata di panico, Arrideo alzò la mano in un gesto quasi di supplica, poi lentamente la abbassò.

«Ahimè, no.» Sempre sorridendo, l'ateniese scosse il capo. «Non sarebbe opportuno. Non vogliamo che tu appaia ai tuoi sudditi come il protetto di una potenza straniera. Noi resteremo a Metone.»

«Non posso certo impadronirmi di Ege da solo» protestò Arrideo con foga. Un po' stupito, si rese conto che la nausea era passata di colpo.

«Naturalmente no. Ti accompagneranno i mercenari e gli stessi Macedoni. Alla compagnia si aggregheranno alcuni ateniesi, ma capisci anche tu che, per il tuo stesso bene, dovranno farsi notare il meno possibile.» Tacque e scrutò la costa come se si aspettasse di trovarci chissà che cosa. «E ovviamente, se il nostro intervento dovesse rivelarsi necessario, io e le mie navi saremo a Metone, a meno di un giorno di viaggio. Ma non succederà.»

«Ne sei sicuro?»

«Tuo fratello Filippo sta arruolando gli uomini per ricostituire l'esercito perito con re Perdicca... un ottimo motivo di malcontento. Inoltre, un tempo Ege era la capitale e la vecchia aristocrazia risente ancora della perdita di prestigio che ha dovuto subire. Si schiereranno con te.»

«E naturalmente sapranno che Atene mi appoggia.»

«Naturalmente.»

«E che mi dici dell'esercito che Filippo sta riorganizzando? Se credi che non tenterà di fermarmi, significa che non lo conosci.»

Mantio liquidò la questione con un cenno noncurante.

«Non si trasformano dei ragazzi di campagna in soldati nel giro di una notte» replicò, e il tono piatto della sua voce tradiva il disprezzo che nutriva per i rustici Macedoni. «Non avrà ai suoi ordini che una marmaglia indisciplinata, mentre tu disponi di truppe ben preparate.»

«Mercenari. Poche centinaia. Gli altri non servono praticamente a nulla.»

«E la cavalleria.»

«Non è la cavalleria che manca a Filippo.»

«Quando Filippo saprà del tuo sbarco, avrai già preso Ege e buona parte delle pianure meridionali. In questo momento i Macedoni non sono troppo inclini alla guerra civile. Lo abbandoneranno non appena si saranno resi conto della tua forza. Credimi... si riterrà fortunato se riuscirà a salvarsi la vita.»

Nella mente di Arrideo era balenato un ricordo che risaliva all'infanzia, a quando lui e Filippo erano due ragazzini e combattevano con le doghe dei barili nelle scuderie reali. Quanti anni avevano? Sette o otto, non di più. Arrideo aveva teso un'imboscata e aspettava paziente dietro una giara d'olio vuota, silenzioso come un topo. Contava di attaccare di sorpresa Filippo quando questi si sarebbe calato dal fienile lungo l'unica scala disponibile. Ma Filippo lo aveva visto attraverso le fenditure del pavimento del fienile ed era saltato — così piccolo, aveva fatto un salto di forse quindici cubiti... e gli era atterrato proprio sopra. Arrideo rammentava ancora lo stupore provato quando l'asta di legno lo aveva colpito alla schiena. *Non hai il dono della scaltrezza* aveva riso Filippo. *Ma io sì.*

Quantomeno, gli Ateniesi avevano fornito ad Arrideo un bel cavallo, uno stallone bianco. Più piccolo dei cavalli macedoni, era tuttavia piuttosto impressionante, una cavalcatura degna di un re. Dell'esercito era meno soddisfatto.

Il nucleo era costituito da sei compagnie di mercenari corinti e tebani agli ordini di un certo Timoleonte, un uomo cinico e brutale per cui sostenere una conversazione significava esibire le cicatrici e raccontare in che maniera se le era procurate. Era stato Demostene a ingaggiarlo; gli aveva offerto il doppio della paga consueta, da pagarsi attingendo dal tesoro macedone una volta che si fossero installati a Pella, e sempre Demostene si era fatto garante della sua perizia. Ma i mercenari combattono per denaro e solo uno sciocco, rammentò Arrideo a se stesso, poteva crederli fedeli a un'altra causa.

C'erano poi un centinaio di macedoni volontari, esuli come lui. E come lui consapevoli che, in caso di sconfitta, per loro non ci sarebbe stata speranza. In questo senso erano affidabili, ma nel complesso gli ispiravano ancor meno fiducia di Timoleonte e dei suoi.

Alcuni di loro erano criminali comuni, ladri e assassini, ma per la maggior parte erano semplicemente degli insoddisfatti: figli cadetti che avevano litigato con le aristocratiche famiglie d'origine; ribelli per natura, uomini che avrebbero messo in discussione qualunque regime, avventurieri spinti dal desiderio di saccheggio o da qualche vago proposito di vendetta. Uno su due sembrava mezzo matto.

E litigavano continuamente. Erano come le donne. Arrideo era con loro da meno di un mese, e in quel breve arco di tempo ne erano morti tre. Uno era stato pugnalato da un amante geloso e un altro picchiato a morte con uno sgabello durante una lite dovuta a motivi di gioco. Quanto al terzo, la vigilia della partenza era stato trovato appoggiato al muro della caserma, una corda d'arco stretta intorno al collo; era penetrata nella carne così profondamente che l'avevano ritirata incrostata di sangue secco. Arrideo sospettava che l'identità dell'assassino fosse ben nota — in quel momento era certamente fra di loro —, ma che, per ragioni oscure come la sua morte, la vittima non aveva goduto di molta popolarità e nessuno sembrava ansioso di vendicarla.

Quando non litigavano, si vantavano di quello che avrebbero fatto e dei divertimenti che si sarebbero concessi una volta che avessero sgominato il nemico e fossero tornati a casa. *A casa*... per quegli uomini il ritorno pareva significare soltanto la possibilità di una gozzoviglia senza fine. Ognuno si aspettava di diventare nobile e ricco grazie all'intervento di un sovrano riconoscente, loro vecchio compagno d'armi, e certo dieci Macedonie non sarebbero bastate ad accontentarli tutti. Oh, che corte bizzarra sarebbe stata la sua! Arrideo aveva già deciso che, in caso di battaglia, avrebbe schierato i suoi onorati compatrioti in prima linea, perché Filippo li uccidesse a suo piacimento. Quanto ai superstiti, non appena si fosse insediato sul trono avrebbe trovato qualche pretesto per metterli a morte. Senza dubbio, la cittadinanza non avrebbe impiegato più di due mesi a capire che razza di furfanti fossero; gli sarebbe stata grata per la liberazione. Forse sarebbe addirittura stata quella l'impresa che gli avrebbe assicurato la popolarità indispensabile a un re che vuol sopravvivere.

Filippo, gli avevano assicurato gli Ateniesi, era già largamente odiato.

Arrideo sentì una fitta allo stomaco e per la ventesima volta in quella mattina pensò che saltare la colazione era stato un errore. Si era sentito troppo eccitato per mangiare. Dopotutto, quella sera avrebbe probabilmente dormito nel vecchio palazzo reale, re dei Macedoni di fatto se non di nome, ma rimpiangeva di non aver ingoiato almeno qualche cucchiaiata di minestra. Ora, in sella al suo bel cavallo, a capo di un esercito e forse a non più di un'ora di distanza dalla facile conquista di Ege, cominciava a sentirsi un po' stordito. Ecco che cos'era, solo la protesta del suo stomaco vuoto. Doveva fare attenzione a non confonderla con la paura.

Cercò di distrarsi pensando alla strada. Era la stessa che aveva percorso sulla via dell'esilio... Proprio lì aveva imparato il significato della solitudine.

Lui e Archelao erano fuggiti in tutta fretta due ore prima dell'alba, timorosi che Tolomeo mandasse qualcuno a inseguirli. Erano arrivati a Ege esausti.

«Qui dobbiamo separarci» gli aveva bisbigliato Archelao nel buio della stanza in cui avevano dormito, in una taverna vicino alla porta occidentale. «Stanno cercando due ragazzi, quindi domattina io andrò a ovest e tu a sud. Ci rivedremo ad Atene.»

Arrideo non avrebbe mai dimenticato la paura che l'aveva assalito nel sentire la voce del fratello, disincarnata come se a parlare fosse già uno spirito inquieto.

Il mattino seguente era ripartito solo, e proprio prendendo quella strada. Non si erano mai rivisti ad Atene perché Archelao era morto a Corinto. Arrideo ignorava perfino il luogo della sua sepoltura.

Un cavaliere appartenente a una delle pattuglie mandate in avanscoperta si stava dirigendo verso di loro. Cavalcava veloce e Timoleonte, che nella colonna seguiva immediatamente il futuro re, mise il cavallo al galoppo per andargli incontro.

Quando tornò, il suo viso era rigido e teso.

«Le porte di Ege sono chiuse» riferì, fermandosi così vicino ad Arrideo che quasi lo toccava. «A quanto pare, sono stati informati del nostro arrivo.»

Non significava nulla, si disse lui. Era normale che, venendo a sapere che tre o quattromila uomini risalivano la strada lungo la costa, il comandante di una guarnigione decidesse di chiudere le porte. Dopotutto, avrebbe potuto essere chiunque.

«Probabilmente hanno delle spie a Metone» riprese Timoleonte. «Io non ho notato esploratori. Anzi, ora che ci penso, finora non abbiamo incontrato praticamente nessuno.»

«Chiuderebbero le porte anche se sapessero chi è il loro visitatore. Vogliono trovarsi nella posizione di poter contrattare il loro appoggio.»

«Indubbiamente è questa la spiegazione.» Ma Timoleonte non sembrava per nulla convinto.

Quando furono sulla sommità della collina verso cui si erano diretti, videro che la strada curvava verso l'interno; a circa un'ora di viaggio sorgeva Ege, chiusa come lo scrigno di un mercante.

«Lo scopriremo anche troppo presto» disse ancora Timoleonte.

Era il pomeriggio inoltrato quando arrivarono alla distanza di un tiro di sasso dalle mura, e ancora nessun emissario era uscito a incontrarli. Ma fu solo quando furono così vicini da distinguere i volti dei soldati di guardia che Arrideo sentì morire ogni speranza.

"*Lo conosco*" alitò una voce nella sua anima, mentre guardava un uomo che stava in piedi, le braccia conserte. Era di mezza età, rosso in faccia e dall'aspetto fiero, e indossava un mantello da soldato. Era il comandante della guarnigione. "*Lo conosco... faceva parte della guardia reale di Pella quando ero bambino.*"

«Epicle!» gridò. «Epicle! Non mi riconosci?»

Per un momento ci fu solo silenzio.

«Ti riconosco» si sentì infine. «Sei il principe Arrideo. Sgattaiolasti via come un ladro e ora ritorni alla testa di un esercito. Che cosa vuoi?»

«Scendi, Epicle; certe cose è meglio discuterle in privato. Ti garantisco l'incolumità.»

«Sono i miei soldati a garantire la mia incolumità. Te lo chiederò ancora una volta, ma una soltanto... che cosa vuoi?»

«È meglio che rispondi, signore» sussurrò Timoleonte, le labbra quasi sull'orecchio di Arrideo. «Se mai c'è stato per te un momento di dare prova di eloquenza, è questo.»

Sì, era quello. E Arrideo sentì che il suo cuore si svuotava come una brocca crepata.

«Ti porto la libertà, Epicle» gridò, conscio del suono vuoto della sua voce. «Sono qui per offrire la libertà a ogni uomo onesto. Vi libererò da...»

«Da che cosa, principe? Da che cosa vuoi liberarci con la tua masnada di mercenari? O da chi?»

Forse per l'eccitazione o forse per la collera, il volto del vecchio soldato andava facendosi sempre più paonazzo.

«Parla, principe... da chi vuoi salvarci?»

«Voglio salvarvi dalla tirannia, voglio...»

«Oh, dunque è da Filippo che intendi salvarci... naturalmente. Vorresti farci la gentilezza di regnare al suo posto.»

Epicle si guardò intorno, come per contare i soldati che lo attorniavano.

«Ma non c'è bisogno che ti disturbi, principe. Abbiamo valutato lui e te, e preferiamo il re che abbiamo già.»

Dalle mura si levò una risatina d'apprezzamento, e Arrideo ne sentì una debole eco alle sue spalle. In quel momento seppe che Demostene lo aveva ingannato, che non sarebbe mai stato re della Macedonia, che non sarebbe mai più stato nulla, nulla. L'umiliazione bruciava come ferro fuso.

«Consegnami spontaneamente la città e la guarnigione, Epicle, o le prenderò con la forza!» sbraitò. «E ti farò impiccare alla porta principale perché i cani ti divorino!»

«Non sarà la mia carcassa a ingrassare i cani, principe, perché, se sono un buon giudice, Filippo è già in marcia.»

Sguainò la spada e la lanciò: l'arma descrisse una parabola lucente prima di atterrare nella polvere, così vicino ad Arrideo che il suo cavallo scartò, intimorito.

«Ma voglio usarti un'ultima cortesia, principe, perché ero un soldato al servizio di tuo padre prima ancora che tu nascessi, e onoro la casa degli Argeadi. Prendi la mia spada e ritirati in un luogo isolato a morire. Ti offro una morte tranquilla, con ancora un po' di dignità. Dubito che il re tuo fratello si mostrerà altrettanto misericordioso.»

Traboccante di furia, Arrideo era pronto a lanciare la sua sfida quando Timoleonte lo trattenne, afferrandolo rudemente per il mantello.

«Zitto, imbecille» sibilò. «Non riusciremmo a conquistare la città, neppure con quattromila uomini, neppure in un giorno o due. Non capisci che la partita è perduta?»

Rapida com'era arrivata, la furia di Arrideo svanì, per lasciare il posto a una paura terribile, sconvolgente. Quell'uomo, che solo un'ora prima lo aveva chiamato re, adesso lo ingiuriava. *Imbecille...* se Timoleonte poteva permettersi di parlargli in quel modo, allora la sua sconfitta era totale.

«Mio fratello non arriverà in forze.» La voce gli tremava e si stupì di riuscire ancora a parlare. «Possiamo batterlo...»

«Sfidalo tu stesso; ho sentito dire che non è precisamente un docile agnellino. Credi forse che siamo disposti a rischiare la vita per te? Io riporto gli uomini a Metone. Puoi tornare con noi, se vuoi, oppure sconfiggere da solo re Filippo.»

Fu così che terminò la campagna avviata da Arrideo per diventare re dei Macedoni: senza che venisse sferrato neppure un colpo. Che cosa sarebbe stato di lui? Forse quella notte uno dei suoi connazionali si sarebbe intrufolato nella sua tenda per tagliargli la gola. Forse la sua testa sarebbe stata presentata a Filippo come offerta di pace. O forse — ed era la prospettiva peggiore — avrebbe continuato a vivere fino a tarda età, oggetto dello scherno generale.

Qualcuno prese le briglie del suo cavallo e lo condusse via. Fu costretto ad ascoltare i soldati che lo maledicevano e lo sbeffeggiavano, chiamandolo sciocco e in modi anche peggiori. Sapevano che non sarebbero stati pagati e ne davano a lui la colpa. Aveva la mente vuota. Non era più nulla.

Non seppe quanto tempo avesse passato sprofondato in quel torpore, quando sentì delle grida d'allarme. Gli bastò girare il capo per capire che cosa le avesse suscitate. A nord, al di là della piatta distesa, si vedeva la polvere sollevata da una lunga colonna di cavalieri.

«Ebbene, alla fine sarai accontentato» biascicò Timoleonte. «Non c'è più tempo per fuggire, siamo obbligati a combattere.»

Si protese sul collo del cavallo, schermandosi gli occhi per vedere meglio.

«Prega, principe, perché tuo fratello il re sarà qui nel giro di un'ora.»

XL

«Gli Ateniesi hanno deciso di mirare alto: pensano che se gli riesce questo primo boccone, non avranno difficoltà a ingoiare il resto» aveva commentato Filippo nell'apprendere che parecchie compagnie di soldati erano sbarcate a Metone. «Marceranno su Ege.»

I suoi ufficiali si scambiarono un'occhiata.

«Vuoi che non sappiano che gli sarà impossibile prenderla se prima non ti avranno sconfitto?» fece rilevare poi Korous. «Se fossi il comandante ateniese, punterei dritto a nord con le mie forze ancora intatte e minaccerei Pella. In questo modo sarebbe più facile attirarti in uno scontro.»

«È quello che farei anch'io, ma Arrideo ha bisogno di proclamarsi re, ed Ege è la vecchia capitale. Il suo primo pensiero sarà di conquistarla.»

«C'è tuo fratello dietro tutto questo?»

«Oh, sì.» Filippo annuì lentamente. «Gli Ateniesi hanno un gran rispetto per le apparenze e certo ci tengono a presentarsi come liberatori. Pensano che la guarnigione resterà impressionata dalla loro forza e deciderà di sostenere Arrideo. Non è del tutto irragionevole, in fondo.»

«In questo caso dobbiamo intercettarli prima che raggiungano Ege. L'esercito è pronto e la città non dista più di un giorno di marcia. Li aspetteremo lì. Vado a dare gli ordini.»

Ma Filippo lo fermò, posandogli una mano sulla spalla.

«Non partiremo prima di domani mattina. Voglio che gli Ateniesi si rendano conto che posso contare sulla fedeltà dei miei sudditi. E se così non è, allora forse merito di venire scalzato.»

Ebbe un sorriso strano, quasi facesse suo il tradimento del fratello, e con un cenno indicò a tutti che voleva restare solo.

Quella sera, mentre sedevano intorno al fuoco morente, gli ufficiali del re osservavano di sottecchi la striscia di luce che filtrava da sotto la sua tenda. Filippo non si era fatto vedere a cena.

«Dunque sono fratellastri?» indagò Lachio dopo un lungo silenzio, quasi pensasse che l'esatta definizione della parentela avrebbe in qualche modo spiegato tutto.

«Sì. Arrideo è figlio della prima moglie del re.»

«E da ragazzi erano amici?»

«Abbastanza perché adesso lui provi quello che sta provando.» Korous teneva una tazza di vino tra il pollice e l'indice, ma la posò senza aver bevuto. «È stata una brutta giornata per lui... prima la partenza di Deucalione, e ora questo. Sebbene io creda che nessuno ne sia rimasto stupito, tranne Filippo.»

«Suo fratello è un abile soldato?»

«Chi può saperlo?»

«Saremmo dovuti partire subito per Ege» brontolò cupo Lachio. «Aspettare è stato un errore.»

«Probabilmente sente il bisogno di dimostrare qualcosa a se stesso... anche se solo la fedeltà di una guarnigione.»

«Terranno duro? Nonostante la presenza degli Ateniesi a Metone?»

«Epicle non è uomo da preoccuparsi degli Ateniesi.»

«Già, ma i suoi ufficiali potrebbero pensarla diversamente. Voi gente delle pianure non vi siete mai distinti per fedeltà ai vostri re.»

Sebbene Lachio sorridesse, per far capire che aveva voluto scherzare, Korous sembrò prendere molto sul serio l'osservazione.

«No, non lo credo» affermò in ultimo. «Credo invece che i soldati si ribellerebbero e taglierebbero la gola agli ufficiali se questi abbandonassero il re. Capisci, loro *sentono* che lui è diverso, che non è come gli altri uomini, che c'è in lui qualcosa che lo rende unico. I suoi soldati lo sentono e lo sento io, che lo conosco fin da quando eravamo bambini.»

«Allora forse è stato saggio a decidere di aspettare.»

«Sì, forse lo è stato.»

Spinti da un identico impulso, si voltarono a guardare verso la tenda del re.

«Chissà come farà a sopportare anche questo» mormorò meditabondo Lachio

Quando arrivarono in vista dell'esercito di Arrideo, Filippo salì sulla cresta di un basso promontorio per avere una visuale migliore. La sua fanteria non arrivava a mille uomini, ma poteva contare sulla cavalleria, sebbene gli effettivi non superassero i quaranta o cinquanta di numero. Forse sarebbero stati sufficienti.

«Fate schierare la cavalleria in due ali, in modo che quella destra sia la più numerosa» ordinò. «E concedetegli un vantaggio di centocinquanta passi prima di mettervi in marcia. Se sono nel giusto, a quel punto le loro schiere avranno già cominciato a disintegrarsi... Attaccateli da due lati contemporaneamente. Non devono avere la possibilità di radunarsi di nuovo.»

I suoi comandanti, tra cui ora c'erano anche Epicle e i suoi ufficiali, formavano un circolo intorno a Filippo che con la punta bronzea di una freccia disegnava lo schieramento sulla polvere. Nessuno parlò. Nessuno sollevò obiezioni perché non si discute la realtà e Filippo aveva il dono di illustrare con estrema chiarezza il risultato delle sue analisi. Sembrava quasi che la battaglia si fosse già svolta nella sua mente, così che lo scontro vero e proprio non avrebbe riservato alcuna sorpresa: come il protagonista di una tragedia, il nemico era condannato in partenza.

«Una volta sbaragliata la cavalleria, sfonderete le linee dei fanti in questo punto, tra l'ala sinistra e il centro. La nostra fanteria penetrerà attraverso lo squarcio e li finirà. Quegli uomini sono mercenari e la campagna non offre loro alcuna speranza: il loro unico obiettivo sarà di sopravvivere. Voglio che l'onore di guidare l'offensiva spetti alla guarnigione di Ege... se l'è meritato.»

Due ore dopo, al tramonto, era tutto finito. La sconfitta di Arrideo era stata totale e devastante. Sul campo di battaglia restavano solo i morti e i morenti e l'unico suono erano i lamenti dei cavalli feriti troppo gravemente per alzarsi da terra. Urlavano come donne in travaglio.

I mercenari erano stati sgominati e una buona metà, compreso il loro comandante, era morta. Quasi tutti i sopravvissuti erano stati fatti prigionieri e ora stavano raccolti in gruppetti, così abbattuti che quasi non c'era bisogno di sorvegliarli. La cavalleria nemica, composta quasi interamente da Macedoni che non ignoravano che cosa avrebbe significato per loro la resa, non esisteva praticamente più.

E tuttavia, non era del tutto finita. Una manciata di uomini armati aveva trovato rifugio e un'ultima illusione di libertà sulla cresta di una collina, lontano dal luogo dove infuriava la battaglia. Quegli uomini non avevano speranza e lo sapevano: non potevano far altro che aspettare e stupirsi di non essere stati ancora travolti. Sembrava quasi che, nell'ardore del combattimento, fossero stati dimenticati.

Ma non era così. Filippo, che stava semplicemente rimandando il confronto, ordinò a sei compagnie di impedire qualsiasi tentativo di fuga. Poiché la luce andava sbiadendo, accesero degli enormi falò ai piedi della collina.

Seduto su un carro capovolto, Filippo ascoltava i rapporti sul numero delle vittime e i nomi dei prigionieri di maggior spicco, mentre un medico di Ege gli disinfettava una ferita al braccio con una punta di freccia arroventata. Il medico era intimorito dalla consapevolezza di prestare le sue cure a un re, e forse per questo motivo lavorava con una lentezza che certo non contribuiva a migliorare l'umore del paziente.

«Epicle è morto. Si è trattato più che altro di un incidente. Un cavallo ferito gli è piombato addosso e lo ha colpito alla testa con un calcio mentre lui ne uccideva il cavaliere. La guarnigione di Ege ha perduto meno di trenta uomini; era destino che lui fosse uno di loro.»

Sembrava quasi che Filippo non ascoltasse. Nella sua mente echeggiavano le parole di un soldato dal viso paonazzo: «Siamo tutti con te».

«Avete trovato mio fratello?» domandò alla fine. Impossibile capire con quale animo attendesse la risposta.

«Non è stato catturato. Se è morto, probabilmente non lo sapremo fino a domani. Ma di sicuro non è fuggito... non è fuggito nessuno.»

«Mandate pattuglie di uomini muniti di torce a perlustrare il campo di battaglia. Voglio sapere se Arrideo è ancora vivo.»

Filippo non disse che cosa avrebbe fatto in quel caso. Forse lo ignorava lui stesso.

Mancavano due ore alla mezzanotte quando un ateniese spaventatissimo, con un accenno di barba ben curata e l'aria di chi non è mai stato soldato, fu condotto alla presenza del re.

«Viene dalla collina» riferì il suo custode. «Aveva con sé le insegne di pace e ha chiesto di essere condotto alla tua presenza.»

L'uomo si stava ancora inchinando quando Filippo lo aggredì: «Mio fratello è ancora vivo? Dimmi questo, prima; poi ti permetterò di trattare la tua salvezza».

«Il pretendente è sotto la nostra custodia, mio signore re, insieme con dieci o quindici Macedoni ribelli che lo hanno seguito. Gli altri sono mercenari più alcuni ateniesi, fra cui io stesso... uomini pacifici, venuti come osservatori e che non hanno preso parte alla battaglia.»

Abbozzò un sorriso incerto, quasi credesse che Filippo gli sarebbe stato grato per non aver combattuto.

«Ecco le mie condizioni.» La voce del re era fredda, senza espressione. «Mio fratello Arrideo mi dev'essere consegnato senza che gli sia fatto alcun male. Voialtri vi arrenderete all'alba e senza porre alcuna condizione. In caso contrario, dovrete affrontare nuovamente i miei uomini e per voi non ci sarà salvezza.»

«Ma certo, signore, userete misericordia a chi non ha combattuto. Certo...»

Le parole morirono sulle labbra dell'ateniese mentre scrutava il volto del vincitore in cerca di qualche indicazione.

«Avete tempo fino all'alba.» Con un gesto, Filippo ordinò alla guardia di portare via il prigioniero. «Ti consiglio di affrettarti a tornare dai tuoi amici: non vi resta molto tempo per decidere.»

Filippo dormì poco quella notte, e il suo sonno fu inquieto e agitato. Si svegliò con un sussulto, incapace di ricordare il sogno che stava facendo e che non aveva lasciato traccia alcuna nella sua mente, se non una vaga sensazione di panico che impiegò molto tempo a svanire. Quando accese la lanterna, scoprì di avere del sangue sulle dita: la ferita al braccio si era riaperta.

Venne chiamato il medico, che provvide a ricucirla con un ago ricurvo e un crine della coda del cavallo del re. Questa volta Filippo accolse il dolore quasi con sollievo. Gli schiariva la mente.

All'alba scoprì che gli ultimi seguaci di Arrideo si erano arresi e lo aspettavano ai piedi della collina su cui avevano trovato rifugio. Una dozzina di Macedoni aveva preferito tagliarsi la gola piuttosto che affrontare un'accusa di tradimento, ma Arrideo era vivo. Aveva le mani legate dietro la schiena, forse per impedirgli di suicidarsi a sua volta.

I mercenari erano troppo fieri per implorare pietà, ma gli Ateniesi caddero bocconi non appena si trovarono faccia a faccia con i vincitori.

«In piedi» intimò Filippo senza curarsi di nascondere il suo disgusto. «Questo è indegno. In piedi. Non strisciate nella polvere.»

Lentamente, quasi riluttanti a rinunciare al vantaggio tattico dell'umiliazione, i prigionieri si sollevarono, puntellandosi sulle braccia, poi, comprendendo che il re non gli avrebbe permesso neppure di stare in ginocchio, si rialzarono. Dopo uno scambio di sguardi, uno di loro si fece avanti. Era lo stesso con cui Filippo aveva parlato la sera precedente.

«Ti preghiamo di essere così clemente da accettare il riscatto che le nostre famiglie e l'assemblea provvederanno a pagare» cominciò; non alzava quasi mai lo sguardo, come se temesse che gli occhi del re macedone potessero incenerirlo sul posto. «Siamo uomini agiati e...»

«Vi verranno dati cavalli e una scorta per tornare a Metone» lo interruppe Filippo. «Non accetterò alcun riscatto, e potete dire alla vostra assemblea che Filippo di Macedonia desidera vivere in pace con Atene e che accoglierà con tutti gli onori i suoi ambasciatori, se verranno in amicizia. Siete stati voi a volere questo scontro, e io non farò nulla per prolungarlo.»

Tacque, e i suoi occhi erano duri e spietati mentre scrutava i resti dell'esercito che gli era stato inviato contro.

«Quanto agli altri,» aggiunse «presto ascolteranno la mia sentenza.»

Girò sui tacchi e si allontanò, seguito a ruota dai suoi ufficiali.

«Ti rendi conto di quello che hai appena buttato via?» La voce di Lachio grondava collera repressa. «Le tue casse sono vuote e tu li lasci liberi di andarsene come se fossero ospiti venuti a cena! Da quegli uomini avresti potuto ricavare anche cento talenti d'oro!»

«In questo momento, la pace con Atene vale molto di più»

replicò Filippo senza guardarlo. «Questi politici dalla lingua melata saranno a casa prima che la luna cominci a calare, e ricorderanno due cose soltanto: la generosità di chi li aveva fatti prigionieri e la paura che hanno provato. Di questa non faranno parola, perché nulla mortifica un uomo quanto il ricordo di come ha dovuto umiliarsi per aver salva la vita, e che cosa riferiranno allora ai loro concittadini? Assemblea equivale a moltitudine, Lachio, e le moltitudini si fanno sempre impressionare dai gesti generosi.»

«Sì, forse... ma i capi che hanno organizzato questa spedizione, loro non sono una moltitudine e hanno il cuore più gelido di quello di un re. Interpreteranno la tua generosità come un segno di debolezza.»

«E saranno nel giusto. Noi siamo deboli, così deboli che non ci guadagneremmo niente a nasconderlo. Accontentiamoci di quello che possiamo avere. Credimi, ci vorrà del tempo prima che ad Atene i nostri nemici vengano autorizzati a spendere altro denaro per attaccarci ancora.»

Filippo posò la mano sulla spalla dell'amico e rallentò il passo.

«Dev'essere così, Lachio» disse col tono di chi vuol consolare un bambino. «E ora sii così cortese da mandarmi mio fratello. Voglio vederlo subito.»

Quando fu condotto nella tenda di Filippo, Arrideo aveva già l'aspetto del condannato. Aveva gli occhi cerchiati, come se non dormisse da parecchi giorni, e la sua tunica era sporca di fango. Sembrava aver superato persino la paura. La prima cosa che Filippo fece, quando furono soli, fu di estrarre la spada e tagliare la corda che legava i polsi del fratello.

«Da quanto non mangi?» chiese, ma Arrideo non rispose. Si massaggiava i polsi scorticati.

«Vuoi qualcosa?»

«Un po' di vino, magari.» Arrideo accennò una stretta di spalle. «Posso sedermi?»

Quando Filippo indicò il letto che occupava un angolo della tenda, Arrideo vi crollò letteralmente sopra. Prese la tazza che gli veniva offerta, la vuotò in un sol sorso, poi la tese a Filippo perché gliela riempisse di nuovo.

«Mi hai fatto venire per offrirmi il tuo perdono, fratello?»

Filippo fece un cenno di diniego. «Se potessi risparmiarti lo farei, ma non posso. Questo lo sapevi già.»

«Sì, lo sapevo. Grazie per avere avuto almeno la decenza di non ingannarmi. Cos'è che vuoi, allora? Gloriarti della tua vittoria?»

«Me ne credi capace?»

Arrideo ebbe una risata breve, amara.

«Date le circostanze, ne crederei capace chiunque. Quando si riunirà l'assemblea per pronunciare la mia condanna?»

«Non traggo alcun piacere da tutto questo, fratello. Voglio soltanto sapere perché.»

«Tocca a te rispondere per primo» scattò Arrideo; poi, sforzandosi di controllarsi: «Quando morirò?».

«Verrai giudicato a Pella. Fra due o tre giorni, credo. Perché hai voluto metterti contro di me?»

«Non è ovvio?»

«Non per me.»

Sul viso di Arrideo balenò fugace l'espressione di un uomo che ha appena assistito alla morte dell'illusione che lo teneva in vita. Fu questione di un istante e di un unico breve spasimo, ma bastò perché Filippo capisse.

«Pensavi che volessi tradirti» mormorò allora con una traccia di disgusto nella voce. «Pensavi che ti avessi invitato a tornare per farti uccidere.»

Scosse la testa quando l'altro non rispose.

«Qui ci siamo solo tu e io» riprese. «A questo punto non avrei motivo di mentire... ti giuro che non erano queste le mie intenzioni.»

«Se non hai motivo di mentire, non ne hai neppure per dire la verità.»

E Arrideo rivolse al fratello un mezzo sorriso, quasi per ribadire l'abisso incolmabile che li divideva. No, non avrebbero condiviso nulla sulla soglia della morte, neppure un momento di reciproca comprensione.

«Ma una cosa almeno puoi dirmela» lo esortò Filippo, accettando infine la loro totale estraneità. «I nomi degli Ateniesi che ti hanno spinto a questa follia.»

«Perché vuoi conoscerli?» Arrideo era sorpreso.

«Per poterti vendicare, un giorno.»

XLI

Il trionfo su Arrideo e i suoi mercenari segnò una nuova era per l'esercito macedone. Sebbene di poca importanza sotto il profilo militare, servì a bilanciare la sconfitta subita da Perdicca per mano degli Illiri. Alla sua vigilia, nessuno a Ege credeva che la nazione potesse evitare il disastro; il giorno dopo non c'era un uomo che non fosse certo della vittoria finale. Si sentivano pronti ad affrontare qualunque prova.

La differenza, pensavano gli uomini, era data da Filippo. Lui sapeva leggere nella mente dei suoi nemici. I soldati che avevano combattuto con lui nell'Elimea e nella campagna contro Aiace raccontavano sul suo conto storie incredibili. Le posizioni che difendeva erano inespugnabili. Quelle che attaccava, condannate. Perfino i cavalieri elimioti vantavano senza ritegno il suo genio e il suo coraggio. Sembrava che venire sconfitti da Filippo di Macedonia conferisse un prestigio non molto inferiore a quello che dà una vittoria.

Ma i giorni successivi alla sconfitta della spedizione ateniese furono pieni d'amarezza per l'oggetto di tutte quelle lodi, perché proprio a Filippo sarebbe toccato presentarsi all'assemblea per accusare suo fratello di tradimento. A Filippo sarebbe toccato vederlo perire sotto una pioggia di lance non appena il verdetto fosse stato pronunciato. E sempre Filippo avrebbe dovuto presenziare alla crocifissione del traditore, perché i corvi si nutrissero del suo corpo e la sua anima vagasse sulla terra per l'eternità, impossibilitata a entrare nel regno dei morti. Erano questi i doveri che la legge e la tradizione imponevano al re, doveri da cui non poteva esimersi e che, lo sapeva con certezza, avrebbero avvelenato tutta la sua vita.

"La casa degli Argeadi è stata maledetta" pensava. "Basta guardare al modo in cui gli dèi ci distruggono, l'uno dopo l'altro.''

Fu quasi un sollievo sapere che Agide, re dei Peoni, stava morendo: la guerra, almeno, non lasciava spazio a cupe riflessioni.

«Ci dirigeremo a nord non appena saremo in numero sufficiente» stabilì Filippo. «Solo la salute sempre più debole di Agide ha fatto sì che i Peoni si accontentassero di ricevere da noi un tributo in denaro. Non appena suo figlio Lippeo salirà sul trono, ci attaccheranno. La nostra unica possibilità sta nel colpire per primi.»

Alla vigilia della partenza per Tirissa, dove avrebbe raggiunto l'esercito, Filippo ricevette gli ambasciatori ateniesi. L'accordo fu raggiunto in fretta: Atene avrebbe conservato Metone, ma la città sarebbe stato il limite estremo della sua espansione a nord.

«Lasciamogli la loro guarnigione» disse Filippo. «Per ora non abbiamo la forza di scacciarli e certo prima o poi la loro avidità li spingerà a cercare una scusa per violare il trattato. Ma almeno per il momento tra la Macedonia e Atene regna grande amicizia; auguriamoci che sia così per molto tempo.»

A Tirissa, quattromila soldati aspettavano il re. Erano il primo frutto di un regno che aveva assistito al sacrificio della ricchezza e dell'orgoglio nazionale, ossia a tutto quello che il re macedone aveva potuto offrire in cambio di qualche mese di tempo per riorganizzare le forze. Erano uomini che avevano dedicato quasi un anno a esercitarsi negli schieramenti e nelle tattiche che erano poi stati messi in atto a Ege. Avevano visto realizzarsi il miracolo per cui avevano pregato e avevano imparato a credere in se stessi.

«Sei in ritardo» furono le parole con cui Korous accolse Filippo. «Questa mattina è arrivato un messaggero... Agide è morto sei giorni fa. Dove sei stato?»

Filippo si guardava intorno con gli occhi socchiusi. Già il vento trasportava minuti fiocchi di neve che pungevano il viso. Avevano a disposizione forse un mese prima che l'inverno mettesse fine alla stagione delle campagne. Korous aveva tutti i motivi di essere ansioso.

«A vedermela con certi visitatori del Sud» rispose. «Speravo che il vecchio bandito tenesse duro ancora per un po'. Secondo te, che cosa si aspettava di trovare nell'altro mondo, per avere tanta fretta di abbandonare questo?»

Ma Korous non udì la battuta o forse non la apprezzò.

«Domani mattina scadranno i sette giorni di lutto di Lippeo.» Anche lui aveva avvertito la sferzata pungente della neve e ne aveva compreso il significato. «Subito dopo ci sarà addosso. Può mettere in campo settemila uomini. Ci hai pensato, Filippo?»

«Più fitte sono le spighe di grano, più ne abbatte la falce ogni volta che viene calata.» Il re dei Macedoni ebbe un sorriso vago. «E poi, che scelta abbiamo?»

«Nessuna, ma un uomo non può fare a meno di preoccuparsi.»

Quella sera a cena Filippo ricevette un rapporto più dettagliato su quanto era accaduto in Peonia.

«Sembra che il declino di Agide sia stato molto rapido. L'erede non era nel Paese e al suo ritorno ha trovato il padre già in coma. Non ha fatto in tempo a ricevere la benedizione paterna, e questo è considerato un cattivo presagio.»

«Da almeno cinque anni si diceva che Agide era prossimo alla fine» replicò Filippo, masticando un boccone di pane. «Ormai era diventata una specie di consuetudine e credo che si possa perdonare Lippeo se non ha indugiato a corte. Dov'era?»

«In Illiria... a prestare i suoi omaggi. In questi ultimi anni ci è stato parecchie volte. Senza dubbio sogna un'alleanza.»

«Quello che sogna, in realtà, è la nipote del vecchio Bardili. Dicono che l'ha stregato.»

«È la sua pronipote.» Qualcosa nella voce di Filippo indusse Lachio e Korous a scambiarsi un'occhiata. «Il suo nome è Audata.»

«Ne sai qualcosa?»

«La conobbi quando vivevo in qualità di ostaggio presso Bardili. Era solo una bambina, allora.»

Lachio decise di cambiare argomento.

«Comunque sia, ora Lippeo è a casa... ed è re, con o senza la benedizione del padre. Se davvero auspica un'alleanza con gli Illiri, vorrà certo iniziare il suo regno con una dimostrazione di forza.»

Filippo assentì tetro. «È un bene per noi. Non voglio che questa campagna degeneri in una serie di scorrerie. Voglio affrontare subito i Peoni. Non riusciranno che a umiliarsi davanti al mondo intero.»

Tacque e rimase a fissare il fuoco, apparentemente dimentico dei compagni. Impossibile capire a che cosa stesse pensando.

Otto giorni dopo, su un altopiano battuto dal vento dove anche nella tarda mattinata la terra era indurita dal ghiaccio, i due eserciti si trovarono per la prima volta l'uno di fronte all'altro. Sembrava quasi che si fossero dati appuntamento. Fra le pattuglie in avanscoperta le scaramucce si erano susseguite per quasi tre giorni, mentre Filippo e il suo avversario erano impegnati in una cauta opera di sondaggio, ciascuno cercando di valutare la forza dell'altro e il modo di sfruttare a proprio vantaggio le condizioni del terreno.

E ora finalmente si affrontavano, separati da non più di cinquecento passi di terra piatta su cui il gelo pareva aver cancellato ogni parvenza di vita.

«Vedete? Ha concentrato la sua cavalleria sulla sinistra» disse Filippo ai suoi comandanti. «Lì il terreno è così scabroso che non mi piacerebbe per nulla doverlo attraversare al galoppo. Ho l'impressione che abbia fatto i suoi piani con troppo anticipo e che ora gli manchi la prontezza di spirito per cambiarli.»

«Deve avere almeno cinquecento cavalieri» brontolò Korous con riluttante rispetto.

«Quando sferrerai l'attacco, punta dritto al centro. Non mi importerebbe neppure se ne avesse cinquemila... se riusciremo a dividere la fanteria, potremo farli a pezzi a nostro comodo. Io combatterò con i fanti, sul perno interno dell'ala destra.»

«Sei impazzito? Quando i cavalieri peoni raggiungeranno le nostre linee...»

«Sì, lo so. È proprio lì che si dirigeranno. Ma avremo il vantaggio del terreno.»

«Se muori in battaglia, la Macedonia non avrà più scampo.»

Nella risata di Filippo vibrava una nota che era quasi di sollievo. «Se oggi saremo sconfitti, la mia morte non avrà più alcuna importanza. Se voglio guidare la battaglia, è indispensabile che mi trovi nel punto in cui lo scontro sarà più violento.»

«In guerra un re ha il dovere di salvaguardare la propria incolumità.»

«In guerra un re ha un solo dovere, Lachio: vincere.»

E, liquidata la questione, con un cenno si volse a indicare un punto della fanteria peona.

«Colpite lì» disse. «Una volta spezzata la spina dorsale, le gambe nón reggeranno più.»

Mezz'ora più tardi, Filippo era in prima linea e osservava l'approssimarsi della cavalleria nemica.

Una carica è inutile se non viene effettuata al galoppo e fu al galoppo che i cavalieri peoni affrontarono il terreno sassoso e accidentato, simili a uno stormo di uccelli nella tempesta. Il tempo di raggiungere le schiere macedoni, e la carica non avrebbe più avuto un obiettivo preciso e avrebbe perso ogni impeto. Che se ne rendessero o meno conto, stavano correndo verso il massacro.

Quando furono a un centinaio di passi di distanza, Filippo si accovacciò a terra, puntando la lancia ad angolo retto. Le prime tre file lo imitarono, così da lasciare la visuale sgombra per gli arcieri. Le corde degli archi scoccarono e il primo nugolo di frecce, così fitto che per un istante parve oscurare il cielo, sibilò sopra le loro teste. Uno... due... tre... Filippo si scoprì a contare mentre guardava i dardi descrivere una parabola nell'aria e poi cominciare a scendere. Era a dieci quando il primo peone fu colpito. Non aveva ancora toccato terra che già uno su sette dei cavalli nemici era privo di cavaliere.

La seconda bordata ebbe effetti ancora più devastanti.

«Sono selvaggi» mormorò Filippo a fior di labbra. «Non si sono mai scontrati con una fanteria ben disciplinata.» Per qualche motivo, quella considerazione gli riuscì quasi dolorosa.

Dopo la quinta scarica di frecce e quando i primi cavalli non erano a più di quaranta passi, Filippo si alzò e, bilanciando la lancia nella mano, la scagliò con forza. Subito dopo la sua fila fu assorbita da quella retrostante; tre file di lanciatori di giavellotto ebbero il tempo di tirare prima che Filippo tornasse in prima linea con la sua lunga picca e lo scudo, pronto ad assorbire l'impatto dell'assalto peone.

«Ora combatteremo per restare in vita» gridò. «Tenete serrati i ranghi, perché li abbiamo già sconfitti.»

Checché se ne dica, aspettare a piè fermo un'orda di cavalieri che ti si precipitano addosso è sempre un'esperienza terrificante e ci vuole coraggio per restare al proprio posto e affrontare la carica. Ma Filippo aveva già combattuto a fianco di quegli uomini e sapeva che non avrebbero ceduto se non fosse stato lui a farlo. Le loro volontà erano come un solido muro alle sue spalle, sufficiente a spogliare di ogni minaccia perfino la morte.

Quasi sapesse di trovare lì il re nemico, il primo cavaliere peone puntò dritto verso l'angolo interno. Cercò di farsi largo tra le picche, ma la punta di Filippo lo colse proprio sotto le costole, scaraventandolo giù di sella. Nella caduta, l'asta della picca si ruppe e le viscere dell'uomo si sparsero a terra. Mentre moriva, ne arrivò un altro; Filippo udì il sibilo della sua spada che si abbatteva sull'uomo al suo fianco. Il macedone cadde senza un grido, il cranio spaccato. Filippo deterse il sangue che gli impediva di vedere. Ma già il cavallo vacillava; crollò sulle ginocchia e prima che potesse arretrare cinque o sei paia di mani si protesero ad afferrare il peone... non ebbe neppure il tempo di urlare.

Un quarto d'ora dopo era tutto finito. Il primo attacco si era esaurito e non ce ne sarebbero stati altri. La cavalleria macedone penetrava sempre più a fondo nelle schiere dei Peoni, e molti di essi erano già fuggiti. La battaglia si era gradualmente ridotta a una serie di scaramucce prive di importanza; non restava che aspettare.

«Portate il mio cavallo» ordinò alla fine Filippo.

In sella, fece il giro del campo, ascoltando i rapporti dei comandanti, cercando di valutare la portata della vittoria. Pensava già al modo migliore per sfruttarla.

«Lippeo è fuggito» lo informò qualcuno. «A quanto dicono parecchi prigionieri, ha abbandonato la scena poco dopo che la nostra fanteria aveva sfondato le sue difese. Ha perduto mezzo esercito, fra morti e prigionieri.»

«Ne avrebbe salvati di più se fosse rimasto. E ora i sopravvissuti non saranno troppo ansiosi di combattere nuovamente per lui.»

Filippo era disgustato. Pensava a quello che Lippeo avrebbe dovuto affrontare, quando si fosse trovato faccia a faccia con gli uomini che aveva abbandonato. Molto meglio morire lì, e giacere cadavere, ma con l'onore salvo, sul campo di battaglia.

Nondimeno, era necessario venire a un accordo con lui.

«Ci sono dei nobili tra i prigionieri... o sono fuggiti tutti?»

«Qualcuno forse ce n'è» rispose Korous, quando le risate si furono spente. «Non abbiamo ancora avuto il tempo di interrogarli.»

«Trovatene uno.»

Era un cugino di Lippeo, ma doveva essere un po' più coraggioso di lui, perché non si era arreso e neppure era fuggito. Semplicemente, era svenuto cadendo da cavallo e aveva quasi ucciso il soldato che, credendolo morto, aveva cercato di sfilargli l'armatura. Ci era voluto un altro colpo in testa per ridurlo a più miti consigli. Ma gli uomini più coraggiosi non sono necessariamente i più intelligenti e, una volta che fu davanti al vincitore, il prigioniero dovette pensare che sarebbe stato ucciso nel corso dei festeggiamenti — i Peoni erano noti per la durezza con cui trattavano i nemici vinti —, e rovesciò su Filippo un torrente di ingiurie. Il re dei Macedoni si limitò a sorridere educatamente, come si fa in presenza di un bambino indisciplinato, e a offrirgli del vino.

«Sei tu Dekios?» chiese. «Il secondo figlio di Aletheia, la sorella del padre del re?»

Dekios, che aveva forse vent'anni ed era bruno e bello, con il collo di un toro, lo fissava come se stesse cercando di ricordare dove lo aveva già visto.

«Sei disarmato» osservò in ultimo. «Potrei ucciderti con un colpo solo... che cosa me lo impedirebbe?»

«Nulla, se non il fatto che potresti fallire nel tuo intento. Non sono innocuo come sembro. E poi, al minimo rumore le mie guardie irromperebbero qui dentro e ti ucciderebbero, e in questo caso non potresti più tornare a casa per riferire il mio messaggio a tuo cugino. Ma non hai ancora assaggiato il vino.»

Il secondo figlio di Aletheia guardò la tazza che aveva davanti, contemplando forse l'interessante prospettiva di sopravvivere a quella giornata, poi la prese e, dopo averla soppesata per un momento, bevve un sorso.

«Che cosa vorresti che riferissi al re?» chiese sospettoso.

«Una cosa soltanto: che da morti lui e i suoi soldati non mi sarebbero di alcuna utilità.» Nulla avrebbe potuto turbare la calma di Filippo. «Non ho mire sul vostro Paese, ma non lo lascerò finché non sarò certo che non mi minaccerete più.

Un accordo potrebbe dimostrarsi vantaggioso per entrambe le parti.»

Misteriosamente, quella proposta parve irritare Dekios.

«Lippeo dispone ancora di un esercito numeroso come il tuo.» Posò la tazza con tanta violenza che buona parte del contenuto traboccò sul tavolo. «Non deve far altro che radunarlo e sferrare un nuovo attacco.»

«Lo credi davvero? Io, invece, credo che sia stato sconfitto. Credo che lo sappia anche lui. Metà dei suoi soldati sono stati uccisi o fatti prigionieri... se non ha saputo vincere con settemila uomini, come ci riuscirà con tremila?»

«Oggi siamo stati sfortunati.»

«Siete stati più che sfortunati.»

«Pretendi forse che caldeggi la resa?»

«Non pretendo che tu caldeggi nulla. Lìmitati a informare il tuo re che Filippo di Macedonia è pronto a discutere le condizioni di pace.»

«E se rifiutasse?»

Filippo si permise il più lieve dei sorrisi, quasi considerasse divertente l'ipotesi ma fosse troppo cortese per riderne.

«Non rifiuterà.»

Al mattino Dekios ricevette un cavallo e l'informazione che gli era stata concessa mezza giornata di vantaggio; dopodiché l'esercito macedone si sarebbe messo in marcia verso la capitale di Lippeo, distante circa tre giorni di viaggio a nord. Un uomo a cavallo poteva procedere molto più rapidamente di un esercito; il re dei Peoni avrebbe avuto un paio di giorni per decidere fra la pace o l'annientamento.

Filippo non si affrettò. Lasciò che i soldati avanzassero con calma e inviò numerose pattuglie in avanscoperta. Sebbene non dubitasse del risultato, preferiva evitare un secondo scontro. Le battaglie costavano, e nella sua mente lui era già molto oltre quel lungo autunno e i Peoni. Il disgelo primaverile avrebbe portato la guerra con gli Illiri, e lui doveva farsi trovare pronto.

Fu quindi un sollievo quando — un giorno dopo che gli esploratori aveva avvistato le basse mura di granito di quella che, in tanta desolazione, poteva passare per una città — all'accampamento giunse un emissario con un ramo d'olivo legato alla lancia.

Venne concordato che i due sovrani si sarebbero incontrati da soli su una striscia di terreno aperto, dove entrambi gli eserciti avrebbero potuto vederli. Lippeo era imbronciato e all'inizio si rifiutò di guardare in faccia il suo vincitore.

«Accetterò ostaggi di rango adeguato e tributi in quantità sufficiente a ripagare i miei soldati delle sofferenze subite» gli disse Filippo. «Inoltre, ti offro un'alleanza che credo tornerà a vantaggio di entrambi.»

Il lampo di sollievo che balenò negli occhi di Lippeo gli confermò l'esattezza dei suoi calcoli. Ora che aveva perduto la sua prima battaglia, il re peone aveva paura dei nobili. Il suo potere e forse anche la sua vita erano in pericolo e per conservarli avrebbe avuto bisogno del tacito sostegno del re macedone.

Ma per ottenerlo avrebbe dovuto pagare.

«Tuttavia, non puoi essere allo stesso tempo amico dei Macedoni e degli Illiri» proseguì Filippo in tono blando. «Devi scegliere.»

Dallo spasmo che gli contorse il viso, si sarebbe potuto credere che Lippeo fosse veramente innamorato della pronipote di Bardili, perché la sua era l'espressione di un uomo costretto a sacrificare quanto gli è più caro.

«Perché ci hai attaccato?» domandò col tono dell'innocente offeso. Ma era una domanda che mirava solo a prendere tempo, a rimandare l'inevitabile. «Hai sempre inviato tributi a mio padre... Perché avevi paura di lui e non ne hai di me?»

«Avevo più paura di te.»

Lippeo socchiuse gli occhi, sospettando forse che quella risposta celasse un insulto. Era sottoposto a una tensione fortissima, e chi poteva sapere come avrebbe reagito?

«Tuo padre era troppo vecchio e debole per pensare alla guerra» continuò Filippo, fingendo di non aver notato nulla. «Ma sapevo che, una volta re, non avresti esitato a muovermi guerra.»

«Come potevi saperlo?»

«Perché è quello che avrei fatto io.»

Le sue parole alleggerirono l'atmosfera tesa e Lippeo si decise finalmente ad alzare gli occhi.

«Stavo già radunando le mie forze quando fui informato che avevi varcato il confine» asserì in tono orgoglioso; e forse lo era davvero.

«Lo so. In caso contrario, non avresti potuto contare su un esercito così numeroso.»

«Non mi è servito a molto.»

«La guerra è cambiata» replicò Filippo con la noncuranza di chi fa un'osservazione di carattere generale. «La forza numerica ha meno importanza... l'ho imparato quando vivevo come ostaggio a Tebe.»

Per qualche istante i due sovrani si guardarono in silenzio e di colpo Filippo si sentì vecchio e stanco. Aveva solo ventitré anni e Lippeo doveva averne solo uno o due meno di lui, ma l'abisso che li separava era incolmabile. Non era l'età a dividerli, e neppure l'esperienza, ma il re peone era un tale ragazzino! C'era in lui una sorta di innocenza che Filippo non ricordava di aver mai conosciuto.

Poi il momento passò e Lippeo raccolse le redini del suo cavallo, che indietreggiò di un passo.

«Accetto le tue condizioni» disse. «Non ho altra scelta. Un rappresentante investito di pieni poteri verrà al tuo accampamento domattina per discuterne i particolari.»

Mentre lo guardava allontanarsi, Filippo si scoprì quasi a invidiare il re dei Peoni. "Hai ricevuto un duro colpo" pensò. "Ma domani sarai ancora vivo e di qui a un anno quasi non te ne ricorderai. Ma una sconfitta come questa avrebbe distrutto me."

XLII

Filippo e il suo esercito attraversarono la Macedonia tra l'imperversare di una tormenta di neve. Fu un caso che l'esploratore linceste non li superasse senza vederli.

«Re Menelao mi segue a poche ore di distanza» riferì. «La sua scorta è composta da meno di venti uomini, e aspira a incontrarsi con te, mio signore.»

«Molto bene, ma non qui.» Filippo indicò la neve che turbinava intorno a loro. «A meno di una mattinata di viaggio in direzione sud c'è una città dove i miei uomini potranno riposare fino a quando la bufera non sarà cessata. Aspetterò lì mio zio.»

«Spero che riusciremo a localizzarla» borbottò l'altro e sembrò scandalizzato quando Filippo scoppiò a ridere.

«Menelao conosce la strada» disse il re. «È una delle città che razziò all'epoca di mio padre.»

Fu così che, sette ore più tardi, nella sala da pranzo della casa di un nobile locale di dubbia fedeltà — l'uomo non sapeva a chi rivolgere l'inchino più profondo, se al suo re o al sovrano della Lincestide —, Filippo e suo zio sedevano davanti al fuoco a bere vino diluito con due sole parti d'acqua e a fingere che quello fosse un incontro fra parenti e non fra due re con alle spalle una lunga storia di rivalità e sfiducia.

«Ho pianto quando ho saputo la sorte in cui era incorsa tua madre» raccontò Menelao dopo un lungo silenzio meditabondo. «Ho pianto, ma non ero sorpreso. Anche un bambino avrebbe capito quanto era appassionata e decisa. A sette anni, nostro padre le regalò un furetto; sembrava che le piacesse, ma il giorno dopo lo gettò nel canile e rimase a guardare i cani che lo dilaniavano. Venne frustata, ma non pianse. Non fu capace di spiegare perché l'avesse fatto, né perché non piangesse. Credo che fosse un po' pazza. E ora il suo spirito vaga per la terra, bandito per sempre dal regno dei morti.»

«Questo almeno le è stato risparmiato. Prima che il suo corpo venisse dato alle fiamme, le ho messo in bocca una moneta d'oro con cui pagare il traghettatore e attraversare lo Stige. L'ho sepolta io stesso e ho lasciato offerte sulla sua tomba.»

Menelao gli rivolse uno sguardo meravigliato. «Hai commesso un atto impuro, ma forse l'unico che gli dèi possano perdonare. La pietà di un figlio non può offenderli troppo profondamente. Sono felice che tu me l'abbia detto.»

Filippo, che non amava parlare della madre, abbozzò un gesto per far capire che non desiderava soffermarsi oltre sull'argomento.

«Mia madre è morta ormai da sette anni e tu sei assediato dagli Illiri» disse in tono più brusco di quanto intendesse. «Non penso che tu abbia affrontato un simile viaggio sotto la tormenta solo per il piacere di alleviare il tuo dolore. Che cosa vuoi, zio?»

Per un momento il re della Lincestide sembrò indeciso se offendersi o meno, ma alla fine optò per un'esibizione di blando divertimento. Sorrise.

«A quanto pare tutti sono impazienti con me.» Prese la sua tazza e sembrò esaminarne la decorazione alla luce del fuoco. Infine tornò a posarla. «Gli Illiri sono dell'avviso che ho regnato troppo a lungo e vogliono cacciarmi dal trono... o in alternativa uccidermi mentre vi siedo sopra, secondo come gli sarà più comodo, e mio nipote pensa che io gli faccia sprecare il suo prezioso tempo in chiacchiere familiari e per di più insincere.»

Sorrise ancora, studiando il viso di Filippo in attesa della sua reazione, ma non ve ne furono, e lentamente il sorriso svanì.

«Prometti di diventare un grande re, Filippo. Hai imparato in fretta a essere duro.»

«Te lo chiedo di nuovo, zio... che cosa vuoi? E che cosa sei disposto a offrire in cambio?»

Ma Menelao, che aveva studiato a lungo i due nemici che si fronteggiavano davanti alla sua porta e aveva concepito una certa fiducia nel proprio giudizio, non voleva che gli fosse messa fretta.

«Sembra che tu sia diventato una specie di mago della strategia militare» seguitò, scuotendo la testa con una sorta di stupita ammirazione. «Hai ereditato un esercito a pezzi e un Paese circondato da potenze ostili e nel giro di neppure un anno hai vinto due grandi battaglie e gli Ateniesi ti reputano così pericoloso da firmare con te un trattato di pace. Meriti il mio rispetto. In tutta onestà, ero convinto che a quest'ora saresti stato già morto.»

«Sei deluso?»

«No. Non sono divenuto così estraneo ai sentimenti umani da desiderare la morte del figlio di mia sorella.»

«E inoltre, ora hai bisogno di me.»

«E inoltre ora ho bisogno di te.»

Menelao tirò un lungo sospiro pieno di stanchezza, quasi che la tensione accumulata nel corso di molti mesi cominciasse finalmente a farsi sentire.

«Conosci Pleurato?» domandò poi.

«Sì. Lo incontrai quando vivevo presso Bardili in qualità di ostaggio.»

«Ma sì, naturalmente. Avevo dimenticato.» Con aria distratta Menelao si sfiorò la voglia purpurea che gli deturpava il viso, e per la prima volta Filippo notò quanto grigio ci fosse tra la sua ricciuta barba castana. «Ebbene, per quanto il vecchio re viva ancora, pare che sia Pleurato a comandare. Non ho mai avuto problemi a trattare con Bardili, ma suo nipote è un'altra faccenda.»

«Questo lo si deduce facilmente dal fatto che attualmente i suoi soldati occupano circa un quarto del tuo territorio.»

Filippo ebbe un sorriso senza allegria nel vedere che Menelao trasaliva.

«Sono bloccati dalla neve» continuò il re dei Lincesti. «Per il momento siamo sufficientemente al sicuro, ma con la primavera la situazione cambierà. A meno che Pleurato non venga persuaso a ritirarsi, all'inizio dell'estate si sarà impadronito di Pisoderi e io sarò morto o in esilio. Tutto sommato, preferirei morto.»

«Credi che ci sia qualche speranza che si ritiri?»

Menelao fece un cenno di diniego. «Perché dovrebbe? Una volta che si sarà impadronito della Lincestide, non avrò più nulla con cui corromperlo.»

Era chiaro che il re dei Lincesti non apprezzava più di tanto quella conversazione. Tacque un istante e bevve un lungo sorso di vino prima di continuare.

«Quando la neve si sarà sciolta, Pleurato cercherà di spacciarmi in fretta per poi marciare a sud. La Lincestide non sarà che una scaramuccia preliminare, a malapena degna del prezzo che costerà, ma il mio regno è pur sempre il cancello che si apre sulla Macedonia inferiore. È te, non me, che aspira a distruggere. Di conseguenza, in estate sarai in guerra con gli Illiri... non potresti evitarlo e non sono neppure sicuro che lo desidereresti.»

Guardò gli occhi grigio-azzurri del nipote, tanto simili a quelli della sorella morta, forse in cerca di un segno di conferma, ma non ne trovò. Forse, non vi trovò che la consapevolezza che il cuore di Filippo, come quello della madre, sapeva celare bene i suoi segreti.

«E quando tu e Pleurato vi affronterete,» continuò «ci sarà una grande battaglia, forse la più grande dopo quella di Troia. È nella sua inevitabilità che io trovo la mia unica speranza di sopravvivenza — che si svolga prima e non dopo la mia distruzione. È una speranza fievole, perché credo che sarai sconfitto, ma è l'unica che ho. Pleurato offre soltanto morte o quello che per un re non vale più della morte. Che cosa mi offri tu, Filippo?»

«Sostegno, zio. Tutto il sostegno che mi sentirei in dovere di offrire a un parente... e a un suddito.»

Menelao sussultò, quasi non riuscisse a capacitarsi della rapidità con cui era giunta la sua caduta, troppo simile a una trappola scoperta e al tempo stesso stranamente invisibile. Filippo, era chiaro, non avrebbe mercanteggiato. Si era limitato a illustrare le condizioni a cui avrebbe accettato la resa, condizioni che non ammettevano un rifiuto.

Da quattro generazioni gli uomini della casa dei Bacchiadi regnavano sulla Lincestide e sul proprio destino, ignorando le antiche rivendicazioni degli Argeadi. Decidevano la pace e la guerra da sovrani assoluti, e trattavano con i re di Macedonia da eguali. Ma ora sembrava che tutto questo dovesse finire, e per mano del ragazzo che una volta Menelao aveva sorpreso a cacciare di frodo uno dei suoi cinghiali.

«Molto bene» sospirò alla fine. «Pare proprio, Filippo, che io abbia legato il mio destino al tuo.»

Prima di rimettersi in viaggio per la Lincestide, il mattino seguente Menelao si congedò formalmente da Filippo, riconoscendo in lui il suo sovrano e il re di tutta la Macedonia, e obbligando i membri della sua scorta a fare altrettanto. Poi si allontanò al galoppo, alla volta delle gelide montagne che, almeno per la durata dell'inverno, costituivano la sua sola sicurezza.

«Credi che terrà fede al giuramento?» chiese Korous, mentre con Filippo osservava i Lincesti scomparire tra il turbinìo della neve.

«Credo che fin da ora si stia chiedendo come potrebbe venderci agli Illiri» replicò il re senza voltarsi. «Ma credo anche che sappia che Pleurato infrangerà qualunque promessa possa fargli.»

«Dunque sei sicuro di lui.»

«No. Sa che combatteremo gli Illiri durante la prossima stagione di campagne, ma forse spera di poter restare neutrale per trattare in seguito con un vincitore troppo stanco per costituire una minaccia. Ecco perché, con l'arrivo della primavera, muoveremo a nord prima che Pleurato abbia il tempo di iniziare la marcia verso sud. Quando mio zio mi vedrà davanti alla sua porta, capirà di non avere scelta e di aver perso l'ultima opportunità di tradire. Allora saremo finalmente sicuri di lui.»

«Ma saremo pronti in primavera?»

Filippo si girò a guardarlo e sorrise appena. «Abbiamo alternative?»

Dall'alto delle mura della cittadella, Audata osservava la cavalleria che si esercitava nella lunga vallata sottostante. Uomini e cavalli spiccavano come macchie nere contro la neve, in certi punti così alta che le bestie erano costrette a saltare.

L'inverno era appena cominciato e Audata non si era ancora abituata al freddo. Portava un mantello di lana di pecora con il vello all'interno, ma il punto in cui si trovava era alto e spazzato da un vento umido e incessante.

Le esercitazioni della cavalleria non avevano per lei alcun significato, e le apparivano solo come una serie di spostamenti casuali e frenetici, senza alcun disegno logico. Tutto ciò che capiva era che il loro ultimo scopo era quello di distruggere l'unico uomo che avesse mai amato.

«È solo il vento che ti fa lacrimare gli occhi?»

La voce era così vicina che Audata trasalì; si volse a guardare Bardili, re degli Illiri.

«Non dovresti salire tutti questi scalini, bisnonno» lo rimproverò. «Saranno almeno...»

«Sono quarantasette. Ma a volte bisogna fare quello che non si dovrebbe, se non altro per dimostrare di essere ancora vivi.» Quando sorrise, il suo vecchio viso rugoso parve spaccarsi in minuti frammenti. Guardò verso la piana, dove uomini che gli avevano giurato fedeltà fino alla morte cavalcavano avanti e indietro sollevando alti spruzzi di neve. «Hai concepito un interesse per le questioni militari?»

«No.»

«Sul serio? Allora forse uno dei nobili ha colpito la tua fantasia.»

Lei lo guardò sconcertata, poi, comprendendo, abbassò gli occhi da gatta.

«In passato solo una volta sei salita quassù a guardare i soldati,» riprese Bardili, che si divertiva come a volte si divertono i vecchi nel tormentare i giovani «e fu quando c'era con noi il giovane Filippo. È a lui che stai pensando?»

«Penso sempre a lui.» Tanta franchezza indusse il vecchio sovrano a rimpiangere la sua indiscrezione: gli ricordava che il cuore di lei era una delle poche cose su cui non aveva alcun potere.

«Tuo padre sta arruolando soldati in ogni angolo del Paese. Entro la primavera avrà radunato un esercito di venticinquemila uomini. E la cosa strana è che non sospetta neppure i tuoi sentimenti verso quel re di Macedonia che spasima tanto di distruggere.»

«Farebbe differenza?»

«No.» Bardili scosse la testa. «No, perché la ferita inferta alla sua vanità è troppo profonda. Se lo sapesse, odierebbe Filippo ancora di più; tutto contribuisce ad alimentare un odio come quello che infiamma tuo padre. E in estate l'erba sarà già alta sulla tomba di uno dei due... è un bene per la pace della tua mente che non tocchi a te decidere quale.»

«Credi che Filippo verrà annientato, bisnonno?»

«Ha importanza quello che credo io, bambina?» Bardili sorrise senza gioia, sapendo che lei capiva. «Forse ciò che crede Filippo è molto più importante.»

XLIII

Per tutto l'inverno un sogno tormentò le notti di Filippo. Era di nuovo ragazzo, convocato al letto di morte di suo padre. Quando entrava nella stanza, vi trovava riunita tutta la casa degli Argeadi — perfino Arrideo, il corpo lacerato dalle lance, che questa volta era, chissà come, riuscito ad arrivare prima di lui.

«Ecco Filippo, in ritardo come al solito» diceva sua madre, il davanti della tunica intriso del sangue che colava dalla gola squarciata, e tutti assentivano, tranne Pausania, che teneva fra le mani la propria testa martoriata.

«Risparmia le tue lacrime per il funerale» diceva con severità Alessandro. Era nudo, con il corpo lucido d'olio, la spada di Praxis ancora conficcata nel fianco, e accanto a lui stava Perdicca, con indosso l'armatura sporca di fango e con una ferita di spada che gli deturpava il viso. Perdicca stornava sempre lo sguardo nel vedere Filippo, e, a voce troppo bassa perché si potesse sentirlo, sussurrava qualcosa a Tolomeo, che sorrideva con le labbra lorde di sangue.

In sogno nulla può sorprenderci, e Filippo non provava alcuno stupore nel constatare che tutti i membri della sua famiglia erano morti. In fondo, quasi tutti erano deceduti da anni e il sogno, che era appunto un sogno e non un ricordo, esisteva non nel passato reale, ma in quello che è anche il presente. Così il ragazzo Filippo accettava tutto con naturalezza, e Filippo adulto, l'impotente spettatore, assisteva inorridito.

Solo il vecchio re era vivo. I suoi occhi si posavano su Filippo e con un cenno fiacco lo chiamava a sé. Le sue labbra si muovevano senza emettere alcun suono, formando le parole: «Il fardello della sovranità...».

A quel punto Filippo si svegliava. La sua prima reazione

era invariabilmente di sorpresa e delusione insieme. I volti spettrali dei morti erano svaniti, ma le ultime parole di Aminta restavano inespresse. "Non saprò mai che cosa volesse dirmi" pensava allora. "Non lo saprò mai."

E a volte, quando il re dei Macedoni si addestrava con i suoi soldati sotto il vivido sole invernale, preparandosi alla battaglia che avrebbe deciso la loro sorte, lo afferrava un rimpianto quasi intollerabile, come se la sua esistenza fosse senza significato e la vittoria non differisse dalla sconfitta, perché né da sveglio né in sonno avrebbe mai udito la frase che Aminta suo padre aveva lasciato incompiuta.

"Non lo saprò mai."

In quei momenti la sua desolazione non aveva limiti, e si sentiva abbandonato dagli dèi come dagli uomini. Questi erano i suoi pensieri, questo il baratro di disperazione che si spalancava davanti a lui a mano a mano che il più grande evento della sua vita si approssimava.

«Per il disgelo dovremo avere a disposizione diecimila uomini» disse ai suoi ufficiali. Loro si guardarono senza parlare, temendo che la tensione lo avesse fatto impazzire.

«Diecimila, non uno di meno» continuò, quasi sfidandoli a replicare. «Pleurato ne avrà almeno altrettanti, e non possiamo permetterci una vittoria che ci lasci così deboli da tradursi, di fatto, in una sconfitta. Se combatteremo su un piano di parità, avremo almeno il modo di contenere le perdite.»

«Come puoi sperare di mettere insieme un esercito così numeroso?» chiese Lachio, dando voce all'interrogativo che era nella mente di tutti. «Non è passato neppure un anno da quando re Perdicca ha perso quattromila uomini scelti. Gli ufficiali addetti al reclutamento stanno spogliando i villaggi... Saremo fortunati se in primavera potremo contare su otto o novemila uomini. Non possiamo lasciare vuote le guarnigioni, Filippo.»

«Avrò diecimila uomini, a costo di marciare a nord con tutti i soldati della Macedonia sulla schiena.»

«In caso di sconfitta, il Paese resterebbe senza difese.»

«In caso di sconfitta, non ci sarà più un Paese da difendere.»

Non era un'affermazione che qualcuno potesse discutere, così i campi di addestramento si riempirono di coscritti, in gran parte ragazzi di campagna che non avevano mai tenuto in mano una spada o uno scudo. Filippo e i suoi ufficiali li facevano esercitare finché non riuscivano più a stare in piedi, finché non conoscevano le loro armi meglio del volto delle loro mogli e delle loro madri, finché dimenticavano tutto tranne che di essere soldati.

Durante la prima settimana si coccolavano le spellature che si formavano sugli stinchi nel punto in cui batteva il bordo dello scudo, e si lamentavano continuamente.

«Tenete lo scudo più alto» rispondevano i veterani. «Sarà sempre meno spiacevole di una lancia illirica nelle budella.»

«Come si può pensare di combattere così ammassati l'uno sull'altro? Al servizio di re Aminta lo zio di mia madre ha guadagnato a sufficienza da comperarsi quaranta montoni. A quei tempi, a un soldato bastava il coraggio.»

«Vuoi essere un eroe morto? Questo re tiene in vita i suoi uomini, e vince. Segui il mio consiglio e continua le esercitazioni. Sono agli ordini di re Filippo dai tempi di Eana e credimi, sa quello che fa. Eccolo là.»

«Quello è il *re*?»

Era qualcosa che acquisivano mentre imparavano a impugnare correttamente una picca e a combattere: la convinzione che il re, l'uomo che si aggirava tra loro avvolto in un vecchio mantello marrone e non disdegnava la birra dei suoi soldati, fosse il beniamino di Ares, il figlio prediletto del dio della guerra. Non era mai stanco, non aveva mai paura, non sbagliava mai. Trovarsi al suo fianco in battaglia era considerata una fortuna, perché la schiera in cui combatteva re Filippo era invincibile. Era a un tempo una realtà familiare e l'oggetto di una timorosa reverenza, e la fiducia che ispirava era assoluta. I novellini la assorbivano dai veterani delle precedenti campagne, che raccontavano aneddoti su battaglie combattute e vittorie strappate, quasi inconsapevoli del mito che contribuivano a creare. Il re era divenuto il muro sotto cui ripararsi nel momento del disastro.

Se Filippo stesso credesse nel mito, nessuno lo sapeva, perché i suoi dubbi e i suoi sogni restavano celati nella sua anima. Era nella sua natura avere molti amici ma nessun confidente. Morendo, suo padre aveva parlato del fardello della sovranità... non era proprio questo?

Era consono alla sua natura anche il fatto che, dopo aver ricevuto una lettera del re dell'Eordea, se la portasse in giro per mezza giornata prima di aprirla.

«È di Deucalione» disse a Korous mentre, in attesa della

cena, si riposavano seduti per terra, con la schiena appoggiata alla ruota di un carro.

«Che cosa dice?»

«Dice che è vivo, sta bene e che ci raggiungerà in primavera.»

«E dell'effetto che fa essere re?»

«Non ne parla.»

Solo a notte, quando fu nella tenda con l'unica compagnia della luce incerta di una lampada, Filippo lesse nuovamente la lettera di Deucalione.

La mia posizione sembra abbastanza solida, scriveva il re dell'Eordea. *E lo devo a tuo zio Menelao e a te, dato che, a quanto pare, i miei nobili hanno fatto tesoro della sua avventura con Pleurato e ora sanno che per sfuggire agli Illiri, hanno bisogno di un re che goda dell'appoggio generale... e io sono l'unico a godere di questo invidiabile privilegio.*

E naturalmente, dietro di me vedono te. Forse siamo un popolo di barbari, ma qualcosa di quanto avviene nel vasto mondo arriva fino a noi e i resoconti delle tue vittorie sono venuti a rinverdire il ricordo della sconfitta di mio padre a opera di un certo re dell'Elimea. Il fatto che Ateniesi e Peoni abbiano subìto una sorte analoga ha lenito la vanità ferita dei miei nobili. Verso di te nutrono paura mescolata a una certa dose di orgoglio. Se tu non sei un eordeo, gli Eordei sono pur sempre Macedoni, e di conseguenza i tuoi trionfi sono in un certo senso anche i loro.

Per il momento, quindi, sono al sicuro, e ne approfitto per spiegargli che per l'Eordea la posta in gioco nel prossimo grande conflitto è alta, che dobbiamo scegliere da quale parte schierarci finché c'è ancora tempo, che non possiamo assolutamente riservarci il ruolo dello spettatore neutrale. È un'impresa meno difficile di quanto tu possa immaginare: quantomeno, i miei nobili non sono degli sciocchi, e hanno una gran voglia di trovarsi dalla parte giusta. Oltre a ciò, hanno davanti agli occhi l'esempio di re Menelao, e sanno che gli Illiri non sono meno pericolosi come alleati che come nemici. Io non mi schiero apertamente a favore della Macedonia perché è meglio che arrivino da soli alla giusta conclusione, e deve sembrare che la decisione sia inevitabile. Ma non ho dubbi su quale sarà.

Ecco perché a primavera sarò in grado di offrirti forse mille fanti e da ottanta a cento cavalieri. Sto insegnando loro le strategie imparate da te, quindi forse non dovremo vergognarci troppo di loro.

Abbi il mio saluto, Filippo, re di tutti i Macedoni, e sappi che i tuoi nemici sono i miei. Il tuo amico e fedele servo...

In quanto re di tutti i macedoni, Filippo poteva dirsi soddisfatto. Le cure di cui aveva circondato l'ostaggio di un tempo avevano dato i loro frutti. A un livello più umano, le dichiarazioni di fedeltà di Deucalione gli suonavano quasi come un rimprovero.

La valutazione di Deucalione era essenzialmente corretta. L'Eordea non poteva evitare di prendere posizione, e da un macedone poteva sperare di ricevere più che da un illirio. Nondimeno, Filippo sapeva che il giudizio del giovane protetto si basava più sulla lealtà personale che su una fredda disamina. Deucalione lo aveva scelto come suo eroe — dopotutto, Filippo si era preso qualche disturbo per assicurarsi quel ruolo —, e l'eroe è, per definizione, vittorioso. Da ciò conseguiva che i Macedoni avrebbero trionfato sugli Illiri. Come poteva essere altrimenti?

Ma se avesse perduto? Filippo non era un ragazzetto imberbe che un alone di gloria bastava ad abbagliare, anche se era la sua, soprattutto se era la sua. Riteneva che lui e Pleurato avessero pari probabilità di vittoria, ma se fosse stato sconfitto? Se, come Perdicca, fosse stato sopraffatto e distrutto? Con lui, sarebbero periti anche i suoi alleati, e sarebbe stata la fine per quel ragazzo che lui amava quasi come un fratello minore.

Era consapevole di stare, in un certo senso, tradendo la fiducia che veniva riposta in lui. Il fatto che simili tradimenti fossero parte integrante della vita di un re, il cui primo dovere stava nel fare l'uso migliore di qualunque strumento gli capitasse sotto mano, non bastava a consolarlo. Nel suo intimo, era atterrito dalla propria spietatezza.

"Ebbene," si disse, mentre soffiava sulla minuscola fiammella e si sdraiava in attesa di cadere in un sonno agitato "immagino che non mi resti altro che vincere."

Verso la metà del mese di panemo, quando la neve è ancora alta ma comincia a prendere quella caratteristica morbidezza che è il primo accenno di primavera, Filippo spostò la propria base a poche ore di marcia dal confine con la Lincestide: al disgelo sarebbe stato pronto a marciare a nord. L'accampamento era abbastanza ampio da contenere otto o novemila uomini, ma gran parte dei soldati provenienti dalle guarnigioni più lontane non era ancora arrivata e l'esercito di Filippo non era molto numeroso quando le pattuglie riferirono di aver avvistato un gruppo di cinquanta cavalieri che discendeva le piste montane.

«Non distavano più di due ore dalla piana da cui li abbiamo individuati, ma dopo un simile viaggio i loro cavalli saranno sfiniti. Probabilmente abbiamo su di loro almeno tre o quattro ore di vantaggio.»

«Li avete identificati?»

«No, signore, ma dalla direzione si direbbe che arrivino da Pisoderi.»

«In questo caso saranno emissari del re Menelao. Mandate una guardia d'onore a riceverli.»

Ma la congettura di Filippo non era del tutto esatta, perché re Menelao in persona faceva parte del gruppo, insieme con quattro o cinque dignitari vestiti alla foggia illirica. Il tramonto era calato da una buona mezz'ora quando arrivarono, e dopo due notti trascorse nella neve erano esausti. Furono rifocillati con un pasto caldo e ospitati in una tenda con un braciere, così che gli Illiri non se la presero troppo quando Filippo non li ricevette subito. Dormivano probabilmente da almeno un'ora quando lui ebbe un colloquio riservato con lo zio.

«Chi sono i tuoi amici?»

I due uomini camminavano fianco a fianco lungo il perimetro difensivo, al riparo da orecchi indiscreti. Soffiava un vento debole ma gelido e, a dispetto del mantello foderato di lana, Menelao si sentiva malissimo.

«Sono arrivati sei giorni fa, sotto il segno della pace» raccontò. «Immagino che vogliano proporti un qualche accomodamento pacifico.»

«Vuoi dire che non lo sai?»

Il re della Lincestide scosse la testa. «Hanno fatto capire molto chiaramente che la loro ambasciata era per te, non per me. Tutto quello che volevano era un passaggio sicuro attraverso il territorio che è ancora sotto il mio controllo. Ho pensato che fosse meglio accompagnarli, dato che dopotutto è il mio destino che sono venuti a discutere.»

Si fermò per armeggiare con un paio di guanti e per un istante il suo viso rivelò tutta la profondità della disperazione che lo attanagliava.

«Forse non avrei dovuto portarteli» seguitò. «Riferiranno tutto quello che vedranno a Pleurato...»

«Non preoccuparti.» Forse in segno di rispetto per il turbamento dello zio, Filippo sembrava tutto intento a seguire il profilo di un terrapieno che si stagliava contro il cielo quasi nero. «Farò in modo che ripartano domattina stessa, se non altro per dar loro l'impressione che nascondo qualcosa, ma le loro informazioni saranno necessariamente fuorvianti... Ci vorranno almeno altri cinque giorni per raggiungere il nostro numero complessivo. Qual è, a tuo avviso, lo scopo della loro venuta?»

Passò molto tempo prima che Menelao rispondesse. Quando i due sovrani ripresero a camminare, il silenzio li avviluppava come se dovesse durare per sempre.

«Ho rinunciato a essere intelligente» sospirò alla fine. «Quando te lo diranno, e se sceglierai di rendermene partecipe, lo saprò. Non farà comunque differenza, perché Pleurato non è un uomo di cui ci si possa fidare.»

Sembrò stupitissimo quando Filippo scoppiò a ridere.

«Nessuno di noi è un uomo di cui ci si possa fidare, zio. Nondimeno, mi farebbe piacere conoscere la tua opinione.»

«Credono di avere già vinto. A Pisoderi andavano in giro pieni di tracotanza, come se fossero venuti a ritirare la loro parte di bottino.»

«Sarai con me domani quando li riceverò? Tu conosci la situazione meglio di me.»

Menelao annuì, compiaciuto ma eroicamente deciso a non dimostrarlo, e insieme tornarono al centro dell'accampamento.

Il mattino dopo, quando la delegazione illirica fu ammessa nella tenda di Filippo, il re della Lincestide stava in piedi accanto al nipote, con l'aria di pensare che la sua presenza lì costituisse di per sé una vendetta sufficiente.

Come Filippo aveva previsto, gli Illiri erano imbarazzati — sembrava poco opportuno avviare dei negoziati di pace, per quanto remote fossero le possibilità di successo, dopo uno sgarbo tanto eclatante all'alleato e parente del loro interlocutore. La mortificazione dei delegati si tradusse in un'impenetrabile arroganza; continuavano a sbirciare Menelao come se non riuscissero a capire in che modo avesse fatto ad arrivare prima di loro.

Per il resto, il loro aspetto era quello di ricchi barbari, e facevano gran sfoggio di massicci orecchini d'oro e bracciali d'argento sugli avambracci nudi. Uno di loro, un uomo tozzo e robusto, con una lunga cicatrice frastagliata sulla fronte, rammentò a Filippo la sua prigionia presso Bardili.

«Che cosa ti porta qui, Xophos?» lo apostrofò. L'espressione dell'uomo passò rapidamente dalla sorpresa al piacere e infine a una sorta di disappunto. Dieci anni prima era stato l'uomo di fiducia di Bardili; era probabile che la sua lealtà all'erede apparisse ancora sospetta e in questo caso l'essere stato riconosciuto dal vecchio nemico di Pleurato non avrebbe certo giovato alla sua reputazione. «Avrei giurato che questa stagione dell'anno ti avrebbe trovato a casa, a combattere nella neve con i bambini.»

Xophos non poté trattenere una risatina, poi, forse pensando di non avere più molto da perdere, si concesse un largo sorriso.

«Il mio signore Filippo ha sempre amato andare all'attacco» disse in un greco dal forte accento. «Ma, come lui stesso ha avuto modo di scoprire, la vera guerra è molto più divertente.»

«Ebbene, tutto sta a indicare che avremo un'estate divertentissima. E ora, mio signore, metteteci al corrente del messaggio che vi è stato affidato, perché prolungare questa visita non sarebbe di utilità a nessuno.»

Stringendosi nelle spalle, come si fa davanti alla scortesia di un ragazzetto, Xophos si volse verso i colleghi. Sembrava che ne fosse diventato il portavoce, perché dopo una breve consultazione si schiarì la gola — la giusta introduzione alla questione che li aveva condotti lì.

«Il mio signore Bardili, grande re dei Dardani e di molti altri popoli, non è senza pietà verso l'amato pronipote ed è disposto a fare un'offerta di pace...»

«È qual è il prezzo della pietà del re?» lo interruppe Filippo. «Il Bardili che io ricordo avrebbe venduto tutta la sua famiglia per allargare il suo impero di duecento passi. Qual è attualmente il prezzo che si pratica ai pronipoti?»

Menelao si lasciò sfuggire una risatina, ma Filippo non sorrise neppure.

«Qual è il prezzo, Xophos? Che cosa vuole in cambio quel vecchio ladro?»

«Principe, mio signore!» Insieme con gli altri sudditi del

grande re, Xophos fece del suo meglio per apparire orripilato da quella evidente carenza di amor filiale. Non fu, tuttavia, troppo convincente. «Non chiede alcun tributo, né annessione di territori. Si accontenta che tutto rimanga com'è...»

«Oh, è così, dunque?» Filippo scrollò la testa. «Finché gli è consentito di conservare ciò che ha rubato, il mio bisnonno si accontenta per il momento di non rubare altro... La sua generosità mi riempie di ammirazione.»

«È una buona offerta, e fatta con le migliori intenzioni. Il mio signore Filippo farebbe bene ad accettarla.»

E dopo un'occhiata a Menelao, a cui evidentemente non aveva perdonato la sconveniente allegria, Xophos sembrò dimenticarne l'esistenza.

«Inoltre,» continuò «perché dovresti volere una guerra, quando neppure una zolla del tuo regno è minacciata?»

«Non lo è? Mi sorprende» replicò Filippo con aria per nulla sorpresa. «Forse dovrei ricordarti che io sono il re della Macedonia.»

Gli Illiri avevano un'espressione neutra, quasi fossero solo vagamente consapevoli di essersi lasciati sfuggire qualcosa.

«Sì, ma la Lincestide...»

«La Lincestide, mio caro Xophos, è parte della Macedonia. Lo è sempre stata. I Lincesti sono Macedoni, miei sudditi, come lo furono di mio padre prima di me, e io sono il re di *tutti* i Macedoni. È a me che si rivolgono per avere protezione e sollievo alle loro sofferenze, ed è a loro e agli dèi immortali che ho fatto il mio giuramento di sovrano. Puoi dire a Bardili che non è in mio potere cedere del sacro suolo macedone neppure quel poco terreno che serve a ospitare una mangiatoia.»

«È questa la tua risposta, mio signore?» Xophos era serio in volto, quasi avesse appena assistito a una manifestazione di follia.

«C'è un'altra cosa.» Filippo prese la spada che era posata sullo scrittoio alla sua destra e la tese come se volesse farne ammirare la lama. «Il giorno della mia elezione lavai quest'arma nel sacrario di Eracle secondo un antico rito dei re macedoni.»

Ne sollevò lentamente la punta, fino a quando non fu a più di un dito di distanza dalla gola di Xophos.

«Al disgelo la laverò di nuovo, e questa volta nel sangue degli Illiri.»

Nessuno si mosse e forse per un momento Xophos temette davvero che fosse giunto il suo ultimo istante. Infine Filippo abbassò la spada e sorrise.

«Signori, il nostro colloquio è finito.»

Congedati che si furono gli Illiri, Filippo posò con circospezione la spada e si lasciò cadere su una sedia.

«Temevo che avresti accettato» disse Menelao, forse spinto solo dal desiderio di rassicurazione.

«Che senso avrebbe avuto? Se Bardili mi ha mandato i suoi ambasciatori, non è certo perché si aspettava che accettassi la sua offerta. È un vecchio bandito scaltro e senza dubbio ha raggiunto il suo vero obiettivo: i suoi rappresentanti hanno visto quello che c'era da vedere e ora possono tornarsene a casa.»

«E ora la guerra ci sarà per certo.»

Filippo attese un istante prima di assentire con lentezza.

«Sì. Ora ci sarà la guerra.»

Due giorni prima che l'esercito macedone, forte di ottomila uomini, sgomberasse l'accampamento per marciare a nord, un uomo si presentò da Filippo alle prime luci dell'alba per informarlo che Alastor, il grande stallone nero, era morto.

«È semplicemente crollato a terra.» Parlando, l'uomo si torceva le mani, e sembrava riluttante a guardare Filippo in faccia, quasi temesse di venire incolpato di quella morte. Tutti sapevano che il re nutriva una particolare affezione per il suo cavallo. «È successo non più di un'ora fa. Le ginocchia gli hanno ceduto e un attimo dopo era a terra.»

«Voglio vederlo.»

Alastor giaceva al suolo, gli occhi aperti e la testa piegata in una strana angolazione. Intorno al collo aveva ancora la corda della cavezza.

«Gli è scoppiato il cuore, credo» disse Gerone. Il capostalliere del re, che aveva messo Filippo sul suo primo cavallo personale quando non aveva più di due anni, scosse il capo. «A volte succede, con gli stalloni. Come se fosse la loro stessa forza a distruggerli.»

«Forse... No, senza dubbio hai ragione.»

Eppure sembrava orribile che Alastor fosse morto così...

ci sono cavalli, e uomini, che non dovrebbero morire se non uccisi. Anche Gerone lo intuiva.

«Bruciate il suo corpo» ordinò Filippo, distogliendo gli occhi come se la vista dell'animale morto gli riuscisse intollerabile. «E fate preparare un rogo funebre; offrirò un sacrificio per il riposo della sua grande anima. Non voglio che i corvi divorino le sue carni.»

Gerone aveva il viso aggrottato. Quell'ordine gli sembrava un'empietà, ma non protestò. Non si poteva ignorare la volontà del re.

Filippo rimase nella sua tenda fino a quando il capostalliere non venne a informarlo che tutto era pronto. Ci fu chi disse che, mentre accostava la torcia alla pira, il suo viso era quello di un uomo che ha perduto l'amico più caro.

«Mi chiedo che cosa signifìchi» mormorò Lachio a Korous, quando si allontanarono insieme dopo la cerimonia. «Il cavallo del re crolla morto proprio alla vigilia dell'inizio della campagna... certo è un presagio, ma se favorevole o sfavorevole non saprei dirlo.»

«Era quello il cavallo che uccise Tolomeo» commentò l'altro.

«Sì, ne ho sentito parlare. Ebbene, non ucciderà altri nemici del re.»

«Sì... è la fine di qualcosa. O l'inizio.»

XLIV

Con il disgelo, Pleurato cominciò a spostare il grosso dell'esercito verso la Lincestide settentrionale, di cui i suoi soldati avevano mantenuto il controllo per tutto l'inverno. La sua non era una mossa dettata dall'urgenza — i Lincesti, sconfitti e demoralizzati, erano ormai sull'orlo del collasso, e, a dispetto delle folli minacce di Filippo, la Macedonia era troppo debole per costituire un vero pericolo. No, il motivo per cui Pleurato inflisse ai suoi uomini quella lunga faticosa marcia nel fango fu perché desiderava sfuggire al nonno che rendeva la sua vita tanto miserevole.

Il vecchio Bardili non era stato rincuorato dai rapporti dei suoi delegati, secondo cui l'esercito macedone non contava più di qualche migliaia di uomini.

«Xophos dice che l'accampamento è stato allestito per contenere almeno sei o settemila soldati» ripeteva in continuazione. «È probabile che Menelao ne abbia ai suoi ordini ancora un migliaio o giù di lì, più la cavalleria. Che farai se ti troverai davanti ottomila soldati?»

«Io ne avrò diecimila, oltre a cinquecento cavalieri. Non sono più un ragazzo, nonno. Filippo non era ancora nato quando ho combattuto la mia prima battaglia. Stai insinuando che, in mancanza di una schiacciante superiorità numerica, non ho speranze di vittoria?»

Scosse la testa, disgustato, quando il vecchio non rispose.

«Inoltre, quell'accampamento è probabilmente una montatura.»

Bardili rise. «Stai dicendo che lo avrebbe fatto allestire per la semplice eventualità che tu inviassi qualcuno a spiarlo? Credi che non abbia modi migliori per occupare il suo tempo?»

«Allora forse lo avrà fatto erigere per tenere occupati i suoi uomini durante l'inverno.»

«Sei proprio uno stupido, Pleurato. È certo che tua madre deve aver tradito mio figlio; in caso contrario davvero non so spiegarmi come tu possa essere un tale idiota.»

Conversazioni come quella non facevano che ravvivare l'odio di Pleurato per il nonno, al punto che la sua voce lo infastidiva come lo stridìo di una pialla da falegname.

Fu quindi ben felice di scambiare le comodità della vita a corte con i rigori della campagna militare. Non si curava del fango e dei rovesci quasi quotidiani che li lasciavano fradici e intirizziti e senza la speranza di trovare legna asciutta da ardere. Ogni giorno di marcia, Pleurato ne era certo, lo avvicinava un po' di più alla grande vittoria che avrebbe messo definitivamente a tacere suo nonno. L'ultima volta, Bardili aveva parlato come se lo sconfitto fosse lui e non Perdicca, il cui cadavere Pleurato aveva condotto in patria sul dorso di un cavallo, ma l'imminente scontro con Filippo non avrebbe lasciato adito a dubbi. Nel giro di pochi mesi, la Lincestide sarebbe diventata una provincia illirica e non ci sarebbe più stato un macedone atto alle armi dalle montagne al mare; allora il vecchio avrebbe dovuto tapparsi la bocca. Sarebbe stato quasi bello come il saperlo morto, forse anche di più.

Quando raggiunsero il primo accampamento illirico su suolo linceste, la pioggia era cessata e, sebbene il terreno fosse ancora un oceano di fango, non c'era più traccia di neve. Qualche giorno di sole sarebbe stato sufficiente ad asciugare la terra.

«Filippo è a Pisoderi da quindici giorni. Si dice che abbia con sé quasi ottomila uomini.»

La notizia fu data a Pleurato prima ancora che smontasse di sella. Il comandante della guarnigione, che proprio a lui doveva il grado raggiunto, lo guardava con l'aria di chi si aspetta una buona dose di frustate.

«Non credevo che di Macedoni ne restassero ancora ottomila.» L'erede di Bardili rise, ma il modo in cui socchiudeva gli occhi tradiva una certa preoccupazione. «Di quanti cavalli dispone?»

«Impossibile scoprirlo.»

«Mi stai dicendo che non hai pensato a mandare qualche pattuglia a dare un'occhiata?»

«I Macedoni hanno chiuso tutti gli accessi a sud. Ci vor-

rebbero più uomini di quanti ne abbia ai miei ordini per aprire un varco.»

Pleurato decise che sì, con tutta probabilità lo avrebbe fatto frustare. Balzò a terra e senza aggiungere altro entrò nell'e-
dificio di legno, costruito in tutta fretta, che ospitava il comando
della guarnigione. Quella sera si coricò con una brocca di vino vicino a lui e rimase a bere tutto solo fin quasi all'alba. Poiché il mattino seguente nessuno si azzardò a svegliarlo, dormì
fino a mezzogiorno.

Si destò, finalmente, con un terribile mal di testa, ma di
umore migliore. Il fatto che Filippo disponesse di un esercito
grande quasi come il suo non gli sembrava più tanto importante. Filippo era solo un ragazzo con pochissima esperienza
— qualche vittoria di poco conto non basta a fare di un uomo
un grande comandante. Pleurato era certo di poterlo schiacciare.

«I suoi soldati sono in gran parte novellini» disse ai suoi
ufficiali. «Non dimentichiamo che le migliori unità dell'esercito macedone sono cadute con Perdicca.»

Quando con il dovuto tatto gli fu fatto notare che l'esercito di novellini aveva battuto quello ben più forte dei Peoni,
Pleurato fu pronto a replicare: «Lippeo è notoriamente un idiota
che non saprebbe espugnare neppure un bordello. Parecchie
volte mia figlia ha rifiutato di sposarlo, sebbene sia bello come
un dio... questo dovrebbe dirvi qualcosa in merito alla sua capacità di conquista. No, non credo che l'esempio di Lippeo
possa insegnarci alcunché».

Li guardò truce, quasi sfidandoli a contraddirlo; infine, soddisfatto del loro silenzio, fece un cenno d'assenso.

«Dato che il giovane Filippo è così ansioso di combattere,
lo asseconderemo. Concederemo ai nostri uomini dieci giorni
per riposare, dopodiché punteremo verso sud. Vi giuro che di
qui a quindici giorni la strada per Pella rigurgiterà di Macedoni morti.»

Deucalione aveva mantenuto la promessa e si era recato
all'appuntamento nei pressi di Pisoderi con un esercito di quasi
millecento uomini, fra cui cento cavalieri. Lo avevano accompagnato quasi tutti i nobili eordei, e, sebbene molti di loro aves-

sero combattuto contro Filippo, ora salutarono l'antico avversario con l'entusiasmo di vecchi commilitoni.

Tre giorni dopo, Deucalione e altri comandanti accompagnarono Filippo in un giro d'ispezione lungo il perimetro nordoccidentale, ad appena un'ora di marcia dal punto in cui l'esercito illirico aspettava in agguato, simile a un gatto davanti alla tana di un topo. In qualche occasione avvistarono alcune pattuglie nemiche, che tuttavia indugiarono solo pochi istanti, probabilmente per contarli, prima di allontanarsi. Con tutta evidenza avevano l'ordine di non provocare scaramucce.

«Stanno aspettando» disse Filippo. «Non vogliono provocarci prendendo l'iniziativa. Mi sta bene, a condizione che ci venga lasciata la scelta del campo di battaglia. Che credano pure di essere loro a decidere quando, purché siamo noi a stabilire dove.»

I suoi ufficiali si guardarono ma non dissero nulla. Filippo stava semplicemente riflettendo a voce alta. Erano abituati ai suoi strani modi e sapevano che al momento opportuno avrebbero ricevuto spiegazioni più esaurienti.

Due ore più tardi, mentre attraversavano un grande prato che pareva sgorgare da un incavo fra due colline come acqua da una brocca, Filippo affondò improvvisamente i talloni nei fianchi del cavallo e partì al galoppo, lasciando attoniti i suoi accompagnatori. Percorse quasi trecento passi prima di fare dietrofront e fermarsi di colpo — sebbene lo scalpitìo dei cavalli soffocasse ogni altro suono, Deucalione si accorse che stava ridendo —, poi ripartì, questa volta per descrivere un angolo. Sembrava che volesse sfidarli a prenderlo.

Il gioco, se di gioco si trattava, durò forse una mezz'ora, durante la quale i cavalieri zigzagarono su e giù per l'ampia distesa, cambiando direzione a casaccio.

Poi, con la stessa subitaneità con cui era cominciato, finì. Filippo scese di sella e, quando gli altri lo raggiunsero, se ne stava seduto per terra e masticava un filo d'erba con aria soddisfatta.

«La battaglia si svolgerà qui» annunciò con un gesto che abbracciava tutto il prato, fino alla spaccatura visibile fra le colline rocciose. «Gli Illiri sono numerosi, e, a meno che non abbiano intenzione di fare il giro della Lincestide a piedi, non sono più di due o tre i valichi attraverso cui potranno marciare verso sud senza rischi. Dobbiamo fare in modo che scelgano quello. Ecco perché li attenderemo qui.»

Deucalione fece per dire qualcosa, ma un'occhiata di Lachio glielo impedì. Forse più di tutti loro Lachio era vicino al re, ne conosceva i pensieri e gli umori, sapeva quando era il momento di parlare e quando di lasciare che il suo pensiero vagasse senza costrizioni.

«Fortificheremo le altre postazioni» riprese Filippo, mentre si sciacquava la gola con l'acqua della fiasca che qualcuno gli aveva porto. «E anche questa, ma il varco è così ampio e le colline così basse che Pleurato capirà che difenderla è impossibile. Ovviamente si aspetterà un'imboscata... impegneremo in qualche veloce scaramuccia le sue avanguardie, tanto per tranquillizzarlo. Pleurato è un uomo fondamentalmente stupido e con tutta probabilità anche un codardo. Non vorrei che all'ultimo momento fosse colto da un attacco di inutile prudenza.»

«Quali vantaggi ci garantirebbe questa scelta?» domandò Korous. Era la domanda che si ponevano tutti, e rimasero stupiti quando Filippo scosse la testa.

«Nessuno... non allestiremo nessuna trappola, se è a questo che state pensando. Daremo agli Illiri quello che vogliono ma che probabilmente non si aspettano: l'opportunità di combattere su un piano di parità. Il terreno qui è piatto e basta guardare com'è folta l'erba per capire che non è eccessivamente sassoso. Sono sicuro che soddisferà entrambe le parti. È possibile che Pleurato avrebbe fatto la stessa scelta. No, il punto non è quello che ci guadagneremo, ma quello che non perderemo.»

Deucalione si era sempre vantato nel suo intimo di conoscere Filippo, di comprenderlo come solo un caro amico, quasi un fratello, può fare. Per anni aveva vissuto al suo fianco, lo aveva ascoltato stuzzicare scherzosamente la moglie a colazione, ed era stato testimone della sua angoscia quando lei era morta. Chi avrebbe potuto conoscerlo meglio?

Ma ora sul viso del re c'era un'espressione che Deucalione non aveva mai visto prima, l'espressione di un uomo ossessionato da una visione, e capì di non essere in presenza di Filippo l'uomo, e neppure di Filippo il sovrano, bensì di un terzo che gli era sconosciuto. Capì che in quel momento Filippo non era lì con loro, ma nel pieno della battaglia che presto si sarebbe combattuta su quella distesa d'erba, e che nella sua mente era come se tutto stesse già accadendo. Il parto della sua immaginazione era divenuto realtà.

C'erano uomini, si diceva, dotati di una disposizione speciale per la guerra, quasi che Ares gli avesse fatto dono di un po' della sua divina intelligenza. Se a questo si combinava una naturale crudeltà tale da renderli ciechi davanti a tutto quello che non fosse la gloria della guerra, quegli uomini accumulavano trionfi su trionfi e potevano dirsi fortunati. Ma Filippo non era crudele. Nulla gli restava celato e di conseguenza nulla gli veniva risparmiato. Se vedeva la vittoria, vedeva anche la morte e la sofferenza. Se vedeva lo splendore della guerra, ne vedeva anche l'indicibile orrore. No, Deucalione non poteva invidiarlo.

Il re dei Macedoni sorrise, come a voler infrangere l'incantesimo con un atto di volontà. Il suo fu un sorriso da raggelare il sangue.

«Qui, entrambi gli eserciti avranno la massima libertà di manovra» seguitò. «Le nostre formazioni di cavalleria si manterranno compatte come non potrebbero fare su un terreno più accidentato, e la fanteria sarà in grado di sfruttare al massimo la sua superiore disciplina. Abbiamo bisogno di tutti i vantaggi possibili perché sconfiggere Pleurato non sarà sufficiente. Potrebbe ordinare la ritirata e attaccarci nuovamente l'indomani, ma non possiamo permetterglielo... non siamo abbastanza forti. Se ci limiteremo a batterlo, ci riproverà e allora riuscirà nel suo intento, perché saremo troppo deboli per tenergli testa. Dobbiamo annientarlo, o saremo perduti. Un'altra occasione come questa non ci capiterà più.»

Pleurato si stava spazientendo. Il tempo si era mantenuto bello da quando era arrivato nella Lincestide, e i suoi uomini erano riposati e pronti ad agire. Le spie che aveva mandato in territorio macedone non avevano fatto ritorno — alcune erano state trovate con la gola tagliata all'interno delle file illire —, di conseguenza, ignorava tutto delle forze a disposizione di Filippo. E, ogni giorno che passava, si sentiva sempre più preda di irragionevoli timori. Sapeva che avrebbe dovuto ingaggiare battaglia al più presto, se non voleva che l'apprensione lo spingesse a commettere qualche errore. Così, sei giorni dopo il suo arrivo nella Lincestide, annunciò che l'indomani mattina all'alba si sarebbero messi in marcia verso sud.

La sua scelta era caduta su un ampio valico che si apriva tra le colline, il punto più debole della difesa nemica. Le pattuglie mandate in avanscoperta avevano riferito che la postazione era solo relativamente fortificata, e meno di un'ora di combattimenti fu sufficiente a scongiurare il pericolo di un'imboscata. Davanti a un attacco così massiccio, i difensori si disfecero come neve al sole.

Ma nell'istante in cui fu sul grande prato che si stendeva dall'altra parte, Pleurato comprese perché i Macedoni si fossero ritirati con tanta indecente fretta: Filippo lo aveva praticamente invitato a raggiungerlo lì.

Non era una trappola. Superato il primo momento di panico, gli bastò guardarsi intorno per capire che non poteva esserlo. Circa un migliaio di passi più avanti erano visibili dei cavalieri macedoni, ma gli esploratori riferirono che la presenza nemica non era ancora abbastanza imponente da costituire un pericolo, e il terreno non favoriva né l'una né l'altra parte. Filippo si era limitato a scegliere il luogo della battaglia, e Pleurato dovette ammettere che era stata una scelta impeccabile.

Le truppe illiriche impiegarono più di tre ore ad attraversare il valico e raggiungere il campo di battaglia, e Pleurato le trascorse ad ascoltare i rapporti degli esploratori. Filippo stava schierando l'esercito; i fanti macedoni erano circa diecimila e la cavalleria era composta di forse seicento uomini. Era evidente che il ragazzo faceva sul serio.

Per la prima volta Pleurato avvertì su di sé l'ombra del dubbio. A intimorirlo non era tanto la consistenza dell'esercito nemico — dopotutto, si trattava in gran parte di uomini che non avevano mai combattuto prima, di inetti. A turbarlo era soprattutto l'intuizione che Filippo era autenticamente deciso a combattere. Aveva accettato la sfida, aveva raccolto un esercito enorme, aveva addirittura scelto il campo di battaglia. L'iniziativa era sua.

"Non ha paura" rifletté Pleurato. "Anzi, è felice dell'occasione."

Gli sembrava quasi di sentire la risata beffarda, sprezzante, del vecchio Bardili.

XLV

«Gli Illiri stanno schierando la fanteria in un quadrato difensivo.»

Lachio, che comandava l'ala sinistra della cavalleria, scese di sella e si accovacciò vicino al re che, seduto su un secchio capovolto, stava aggiustando un sandalo. Aveva la fronte aggrottata per la concentrazione mentre rifilava l'estremità di un laccio di cuoio, e all'inizio sembrò che non avesse sentito.

«Straordinario» commentò poi, come parlando a se stesso. «Gli Illiri amano andare all'attacco, quindi è evidente che Pleurato deve aver paura. Un solo quadrato?»

«Uno solo.»

«E la cavalleria?»

«Il grosso si è disposto sulla destra.»

«Quanti saranno?»

«Direi circa cinquecento in entrambe le ali.»

Filippo ripose il coltello in una cassetta di legno e calzò il sandalo. Poi, per la prima volta, dedicò a Lachio tutta la sua attenzione.

«Potranno sferrare una sola carica, ma sarà pesantissima. Tutto quello che dobbiamo fare sarà dargli un obiettivo e loro attaccheranno, non potranno farne a meno. Cercheremo di assorbirla nel miglior modo possibile, quindi tu e Korous interverrete prima che abbiano il tempo di radunarsi.»

Lachio annuì. Aveva già ricevuto le sue istruzioni, ma non lo infastidiva sentirsele ripetere; era una consuetudine di Filippo e ci si abituava in fretta. Anzi, era addirittura rassicurante.

«Poi cercheremo l'apertura» recitò a sua volta.

Filippo assentì.

«Infatti. La fanteria li spezzerà nell'angolo destro — lo proteggono con tanta cura che non può non essere il loro punto debole — e la cavalleria farà il resto.»

«Dunque non hai cambiato idea?»

«No. La chiave di tutto sarà l'assalto della fanteria, e quello è il mio posto.»

«Un re dovrebbe avere maggior cura di se stesso, soprattutto se non ha un successore. La tua morte sarebbe per noi più grave di una sconfitta.»

Il re macedone rise.

«Ne abbiamo già parlato. Ammettilo, Lachio... La verità è che secondo te non è dignitoso combattere senza un cavallo tra le gambe.»

L'altro fece un sorrisetto, poi alzò le spalle. «Non hai del tutto torto. Mi offende saperti a spalla a spalla con quei campagnoli. Non è così che dovrebbe combattere un gentiluomo.»

«È così che combattono i Tebani.»

«Chi ha detto che i Tebani sono gentiluomini?»

Questa volta risero entrambi.

Per qualche momento rimasero in silenzio. Un soldato alla vigilia di una battaglia impara a vincere la paura come meglio può, consapevole che il coraggio tornerà al momento opportuno, e tuttavia ci sono momenti in cui è bene non essere soli.

«Quante volte abbiamo già vissuto tutto questo, Filippo?»

«Schierati dalla stessa parte, vuoi dire?»

Un altro scoppio di risa, e la tensione si alleggerì.

«Sì, capisco che cosa intendi. Sembra sempre che manchi una battaglia, una sola, per essere al sicuro. Ma dopo averla combattuta, ecco che un'altra si rende inevitabile. A volte credo che sarà così fino a quando gli dèi non si stancheranno della follia degli uomini e distruggeranno tutta la nostra razza.»

Schermandosi gli occhi con la mano, Lachio sollevò il viso verso il sole. «Mezzogiorno è già passato da un'ora.»

«Ci sarà tempo in abbondanza... non temere. Ieri sera la luna era piena; potremo continuare a combattere fino al calare del buio e oltre. Mi chiedo se Pleurato ha finalmente compreso quello che accadrà se le sorti della battaglia dovessero volgere a nostro favore.»

Lachio scosse la testa; non capiva.

«Non ne ho parlato prima perché temevo che ci portasse sfortuna» spiegò allora Filippo. «Ma non ho scelto questo posto solo perché il terreno è pianeggiante e adatto alla cavalleria. Hai notato quanto tempo hanno impiegato gli Illiri ad attraversare il passo?»

«Dunque *hai* preparato una trappola.» Lachio ebbe un sorriso feroce. «Noi possiamo ritirarci in buon ordine, ma, se tenteranno di fuggire, gli Illiri ostruiranno la loro unica via di scampo come mele che qualcuno voglia far passare dal collo di una giara. La carneficina sarà terribile.»

«Sì, terribile. Non ho dimenticato che questi sono gli uomini che hanno massacrato mio fratello e quattromila dei suoi soldati. Voglio fare in modo che nessuno di loro uccida più un altro macedone.»

Come Filippo aveva previsto, la battaglia iniziò con un'imponente carica della cavalleria illirica. Per Lachio quello fu il momento più difficile: guardarli irrompere al galoppo sul prato, molti puntando dritti verso l'angolo esterno del terzo quadrato di fanteria, dove il re li aspettava in prima linea, e non poter agire. Sembrava impossibile che degli uomini a piedi potessero resistere a un simile attacco, e tanto meno respingerlo.

Ma i quadrati ressero. Forse un centinaio di cavalieri illirici non vissero abbastanza da riuscire a sferrare il primo colpo — il terreno aperto fra i due eserciti era ingombro di uomini e di cavalli caduti —, ma quelli che raggiunsero la formazione macedone per spargervi panico e morte furono più numerosi. In prima linea gli scontri erano violentissimi: alcuni cavalieri illirici, incuranti delle lunghe picche, lanciarono le proprie cavalcature contro gli scudi, abbattendosi sulle fitte colonne di uomini che non avevano così alcuna speranza di fuga e di salvezza. Era uno spettacolo raggelante.

Ma i quadrati ressero. Alcuni soldati sostengono che la presenza del re tramuta una fila di uomini in un muro di ferro, e quel giorno sembrò che fosse proprio così. Gli Illiri, che non erano codardi, menavano fendenti alle mani che si protendevano avide verso di loro; così uccidevano e morivano, ma in ultimo i sopravvissuti scoprirono che dovevano combattere ancora per aprirsi la strada e arrivare dall'altra parte: dietro di loro, i ranghi di Filippo erano tornati a serrarsi.

Poi improvvisamente, più forte del fragore della battaglia, si levò dalle schiere macedoni un clangore di spade battute contro le corazze, un suono ritmico, pulsante, che fece vibrare l'aria. Era il segnale che Lachio stava aspettando.

«Il re vive e trionfa!» gridò, brandendo alta la spada. «Avanti, per Filippo e per la Macedonia!»

Nello scoprire di essere sotto attacco, i cavalieri illirici accennarono confusamente a riunirsi, ma in questo modo non fecero che diventare un bersaglio ancora più facile. Attaccati da due parti simultaneamente, caddero a uno a uno. Il massacro era inenarrabile. Lo stesso Lachio ne uccise quattro, e uno gli stava così vicino che il suo sangue gli lordò il viso.

Poi la cavalleria macedone fece dietrofront, e, ripetendo le manovre interminabilmente provate durante le esercitazioni, ricompose la formazione e partì per un secondo attacco. Ma a quel punto i cavalieri illirici erano completamente allo sbando, e così sparpagliati da non essere più capaci di organizzare una difesa.

«Lasciateli agli arcieri» gridò ancora Lachio.

Una rapida occhiata gli permise di stimare le perdite intorno ai quaranta uomini. Avevano distrutto la cavalleria illirica e guadagnato il possesso della terra di nessuno che separa tradizionalmente due eserciti avversari. Un successo facile, e certo l'ultimo che avrebbe richiesto un così modesto spargimento di sangue macedone. Ora la battaglia apparteneva ancora una volta a Filippo e ai suoi fanti — e che gli dèi avessero pietà di loro.

Con un cenno ordinò ai suoi cavalieri di seguirlo fuori del campo. Ancor prima che si fossero allontanati tutti, i due quadrati che componevano l'ala sinistra della fanteria macedone avevano incominciato a descrivere una lenta curva verso l'interno: era la prima mossa rivolta direttamente contro il grosso dell'esercito nemico.

«È bello, a suo modo.» Korous lo aveva raggiunto e i due uomini si preparavano ad assistere allo scontro da una piccola altura. «Filippo è forse l'unico comandante della storia ad aver trasformato la guerra in un'opera d'arte.»

Lachio avvertì un improvviso empito d'ira e fece per ribattere, ma lo colpì la profonda esattezza dell'osservazione. Sì, *era* bello, di una bellezza che andava oltre lo spettacolo costituito da quattromila soldati appesantiti dalle armature e dalle grandi picche rigide, intenti a ruotare con la precisione e l'economia di movimento di una porta che gira sui cardini.

«Vedi?... sta per iniziare l'avanzata.»

Sta... sì, quegli uomini si muovevano come spinti da un'unica volontà. Erano la creatura di Filippo.

Lachio strizzò gli occhi nel tentativo di individuare il suo signore, ma inutilmente. Dietro gli scudi, il volto coperto a metà dall'elmo, erano tutti uguali. Il re era scomparso, assorbito dal suo esercito, oppure era il contrario?

Avanzando ora a un piccolo trotto che tuttavia non impediva alle file di restare perfettamente allineate, i due quadrati iniziarono a chiudersi su un angolo della fanteria illirica. Era come assistere alla lenta, irreversibile collisione fra mondi. Trecento passi, duecentocinquanta, duecento...

Ma molto prima che le due enormi masse d'uomini si scontrassero, nugoli di frecce si incrociarono in aria e i Macedoni che avanzavano si lasciarono alle spalle una scia di cadaveri. A cento passi gli Illiri scagliarono i primi giavellotti, quasi tutti troppo corti. A settanta, i Macedoni si fermarono un istante e risposero, per poi riprendere l'avanzata ancora prima che i loro giavellotti trovassero il bersaglio.

A trenta passi, le lance di entrambe le schiere si abbassarono. Quel modo di fare la guerra raggelava l'anima, pensò Lachio. Che atrocità camminare dritti in quelle file di punte, offrendosi l'un l'altro il ventre da squarciare!

Non che i Macedoni camminassero. Gli ultimi venti passi, al contrario, furono coperti di corsa, così che dall'impatto si levò un fragore udibile a settecento passi. La terra stessa parve tremare.

E poi fu di nuovo guerra. L'elegante danza si era conclusa, sostituita dal familiare caos di uomini che lottavano e si dimenavano e venivano calpestati dai nemici come dagli amici. L'aspro clangore del metallo contro il metallo si mescolava alle grida roche e impaurite, alle urla dei morenti, mentre i due eserciti caricavano come tori impazziti.

Pareva che non dovesse finire mai. Il tempo si era come fermato, lasciando il posto a un ossessivo ciclo di morte, una macina che frantumava, distruggeva, annientava ciecamente.

«Che modo di morire» alitò Lachio. «Che maniera brutale di porre fine alla propria vita...»

«Ce l'ha fatta!»

Proteso sul collo del suo cavallo, Korous agitava freneticamente la spada.

«Guarda! Per sostenere l'attacco, gli Illiri hanno allungato lo schieramento, e ora sta cominciando a cedere. Filippo ce l'ha fatta!»

Lachio si sforzò di vedere, di individuare un qualche schema logico nel caos che gli stava di fronte, e finalmente comprese. I Macedoni si stavano aprendo un varco nell'angolo in cui la fanteria nemica aveva ceduto, e nel tentativo di respingerli lo schieramento illirico si era indebolito un po' ovunque.

Poi, come in risposta a un segnale invisibile, l'ala destra della fanteria macedone incominciò a muoversi verso il centro della formazione nemica. Un quarto d'ora dopo la prima avanzata di Filippo, gli Illiri si scoprirono attaccati da due parti contemporaneamente.

Per qualche tempo parve che resistessero poi, di colpo, le loro file cominciarono a sbandare e quindi a rompersi, e fu con rapidità quasi sorprendente che il tenore dello scontro mutò. Quella che era stata una battaglia divenne una carneficina. Il grande quadrato, composto forse da diecimila uomini, stava letteralmente andando in pezzi.

«Ecco che tocca di nuovo a me» annunciò Korous, con esultanza quasi feroce. «Filippo e i suoi campagnoli non devono prendersi tutta la gloria.»

Spronò il cavallo, colpendolo con il lato piatto della spada, e saettò a raggiungere i suoi uomini. Lo scalpitìo degli zoccoli non si era ancora spento, che già l'ala di Lachio si andava schierando per l'assalto.

«Conoscete la manovra» gridò.

«Sì, la conosciamo» urlò qualcuno di rimando. «L'abbiamo ripetuta abbastanza spesso.»

Lachio si unì per un istante alla risata generale, poi alzò il braccio per imporre il silenzio.

«Ciò nonostante, rivediamola insieme un'ultima volta. Caricate diritti verso un angolo, poi tornate a radunarvi e colpite di nuovo. Quando saranno completamente sparpagliati, dividetevi in squadre e inseguiteli. Dovete sterminarli fino all'ultimo uomo. Tutto chiaro?»

Gli rispose un urlo, poi qualcuno alzò il grido di battaglia, «Per Filippo e per la Macedonia!», e pochi istanti dopo si slanciavano verso la radura.

Lachio non distava più di quaranta passi dall'uomo armato di lancia che aveva scelto come primo bersaglio. Aveva già sollevato la spada quando, nell'ultimo momento della sua vita, dovette cogliere qualcosa con la coda dell'occhio e d'istinto girò la testa. La freccia gli trapassò l'occhio sinistro. Senza neppure accorgersi dell'aguzzo proiettile che lo uccideva, scivolò giù di sella. Era morto ancor prima di toccare terra.

Pleurato guidò di persona la prima carica di cavalleria. Riconobbe Filippo, che marciava in prima fila con i fanti macedoni, e cercò di ucciderlo. Che razza di re era quello, si chiese, che guidava il suo esercito combattendo al fianco dei soldati semplici?

La carica si risolse in un disastro. Non riuscì a infrangere le difese nemiche e gli Illiri furono duramente bistrattati dai Macedoni, il cui impeto aveva colto di sorpresa Pleurato. Forse, si disse, dipendeva dai cavalli più grossi.

Ma solo quando vide la fanteria di Filippo schiacciare il suo quadrato come una volpe avrebbe schiacciato tra i denti un uovo di gallina, ogni speranza di vittoria lo abbandonò. Allora, mentre il panico dilagava tra i suoi uomini e il campo di battaglia si trasformava rapidamente nel teatro di un massacro, seppe che tutto era perduto.

In qualche modo riuscì a radunare una trentina di cavalieri per un ultimo attacco, ma la cavalleria nemica, aggredendoli da due direzioni, vanificò anche quell'ultimo tentativo. La cavalleria macedone stava scompaginando il suo esercito, riducendolo a una folla armata e isterica, il cui unico pensiero era la fuga. D'un tratto Pleurato e pochi altri superstiti si trovarono seriamente minacciati dalle truppe illiriche in ritirata.

«Dobbiamo andarcene da qui» sibilò uno di loro. «Dobbiamo fuggire prima che questa masnada di codardi ostruisca il passaggio!»

«Meglio morire qui... meglio cadere in battaglia sotto gli occhi del nemico, perché non creda che siamo delle donne...»

Ma nessuno lo stava ascoltando e, guardandosi intorno, Pleurato scoprì di essere solo. Fu il momento più terribile della sua vita.

"Non c'è più speranza per me" pensò allora. "Non dopo questo. È davvero meglio che io muoia qui."

Estrasse la spada e cercò di mettere il cavallo al trotto — avrebbe mostrato al giovane Filippo di che pasta era fatto; quando avessero trovato il suo corpo, avrebbero visto che tutte le ferite erano sul davanti —, ma i soldati in fuga che lo assediavano gli impedivano di muoversi.

Con autentico orrore, Pleurato si rese conto che molte mani stavano cercando di afferrarlo, che i suoi stessi uomini tentavano di tirarlo giù per rubargli il cavallo. Era una soltanto la morte che lo aspettava: dilaniato dalla feccia in preda al panico.

Di colpo non desiderò altro che fuggire. Con un fendente staccò il pollice a qualcuno che lo stava assalendo; ebbe appena il tempo di notare con sbalordimento che l'uomo pareva non essersene neppure accorto, poi tirò le redini e fece dietro-front.

Gli Illiri erano in fuga e la sola via di scampo era rappresentata dal valico, punteggiato di rocce e macigni ovunque, tranne che al centro, dove lo spazio era appena sufficiente per cinque uomini che camminassero fianco a fianco. Ora l'angusto passaggio era quasi completamente ostruito e i fanti si arrampicavano sui versanti scoscesi delle colline per sfuggire ai cavalieri macedoni che lo percorrevano incessantemente, uccidendo tutti quelli gli capitavano a tiro. I cadaveri formavano mucchi alti quasi quanto le rocce stesse.

E fu sopra di essi, e sopra i corpi degli uomini ancora vivi ma già calpestati quasi a morte da quelli più fortunati o più spietati, che Pleurato spronò il suo cavallo, ormai a sua volta terrorizzato. Agitava la spada con frenesia, imprecando come un demonio, quasi impazzito per la paura e la collera. Gli dèi solo videro quanti dei suoi uomini uccise o mutilò.

Gli parve di impiegare un'eternità, ma non appena vide l'orizzonte allargarsi davanti a lui lo assalì una strana esultanza. Era libero. Nessuno gli sbarrava la strada, e senza dubbio anche i suoi inseguitori erano stati bloccati dagli Illiri in fuga. Non tentò neppure di frenare il cavallo quando questi si lanciò in un galoppo sfrenato.

Ma la fortuna di un uomo, quando lo ha abbandonato, non ritorna. Aveva lasciato il valico da non più di mezz'ora quando l'animale inciampò, lo scaraventò a terra e, forse intuendo l'occasione di libertà che gli veniva offerta, quasi non esitò prima di allontanarsi a passo zoppicante, irregolare. Non si vedeva già più quando Pleurato riuscì a rotolare su se stesso e mettersi a sedere.

Era la fine.

Era ancora lì, e piangeva senza più vergogna, steso bocconi, quando al tramonto lo trovò una pattuglia di cavalieri macedoni.

XLVI

Nulla viaggia più veloce delle cattive notizie. Dieci giorni dopo la sconfitta subita da Pleurato, alcuni superstiti della cavalleria illirica erano inginocchiati davanti a re Bardili. I resoconti che giunsero in seguito non fecero che confermare la portata del disastro. Era stato distrutto un esercito di più di diecimila uomini; almeno settemila erano morti e gli altri dispersi. Se Filippo avesse deciso di marciare a nord, nessuno avrebbe potuto impedirglielo. L'impero illirico era alla sua mercé.

Un emissario fu inviato per informarsi se i Macedoni erano disposti a venire a un accordo — la condizione imposta sarebbe stata con tutta probabilità una resa totale, ma non c'erano alternative —, e per conoscere al più presto il destino riservato a Bardili. Il messo tornò un mese più tardi.

«Il re mi ha ricevuto di persona» esordì con una punta di fierezza. Evidentemente non aveva previsto un trattamento tanto cortese.

«Quale re? Menelao?»

«No, re Filippo in persona.»

«Dunque è ancora in Lincestide?»

«Sì. Menelao era presente, ma non è mai intervenuto. È chiaramente Filippo a comandare.»

«Ha trattenuto molti prigionieri?»

«No. Mi è stato riferito che, tra coloro che si erano arresi e quelli che erano stati fatti prigionieri, dieci sono stati sacrificati sulle tombe di un caro amico del re, ucciso in battaglia. Gli altri sono stati liberati.»

Bardili era grave in volto, ma non fece commenti. Di norma, certe esibizioni di clemenza venivano interpretate come segni di debolezza, ma nel caso in questione non era affatto certo che fosse così.

«Il mattino seguente mi hanno mostrato il campo di battaglia» riprese il messaggero, come se avesse appena ricordato qualcosa. «Adesso è un immenso luogo di sepoltura, perché tutti gli Illiri morti in combattimento sono stati degnamente sepolti.»

«E mio nipote è fra loro?»

«Pleurato è vivo e prigioniero.»

«Lo hai visto?»

«Sì, ah...»

«Avanti.»

«Lo tengono incatenato in una gabbia vicino ai canili del re» rivelò l'ambasciatore con palese riluttanza.

«*Incatenato?*»

«Sì... è legato e ha un collare di ferro...» con un gesto goffo indicò il collo, troppo imbarazzato per esprimersi con più chiarezza. «Lo nutrono con gli avanzi della cucina.»

«Qual è il riscatto chiesto da Filippo?»

«Non lo ha precisato.» L'uomo inarcò un sopracciglio, come a prendere le distanze da quello che stava per dire. «È stato cortesissimo, ma ha affermato che non è disposto a trattare le condizioni con nessuno se non con il re mio signore.»

«Vuole che *io* lo raggiunga in Lincestide?»

«Sì. Dice che sarebbe lieto di ospitare re Bardili a Pisoderi.»

I nobili illirici respinsero all'unanimità la proposta. Era una trappola. Se il re si fosse avventurato in territorio macedone, sarebbe stato certamente ucciso, come preludio a una guerra mirante alla conquista dell'intero impero. Bardili si spazientì subito.

«Se Filippo vuole il mio regno, non c'è nulla che gli impedisca di salire a nord per prenderselo» proruppe. «Il possesso della mia persona non gli recherebbe alcun vantaggio, e d'altronde non ne ha bisogno. Inoltre, mi ha invitato in qualità di ospite. Re Filippo è scaltro, ma leale.»

E Bardili aveva ragioni tutte sue per essere fiducioso, ragioni che non ritenne opportuno confidare ai dignitari.

«È un viaggio lungo per un uomo della mia età» aggiunse. «Ma lo affronterò per il bene del mio popolo.»

Mandò un corriere a informare Filippo che il suo invito era stato accettato, quindi partì a sua volta, scortato da cento cavalieri. Era vecchio e fece con comodo. Sperava solo che Pleurato fosse ancora in vita al suo arrivo, perché non vedeva l'ora di assistere all'umiliazione del nipote.

Ventitré giorni dopo, trovò il re di tutti i Macedoni ad attenderlo fuori delle porte di Pisoderi.

«Sarai stanco» disse Filippo. «Certo vorrai riposare.»

«Preferirei parlare, prima. Vorrei ascoltare le tue condizioni di pace.»

Il giovane si strinse nelle spalle, come incerto sull'importanza da attribuire alla questione. «La restituzione dei tributi in denaro che hai ricevuto durante il regno dei miei due fratelli.»

«Sarà fatto. E ora dimmi di mio nipote.»

Filippo non rispose subito; in silenzio, lui e il re degli Illiri varcarono le porte della città. In cortile, scese in fretta da cavallo e aiutò Bardili a smontare.

«Desideri vederlo?» chiese, e, senza lasciargli il tempo di rispondere, fece un cenno. Sulla porta di una delle scuderie comparvero due stallieri; in mezzo a loro c'era Pleurato.

Un mormorìo di sbalordimento salì alle labbra della scorta illirica quando l'erede del re avanzò, incespicando nella luce del giorno. Aveva la barba e i capelli ridotti a un lurido groviglio ed era pallido, molle e profondamente abbattuto, il che non poteva meravigliare in un uomo che da due mesi se ne stava accosciato in una gabbia. Si guardava intorno con aria incerta, senza mostrare di riconoscere nessuno, e neppure Bardili riuscì a soffocare un moto di compassione.

«Perché hai fatto questo?» scattò. «È un principe di sangue reale. È...»

La sua collera non scosse l'imperturbabilità di Filippo. «E mi chiedi il perché? Quante donne oggi sono vedove a causa della sua follia? Quanti bambini hanno perduto il loro padre? Quest'inverno la carestia infurierà tra il tuo popolo perché gli uomini che dovrebbero mietere il grano dormono nelle loro tombe. Non parlo dei Macedoni, perché so che non ti curi di loro, e tuttavia ho perso molti soldati e un amico carissimo in questa guerra che mi è stata imposta, e li piango tutti. Tu mi chiedi per quale motivo gli infliggo tutto questo. Chiedimi piuttosto perché dovrei sopportare che vivesse in un altro modo.»

Fu solo a notte inoltrata, mentre sedeva su un letto estraneo nella roccaforte del suo nemico, che Bardili realizzò finalmente le intenzioni di Filippo.

Se Pleurato fosse morto in battaglia, sarebbe stato diverso, ma ucciderlo in prigionia avrebbe costituito per gli Illiri un affronto intollerabile. A qualunque cosa mirasse Filippo, non era certo questo; di conseguenza Pleurato non sarebbe stato ucciso e il re macedone avrebbe acconsentito a rilasciarlo a un determinato prezzo.

Ma aveva voluto distruggere il suo nemico, e c'era riuscito. I membri della scorta di Bardili non avrebbero dimenticato di averlo visto incatenato come un animale, e al loro ritorno a casa tutti avrebbero conosciuto la piena portata dell'umiliazione inflitta all'erede. Gli Illiri erano un popolo orgoglioso e non avrebbero mai fatto propria la sua vergogna. Non lo avrebbero mai accettato come re. Filippo non avrebbe potuto fare di più se lo avesse effettivamente ucciso.

"Un ragazzo intelligente" pensò il vecchio re, con un pizzico di voglia di ridere. "Sì, un ragazzo davvero intelligente."

A suo modo, la sua vendetta era quasi bella.

Tuttavia, Bardili non dimenticava che c'era in gioco il suo onore, e che a nessun costo il nipote doveva rimanere prigioniero. Pleurato poteva anche essere un buono a nulla, ma era comunque necessario ricondurlo a casa.

Il mattino seguente, i sovrani di Illiria e di Macedonia fecero una passeggiata intorno alle fortificazioni di Pisoderi.

«È proprio come ai vecchi tempi, anche se allora la situazione era capovolta e tu eri il mio ostaggio» osservò Bardili, appoggiato alla spalla di Filippo. «Ora però devo alzare un po' di più il braccio... sei cresciuto.»

«Sono passati undici anni, bisnonno.»

«E ora, invece di proteggerti da Pleurato, devo proteggere lui da te.»

«Non è da me che dev'essere protetto.»

Bardili annuì, riconoscendo la fondatezza di quell'osservazione.

«No, non più, perché ormai il danno è fatto. Lo hai spezzato, e non tornerà più quello di un tempo.»

«Ho fatto quanto era necessario per proteggere la mia gente» replicò Filippo, forse più rudemente di quanto avesse voluto.

«Non credere che voglia biasimarti.» Il vecchio re accennò un gesto di protesta. «Al tuo posto avrei fatto lo stesso. Ma devi capirmi, ora Pleurato è un passivo per me. Lo affrancherò dalla prigionìa unicamente per una questione di onore e, come tu sai, nessun vero dardano attribuisce un prezzo eccessivo al suo onore. Ti consiglio quindi di essere moderato nelle tue richieste.»

Si fermò e sollevò gli occhi sul pronipote; sorrideva, ma entrambi sapevano che lo scherzo era in realtà terribilmente serio.

«In questo caso ti dirò subito che cosa sono disposto ad accettare per il suo riscatto.»

E quando Filippo ebbe parlato, il re degli Illiri rovesciò all'indietro la testa e rise.

Cinque giorni più tardi, quando Bardili si sentì sufficientemente riposato, la delegazione illirica prese la via del ritorno. Fra loro c'era Pleurato: quel mattino era stata staccata la catena che lo teneva prigioniero e gli era stato dato un cavallo. Cavalcava a fianco del nonno e per due giorni non pronunciò parola.

Il terzo giorno, quando furono di nuovo nelle loro terre, ruppe il silenzio.

«Quale prezzo hai pagato?» domandò con voce tesa e vagamente rauca. Si raschiò la gola e sputò per terra.

«Quello che mi è stato chiesto» fu la pacata risposta del re.

«E sarebbe?»

«Tua figlia.»

«Audata?»

«Audata, certo. Ne hai un'altra?»

«Ha rifiutato tutti i pretendenti alla sua mano. Non acconsentirà.»

«Ne sarà felice, invece.»

Per qualche tempo cavalcarono in silenzio.

«Ora quel ragazzo si convincerà di poter aspirare al trono» borbottò infine Pleurato.

«Dubito che sia stato questo a spingerlo, ma, se così fosse, ne sarei lieto.» L'anziano sovrano indirizzò al nipote un sorriso carico di malizia. «Ho proprio bisogno di un successore.»

Nessuno di coloro che assistettero al fidanzamento di re Filippo avrebbe potuto pensare che il suo fosse un matrimonio di Stato.

Mancava poco all'inverno quando Audata arrivò nella capitale del suo futuro marito. Fino alla frontiera con la Lincestide aveva viaggiato scortata da numerosi dignitari di corte, incaricati di proteggere non solo lei ma anche i cinquanta talenti d'oro che la accompagnavano — a questo riguardo, non era del tutto chiaro se i talenti costituissero la dote di Audata, la prima rata dei tributi che dovevano essere restituiti, o entrambe le cose. Una volta in Macedonia, tuttavia, entrò sotto la protezione del re e Filippo in persona si unì alla sua scorta.

Poiché non era decoroso che i due giovani si incontrassero faccia a faccia in assenza di parenti della sposa, il re si accontentò di cavalcare al fianco della portantina coperta, e forse durante il viaggio fu loro possibile scambiare qualche parola attraverso la tenda che celava Audata agli occhi del mondo. Evidentemente fu sufficiente; Filippo era troppo compiaciuto della moglie che si era scelto per far caso al divertimento dei suoi amici.

A Pella, Filippo cedette i suoi appartamenti alla signora Audata e si trasferì nella casa di Glauco, dove tornò a occupare il letto in cui aveva dormito da bambino. Ogni mattina, l'anziano economo preparava la colazione per sé e per il suo re, poi Filippo, troppo irrequieto per occuparsi d'altro, di solito andava a caccia. Non era tanto irritabile quanto assente, ma l'effetto era più o meno lo stesso. Fu un sollievo per tutti che il periodo di fidanzamento fosse così breve.

Era Glauco a vedere ogni giorno la futura sposa del re, e di sera Filippo lo interrogava minuziosamente sul suo conto e gli chiedeva com'era vestita e se gli era sembrata felice. Al mattino, l'economo era chiamato a svolgere una funzione quasi analoga presso Audata. Non impiegò quindi molto tempo a capire che i due giovani erano profondamente innamorati, e ne fu lieto e sconcertato al tempo stesso. Com'era possibile che si amassero, se quasi non si conoscevano? Audata, non ancora ventenne, era solo una bambina ai tempi in cui Filippo aveva vissuto presso gli Illiri. In tutti quegli anni lui non aveva mai fatto il suo nome, e tuttavia la strana intimità che li legava sembrava di antica data. Era un enigma.

Ma erano molti gli enigmi che circondavano Filippo.

Glauco si trovava alle spalle dei due giovani durante la cerimonia di fidanzamento e, mentre Filippo pronunciava la formula di rito in cui dichiarava la propria intenzione di prendere in sposa Audata, notò le loro mani che si cercavano e si intrecciavano come se a guidarle fosse una lunga consuetudine.

"Saranno felici" pensò il vecchio. "E forse il mio ragazzo troverà finalmente un po'' di pace."

La notte delle nozze tutti dissero che sarebbe nevicato, ma il cielo era ancora limpido quando a bordo del cocchio nuziale il re e la sua nuova moglie attraversarono le vie cittadine. Glauco, che si era occupato del banchetto, li attendeva per dare il benvenuto al suo signore e informarlo che tutto era stato fatto. Un breve momento di quiete in una giornata lunga e caotica e ancora ben lontana dalla fine.

A occidente, nel cielo notturno risplendeva la costellazione dell'Uomo delle Fatiche, e il vecchio si rammentò di un'altra notte, quando era uscito da quegli stessi recinti con in braccio un neonato destinato ad alleviare la pena di sua moglie. Chi avrebbe immaginato...?

E tuttavia, in un certo senso lo aveva immaginato fin dall'inizio. Gli dèi non fanno promesse oziose.

Udì in lontananza il clamore di molte voci... era il canto nuziale. Filippo, re dei Macedoni, stava arrivando a casa.

BUR
Periodico settimanale: 4 luglio 2001
Direttore responsabile: Evaldo Violo
Registr. Trib. di Milano n. 68 del 1°-3-74
Spedizione in abbonamento postale TR edit.
Aut. N. 51804 del 30-7-46 della Direzione PP.TT. di Milano
Finito di stampare nel giugno 2001 presso
il Nuovo Istituto Italiano d'Arti Grafiche - Bergamo
Printed in Italy

ANNOTAZIONI

ANNOTAZIONI

ISBN 88-17-11481-2